I 病棟当直編

- 発熱 1
- ショック 2
- 酸素飽和度低下 3
- 意識障害 4
- 徐脈頻脈 5
- 胸痛 6
- 腹痛 7
- 頭痛 8
- 嘔気・嘔吐 9
- 血糖異常 10
- 不眠とせん妄 11
- 病棟で経験するアレルギー 12
- その他（転倒，点滴・経鼻胃管・胃瘻自己抜去，点滴漏れ） 13

II 入院編

- 肺炎 14
- 尿路感染症（UTI） 15
- 細菌性髄膜炎 16
- 喘息発作・COPD増悪 17
- 急性心不全 18
- 脳梗塞 19
- けいれん 20
- 急性腎障害（AKI） 21
- 低ナトリウム血症 22
- 高カリウム血症 23
- 消化管出血 24
- 急性膵炎 25
- 肝機能障害 26
- 関節痛・関節炎 27
- 甲状腺 28
- オンコロジック・エマージェンシー 29

III 病棟管理編

- 血算 30
- 輸液 31
- 栄養 32
- 便秘・下痢 33
- 癌性疼痛・オピオイド 34
- 慢性腎臓病（CKD） 35
- 動脈血液ガス検査 36
- ステロイドの使用法 37
- 抗菌薬の使い方 総論 38
- 抗菌薬の使い方 応用編 39

内科レジデントの鉄則

第4版

聖路加国際病院内科チーフレジデント　編

責任編集

森 信好
聖路加国際病院 感染症科 医長

執筆

福井 翔
聖路加国際病院 2017年度内科チーフレジデント
（杏林大学 総合医療学／聖路加国際病院 Immuno-Rheumatology Center）

鈴木隆宏
聖路加国際病院 2019年度内科チーフレジデント
（聖路加国際病院 循環器内科 医員／聖路加国際大学研究センター 臨床助教）

藤野貴久
聖路加国際病院 2019年度内科チーフレジデント
（聖路加国際病院 血液内科フェロー）

医学書院

【編著者紹介】

森　信好（もり・のぶよし）
聖路加国際病院 感染症科 医長
2005年北海道大学医学部卒業. 聖路加国際病院にて初期研修の後, 2007年度の内科チーフレジデントを務める. 2011年から2015年までテキサス大学MDアンダーソンがんセンターにて感染症科クリニカルフェロー, チーフフェロー, アドバンスフェローとして勤務. 2015年に帰国後は「がんと感染症」の啓蒙活動に加えて, 様々な研修病院や企業で感染症教育およびコンサルタント業務に取り組んでいる. 2023年ドクターオブドクターズネットワークの優秀専門臨床医に選出.

福井　翔（ふくい・しょう）
杏林大学 総合医療学/聖路加国際病院 Immuno-Rheumatology Center
2014年名古屋市立大学医学部卒業. 聖路加国際病院での初期・後期研修を経て, 2017年度の内科チーフレジデントを務める. 翌年より同院 Immuno-Rheumatology Center に勤務. 2017, 2018年度ベストティーチャー. 2022年, 聖路加国際大学公衆衛生大学院卒業. 2022年度より現職. 同年より Brigham and Women's Hospital, Harvard Medical School に留学. 膠原病診療と臨床研究を専門としている.

鈴木　隆宏（すずき・たかひろ）
聖路加国際病院 循環器内科 医員/聖路加国際大学研究センター 臨床助教
2016年東京医科歯科大学医学部卒業. 聖路加国際病院にて初期研修の後, 内科シニアレジデントを経て2019年度の内科チーフレジデントを務める. 循環器専門医研修を終え, 2023年に Johns Hopkins Bloomberg School of Public Health を卒業. 同年から現職, 現在は循環器内科, 集中治療, カテーテルインターベンション, 臨床研究を専門に取り組んでいる.

藤野　貴久（ふじの・たかひさ）
聖路加国際病院 血液内科フェロー
2016年福岡大学医学部卒業. 2018年聖路加国際病院にて初期研修修了, ベストレジデント受賞. 2019年自治医科大学さいたま医療センター集中治療部, 諏訪中央病院などの院外研修を経て内科チーフレジデント就任. 2020年国立国際医療研究センター（国際感染症センター/エイズ治療・研究開発センター）にて院外研修. 2021年聖路加国際病院内科専攻医プログラム修了, 同年より現職. 書籍や動画など様々なメディアでホスピタリスト, 血液内科関連の情報を発信している.

内科レジデントの鉄則

発　行	2006年10月15日	第1版第1刷
	2011年10月 1日	第1版第9刷
	2012年 3月 1日	第2版第1刷
	2017年 4月 1日	第2版第8刷
	2018年 4月15日	第3版第1刷
	2023年 3月15日	第3版第6刷
	2023年10月 1日	第4版第1刷 ©
	2025年 3月 1日	第4版第2刷

編　集　聖路加国際病院内科チーフレジデント
　　　　せいろかこくさいびょういんないか

発行者　株式会社　医学書院
　　　　代表取締役　金原　俊
　　　　〒113-8719　東京都文京区本郷1-28-23
　　　　電話　03-3817-5600（社内案内）

印刷・製本　三美印刷

本書の複製権・翻訳権・上映権・譲渡権・貸与権・公衆送信権（送信可能化権を含む）は株式会社医学書院が保有します.

ISBN978-4-260-05119-4

本書を無断で複製する行為（複写, スキャン, デジタルデータ化など）は,「私的使用のための複製」など著作権法上の限られた例外を除き禁じられています. 大学, 病院, 診療所, 企業などにおいて, 業務上使用する目的（診療, 研究活動を含む）で上記の行為を行うことは, その使用範囲が内部的であっても, 私的使用には該当せず, 違法です. また私的使用に該当する場合であっても, 代行業者等の第三者に依頼して上記の行為を行うことは違法となります.

JCOPY〈出版者著作権管理機構　委託出版物〉
本書の無断複製は著作権法上での例外を除き禁じられています. 複製される場合は, そのつど事前に, 出版者著作権管理機構（電話 03-5244-5088, FAX 03-5244-5089, info@jcopy.or.jp）の許諾を得てください.

THIS HOSPITAL IS
A LIVING ORGANISM DESIGNED TO DEMONSTRATE
IN CONVINCING TERMS THE TRANSMUTING
POWER OF CHRISTIAN LOVE
WHEN APPLIED IN RELIEF
OF HUMAN SUFFERING

—— *Rudolf Bolling Teusler M.D.*——
（Founder）

キリスト教の愛の心が　人の悩みを救うために働けば
苦しみは消えて　その人は生まれ変わったようになる
この偉大な愛の力を　だれでもがすぐわかるように
計画されてできた生きた有機体が　この病院である

—— *Rudolf Bolling Teusler M.D.*——
（Founder）

第4版の序

　今や医学生と研修医にとって必読書となった『内科レジデントの鉄則』は，2004-05年度の内科チーフレジデントが立ち上げた「内科コアカンファレンス」から生まれました．2005年に内科研修医として聖路加国際病院に入職した私は執筆者の先生方から直接教えていただいた世代であり，第3版の編集の大任を拝した際，大変光栄であるとともに身の引き締まる思いでした．素晴らしい執筆陣に巡り会えたこともあり，おかげさまで第3版はこれまでになく好評を博していると伺っています．

　『内科レジデントの鉄則』は単なる教科書ではありません．医学生や研修医にとって，稀な疾患を知り鑑別を広げることは大事かもしれません．臨床推論能力を高めることも大事でしょう．ですが，臨床現場で最も大事なことは，蓄えた知識を最大限に活かし，緊急性・重要性を判断したうえで，いかに適切な行動を取ることができるか，ということです．『内科レジデントの鉄則』はまさにそこに主眼を置いて構成されています．現場でよく遭遇する症例をベースに，絶対に知っておくべき知識を簡潔に整理するとともに，どのようにワークアップし，どのように動くべきか，ということが一貫して強調されているのです．

　今回，第4版の執筆にあたったのは2017年度に内科チーフレジデントを務めた福井翔先生，2019年度の鈴木隆宏先生，藤野貴久先生です．彼らは歴代チーフレジデントの中でも，医学知識や臨床能力が傑出しており，素晴らしい教育者でもあります．それぞれが各専門分野に進み忙しい日常を過ごしていましたが，第3版を超える改訂は彼らにしかできないと執筆を依頼し，快諾してくれました．今回の改訂に際して当院の初期研修医，専門研修医に対して独自にアンケート調査を行い，彼らが本書のどこに満足しているのか，あるいはどのような改善を望んでいるのかを徹底的に洗い出しました．また基本的な部分はできるだけわかりやすく簡潔に記載するとともに，少しアドバンストな内容についても記載するなどメリハリを効かせた構成にしています．そしてとりわけ参考文献に力を注ぎました．出来る限り新しい知見を紹介するとともに，具体的に何が重要な文献であるかについての解説を記載しています．そうすることで自分自身のブラッシュアップのみならず，後輩への教育にも役立つことが期待されるからです．

　改訂の企画立案から1年強にわたり，幾度となく執筆者と議論を重ねて無事第4版の完成に漕ぎ着けました．多忙を極める日々でしたが，一切の妥協をせず，先輩方から引き継いだ本書をよりよいものにしようとする執筆者の熱意と真摯な姿勢に心打たれました．彼ら3人を心から誇りに思います．

　最後になりましたが，このような良書が生み出されるのは教え好き，教えられ好き

が集まり脈々と屋根瓦式教育が引き継がれる聖路加国際病院という豊かな土壌があるからにほかなりません．すべての病院関係者の方々に感謝申し上げます．そして丁寧な校正を行っていただきました医学書院の方々に深謝申し上げます．

2023年8月

聖路加国際病院感染症科医長
森　信好

初版の序

　本書は，"新人研修医に「内科の鉄則」を刷り込む本"です．

　新人研修医は，医学生から医師になったといっても，臨床の現場において自分の判断で医療を実践する力はほとんどありません．新臨床研修制度がスタートして研修医教育の重要性が強調されていますが，「研修医の視点で，実際に経験する症例にどう考えどう対応するか」を学べる本は数少ないと思います．

　そういう中，当院では"少しでも早く「実践力のあるレジデント」を育てたい"という熱い思いから，「内科コアカンファレンス」が始められることになりました．これは内科チーフレジデントによる，新人レジデントを対象とした毎週土曜日朝7時からのカンファレンスです．

　ウィークエンドでしかも早朝ですが，毎回ほぼ全員の新人レジデントが出席します．月間40以上もある内科の教育カンファレンスのなかで，その出席率の高さは断トツです．「とにかく実践的で役に立つ」というのがその理由です．リーダーシップを見込まれ任命された内科チーフレジデントは，すでにすべての専門医から存分な教育を受け，十分な経験を積んでいるスーパーレジデントです．院内の誰よりも「新人レジデントは何がわからないか」を知りぬいています．そういう数年違いの兄貴分の彼らが，「内科の鉄則」を新人に刷り込もうとするのです．このようなカンファレンスが，新人にとっておもしろくないはずがありません．

　本書『内科レジデントの鉄則』は，この「内科コアカンファレンス」から生まれました．このカンファレンスの生みの親である2004年度内科チーフレジントの児玉知之，豊原敬文，和田匡史の3人が執筆し，内科研修管理委員の岡田定が編集し，内科専門スタッフのチェックを受けて，本書が完成しました．

　本書を編集しながら，現在6版を重ねている『内科レジデントマニュアル』が誕生した二十数年前を思い出しました．あのマニュアルも，当時のチーフレジデントの熱い思いから自主的に作られたものでした．どちらも，聖路加の屋根瓦方式の教育が生み出した「研修医による研修医のための生きた教科書」です．

　経験のある専門医からみれば，チーフレジデントといっても各専門分野の知識は浅く経験も不足しています．しかし彼らには内科全領域に広く通じた即戦力があります．病棟，当直，救急の場において，新人研修医にとって彼らほど頼りになる存在はいないのです．そんな彼らが執筆した本書は，臨床の現場で日々悩んでいる研修医にきっと大きな力になるだろうと信じます．

　最後に，レジデント教育に関わってこられた聖路加国際病院の関係者の方々と医学書院の安藤恵さん，上舘良継さんに心から感謝申し上げます．

2006年9月

聖路加国際病院内科医長

岡田　定

目次

I 病棟当直編 重症患者の見逃し厳禁！目指せデキ当直医！

1. **発熱** 全身状態に注意しつつ，全身の所見を取る！ 2
2. **ショック** 血圧の絶対値ではなく循環が維持されているかの意識を 16
3. **酸素飽和度低下** バイタルサイン異常で一番怖い！ 迅速な対応を！ 27
4. **意識障害** 失神じゃなければ AIUEOTIPS 39
5. **徐脈頻脈** 不安定な不整脈を見極める！ 50
6. **胸痛** 5 killer chest pain を見逃すな！ 66
7. **腹痛** 腹痛診療は急性腹症の除外から始まる 82
8. **頭痛** まずは二次性頭痛から！ 94
9. **嘔気・嘔吐** 「NAVSEA」で鑑別を 106
10. **血糖異常** 低くても高くても注意 115
11. **不眠とせん妄** "とりあえず薬"から脱却しよう！ 132
12. **病棟で経験するアレルギー** Ⅰ型？ 重症？ 147
13. **その他（転倒，点滴・経鼻胃管・胃瘻自己抜去，点滴漏れ）**
    どんなコールも油断大敵 160

II 入院編 正確で迅速な診断を！ 緊急性の高い病態を見極めろ！

14. **肺炎** 背景と起因菌を想定した診療を 172
15. **尿路感染症（UTI）** 単純？ それとも複雑？ 187
16. **細菌性髄膜炎** 初期対応は丸暗記！1秒でも早く抗菌薬投与！ 199
17. **喘息発作・COPD 増悪** wheeze ＝ 喘息発作とは限らない 202
18. **急性心不全** 迅速に病態を把握し，すみやかに治療介入をする 212

- 19 脳梗塞　多彩な治療でペナンブラを救え！ ……………………………………… 226
- 20 けいれん　あせらずまずは ABC 確保 ……………………………………………… 243
- 21 急性腎障害（AKI）　常に同じステップで考えられるようになろう！ ……… 255
- 22 低ナトリウム血症　Na は体内最大の浸透圧物質 ……………………………… 269
- 23 高カリウム血症　疑うが，信じて対応，高カリウム ………………………… 283
- 24 消化管出血　出血の性状から出ている部位を見極める ……………………… 292
- 25 急性膵炎　最重要 Point は輸液，適正な輸液を心がける！ ………………… 301
- 26 肝機能障害　「肝なのか，胆なのか」 …………………………………………… 307
- 27 関節痛・関節炎　感染に注意して診断を進めよう！ ………………………… 320
- 28 甲状腺　亢進症と低下症の基本的なワークアップを覚えよう！ …………… 330
- 29 オンコロジック・エマージェンシー
  癌診療は全身診療！緊急性のある病態に対応できるようになろう！ ……… 335

III　病棟管理編　病棟管理は医療の基本！目指せデキ病棟長！

- 30 血算　頻度の高い血算異常に対応できるようになろう ……………………… 350
- 31 輸液　たかが輸液，されど輸液 ………………………………………………… 365
- 32 栄養　計算せずして食わせるべからず ………………………………………… 375
- 33 便秘・下痢　よく出会うからこそ，診断を丁寧に！ ………………………… 389
- 34 癌性疼痛・オピオイド　痛みは我慢させない！ ……………………………… 409
- 35 慢性腎臓病（CKD）　クレアチニンだけが腎機能じゃない ………………… 420
- 36 動脈血液ガス検査　隠れた異常を見逃さない！ ……………………………… 432
- 37 ステロイドの使用法　副作用を予測して先手で対応！ ……………………… 447
- 38 抗菌薬の使い方　総論　抗菌薬の乱用をしない！ …………………………… 458
- 39 抗菌薬の使い方　応用編　さまざまな感染症を知る！ ……………………… 471

- あとがき ………………………………………………………………………………… 487
- 索引 ……………………………………………………………………………………… 489

リーダーズガイド

① 鉄則の一覧
該当する症例や疾患に関して，必ず知っておいてほしい大原則を，箇条書きでまとめました．
何度も繰り返して読み，一言一句違わずその意味を理解し，実臨床に活用しましょう．

② 症例と
1項目について，3〜5症例を挙げています．最小限の症例数で最大限の経験を習得できるよう，研修でよく出会う場面を再現しました．また，ここで考えるべきことを Q で示しました．はじめは冒頭の鉄則を見ながらでもよいので，自分だったらどう考えて，どう動くか，想像しながら読み進めましょう．

③ 鉄則の解説
症例に関する鉄則やそれに関連する事項について，図表なども用いて解説しました．ここでは，どのような理由でこの鉄則を踏まえた対応が必要かまで理解を深めます．実際の症例のなかで，どのように鉄則を使っていけばよいかを学びましょう．

2　I 病棟当直編

1 発熱
全身状態に注意しつつ，全身の所見を取る！

鉄則
1. 発熱患者をみたら，まずは敗血症でないか qSOFA を評価
2. 迅速な対応を要する感染症を見逃さない
3. top-to-bottom approach で診察，問診を行う
4. 院内発症の発熱は 7D に注意
5. 感染症以外の発熱の原因も忘れずに

症例 ❶ 糖尿病の既往歴がある 80 歳女性．
来院 3 日前から排尿時痛があったが，膀胱炎と考えて様子をみていた．来院当日に息子から普段と様子が違うことを指摘され，体温を測ると 38.7℃ であったため救急外来を受診した．来院時バイタルサインは意識レベル JCS I-2（日付がわからない），体温 38.7℃，血圧 120/60 mmHg，脈拍 110/分・整，呼吸数 26/分，SpO₂ 96%（室内気）．CRT は 4 秒であった．

 まず何を評価する？ 血圧は保たれており，状態は安定していると考えてよいだろうか？

鉄則 1　発熱患者をみたら，まずは敗血症でないか qSOFA を評価

発熱診療のフローチャート
- 発熱患者では，まず重症な病態の評価と対応をする．次に，感染症に注目してより網羅的に原因を調べる．それでも原因がはっきりしなければ，感染症以外の原因も念頭に置いて対応を進める．
- 発熱患者は致死的な病態であることも多く，原因検索よりもまずは全身状態の評価が大切である．
- まずは感染症を念頭に置き，特に敗血症でないかを意識する．敗血症の場合，早期に培養を提出して抗菌薬投与を行わなければ致死的になりうる．
- 非 ICU 患者では，qSOFA のうち 2 項目以上を満たす場合に敗血症を疑う必要がある．

1 発熱

本症例では…

- 血圧は保たれていたが，qSOFA 2点（意識障害と呼吸数）であった．また全身状態は不良であり，CRT（capillary refilling time；毛細血管再充満時間）からは循環不全が示唆され，敗血症に準じた対応を行った．
- 早期に血液検査，血液ガス検査，尿検査および血液培養，尿培養を提出しつつ，診察を行うと右CVA叩打痛陽性であり，尿検査では白血球3+で腎盂腎炎と診断した．

A 本症例はqSOFA 2点で，全身状態も不良，循環障害もあり，敗血症に準じた対応が必要であった

腫瘍熱

- 発熱，特に不明熱の原因として腫瘍熱が挙げられる．熱の割には重症感がなく，比較的全身状態が良好で，相対的徐脈を呈することが多いとされる．
- すべての腫瘍が一律に熱を出すわけではなく，腫瘍熱の原因となりやすい腫瘍を把握しておくことが重要である．血液腫瘍（悪性リンパ腫，白血病）の頻度が高く，腎細胞癌，肝細胞癌，心房粘液腫，膠芽腫，膵癌，卵巣癌などである．またG-CSF産生腫瘍のように腫瘍の性質によって熱を出すものもある．
- 一般に，腫瘍サイズが大きくなり，転移など癌が進行するほど，発熱の頻度が増えるとされる．
- 除外診断が基本であり，感染症や膠原病，薬剤熱などほかの原因がないことを確認してから，腫瘍熱と判断する．
- またナプロキセン（ナイキサン®）による治療への反応も古くから参考にされることが多い．ナプロキセンを1回250 mg 1日2回12時間ごとに投与すると，腫瘍熱患者では15人中14人が1日以内に解熱し，細菌感染（主に膿瘍やカテーテル感染）では5人中1人も解熱せず，SLEや混合性結合組織病（MCTD）（2人）では部分的な解熱のみだった〔Am J Med 76：597-603, 1984〕というデータがもとになっている．
- 腫瘍患者で発熱が起こった際に，細菌感染では抗菌薬開始後にプロカルシトニンが低下しなかったという報告があり，診断に苦慮する際には参考にしたい〔Cancer 118：5823-5829, 2012〕．

●参考文献

1) Evans L, et al. Surviving sepsis campaign：international guidelines for management of sepsis and septic shock 2021. Intensive Care Med 47：1181-1247, 2021〔PMID：34599691〕
   - 敗血症のガイドライン，まずはこれから．Society of Critical Care Medicine のWebsiteから，日本語翻訳のダウンロードも可能．
2) Haidar G, Singh N. Fever of Unknown Origin. N Engl J Med 386：463-477, 2022〔PMID：35108471〕
   - 不明熱の視点から，感染症，腫瘍，膠原病，薬剤など，幅広くまとまっている！まずはこれから．

（福井　翔）

I

病棟当直編
重症患者の見逃し厳禁！
目指せデキ当直医！

1　発熱 …………………………………………………… 2
2　ショック ……………………………………………… 16
3　酸素飽和度低下 ……………………………………… 27
4　意識障害 ……………………………………………… 39
5　徐脈頻脈 ……………………………………………… 50
6　胸痛 …………………………………………………… 66
7　腹痛 …………………………………………………… 82
8　頭痛 …………………………………………………… 94
9　嘔気・嘔吐 …………………………………………… 106
10　血糖異常 …………………………………………… 115
11　不眠とせん妄 ……………………………………… 132
12　病棟で経験するアレルギー ……………………… 147
13　その他（転倒，点滴・経鼻胃管・胃瘻自己抜去，点滴漏れ）… 160

1 発熱
全身状態に注意しつつ，全身の所見を取る！

1. 発熱患者をみたら，まずは敗血症でないか qSOFA を評価
2. 迅速な対応を要する感染症を見逃さない
3. top-to-bottom approach で診察，問診を行う
4. 院内発症の発熱は 7D に注意
5. 感染症以外の発熱の原因も忘れずに

> **症例 ❶** 糖尿病の既往歴がある 80 歳女性．
> 来院 3 日前から排尿時痛があったが，膀胱炎と考えて様子をみていた．来院当日に息子から普段と様子が違うことを指摘され，体温を測ると 38.7℃ であったため救急外来を受診した．来院時バイタルサインは意識レベル JCS Ⅰ-2（日付がわからない），体温 38.7℃，血圧 120/60 mmHg，脈拍 110/分・整，呼吸数 26/分，SpO₂ 96%（室内気）．CRT は 4 秒であった．

Q まず何を評価する？ 血圧は保たれており，状態は安定していると考えてよいだろうか？

鉄則1 発熱患者をみたら，まずは敗血症でないか qSOFA を評価

発熱診療のフローチャート

- 発熱患者では，まず重症な病態の評価と対応をする．次に，感染症に注目してより網羅的に原因を調べる．それでも原因がはっきりしなければ，感染症以外の原因も念頭に置いて対応を進める．
- 発熱患者は致死的な病態であることも多く，原因検索よりもまずは全身状態の評価が大切である．
- まずは感染症を念頭に置き，特に敗血症でないかを意識する．敗血症の場合，早期に培養を提出して抗菌薬投与を行わなければ致死的になりうる．
- 非 ICU 患者では，qSOFA のうち 2 項目以上を満たす場合に敗血症を疑う必要がある．

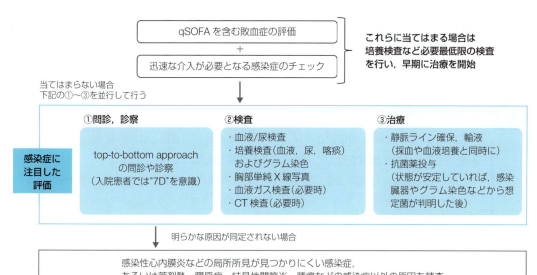

■ qSOFA(quick Sepsis-related Organ Failure Assessment)
1. 意識障害（反応が鈍い，見当識障害，傾眠，不穏など）
2. 収縮期血圧≦100 mmHg
3. 呼吸数≧22/分（呼吸数は見逃しやすいため，特に意識的に評価する）

- 一方でqSOFAだけに頼らず，全身状態やほかのバイタルサイン，循環障害，臓器障害にも注意する（次頁の「もっと知りたい！」を参照）．
- 血圧は普段の血圧と比較する．一見正常にみえても，高血圧の患者では普段の血圧に比べて低下していることがある．
- 高齢者，糖尿病患者，解熱鎮痛薬やステロイドを使用している患者では，熱が高くならず全身状態もよくみえることがあるため留意する．
- 寒気や悪寒戦慄（布団をかぶってもブルブル震えてしまうような状態）の有無も初期評価として重要である．悪寒戦慄のある患者では菌血症のリスクが高い〔JAMA 308：502-511, 2012〕ため，これらの患者でも早期に血液を含む培養を採取し，抗菌薬を開始する．

本症例では…
- 血圧は保たれていたが，qSOFA 2点（意識障害と呼吸数）であった．また全身状態は不良であり，CRT（capillary refilling time；毛細血管再充満時間）からは循環不全が示唆され，敗血症に準じた対応を行った．
- 早期に血液検査，血液ガス検査，尿検査および血液培養，尿培養を提出しつつ，診察を行うと右CVA叩打痛陽性であり，尿検査では白血球3＋で腎盂腎炎と診断した．
- 尿グラム染色で好中球に貪食される多数の腸内細菌様グラム陰性桿菌を認めたため，セフトリアキソン（ロセフィン®）2gを24時間ごとの投与で開始した．
- 翌日には血液培養2セット4/4本から大腸菌（*Escherichia coli*）が検出され，腎盂腎炎に伴う菌血症を呈していたことがわかった．

A 本症例は qSOFA 2 点で，全身状態も不良，循環障害もあり，敗血症に準じた対応が必要であった

敗血症診療の変化

- 前提として，敗血症は菌血症とは異なり，血液培養陽性の有無とは別の概念である．
- 敗血症の全体像を理解するのに，敗血症診療の変化を知っておくとよい．
- 1991 年（Sepsis-1）に敗血症の定義がはじめて提唱され，SIRS（systemic inflammatory response syndrome；全身性炎症反応症候群）の基準を満たす感染症を Sepsis と定義した．しかし SIRS の 2 項目は簡単に満たしてしまうため，特異度が低い問題があった〔Crit Care Med 20：864-874, 1992〕．

- 2001 年（Sepsis-2）では，上記に加え数多くの項目が加わったが，定義が曖昧であり，広くは普及しなかった．
- 2016 年（Sepsis-3）では敗血症を**「感染に対する宿主反応の制御異常による生命に危機を及ぼす臓器障害」**と定義し，より臓器障害を強調したものとなった〔JAMA 315：801-810, 2016〕．具体的には，感染症によって SOFA（Sepsis-related Organ Failure Assessment）スコアが 2 点以上増加した場合に敗血症と診断する．

	0 点	1 点	2 点	3 点	4 点
呼吸器 PaO₂/FiO₂(mmHg)	≧400	<400	<300	<200 ＋呼吸補助	<100 ＋呼吸補助
凝固能 血小板数(×10³/μL)	≧150	<150	<100	<50	<20
肝臓 ビリルビン(mg/dL)	<1.2	1.2〜1.9	2.0〜5.9	6.0〜11.9	>12.0
循環器	MAP≧70 mmHg	MAP<70 mmHg	DOA<5 or DOB	DOA 5.1〜15 or Ad≦0.1 or NAD≦0.1	DOA>15 or Ad>0.1 or NAD>0.1
中枢神経 Glasgow Coma Scale	15	13〜14	10〜12	6〜9	<6
腎 クレアチニン(mg/dL) 尿量(mL/日)	<1.2	1.2〜1.9	2.0〜3.4	3.5〜4.9 <500	>5.0 <200

Ad：アドレナリン，DOA：ドパミン，DOB：ドブタミン，MAP：平均動脈圧，NAD：ノルアドレナリン

- SOFA を簡便化して ICU 以外でも利用できるようにしたのが先述の qSOFA であり，敗血症のスクリーニングとして広く使用されるようになった．
- 2021 年，qSOFA を敗血症に対する**単独のスクリーニングツールとして使用しないこと**

が推奨された．qSOFA の感度は必ずしも高くないため，「qSOFA 陰性＝敗血症でない」と考えてはならず，仮に qSOFA 陰性であっても，全身状態や循環障害，SOFA スコアにあるような臓器障害の評価も行い，総合的に敗血症の可能性を判断する必要がある．

症例❷ 80 歳女性，発熱・不穏．

来院前日はいつも通りだったが，夕方少し調子が悪そうだった．翌日になって訪問した友人が自宅で様子がおかしいことに気づき，救急要請した．搬送時，頭痛を訴えるほかはつじつまの合わない発語のみ．来院時バイタルサインは意識レベル JCS I-3，体温 38.3℃，血圧 120/70 mmHg，脈拍 100/分・整，呼吸数 18/分，SpO₂ 97％（室内気）．項部硬直あり，手足の動きの左右差はなく，その他の身体所見も異常なし．WBC 14,000/μL，CRP 15 mg/dL．AST 25 IU/L，ALT 30 IU/L，BUN 25 mg/dL，Cr 0.9 mg/dL．

Q 全身状態は安定しているようにみえる．緊急性はどうだろうか？

鉄則 2　迅速な対応を要する感染症を見逃さない

- 後述するように発熱患者の対応では詳細な問診と全身の身体視察が基本となる．
- しかし細菌は，20〜30 分で体内の菌量が 2 倍に増加するといわれ，病態によっては一刻を争うために問診と身体診察を最低限にして迅速に抗菌薬を投与する．
- 特にドレナージやステント留置など，特別な介入が必要になる病態を見逃さないことが大切である．

発熱患者の内科的エマージェンシー

緊急性	疾患	特別な介入
分単位	敗血症	
	細菌性髄膜炎	腰椎穿刺
	発熱性好中球減少症	場合によりカテーテルからの培養提出
	脾摘後重症感染症	
10 分〜時間単位	急性閉塞性化膿性胆管炎	ERCP（endoscopic retrograde cholangiopancreatography；内視鏡的逆行性胆管膵管造影）
	壊死性筋膜炎	筋膜切開
	結石性腎盂腎炎	尿管ステント挿入
	CAPD（continuous ambulatory peritoneal dialysis；持続携行式腹膜透析）腹膜炎	腹膜透析液貯留，場合により腹膜透析カテーテル抜去
	化膿性関節炎	関節洗浄
	膿瘍形成（腸腰筋膿瘍，硬膜外膿瘍）	切開排膿

> **本症例では…**

- 病歴より細菌性髄膜炎(16章「細菌性髄膜炎」199頁を参照)が疑われた．尿中肺炎球菌抗原は陽性であった．血液培養を2セット(4本)提出してロセフィン®2gを投与した．
- 頭部CTで脳圧亢進所見がないことと，血小板の低下や凝固異常(APTTやPTの延長)がないことを確認して腰椎穿刺をしたところ，初圧25 cmH₂O，細胞数39/μL(多核球優位)，糖29 mg/dL(血糖100 mg/dL)，蛋白70 mg/dLだった．髄液グラム染色でグラム陽性双球菌を認めた．
- 肺炎球菌による細菌性髄膜炎を第一に疑い，バンコマイシンとステロイド(16章「細菌性髄膜炎」199頁を参照)を併用した．
- 治療開始3日目で意識レベルは徐々に改善した．

 本症例は，全身状態が安定しているようにみえても髄膜炎の可能性が高い．緊急性の高い感染症を見逃さないように注意！

血液培養

- **血液培養を採取する際の注意点**
  ①原則2セット(4本)を，異なる部位の静脈から採血する．
  ②感染性心内膜炎を疑う場合は3セット(6本)以上採血．
  ③動脈血，静脈血のどちらから採血しても陽性率に差はない(穿刺時の疼痛や出血リスクを考慮して静脈血を原則とするが，動脈血液ガス採取を行う場合は同時に採取する)．
  ④血液の注入は嫌気性ボトルから行う(シリンジ中の空気が入らないように)．

- **血液培養のセット数と陽性率**
  ・下記のようにセット数が増えるほど感度が上昇するため，より確実な診断のためには複数セットを採取する必要がある．
  ・1セット：73.1%，2セット：89.7%，3セット：98.2%，4セット：99.8%
  〔J Clin Microbiol 45：3546-3548, 2007〕

- 清潔操作がうまくできないと，採血時に皮膚の常在菌がボトル内に入り，血液培養が陽性になってしまう．これを一般にcontamination(コンタミ)と呼ぶ．以下の点から真の血液培養陽性かコンタミかを判断する〔Clin Microbiol Rev 33：e00009-e00019, 2019〕．

- **真の菌血症が疑わしい場合**
  ①陽性になるまでの時間が短い(1〜3日)．
  ②黄色ブドウ球菌(*Staphylococcus aureus*)，大腸菌(*Escherichia coli*)，クレブシエラ・ニューモニエ(*Klebsiella pneumoniae*)，緑膿菌(*Pseudomonas aeruginosa*)，肺炎球菌(*Streptococcus pneumoniae*)，カンジダ(*Candida* spp.)が検出．

- **コンタミが疑われる場合**
  ①陽性になるまで時間がかかる[*1]．
  ②2セット(4本)中1セットのみ陽性になる．
  ③検出される菌が皮膚の常在菌〔コアグラーゼ陰性ブドウ球菌(CNS)，*Corynebacterium*

spp., *Bacillus* spp., *Cutibacterium acnes* など[*2]である.
④何種類もの菌が検出される.
※コンタミが疑われれば，すぐに血液培養を採取しなおすことが重要である.

[*1] 感染性心内膜炎の起炎菌には，陽性になるまで時間がかかるものがある．特に有名なものがHACEKグループとして知られ，*Haemophilus* sp., *Aggregatibacter* sp., *Cardiobacterium hominis*, *Eikenella corrodens*, *Kingella* sp. を指す.

[*2] 人工物(機械弁や人工骨頭など)が体内にある場合，最近の手術歴がある患者，免疫抑制状態では，これらの菌も起因となりうるので注意.

症例 ❸ 認知症の既往歴がある 88 歳男性.

認知症の既往歴があり，ADL としては介助下で車いす移乗できるが，ほぼ寝たきり．簡単な受け答えしかできない．1 週間前より徐々に食欲低下があった．4 日前の往診医診察時に体温 38℃を指摘されたが原因ははっきりせず，アセトアミノフェンを処方．その後も発熱持続しており，救急外来受診．来院時バイタルサインは意識レベル JCS Ⅰ-1(普段と変わりない)，体温 38.1℃，血圧 135/85 mmHg，脈拍 70/分・整，呼吸数 16/分，SpO_2 98%(室内気)．血液検査で WBC 10,000/μL，CRP 12 mg/dL．敗血症を疑う所見はなく，迅速な対応を有する感染症の所見もなかった．

Q 敗血症や迅速な介入が必要な緊急病態がない発熱患者では，どう精査を進める？

鉄則 3 top-to-bottom approach で診察，問診を行う

- 緊急性の高い感染症が疑われない場合，通常の発熱患者としてワークアップする．
- 一般に発熱をきたす疾患として下記が挙げられる．多彩な疾患があるため，頭からつま先まで(top-to-bottom)で診察と関連する問診を行い，原因を絞り込んでいく．
- 頻度が高いのは，肺，尿路，皮膚，創部(術後患者)の感染症や静脈ラインなどのデバイスに関連した感染症なので，これらを意識してメリハリを付けて診察することも大切である．

発熱の鑑別疾患

感染性	非感染性	
	臓器別	全身性

中枢神経
- 感染性: 髄膜炎, 脳炎, 脳膿瘍
- 臓器別: 脳外科術後, 頭部外傷後(中枢性高体温)
- 全身性（薬剤関連）: 薬剤熱, infusion reaction, 悪性症候群, 輸血

頭頸部
- 感染性: 中耳炎, 副鼻腔炎, 咽喉頭炎, 歯髄炎, 扁桃炎, 扁桃周囲膿瘍, 咽後膿瘍
- 臓器別: 亜急性甲状腺炎, 甲状腺クリーゼ

胸部
- 感染性: 上気道炎, 肺炎, 気管支炎, 肺結核, 縦隔炎, 感染性心内膜炎, 心筋炎, 心外膜炎
- 臓器別: 肺血栓塞栓症, 間質性肺炎, ARDS(急性呼吸窮迫症候群), 無気肺, 心筋梗塞後, 心筋炎, 心膜炎
- 全身性（腫瘍, 血液疾患）: 悪性腫瘍(腎癌, 左房粘液腫など), リンパ腫, 白血病, Castleman病

腹部
- 感染性: 胆管炎, 胆嚢炎, 肝炎, 肝膿瘍, 膵嚢胞感染, 感染性腸炎, 憩室炎, 虫垂炎, 腹膜炎, 腎盂腎炎, 前立腺炎, 精巣(上体)炎, 骨盤内炎症疾患
- 臓器別: 無石性胆嚢炎, 自己免疫性肝炎, 急性膵炎, 炎症性腸疾患
- 全身性（膠原病と類縁疾患）: 抗核抗体関連疾患:〔全身性エリテマトーデス(SLE), Sjögren症候群, 皮膚筋炎など〕, 全身性血管炎(巨細胞性動脈炎, 高安病, 結節性多発動脈炎, ANCA関連血管炎など), 成人発症Still病, Behçet病, サルコイドーシス, 自己炎症性疾患

皮膚・筋骨格
- 感染性: 蜂窩織炎, 褥瘡感染, 壊死性筋膜炎, 腸腰筋膿瘍, 化膿性椎体炎, 化膿性関節炎
- 臓器別: 結節性紅斑, 痛風, 偽痛風, リウマチ性多発筋痛症

血管・その他
- 感染性: 化膿性血栓性静脈炎, 菌血症, デバイス感染(カテーテル, ペースメーカー, シャントなど), 全身性ウイルス感染症
- 臓器別: 深部静脈血栓症, 大動脈解離
- 全身性（その他）: 高体温症(熱中症など), 侵襲熱, 血腫吸収熱

安定した発熱患者の対応

- 緊急性がない発熱患者では，発熱の原因としてまずは感染症を中心に評価していく．

①患者背景

- 既往歴，免疫抑制の有無や人工物の有無を確認する．免疫抑制状態の患者は急変しやすいので注意する．

> 高齢者, 好中球減少症, ステロイド投与・免疫抑制剤投与・化学療法中, 血液疾患, 糖尿病, 慢性腎臓病, 透析, 肝硬変, 担癌患者, 人工物留置中〔尿道カテーテル・(末梢型)中心静脈カテーテル・人工弁など〕

- また今後の治療を決める際に必要な情報として，次を確認する．

> 薬剤歴：過去の抗菌薬の使用歴(いつ？ 何を？ 何に対して？)
> 培養歴：いつ？ 何が？ どこから？ 感受性は？ 耐性菌？
> アレルギー：抗菌薬のアレルギーの有無

②問診，③診察

- 並行して「頭からつま先まで(top-to-bottom approach)」で感染の原因を探す．特に皮膚や関節は見落としやすいので十分注意する．

部位	問診	診察
全身状態	倦怠感，食欲，悪寒戦慄	バイタルサインの把握
中枢神経(髄膜炎・脳炎)	頭痛，頸部痛，意識変容，嘔気・嘔吐	項部硬直，Kernig徴候，Brudzinski's徴候，jolt accentuation，神経学的異常所見
頭頸部	眼痛，眼脂，視力障害 耳痛，聴力低下 鼻汁，鼻閉，先行する感冒からの増悪 咽頭痛，嚥下時痛，歯痛 頸部痛，頸部腫瘤の自覚	結膜充血，結膜黄染，Roth斑 外耳の発赤，耳介牽引痛，鼓膜発赤腫脹，滲出液 副鼻腔の圧痛，叩打痛(特に経鼻胃チューブ挿入側) 咽頭発赤，扁桃の発赤腫脹，開口障害，齲歯，歯肉の発赤腫脹 頸部リンパ節腫脹，唾液腺や甲状腺の腫大圧痛
胸部	胸痛，動悸 咳嗽，喀痰，呼吸困難	心音(新規の雑音，心膜摩擦音)，呼吸音(wheeze，ラ音)，吸気時の胸痛の増悪
腹部	腹痛，食欲不振，嘔気・嘔吐，黄疸，下痢，血便，頻尿，排尿時痛，残尿感，排尿障害，尿混濁，精巣痛，尿道膿性分泌物，帯下の変化	腹部圧痛，腹膜刺激徴候(筋性防御や反跳痛)，Murphy徴候，肝叩打痛，肝脾腫，腎把握痛，恥骨上部の圧痛，精巣の圧痛，子宮頸部の圧痛
背部，臀部	背部痛，臀部痛	CVA叩打痛，脊椎叩打痛，褥瘡の有無，肛門の視診，直腸診(前立腺の腫大や圧痛)
皮膚，四肢，筋骨格	皮膚の発赤や疼痛 関節痛，筋肉痛，脱力	皮疹，圧痛，Janeway病変・Osler結節・爪下線状出血 関節の腫脹や圧痛，発赤，熱感，可動域制限，筋肉の圧痛，筋力低下
その他	デバイス挿入部の疼痛(ライン，気管切開・胃瘻・ストーマ，ドレーンなど)	挿入部の発赤・圧痛 尿やドレーンなどの排液の混濁

発熱での追加問診事項

項目	問診例，聴くべきポイント
sick contact	「ご家族や友人で似た症状の方はいらっしゃいますか？」
動物接触歴	「ペットを飼っていますか？」 「犬や猫以外に，鳥・熱帯魚・ミドリガメなどはどうですか？」 「よく行く公園に鳩が多いなど，そのような接触はありますか？」
結核曝露歴	「これまでに結核と診断されたことや，結核への曝露があったかご存知ですか？」 「祖父母を含めて家族や周囲の人が結核や肋膜炎と言われたことはありますか？」
海外渡航歴	「ここ3か月で海外に行きましたか？」 「その際は都心部でしたか？ 田舎，山奥や牧場などにもに行きましたか？」
その他の曝露歴	歯科治療・鍼・温泉・プール・淡水・海水・ハイキング・土いじり・引っ越し・大掃除・加湿器・幼児・生ものの摂取など
性交渉歴	「1年以内に性交渉はありましたか？」 「男性，女性，それとも両方とですか？」 「1年で何人の方と関係がありましたか？」 「毎回コンドームは使用していますか？」 「風俗店などの性的サービスを利用しますか？」 「性感染症になったことはありますか？」
薬剤歴	「最近飲み始めた薬，漢方，サプリメント，ハーブはありますか？」 「いわゆる違法薬物を使ったことはありますか？」
ワクチン接種歴	「インフルエンザや肺炎球菌，COVID-19 のワクチンは打ちましたか？」

④検査，⑤治療

- 検査では一般採血〔白血球数や CRP：今後のフォローアップに用いる，腎機能や肝機能：抗菌薬の種類や投与内容に影響，血小板数や凝固：DIC（播種性血管内凝固症候群）のチェック，その他の項目はスクリーニング目的〕を行う．血液検査は肝胆膵酵素を除いて熱源の同定に役立つことは少ない．
- 呼吸状態や循環動態が悪い患者では血液ガス検査も積極的に行う．
- 血液培養2セット（心内膜炎を疑う場合は最低3セット），喀痰培養，尿培養，胸部単純X線写真を基本に，疑う原因によって検査を変更する．
- 感染症を疑う場合は培養採取後に早期に抗菌薬投与を開始する．

本症例では…

- 再度診察したところ，周囲に発赤腫脹を伴う褥瘡を臀部に認め，褥瘡感染に伴う発熱と考えられた．血液培養・創部培養を提出し，アンピシリン・スルバクタム（ユナシン®）1.5 g を1日4回で開始した．
- その後，創部培養から MSSA（メチシリン感受性黄色ブドウ球菌）を検出し，セファゾリン（セファメジン®α）1 g を8時間ごとの投与に変更し治療を継続した．

A 安定した発熱患者では top-to-bottom の問診と診察を行う

症例 ④ 尿路感染症で抗菌薬治療中の 78 歳女性.

来院 3 日前からの発熱と背部痛で来院,腎盂腎炎の診断で入院し,ロセフィン®による治療が開始された.入院 3 日目には解熱し,全身状態は改善傾向であった.入院 7 日目に 38.5℃ の発熱があり,病棟から診察依頼があった.バイタルサインは意識清明,体温 39℃,血圧 120/60 mmHg,脈拍 60/分・整,呼吸数 12/分,SpO_2 98%(室内気).

➡ 全身状態は落ち着いており,迅速な対応を要する感染症を示唆する所見はなかった.
➡ 安定した発熱患者と考え,top-to-bottom の診察を行ったが,明らかな熱源はわからなかった.検査では WBC 9,000/μL,CRP 1.2 mg/dL,AST 67 IU/L,ALT 46 IU/L,BUN 25 mg/dL,Cr 0.9 mg/dL.尿検査で尿中 WBC は陰性であった.胸部単純 X 線写真でも明らかな異常はなかった.

Q 入院患者が発熱したら特に気をつける原因は？

鉄則 3 院内発症の発熱は 7D に注意

- 入院患者の発熱としては肺炎・尿路感染症・手術部位感染・血流感染・*Clostridioides difficile*(CD)腸炎が多いことが知られている〔Public Health Rep 122:160-166, 2007〕.
- その他,特に見逃されやすいものとして,以下を"7D"として覚えておく.

入院患者の発熱で見逃しやすい 7D

疾患・病態	キーワード,注意点
Drug　薬剤熱	新規薬剤の使用(約 1 週間前),皮疹
Device　デバイス	末梢ライン,中心静脈カテーテル,尿道カテーテル,経鼻胃管(副鼻腔炎)
CD toxin　CD 腸炎	抗菌薬使用,下痢,腹痛
CPPD　偽痛風	高齢,変形性関節症,偽痛風の既往歴,感染症,脱水,関節痛,関節炎
DVT　深部静脈血栓症	長期臥床,ADL 低下,術後安静,片側の下腿浮腫,下肢痛/把握痛,D-dimer 上昇
Decubitus　褥瘡	高齢者,るい痩,ADL 低下,長期臥床,仙骨部
Debris　胆泥 　　　　(胆嚢炎/胆管炎)	胆石の指摘の有無,セフトリアキソンの使用,右季肋部痛,Murphy 徴候
Deep abscess　深部膿瘍　を加えて"**8D**"とすることもある	

本症例では…

- 上記の 7D を意識して再度問診・診察を行った.腹痛,下痢や関節炎,皮疹や褥瘡,DVT やライン感染を疑う所見はなかった.
- 腹部エコーで胆嚢炎や尿路の閉塞,膿瘍形成の所見は認めなかった.
- 尿路感染の再発を疑う所見もなく,全身状態も良好であったため,薬剤熱を疑った.念のため血液培養,尿培養を採取し,静脈ラインの入れ替えを行った.

- 感受性をもとに抗菌薬をレボフロキサシン（クラビット®）に変更して経過を見る方針としたところ，薬剤変更後2日後には解熱し，経過から薬剤熱と判断した．

A ▶ 入院患者の発熱では"7D"に注意して，問診，診察を行う

相対的徐脈

- 発熱に伴う生体反応としては頻脈になることが多い．しかし，発熱の割に脈拍が上昇しない場合があり，これを「相対的徐脈」という．
- さまざまな定義があるが，38℃で110/分以下，39℃で120/分以下，40℃で130/分以下が覚えやすい．
- 相対的徐脈をきたす代表的疾患は，ウイルス感染症（デング熱など），細胞内寄生微生物による感染症（腸チフス，マイコプラズマ，レジオネラ，マラリアなど），非感染性の発熱（薬剤熱，悪性腫瘍，中枢神経病変）である．
- 発熱と脈拍の相関に注目することで，原因を推定する手がかりが得られることもある．

薬剤熱

- 薬剤熱は入院患者の発熱の原因として比較的多く，重要であり，常に発熱の鑑別に挙げる習慣をつけておきたい．
- 薬剤熱にもいくつかの種類があり，薬理作用に関連するもの（例：SSRIによるセロトニン症候群での発熱）もあるが，最も多いのは過敏反応によるものであり，それについて述べる．
- 診断にはほかの原因を除外することが重要である．一方，薬剤熱自体の特徴を理解することで積極的に疑うことができる．
- 一般に比較三原則といわれる，"比較的元気"，"比較的徐脈"，"比較的低CRP"が典型的だとされる．つまり，"熱の割に重症感がない"患者は薬剤熱のことが多い．
- すべての薬剤が原因となるが，使用頻度も含めて抗菌薬（ペニシリン系やセファロスポリン系，ST合剤）によるものを経験することが圧倒的に多い．一方，抗菌薬でもテトラサイクリンやニューキノロン，マクロライド系は少ないとされる．抗菌薬以外ではメチルドパ，プロカインアミド，キニジン，アロプリノール，アザチオプリンなども比較的頻度が高いとされる．
- その他の参考になる所見として，皮疹，軽度の好酸球上昇，肝酵素上昇があるが，一部にみられるのみで，これらの所見がないことは薬剤熱を否定するものではない．
- 薬剤開始後7～10日程度で起こることが最も典型的である（報告としては数時間～数か月と幅広い）．そのため，**症例4**のように"抗菌薬投与で解熱し経過良好であった患者が，1週間後に急に熱を出した"というパターンをよく経験する．
- 確定的な検査はないため，ほかの原因がなく，薬剤の中止で改善（典型的には48～72時間以内に解熱）することで臨床的に診断されるのが一般的である．

> **症例 ❺** 多発肝細胞癌のある 69 歳の男性．
>
> HCV 陽性の肝硬変と多発肝細胞癌があり，今回は腹水コントロール目的で入院．治療により腹水は改善し，本人の全身状態も良好となった．しかし入院 7 日目，38.0℃の発熱があると夜間に看護師から連絡があった．バイタルサインは意識清明，体温 38.4℃，血圧 130/70 mmHg，脈拍 80/分・整，呼吸数 16/分，SpO₂ 96%（室内気）．

➡ 患者のもとを訪れると，本人は元気であり，敗血症や迅速な対応を要する感染症の所見はなかった．
➡ top-to-bottom での問診診察，および 7D による熱源の検討を行ったが，明らかな原因はなかった．

Q 本症例の発熱の原因は何だろうか？　対応は？

鉄則 5　感染症以外の発熱の原因も忘れずに

- 発熱患者に対しては，top-to-bottom approach で診察，7D の検討と各種培養検査を行うことが原則である．
- それらを行っても原因がわからない場合は，感染症でも原因がわかりにくい疾患（感染性心内膜炎や結核など）に加えて，感染症以外の原因（8 頁「発熱の鑑別疾患」を参照）も積極的に考える．
- 入院中に出会うことが多いのは 7D にも含まれる薬剤熱，偽痛風，深部静脈血栓症である．その他に膠原病や腫瘍熱があり，副腎不全・甲状腺クリーゼ・肺血栓塞栓症・無石性胆嚢炎も緊急性の高い疾患として覚えておく．
- 感染症の可能性が低いと判断しても，否定はできないことも多い．感染症の有無をより評価する目的で，血液培養や尿培養を行うことも適切な対応である．
- 次頁の表に，感染症以外の発熱として重要な膠原病と腫瘍についての精査項目をまとめた．問診や診察で鑑別を考え，疑う疾患に合わせて必要な検査を行う．

	問診・診察	検査
膠原病・免疫疾患	膠原病の家族歴 **抗核抗体関連疾患** 関節痛(炎)，口腔内潰瘍，脱毛，蝶形紅斑，日光過敏性，胸膜痛，乾燥症状(目，口腔)，皮膚硬化，Raynaud 症状，筋肉痛，筋力低下，嚥下困難，ヘリオトロープ疹や Gottron 徴候など **血管炎** 頭痛，視力低下，顎跛行，頸部痛，四肢の疼痛や跛行，関節痛，筋肉痛，脳出血，脳梗塞，しびれ，腹痛，血便，リベド，皮膚潰瘍，強膜炎，耳痛，鞍鼻，鼻出血，咳嗽，血痰，紫斑 **成人発症 Still 病** 咽頭痛，関節痛，筋肉痛，皮疹など **Behçet 病** 口内炎，陰部潰瘍，ぶどう膜炎，結節性紅斑など **サルコイドーシス** 咳嗽，胸痛，ぶどう膜炎，皮膚結節，結節性紅斑，脳神経障害 **自己炎症性疾患** 繰り返す発熱，漿膜炎，皮疹，関節痛，咽頭痛，頸部リンパ節腫脹など	血算，生化学検査，尿検査(沈渣も必ず)に加えて **抗核抗体関連疾患** 抗核抗体，抗 DNA 抗体，抗 Sm 抗体，抗 SS-A/B 抗体，抗 Scl-70 抗体，抗セントロメア抗体，抗 RNA ポリメラーゼⅢ抗体，抗 ARS 抗体，抗 MDA5 抗体，抗 TIF1-γ抗体，抗 Mi-2 抗体，抗 RNP 抗体，抗リン脂質抗体，IgG，補体，組織生検(皮膚，腎臓，神経など) **血管炎** MPO/PR3-ANCA，IgA，クリオグロブリン，腎機能障害，赤血球円柱，側頭動脈エコー，胸腹部造影 CT(CTA，MRA)，腹部血管造影，神経伝導検査，組織生検(皮膚，血管，腎臓，神経など) **成人発症 Still 病** フェリチンの異常高値 **Behçet 病** 針反応，眼科診察，HLA 検査(B51) **サルコイドーシス** 肺門部リンパ節腫脹，眼科診察，ACE 高値，高 Ca 血症，肺胞洗浄液 CD4/8 高値，生検 **自己炎症性疾患** 遺伝子検査(家族性地中海熱における *MEFV* 遺伝子変異など)
悪性腫瘍	腫瘤の自覚 検診受診(上部消化管内視鏡，便潜血，PSA，婦人科検診，マンモグラフィーなど) 体重減少，食欲不振，黒色便・血便 呼吸困難，腹部膨満(胸水や腹水貯留) 肉眼的血尿 不正性器出血 寝汗	全身造影 CT マンモグラフィー，乳房エコー 上下部消化管内視鏡，便潜血，腹部エコー 婦人科診察(子宮，卵巣)，骨盤部 MRI 骨髄穿刺/生検 腫瘍マーカー 組織(腫瘍，リンパ節，ランダム皮膚生検など) (PET-CT 検査)

> **本症例では…**
> - 経過表を見ると，入院時より体温は 37.5℃ 前後であり，癌に罹患後，以前にも 38℃ 程度の熱が出て自然に改善したことがあるとのことだった．脈拍は 80/分程度であり，発熱の割には徐脈傾向(相対的徐脈)だった．
> - 問診診察では明らかな発熱の原因は同定できなかった．そこで感染症では特発性細菌性腹膜炎(腹水のある患者であり，腹痛や腹部の圧痛がないことも多い)が考えられた．またもともと肝細胞癌があることから腫瘍熱も有力な鑑別と疑われた．
> - 夜間対応としては血液，尿検査と血液培養・尿培養，腹水検査と腹水培養を提出した．同時にセフォタキシム(セフォタックス®)1 g を 8 時間ごとで開始した．腹水中の好中球は 40/μL と正常であった．
> - その後，各種培養検査は陰性となり，腹膜炎は否定的と考え，抗菌薬は終了とし腫瘍熱に準じてナプロキセン(ナイキサン®)100 mg 8 時間ごとを開始した．

A 肝細胞癌による腫瘍熱が疑わしい．感染症の対応を行いつつ，その他の原因が否定的であれば，腫瘍熱として対応する

> **もっと知りたい！ 腫瘍熱**
>
> - 発熱，特に不明熱の原因として腫瘍熱が挙げられる．熱の割には重症感がなく，比較的全身状態が良好で，相対的徐脈を呈することが多いとされる．
> - すべての腫瘍が一律に熱を出すわけではなく，腫瘍熱の原因となりやすい腫瘍を把握しておくことが重要である．血液腫瘍（悪性リンパ腫，白血病）の頻度が高く，腎細胞癌，肝細胞癌，心房粘液腫，膠芽腫，膵癌，卵巣癌などである．また G-CSF 産生腫瘍のように腫瘍の性質によって熱を出すものもある．
> - 一般に，腫瘍サイズが大きくなり，転移など癌が進行するほど，発熱の頻度が増えるとされる．
> - 除外診断が基本であり，感染症や膠原病，薬剤熱などほかの原因がないことを確認してから，腫瘍熱と判断する．
> - またナプロキセン（ナイキサン®）による治療への反応も古くから参考にされることが多い．ナプロキセンを 1 回 250 mg 1 日 2 回 12 時間ごとに投与すると，腫瘍熱患者では 15 人中 14 人が 1 日以内に解熱し，細菌感染（主に膿瘍やカテーテル感染）では 5 人中 1 人も解熱せず，SLE や混合性結合組織病（MCTD）（2 人）では部分的な解熱のみだった〔Am J Med 76：597-603, 1984〕というデータがもとになっている．
> - 腫瘍患者での発熱において，抗菌薬を投与すると細菌感染ではプロカルシトニンが低下したが，腫瘍熱患者では低下しなかったという報告があり，診断に苦慮する際には参考にしてもよいだろう〔Cancer 118：5823-5829, 2012〕．

● 参考文献

1) Evans L, et al. Surviving sepsis campaign：international guidelines for management of sepsis and septic shock 2021. Intensive Care Med 47：1181-1247, 2021〔PMID：34599691〕
    - 敗血症のガイドライン，まずはこれから．Society of Critical Care Medicine の Website から，日本語翻訳のダウンロードも可能．
2) Haidar G, Singh N. Fever of Unknown Origin. N Engl J Med 386：463-477, 2022〔PMID：35108471〕
    - 不明熱の視点から，感染症，腫瘍，膠原病，薬剤など，幅広くまとまっている！ まずはこれから．
3) Patel RA, Gallagher JC. Drug fever. Pharmacotherapy 30：57-69, 2010〔PMID：20030474〕
    - 薬剤熱のレビュー．Up to Date とあわせて読むことを推奨したい．
4) Zell JA, Chang JC, Neoplastic fever：a neglected paraneoplastic syndrome. Support Care Cancer 13：870-877, 2005〔PMID：15864658〕
    - 腫瘍患者での発熱について非常に簡潔にまとまっており，短時間で概要を把握するのにおすすめ．

（福井　翔）

2 ショック
血圧の絶対値ではなく循環が維持されているかの意識を

1. 血圧が低下しないショックもある
2. 3つの窓からショックを疑う
3. ショックをみたら静脈ラインを確保して十分な輸液を
4. ショックは迅速に治療を開始しつつ，①頸静脈，②呼吸音，③末梢冷感で鑑別する
5. ショックに輸液でダメなら，0.06の法則でγ計算をして昇圧薬を開始する

症例 ❶　腰痛に対してNSAIDs内服中の74歳男性．

腰痛に対してNSAIDsを常用していた．前日から心窩部の不快感があり，多量の黒色便をきたしたため救急外来に来院した．来院時バイタルサインは意識レベル JCS I-1，体温36.2℃，血圧100/60 mmHg，脈拍130/分，呼吸数16/分，SpO_2 98%（室内気）．

Q　まずはどう評価する？

血圧が低下しないショックもある

- ショックとは全身の組織灌流が低下し，組織への酸素供給が障害されている状態である．
- 組織灌流が障害されていればショックと考えるべきであり，血圧が正常でも油断してはいけない．また一見血圧が100 mmHgであっても，普段の収縮期血圧が180 mmHgであれば組織障害を生じうる血圧低下が起こっている可能性を疑う必要がある．そのため血圧の絶対値は参考値に留めるべきである．

鉄則 2 　3つの窓からショックを疑う

- ショックは全身の組織灌流の低下を意味するが，各臓器が組織灌流の低下を受けるとさまざまな症状が現れる．
- ①脳，②腎臓，③皮膚はショックを認知できる3つの窓といわれており，この3臓器の低灌流症状は比較的容易に確認することができる．脳灌流が低下すれば意識障害をきたし，腎灌流が低下すれば尿量減少に至る．皮膚灌流の低下では末梢冷感や網状皮斑（livedo reticularis）が出現し，毛細血管再充満時間（capillary refilling time：CRT）（次頁の「もっと知りたい！」を参照）が延長する．
- また，ショックでは通常，血圧低下に先行して頻脈，脈圧低下が起こることが多く，尿量低下も併発するため，これらの所見からショックを疑う必要がある．

本症例では…
- 入院前の情報を聴取すると普段の血圧は180/100 mmHg程度だった．
- また意識レベルの低下をきたしており，頻脈も伴っていた．末梢冷感を伴い，指先ではCRTの延長がみられたため，ショックの状態であると判断した．

A 血圧の有意な低下と病歴から消化管出血による出血性ショックを疑った

Q ショックを疑ったら次はどう対応する？

鉄則 3 　ショックをみたら静脈ラインを確保して十分な輸液を

- 組織への酸素供給は以下の式で規定される．

$$\dot{D}O_2(酸素供給量) = \underbrace{①CO}_{\underbrace{SV(1回拍出量)}_{\substack{前負荷 \\ (循環血液量)}} \times \underbrace{HR(心拍数)}_{\substack{後負荷 \\ (末梢血管抵抗)}} \times 心筋収縮力} \times \underbrace{CaO_2(動脈血酸素含有量)}_{1.34 \times ②SaO_2 \times ③Hb + 0.003 \times PaO_2}$$

治療：輸液負荷　血管収縮薬　強心薬　　酸素投与　輸血

- $0.003 \times PaO_2$ は定数の小ささから実質無視することができる．そのため介入できるのは①CO（心拍出量），②SaO_2（動脈血酸素飽和度），③Hb（ヘモグロビン）の3つのみであり，このうち最も簡便にかつ迅速に介入できるのが輸液負荷である．
- ABCを確認したあとに，まずは20ゲージ以上の静脈ラインを2本以上挿入し，細胞外液をフラッシュで投与する．

- 治療目標は末梢循環の改善である．輸液負荷の目的は上記の式の通り CO の改善であり，臨床現場では臓器灌流の目安となる平均血圧 65 mmHg を目標に管理することが多い．
- 血圧の変動が著しい場合や循環動態が不安定な場合には動脈ラインの確保行い，必要に応じて CV カテーテルやスワンガンツカテーテルなど血行動態をモニタリングできるデバイスを留置する．
- 3 つの血圧を意識して，もともとの病態や血圧に応じて目標値の変更が必要なこともある．
  - ①**収縮期血圧**：後負荷・動脈性出血のリスク・冠動脈バイパス術後の冠動脈血流量を反映
  - ②**拡張期血圧**：心：冠動脈血流量を反映
  - ③**平均血圧**（＝拡張期血圧＋脈圧×1/3）：心以外：臓器灌流を反映
- 末梢循環のモニターとしては乳酸値や尿量も参考になる．ショックの管理時には尿道カテーテルを挿入して 0.5 mL/kg/時以上の尿量を目指したい．

本症例では…

- 静脈ライン 20 ゲージを挿入し，酢酸リンゲル液（ソリューゲン® F）のフラッシュ投与を開始した（31 章「輸液」365 頁を参照）．尿量モニターのため尿道カテーテルを挿入し，動脈ラインを挿入した．
- 血液検査では Hb 11 g/dL から 6 g/dL まで低下しており，出血性ショックが疑われたため，迅速に赤血球 4 単位の輸血を準備し，開始した（30 章「血算」の「もっと知りたい！：輸血」361 頁を参照）．
- 腹部造影 CT で胃内に造影剤の extravasation（血管外漏出）を認め，緊急の上部消化管内視鏡による止血術を行い，改善を得た．

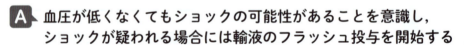

A 血圧が低くなくてもショックの可能性があることを意識し，ショックが疑われる場合には輸液のフラッシュ投与を開始する

ショックを疑う身体所見

- 毛細血管再充満時間（capillary refilling time：CRT）
- CRT は重症の循環性ショックを識別するために用いられてきた．
- 患者の爪を 5 秒間圧迫したあとに解除して，爪の赤みが戻るまでの時間を測定する．
- 正常値は男性 2 秒，女性 3 秒，高齢者 4 秒といわれている．
- 敗血症性ショックの管理において，CRT は乳酸値と比較しても有用である可能性を示唆しているとの報告があり，重要な身体所見の一つとして知られている〔JAMA 321：654-664, 2019〕．

症例❷ 脂質異常症・2型糖尿病の既往歴と喫煙歴がある74歳男性．

ここ数か月労作時の胸部不快感を自覚するようになった．自身で経過をみていたが，朝から胸痛と呼吸困難が継続するため救急車で搬送された．来院時バイタルサインは意識清明，体温36.4℃，血圧82/50 mmHg，脈拍70/分，呼吸数22/分，SpO_2 90%（リザーバー10 L/分）．身体所見では頸静脈怒張と両全肺野にラ音を認め，心雑音を認めなかった．また末梢冷感を伴った．胸部単純X線写真では肺野の透過性低下を認めた．

Q ショックの状態と考えられるが，原因は何か？

鉄則 4 ショックは迅速に治療を開始しつつ，①頸静脈，②呼吸音，③末梢冷感で鑑別する

- 症例1と異なり，ショックの原因が明らかではない場合は，治療介入をしつつ鑑別を同時に行う．
- ショックの鑑別は大きく4つ（循環血液量減少性，心原性，心外閉塞・拘束性，血液分布異常性）に大別され，①頸静脈，②呼吸音，③末梢冷感の3つの項目である程度見分けることができる．
- 心原性の対応はその他のショックとも異なるため，心原性か否かの見極めが重要である．迅速な心電図や経胸壁心エコー図での精査が求められる．
- 心原性のショックはほかの病態との併発もよくあるため，その可能性も考える．例えば，敗血症による血管分布異常性ショックを契機に心原性ショックを併発することがある．
- その他の原因がはっきりしないショックでは，敗血症性ショックと副腎不全を鑑別に挙げる．敗血症性ショックとして対応しても病態の改善が得られない場合には副腎不全を積極的に考慮する必要がある．特に副腎不全は特異的な症状は少ないため，消化器症状・電解質異常・低血糖・好酸球増多で鑑別に挙げる〔Crit Care 12：9, 2008〕．

ショックの鑑別

分類	頸静脈怒張/下大静脈径	心エコー	末梢冷感	疾患の鑑別
循環血液量減少性 hypovolemic	(−)	収縮↑	(+)	① 失血　消化管出血，肝細胞癌破裂，大動脈瘤破裂，血胸，筋肉内血腫，皮下血腫，異所性妊娠 ② 血漿喪失　熱傷，トキシックショック症候群(TSS) ③ 体液・電解質喪失　急性膵炎，腸閉塞/イレウス，嘔吐・下痢，DKA/HHS[*2]
心原性 cardiogenic	(+)	収縮↓，弁膜症	(+)	① 心筋性　急性心筋梗塞，心筋症 ② 機械性　MR[*3]，AS[*4]，心室瘤 ③ 不整脈　徐脈：完全房室ブロック，洞不全症候群 頻脈：心房細動，心房粗動，PSVT[*5]，心室頻拍
心外閉塞・拘束性 extracardiac obstructive	(+)	心嚢水(心タンポナーデ)右心不可(肺塞栓)	(+)	① 緊張性気胸 ② 心外膜疾患(心タンポナーデ，収縮性心膜炎) ③ 肺血栓症
血液分布異常性 distributive	(±)	収縮↑	(−)[*1]	① 敗血症性ショック ② アナフィラキシーショック ③ 神経原性ショック(脊髄損傷，血管迷走神経反射) ④ 副腎不全

[*1] 血液分布異常性でも重度の敗血症性ショックでは末梢冷感(+)となる．
[*2] DKA/HHS：diabetic ketoacidosis/hyperosmolar hyperglycemic syndrome(糖尿病性ケトアシドーシス/高浸透圧高血糖症候群)
[*3] MR：mitral regurgitation(僧帽弁閉鎖不全症)
[*4] AS：aortic stenosis(大動脈弁狭窄症)
[*5] PSVT：paroxysmal supraventricular tachycardia(発作性上室性頻拍)

ショックの原因検索

- ショックでは原則初期対応を開始しつつ，その原因検索を迅速に行う．

① ABC の確認

- 血圧低下に目を奪われず ABC(airway, breathing, circulation)を確認する．
- airway や breathing に異常があれば，まずはそちらを対応する．

②点滴ルート確保・輸液開始

- 濃厚に心不全や重症肺血栓塞栓症を疑う所見がなければ，下記の検査と同時に 20 ゲージ以上のラインを 2 本以上確保し，輸液のフラッシュ投与を開始する．
- 数百 mL の輸液で心原性ショックが悪化することは少ないので，診断が確定するまでは心原性ショックが鑑別診断に含まれていても原則に則り最初に輸液負荷を行う．

③身体所見

- 頸静脈怒張・ラ音・末梢冷感の有無で鑑別を開始する．

④血液検査・動脈血液ガス提出

- 血算，生化学，凝固＋血液型・クロスマッチ＋動脈血液ガスに加えて血液培養 2 セッ

- トの提出を検討する.
- 血液型・クロスマッチ検体は輸血する場合に備えて採取する.
- また動脈血液ガスでアシドーシス・乳酸値・電解質異常・貧血の有無を確認する.
- 原因不明のショックがのちに敗血症によるものだったとわかることも多く，発熱していなくても常に血液培養の提出を検討する.

⑤ **12誘導心電図**
- 新規の虚血性変化や不整脈の有無を確認する.
- 虚血性心疾患が疑わしい場合には，数十分後にもフォローできるように電極の位置をマーキングしておく.

⑥ **心臓＋腹部エコー**
- 心臓：左室駆出率，壁運動異常，弁膜症，心嚢液貯留，可視範囲の大動脈，体液評価を行う.
- 腹部：腹腔内出血，胆嚢壁肥厚，肝内胆管拡張，水腎症の有無を確認する.

⑦ **胸部単純X線写真**
- 肺野の浸潤影，肺うっ血，気胸，皮下気腫，縦隔気腫，縦隔の拡大がないかを確認する．状況によってはCT検査が優先される場合もある.

⑧ **直腸診**
- 消化管出血が疑わしい場合には，直腸診で出血の確認をする.

⑨ **尿道カテーテル挿入**
- 血圧低下が遷延する場合は尿道カテーテルを挿入し，尿量0.5 mL/kg/時を目標に輸液速度を調整する.

⑩ **原疾患の治療**
- 原因がある程度特定できたら必要に応じて消化器内科医や循環器内科医などの専門医をコールする.

本症例では…
- 輸液をフラッシュ投与しつつ，酸素投与を開始した.
- 身体所見では頸静脈怒張や末梢冷感があり，肺うっ血を示唆する所見を認めたため，心原性ショックや心外閉塞・拘束性ショックを念頭に置いて対応をした.
- トロポニンTを含めた血液検査を提出し，12誘導心電図でⅡ・Ⅲ・aVFにかけてST上昇，Ⅰ・aVLにST低下を認めた.
- 心エコー検査で下壁の壁運動低下を認めた.
- 急性冠症候群による心原性ショックが強く疑われる状況であり，緊急冠動脈造影検査を施行し，右冠動脈に閉塞を認め，閉塞部位にステント留置を行った.
- 冠動脈治療後はショックを離脱したため，輸液を中止した.

A 病歴および身体所見から心原性ショックならびに心外閉塞・拘束性ショックを疑い，心電図および心エコーで心筋梗塞に伴う心原性ショックと診断した.

徐脈+ショック

- 血圧低下時は通常頻脈になる．
- 逆に徐脈+ショックは特別な状態であり，以下の鑑別診断を挙げられるようにしておく．
- VF AED ON で覚えるとよい．

V	Vasovagal reflex（血管迷走神経反射）
F	Freezing（低体温）
A	AMI（急性心筋梗塞），Adams-Stokes 症候群，Acidosis（アシドーシス）
E	Electrolyte（高K・高Mg血症），Endocrine（甲状腺機能低下症，副腎不全）
D	Drug（薬剤性）
O	Oxygen（低酸素）
N	Neurogenic（神経原性ショック）

RUSH（Rapid Ultrasound in SHock）

- RUSH はショックを評価するときのエコーの手順の一例である．
- ショックの鑑別やマネジメントに素早く活用でき，どの分類のショックの可能性が高いかということにあたりをつけて早期に治療介入が可能になる．
- 除外すべき疾患を除外することが重要であり，急性心筋梗塞・肺血栓塞栓症・急性大動脈解離・急性の弁膜症・心タンポナーデ・緊張性気胸・血胸・腹腔内出血などを評価することができる．
- Pump で心臓を確認し，心原性ショックや心外閉塞・拘束性ショックを評価する．続いて Tank で胸腹部の出血や気胸を検索し，最後に Pipes で解離や血栓症を評価することができる〔Emerg Med Clin North Am 28：29-56, 2010〕．

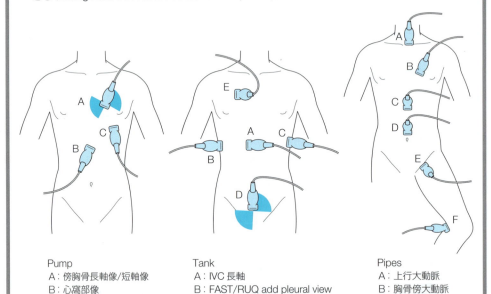

Pump
A：傍胸骨長軸像/短軸像
B：心窩部像
C：心尖部像

Tank
A：IVC 長軸
B：FAST/RUQ add pleural view
C：FAST/LUQ add pleural view
D：FAST，骨盤
E：気胸，肺水腫

Pipes
A：上行大動脈
B：胸骨傍大動脈
C：心窩部大動脈
D：腹部大動脈
E：大腿部 DVT
F：膝窩部 DVT

> **症例 ❸** 胆石の既往歴がある 64 歳男性.
>
> 数日前から腹部の違和感が出現し,本日になり腹痛の増悪と発熱を認めたため来院した.来院時バイタルサインは意識レベル JCS I-1,体温 38.7℃,血圧 80/50 mmHg,脈拍 120/分・整,呼吸数 30/分,SpO_2 96%(室内気).動脈血液ガス検査で乳酸値 5 mmol/L と上昇を認めており,細胞外液 1,500 mL 急速投与するも血圧は 82/52 mmHg と改善を認めなかった.体重は 70 kg である.

Q 輸液の次の対応は?

鉄則 5 ショックに輸液でダメなら,0.06 の法則でγ計算をして昇圧薬を開始する

- 細胞外液の負荷ですみやかに血圧が安定せず,ショックから離脱できていない場合には,昇圧薬を使用して末梢血管抵抗を上げることで循環動態を保つ.実際には,輸液だけでは循環動態の維持が難しいため,輸液を開始しつつ昇圧剤の準備を始めることも多い.
- 敗血症性ショックで必要になる場合が多く,第一選択はノルアドレナリンである.その他のショックでも血圧が維持できなければ早期に輸液負荷と併用する.
- 昇圧薬の血管外漏出が起こると皮膚の壊死が起こるリスクがあるため,高用量必要になることが予想される場合は中心静脈カテーテルを挿入する.血行動態が不安定であったり,血圧測定が頻回に必要であったりする場合には動脈ラインを挿入する.
- 昇圧薬などの循環作動薬は体重あたりで必要な量を微調整する必要があり,投与量の設定にはγという単位を使う.

γ計算

- γ計算は体重および時間あたりの投与量をあわせた概念である.当然 30 kg の小柄な人と 100 kg の大柄な人では薬の投与量は異なるので,体重あたりの至適投与量を決めるためにγという基準を使用する.
- では mL/時とγはどのように変換したらよいのか?

> **Step 1** μg を mg に換算
> $1γ = 1 μg/kg/分 = 1×10^{-3} mg/kg/分$
>
> **Step 2** 分を時に換算
> $1×10^{-3} mg/kg/分 = 1×10^{-3}×60 mg/kg/時 = 0.06 mg/kg/時$
>
> **Step 3** 1γ の薬剤が何 mL に相当するか,●倍希釈(1/● mg/mL)だと
> $1γ = 0.06 mg/kg/時 = 0.06÷1/● mL/kg/時$
> $⇔ 1/● γ = 0.06 mL/kg/時$
>
> **Step 4** 体重で換算,■ kg だと
> $1/● γ = ■×0.06 mL/時$

- 簡易的にまとめると以下の式が成り立つ．ぜひ自分の病院でよく行われている希釈倍率と照らし合わせて確認しておこう．

> 等倍希釈（1 mg/mL）では　　　　1γ
> 20倍希釈（0.05 mg/mL）では　　0.05γ＝体重（kg）×0.06 mL/時
> 3倍量（3 mg/mL）では　　　　　3γ

- 3倍量で使用する薬剤は3γで開始することが多く，20倍希釈で開始する薬剤は0.05γで開始することが多い．
- 例えばノルアドレナリンを20倍に希釈（ノルアドレナリン1 mLを生理食塩水19 mLで希釈する）して0.05γから開始するのであれば，体重60 kgの場合は60×0.06＝3.6 mL/時から開始することになる．なお，同患者でノルアドレナリンを10倍に希釈（ノルアドレナリン1 mLを生理食塩水9 mLで希釈する）で0.05γから開始するならば1.8 mL/時となる．
- つまり，0.06という数字さえ覚えておけば，γ計算は暗算でできる．施設にγ比較表がある場合には，投与前に問題がないかを必ず確認する．

本症例では…

- 十分な細胞外液の輸液にもかかわらずショックから離脱が困難であるため，カテコラミンとして20倍希釈のノルアドレナリンを0.05γから開始した．
- 体重70 kgであったため，0.06の法則で20倍希釈のノルアドレナリンを4.2 mL/時で開始した．
- 昇圧剤開始後は，血圧は120/60 mmHgまで上昇した．精査の結果，胆管炎の診断となり，抗菌薬投与を開始したうえで消化器内科にコンサルテーションを行った．

 輸液に反応しないショックであり，カテコラミンの使用を開始する．γ計算に時間を費やすヒマはないので0.06の法則で暗算できるようにすること

もっと知りたい！ 昇圧剤の種類（各昇圧剤の投与量）

- ショック，特に敗血症性ショックの場合に昇圧薬を使用する際は，ノルアドレナリンが推奨されている〔Intensive Care Med 43：304-377, 2017〕．
- 特に敗血症性ショックでは早期のノルアドレナリンの使用が6時間後のショック割合を有意に改善するといわれている〔Am J Respir Crit Care Med 199：1097-1105, 2019〕．
- SSCG2021では，ノルアドレナリンで目標血圧が十分保てない場合に併用する昇圧薬としては，バソプレシンやアドレナリンが推奨されている．
- バソプレシンはカテコラミン系薬剤の使用量を減らすと考えられているが，予後改善に関しては一定の見解はない．
- バソプレシンの有用性に関しては，さまざまなメタ解析が報告されており，敗血症性ショックに対するバソプレシンの併用は28日死亡率に影響を与えない〔Intensive Care Med 45：844-855, 2019〕とするものや，同様に死亡率やICU入室/入院期間に差はない

が，腎代替療法の使用を減らす可能性があるとの指摘がされており，腎保護作用に期待がされている〔Am J Emerg Med 48：203-208, 2021〕．
- 循環作動薬には，大きく分けて強心薬と昇圧薬があり，代表的な循環作動薬を下記に示す．作用するアドレナリン受容体ごとに効果が異なる．

アドレナリン受容体
- α作用：末梢血管を収縮させる作用
- β_1作用：心拍数増多/心収縮力増加
- β_2作用：末梢血管拡張/気管支拡張

- 組成/投与量の例を示す．

薬物	特徴	組成	投与量
ノルアドレナリン	・α＋β刺激の作用があるが，主にα受容体の血管収縮の作用がある ・即効性で強力な昇圧効果をもち，広く使用される昇圧薬	2 mg＋生理食塩水 38 mL（20倍希釈）	0.05γから開始 0.05γずつ増量し，最大0.5γ
バソプレシン	・バソプレシン受容体を介して強力な血管収縮作用を示す．カテコラミン受容体を介さず，カテコラミン抵抗性の血管拡張性ショックなどの病態に有用である	1 U/mL 20 U＋生理食塩水 19 mL	0.6 mL/時から開始 0.6 mL/時ずつ増量し，最大 2.4 mL/時
ドパミン	・用量依存性で作用発現の仕方が異なる（利尿作用→β刺激作用→α刺激作用） ・低用量では腎血流増多作用を示すが，高用量では催不整脈作用や血管抵抗が大きくなり心拍出量低下を起こしうるため，現在では使用頻度が減ってきている	原液 150 mg/50 mL	1.5～2γで開始 2～3γ→利尿作用メイン（腎血流増加→尿量増加） 3～10γ→β刺激作用メイン（心拍出量増加，心拍数増加，腎血流減少） 10γ以上→α刺激作用メイン（血圧上昇，血管抵抗上昇）
ドブタミン	・β_1受容体への選択性が高く，心収縮力の増強と心拍数増多の効果を発揮する ・5γ以下の用量でβ_2受容体刺激による末梢血管拡張作用もある ・急激な中止は血行動態の悪化をきたしうるため，開始後は段階的に減量する	原液 150 mg/50 mL	1γから開始 1γずつ増量し，最大5γ
ミルリノン	・ホスホジエステラーゼⅢ阻害薬であり，心筋細胞内のcAMP濃度を上昇させることで心収縮力の増強作用を示す ・血管平滑筋のcAMP濃度上昇により末梢血管拡張作用もあり，血圧が低下しやすい点には注意する	10 mg＋生理食塩水 40 mL	0.125γから開始 0.25γ→0.375γまで
アドレナリン	・α＋β刺激作用があり，心停止症例などでも使用される ・α刺激効果による昇圧作用とβ_1刺激作用による強心作用が期待できる	アドレナリン 3 mL（3A）＋生理食塩水 47 mL	0.01～0.3 μg/kg/分で調整する

ショックのときの理想的な輸液のメニューは？

- ショックの際には普段と異なり大量の細胞外液を投与することになる．
- 例えば最新の敗血症治療ガイドライン（SSCG2021）では，最初の3時間で30 mL/kg以上の晶質液による輸液を行うことを推奨している．
- 一方で過剰な輸液が害であることは近年の大規模ランダム化比較試験で示されており（ProCESS, ARISE, ProMISe），乳酸値の低下の度合いや心エコーなどを用いて過剰な輸液を避けることが重要であり，不要な輸液の継続には注意する必要がある．
- 近年のランダム化比較試験でも，ショック患者に対するICUでの輸液制限で90日死亡率が低下しないとの報告がされており，適切な輸液量に関しては議論が継続しているため，状況に応じて至適輸液量を考慮する必要がある〔N Engl J Med 386：2459-2470, 2022〕．
- 初期蘇生の輸液としての生理食塩水は従来一般的に使用されていたが，クロールを多く含む輸液はアニオンギャップ非開大性の代謝性アシドーシス，急性腎障害，腎代替療法の増加などの懸念が指摘された．
- ICU患者で行われたランダム化比較試験で，生理食塩水とバランス輸液を投与した群を比較し，AKIや腎代替療法に有意差がなかったとの報告もある〔JAMA 314：1701-1710, 2015〕．
- しかしその後，2018年のSMART試験でICU入室患者に対する輸液療法で生理食塩水とバランス輸液を投与した群を比較し，30日以内の主要腎合併症が晶質液グループで少なく〔N Engl J Med 378：829-839, 2018〕，また非重症患者でもSALT-ED試験でも，同様の結果が示された〔N Engl J Med 378：819-828, 2018〕．
- SMART試験の二次分析で，晶質液グループが生理食塩水グループと比較して院内死亡率が低下する傾向があることが示され〔Am J Respir Crit Care Med 200：1487-1495, 2019〕，晶質液での輸液ではアウトカムを改善する可能性が指摘されている．
- これらより現在では輸液の第一選択は晶質液が推奨されている．

● 参考文献

1) Vincent JL, Backer DD. Circulatory Shock. N Engl J Med 369：1726-1734, 2013［PMID：24171518］
   - 4種類のショックの病態を含めてわかりやすくまとまっている．
2) Vahdatpour C, et al. Cardiogenic Shock. J Am Heart Assoc 8：e011991, 2019［PMID：30947630］
   - 心原性ショックのレビュー．
3) Nolan JP, Pullinger R. Hypovolaemic shock. BMJ 348：g1139, 2014［PMID：24609389］
   - 循環血漿量減少性ショックのレビュー．
4) 日本集中治療医学会（編）．日本版敗血症診療ガイドライン2020（J-SSCG2020）．日本集中治療医学会雑誌 28, 2021.
   - 日本版敗血症診療ガイドライン2016（J-SSCG2016）に続き，さまざまな臨床的疑問に対する最新のエビデンスが収録されている．
5) Evans L, et al. Surviving sepsis campaign：international guidelines for management of sepsis and septic shock 2021. Intensive Care Med 47：1181-1247, 2021［PMID：34599691］
   - 米国と欧州の集中治療学会が合同で策定したガイドラインであり，Recommendationで各々の臨床場面でのベストプラクティスを提示している．

（鈴木　隆宏）

3 酸素飽和度低下
バイタルサイン異常で一番怖い！迅速な対応を！

1. 酸素飽和度（SpO₂）低下があれば，まず気道確保をする
2. 上気道か下気道かの判断を行う
3. SpO₂低下では迷わずに酸素を投与する
4. SpO₂低下のさらなる病態把握のために動脈血液ガスをチェックする
5. SpO₂低下は発症様式，胸痛の有無，上気道か下気道かで緊急性を判断する
6. SpO₂低下では①気道閉塞（痰づまり・喘息・COPD），②心不全（±心筋梗塞），③肺炎，④気胸，⑤肺血栓塞栓症を見逃さない

> **症例❶** 腰椎圧迫骨折で入院中の82歳男性．
>
> 腰椎圧迫骨折で保存加療目的に入院していた．ADLは寝たきりである．朝食後に呼吸困難を訴え，SpO₂が測定できないとのことでコールがされた．バイタルサインは意識レベルJCS Ⅲ-200，体温37.2℃，血圧130/74 mmHg，脈拍110/分・整，呼吸数32/分，SpO₂測定不能．訪室時，吸気時の胸郭の上がりは弱く，あえぎ呼吸様であった．頸部でstridorを聴取するが，肺野でcracklesやwheezeは聴取しなかった．

Q まずはどう評価する？

酸素飽和度（SpO₂）低下があれば，まず気道確保をする

- SpO₂の低下をきたす疾患は，緊急性の高いものが多いため，報告を受けたら，すぐにベッドサイドに行く．
- SpO₂低下には偽物も混じっているので，本当に酸素化が低下しているのかを数秒で判断する．

すぐに判断できる SpO₂ 低下の原因

- SpO₂ が正確に測定できているか(例：体動，血圧測定中*，マニキュア塗布)．
  *実際に血圧が下がっていても SpO₂ が測定できないことはあるので，血圧低下が起こっていないかに注意する．
- 酸素投与がきちんとできているか(例：酸素配管外れ，酸素 OFF になっている，鼻カニューレ使用時の口呼吸，酸素マスクのズレ)．
- 一時的な SpO₂ 低下ではないか〔例：睡眠時無呼吸症候群(SAS)〕．
- 上記に当てはまらず緊急対応が必要な SpO₂ 低下では，まず気道確保の必要性を評価し，気道確保に進む．

鉄則 2　上気道か下気道かの判断を行う

- 上気道閉塞があると酸素投与しても SpO₂ は改善しないため，上気道かどうかを意識して必ず気道確保を行う．
- ①**気道閉塞**がある，もしくは②**適切に呼吸できていない場合**(あえぎ呼吸や下顎呼吸)は気道確保を考慮する．

気道確保の方法
①気道閉塞がある場合

- 上気道確保は，頭部後屈と顎先挙上によって行う．
- 顎先を持ち上げて，声門を閉塞している舌を前方移動させ，気道を開通させる．
- 仰臥位で舌根が沈下すると気道が狭小化するので，その際には下記のデバイスを用意する．
- 舌根沈下を改善するエアウェイツールには，経鼻(ネーザル)と経口(オーラル)のタイプがある．

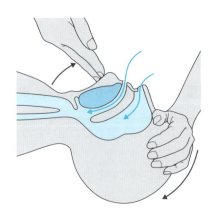

	経鼻エアウェイ	経口エアウェイ
目的	鼻から挿入し，気道を確保する	口から挿入し，気道を確保する
意識の有無	意識があっても使用できる	意識がない患者に使用する
注意点	頭蓋底骨折では禁忌である 鼻出血を引き起こすとそれ自体が気道閉塞の原因になることがある	嘔吐や喉頭けいれんを誘発することがある
サイズの決め方	鼻尖から耳朶までの長さ	下顎角から口角での長さ
挿入方法	潤滑剤を塗布して，垂直に立てて持ち，まっすぐ挿入する	先端を口蓋に向けて挿入する
	完全に入り込んでしまわないように鼻の外に出ている側に安全ピンをつける	咽頭後壁に向けるときに180度回転させ，取っ手が唇にあたるまで挿入する

②適切に呼吸できていない場合

- 呼吸パターンが不安定な場合は用手換気を開始する．
- バッグバルブマスクとジャクソンリースを使い分けられるようになっておく．
- 通常の酸素投与や気道確保で呼吸状態が保てない場合は，気管挿管を考慮する．
- 一部NPPV（非侵襲的陽圧換気）で代用できる場合もある．

	バッグバルブマスク（アンビューバッグ®）	ジャクソンリース
概要	バルブがあるため呼気が外部に排出される → CO_2 ナルコーシスなど二酸化炭素をすばやく体外に排出させたいときにより有効．酸素投与もしたいときは，リザーバーマスクをつける必要がある．	バッグを軽く握り続けることで PEEP（呼気終末陽圧）をかけることが可能である → 気管支喘息や COPD 増悪など PEEP が必要な病態で有効．また患者の自発呼吸を直接手に感じるため，自発呼吸に合わせやすい．
ガス供給源	不要 外気で自己膨張する ＝酸素がなくても換気できる	必要 酸素がないと換気できない
PEEP	かからない （ただし可能な製品もある）	かかる
高濃度酸素	リザーバーを接続すれば可能	可能

本症例では…

- 訪室時パルスオキシメーターの位置ずれや体動による測定誤差は否定的だった．
- 呼吸パターンと看護師の報告から食物遺残による上気道の閉塞が疑われた．
- 気道確保のために食物遺残を吸引したうえで，経鼻エアウェイを挿入し，ジャクソンリースで用手換気を開始した．
- 喀痰吸引をしたところ，呼吸パターンが改善し，鼻カニューレ 4 L/分で SpO_2 96％程度を保てるようになったため，用手換気は終了し，各種精査を開始した．

A SpO_2 低下は秒単位に状態が進行する，真の SpO_2 低下かどうかを判断してすみやかに上気道あるいは下気道が原因かを判断し，気道確保を行う

SpO_2 の測定方法

- 実際に組織の酸素供給量を規定するのは SaO_2（動脈血酸素飽和度）である．
- パルスオキシメーターを使用して測定できる SpO_2（経皮的酸素飽和度）は，通常 SaO_2 と 2〜3％しか差がないため，血液検査をせずに酸素飽和度を推定できる．
- SpO_2 は以下のように測定しており，①〜④のいずれかに問題があると，SaO_2 が低下していない，すなわち酸素飽和度に問題がないのに SpO_2 が低下することがあるので注意が必要である．

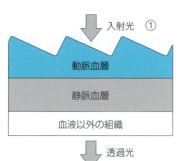

機序	原因
①入射光のノイズ	うまく装着できていない，体動が激しい
②動脈血の変動	血圧測定，末梢循環不全
③吸光特性の違い	マニキュア，色素注入（インドシアニングリーンなど）
④Hb組成の違い	一酸化炭素ヘモグロビン，メトヘモグロビン

症例❷ 慢性閉塞性肺疾患（COPD）がある84歳男性．

呼吸困難を主訴に救急搬送された．救急隊接触時，SpO_2 85％程度であったため，リザーバーマスクで酸素を投与されており，SpO_2 96％維持の指示に従って継続していた．病院到着時はSpO_2 70％台まで低下し，意識レベルはJCS Ⅲ-200まで低下した．バイタルサインは体温37.2℃，血圧100/65 mmHg，脈拍65/分・整，呼吸数8/分，SpO_2 78％（酸素マスク6 L/分）．両側肺野でⅡ度のwheezeを聴取，胸郭の動きに左右差を認めなかった．瞳孔は2/2 mmと縮瞳しており，四肢末梢は温かかった．

Q まずはどう対応する？

SpO_2低下では迷わずに酸素を投与する

- COPDや結核後遺症などがある患者では慢性的な高二酸化炭素血症があり，二酸化炭素に対する呼吸中枢の感受性が低下し，低酸素血症が呼吸数増加のトリガーになる．この場合SpO_2低下時に高濃度酸素を投与すると，呼吸中枢の低酸素によるドライブが抑制されてしまう．
- 呼吸数・換気量が減少して肺胞低換気になるため，$PaCO_2$がさらに上昇し，意識レベルの低下を招いてしまう．これがCO_2ナルコーシスの病態である．
- 慢性肺疾患，手足が温かい，縮瞳，意識レベル低下がある患者をみたら，CO_2ナルコーシスを疑う．
- ただし注意すべきなのは，高二酸化炭素血症は用手換気で改善できるが，低酸素血症は臓器（特に脳）に不可逆的な障害を与えてしまうことである．低酸素は致死的不整脈や心筋梗塞，脳障害，腎機能障害など多臓器不全を招くため，たとえCO_2ナルコー

シスの危険がある患者でも，必要最低限の酸素投与を躊躇しない．
- CO_2ナルコーシスは人工換気などにより治療可能であるため，低酸素の改善が第一義的に大切であることは理解しておこう．

酸素投与の方法

- **鉄則2**で取り扱ったように上気道閉塞があると，酸素投与してもSpO_2は改善しないため，必ず気道確保を行う．
- バッグバルブマスクやジャクソンリースにも酸素をつなげることができ，用手換気と酸素投与が同時にできる．
- 用手換気が必要ない場合の酸素投与の方法は，投与したい吸入酸素濃度（FiO_2）や，どの程度厳密にFiO_2を規定する必要があるかを目安に決める．
- 健常人ではおよそ500 mL/秒の吸気速度で呼吸しており，500 mL/秒×60＝30 L/分を境として低流量と高流量酸素療法に分類される．

低流量酸素療法と高流量酸素療法 （詳細は35頁の「もっと知りたい！」を参照）

	低流量酸素療法	高流量酸素療法
定義	供給酸素流量が患者の吸気流量より少ない	供給酸素流量が患者の吸気流量より多い
FiO_2	患者の1回換気量のほうが酸素供給より多いため，患者の換気状態でFiO_2が変化する	設定している酸素濃度であり，患者の呼吸に左右されずにFiO_2を設定できる
具体的なデバイス	鼻カニューレ フェイスマスク リザーバーマスク	ベンチュリーマスク ネーザルハイフロー NPPV

- 低流量：供給する酸素と同時に周囲の大気も吸入する．
- 高流量：吸気時に大気は吸入されず，患者の最大吸気流量以上の酸素が供給される．
- 低酸素流量の場合は，患者に必要と考えられるFiO_2に応じてデバイスを選択する．

$FiO_2<0.4$：**鼻カニューレ**
$0.4<FiO_2<0.6$：**フェイスマスク**
$0.6<FiO_2$：**リザーバーマスク**

- 高流量酸素療法は"**周囲の大気は吸入しない**"のが原則 → マスク装着不備，供給酸素流量不足などに注意．
- 通常はSpO_2 90％（PaO_2 60 mmHg）未満で酸素療法を検討するが，ベースのSpO_2に合わせて決めることが多い．ガイドラインでは酸素療法において，ほとんどの急性期患者ではSpO_2 94〜98％を目標値としており，一方でCO_2貯留のリスクがある患者では88〜92％を1つの目標値としている〔BMJ Open Respir Res 4：e000170, 2017〕．
- 現場では緊急性に応じて短期間の酸素投与をまず開始し，不要な酸素投与を早期に終了することが多い．
- 早期に酸素投与を終了させる理由は，高濃度酸素により肺組織障害が起こる可能性があるためである．純酸素（100％酸素）では数時間で障害が生じるともいわれるため，なるべくFiO_2を0.6（60％酸素）未満に保つようにしたい．

本症例では…

- 四肢の温かさに加えて縮瞳も認めており，CO_2 ナルコーシスが疑われたため，バッグバルブマスクで酸素投与をしつつ用手換気を行った．

> **A** 低酸素は不可逆的な脳障害をきたすので，SpO_2 が低下している際は CO_2 ナルコーシスが疑わしくても迷わず酸素投与を優先する

Q では次にこの呼吸不全の病態をどうやって精査する？

> **鉄則 4** SpO_2 低下のさらなる病態把握のために動脈血液ガスをチェックする

SpO_2 低下時に行う検査のフロー

1. 動脈血液ガス＋血液検査(血算，生化学，凝固)±血液培養(喀痰培養)
2. 胸部単純 X 線写真(ポータブル)
3. 心電図，心エコー±CT(単純，造影)

- 呼吸状態が悪いときは，酸素投与・診察と同時に動脈血液ガスの採取も行う．
- SpO_2 よりも詳細な情報が得られる動脈血液ガス検査は，呼吸不全の精査には必須の検査である．
- また呼吸困難の精査として緊急の血算・生化学・凝固の血液検査を行い，発熱などを伴う場合には血液培養の提出も同時に行えるとよりスムーズである．
- 動脈血液ガスの提出時には酸素投与条件を明記しておく〔例：リザーバーマスク 6 L/分，room air(室内気)，人工呼吸器設定など〕．
- SpO_2 低下があるときの動脈血液ガスの解釈は，pH，PaO_2 と $PaCO_2$，肺胞気-動脈血酸素分圧較差($A-aDO_2$)に注目する．
- その他の項目については 36 章「動脈血液ガス検査」432 頁もあわせて参照．

SpO_2 低下時の動脈血液ガスの解釈 (36章「動脈血液ガス検査」432頁もあわせて参照)

- pH：pH が正常範囲であるかを確認して，CO_2 貯留が代償されているかを考える．pH 低下があると危険であり呼吸不全が原因であれば用手換気や人工呼吸を検討する．
- PaO_2：通常 SaO_2 や SpO_2 と相関しており，必要に応じて気道確保・酸素投与を行う．P/F 比(P/F ratio)＝PaO_2/FiO_2 正常は 400 以上，300 以下は中等度，200 以下は重度の酸素化障害となる．
- $PaCO_2$：pH や意識状態に異常がなければ上昇していても問題はない．pH 低下や意識レベル低下がある場合は，用手換気・NPPV 装着・気管挿管を検討する．また HCO_3^- が代償されているか否かで COPD などによる慢性的な CO_2 貯留か否かを判断できる．呼吸不全は動脈血液ガス PaO_2 60 mmHg 以下で定義され，$PaCO_2$ により 1

型と2型に分かれる.

1型呼吸不全	2型呼吸不全
$PaCO_2 \leq 45$ mmHg	$PaCO_2 > 45$ mmHg

- $A-aDO_2$:肺胞気-動脈血酸素分圧較差.正常は5～10 Torrだが,高齢者では高値になる傾向がある.呼吸不全の原因がわからない際に参考にできる所見であり,肺胞低換気の鑑別に有用である.①換気血流比不均等(V/Qミスマッチ),②拡散障害,③肺外右-左シャントでは$A-aDO_2$が開大するが,④肺胞低換気では開大しないため,実臨床では喘息/COPDや痰づまり後の肺炎など複数の病態が併存することも多いので注意が必要である.

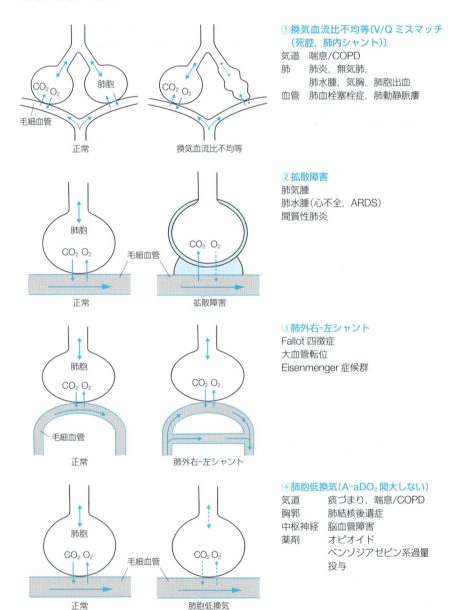

① 換気血流比不均等(V/Qミスマッチ (死腔,肺内シャント))
気道　喘息/COPD
肺　　肺炎,無気肺,
　　　肺水腫,気胸,肺胞出血
血管　肺血栓塞栓症,肺動静脈瘻

② 拡散障害
肺気腫
肺水腫(心不全,ARDS)
間質性肺炎

③ 肺外右-左シャント
Fallot四徴症
大血管転位
Eisenmenger症候群

④ 肺胞低換気($A-aDO_2$開大しない)
気道　　　痰づまり,喘息/COPD
胸郭　　　肺結核後遺症
中枢神経　脳血管障害
薬剤　　　オピオイド
　　　　　ベンゾジアゼピン系過量
　　　　　投与

本症例では…

- 動脈血液ガスを提出したところ pH 7.20, $PaCO_2$ 55 mmHg, PaO_2 58 mmHg（鼻カニューレ 4 L/分投与），2 型呼吸不全を認めていると考えられた．
- pH 低下と CO_2 高値があり CO_2 ナルコーシスによる意識障害，呼吸抑制が疑われた．また PaO_2 52 mmHg と 60 mmHg より低値だったため，酸素投与量の増量も必要と考えられた．
- バッグバルブで用手換気を行った結果，意識レベルは徐々に改善し，鼻カニューレ 1 L/分まで酸素投与量を減らせすことができた．

A 呼吸不全では，動脈血液ガスを確認し，迅速に鑑別を進める

酸素投与の実際

低流量酸素療法

- 鼻カニューレでは，1 L/分あたり約 4%ずつ FiO_2 が上昇する．例えば，鼻カニューレ 2 L/分では FiO_2 0.28 程度になる．5 L 以上投与することも可能だが，鼻腔内の不快感が強いためフェイスマスクやリザーバーマスクに切り替える．
- リザーバーマスクで期待される FiO_2 は，投与量÷10 程度で，6 L/分ではリザーバーマスクが膨らまず外気を吸い込んでしまうので不適切である．

鼻カニューレ	フェイスマスク	リザーバーマスク
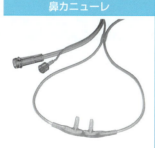	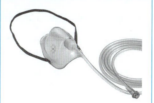	
鼻腔など上気道がリザーバーとなる 微量の酸素投与も可能で，最大でも 6 L/分まで 鼻腔の不快感や乾燥が欠点	酸素供給が少なかったり，患者の換気量が増大したりすると FiO_2 が低下する 5～10 L/分が推奨 CO_2 再吸収のリスクがあり，FiO_2 がばらつきやすい	フェイスマスクにリザーバーを追加したもの マスク排気部は一方弁で酸素供給量が多ければ CO_2 再吸入リスクが少ない 顔面との密着性が重要 酸素化×→高流量デバイスを検討する

酸素流量(L/分)	FiO_2	酸素流量(L/分)	FiO_2	酸素流量(L/分)	FiO_2
1	0.24	5～6	0.40	6	0.60
2	0.28	6～7	0.50	7	0.70
3	0.32	7～8	0.60	8	0.80
4	0.36	9～10	0.70	9	0.90
5	0.40			10	0.90～
6	0.44				

高流量酸素療法

ベンチュリーマスク	ネーザルハイフロー

FiO_2 0.24〜0.50	FiO_2 0.25〜1.00
ジェット効果で大気を混合したガスを送る FiO_2 を規定できるのが最大のメリット 最大吸気量を超えた希釈酸素ガスを与えることで高流量になる FiO_2 を変化させるときはダイリューターをかえる 加湿器がないため気道乾燥のリスクがある	加温加湿した高流量ガスを供給でき，60 L/分にも及ぶ流量が可能 安定した酸素濃度，死腔ウォッシュアウトが可能で加湿機能にも優れる 呼吸仕事量も減らし，食事や会話も可能となる 換気補助効果は少ない→Ⅱ型呼吸不全では軽症のみ PEEP は開口時で 1〜2 cmH_2O，閉口時で 2〜3 cmH_2O 程度しかかからない

症例 ❸　84 歳男性，間質性肺炎の既往歴がある．

間質性肺炎の既往歴があり吸入薬で治療継続中であった．朝の起床時に突然右胸痛と呼吸困難を自覚した．近医を受診し，SpO_2 の低下を指摘されたため，精査目的に当院に救急搬送された．来院時バイタルサインは意識清明，体温 36.4℃，血圧 111/75 mmHg，脈拍 90/分・整，呼吸数 18/分，SpO_2 90％（鼻カニューレ 3 L/分）であった．胸痛は吸気時に増悪した．明らかな気道閉塞はなく，下腿浮腫や頸静脈怒張もない．肺野では右肺野で呼吸音の低下を認めた．

Q. SpO_2 低下の精査をどのように進めるか？

鉄則 5　SpO_2 低下は発症様式，胸痛の有無，上気道か下気道かで緊急性を判断する

鉄則 6　SpO_2 低下では①気道閉塞（痰づまり・喘息・COPD），②心不全（±心筋梗塞），③肺炎，④気胸，⑤肺血栓塞栓症を見逃さない

低酸素血症の対応フロー

Step1：緊急性の判断と酸素療法の開始
バイタルサインを確認し，ABC の確保を行いつつ，すみやかに酸素投与を開始する

Step2：初期評価と呼吸不全の評価
すぐにわかる SpO_2 低下の原因がないかを検索する
問診と身体所見を進めつつ，動脈血液ガス検査(PaO_2, $PaCO_2$, pH, $A-aDO_2$)を行い，呼吸不全の病態を把握する
必要に応じて呼吸器デバイスをステップアップする

Step3：原因の同定
低酸素の状態を安定させながら原因の検索を進める
・血液検査
　血液検査では炎症反応，D-dimer，NTproBNP，心筋逸脱酵素も提供する
　※感染を疑う場合には血液培養2セット，痰培養も提出する
・胸部単純X線写真
　新規の浸潤影の有無，気胸，肺うっ血の有無，胸水を確認する
・12誘導心電図，心エコー
　心不全，虚血性心疾患，肺血栓塞栓症の評価を行う
・CT（±造影CT）
　肺CTを評価しつつ，肺血栓塞栓症を疑う場合には造影CT（下肢DVTもあわせて評価する）を追加する

- 低酸素血症の対応では，まず気道確保が確認できて最低限の酸素投与を行い，次に SpO_2 低下の原因を精査していく．
- 患者の意識レベルが保たれていれば，最低限の問診事項で緊急性をある程度判断することができる．
- なかでも①気道閉塞（痰詰まり・喘息・COPD），②心不全（±心筋梗塞），③肺炎，④気胸，⑤肺血栓塞栓症は緊急性が高いため，見逃さないよう注意する．
- 喘息・COPD は厳密には気道狭窄だが，痰詰まりと関連づけて気道の問題としてまとめると覚えやすい．
- 特に胸痛がある場合は，②心不全（±心筋梗塞），④気胸，⑤肺血栓塞栓症を鑑別しておく必要がある．
- 低酸素血症の診療は緊急性が高いことが多く，問診はすみやかに行う必要がある．

発症様式	胸痛の有無	痰詰まりの有無
acute＝×時××分に発症 急性心筋梗塞/心不全，気胸，肺血栓塞栓症，痰詰まり，アナフィラキシー	胸痛あり 急性心筋梗塞/心不全，気胸，肺血栓塞栓症，胸膜炎	痰詰まりのリスク因子 高齢者，嚥下障害，意識障害，慢性呼吸不全，気道感染症
subacute＝数時間で徐々に うっ血性心不全，ARDS，間質性肺炎，喘息，COPD 増悪		気道閉塞の所見 舌根沈下，あえぎ呼吸，stridor の聴取
chronic＝数日かけて 肺炎，胸水貯留，胸膜炎，呼吸筋疲労，慢性血栓塞栓性肺高血圧症		喀痰吸引の効果 気管内吸引により SpO_2 低下が改善したか

本症例では…

- 急性発症であり，吸気時の右胸部痛があり，痰詰まりのリスク因子やエピソードは認めなかった．
- 急性であり胸痛を伴うことから，特に②心不全（±心筋梗塞），④気胸，⑤肺血栓塞栓症が疑われた．
- 動脈血液ガス検査では pH 7.4，$PaCO_2$ 40 mmHg，PaO_2 70 mmHg（鼻カニューレ 4 L/分）で pH 低下や CO_2 貯留は認めなかった．
- 胸部単純 X 線写真で右肺気胸を認め，胸腔ドレーン挿入とした．

A SpO_2 低下時は最低限の問診と診療で緊急性を判断し，すみやかに精査と治療を進める

もっと知りたい！ 酸素飽和度が低下するその他の疾患

- 緊急性がある疾患として呼吸筋～肺に関連するものであれば，いずれで酸素飽和度低下が起こりうるため理解しておきたい．
- その他の鑑別としては以下が挙げられる．
  - ①肺疾患：肺炎，肺水腫，肺血栓塞栓症，気管支喘息，COPD，自然気胸，胸膜炎，胸水貯留，ARDS，肺癌
  - ②心臓疾患：心不全（急性，慢性心不全の急性増悪），急性大動脈解離，心タンポナーデ，肺外右-左シャント，心筋梗塞・不整脈・弁膜症（心不全の結果として肺水腫・胸水貯留を引き起こす）
  - ③神経筋疾患：広範囲/脳幹梗塞，筋萎縮性側索硬化症など
  - ④その他：敗血症，薬物中毒，CO_2 ナルコーシス

● 参考文献

1) Rengasamy S, et al. Administration of Supplemental Oxygen. N Engl J Med 385：e9, 2021［PMID：3426083］
   - 酸素療法の流れを動画の説明付きでわかりやすく解説している．
2) O'Driscoll BR, et al. British Thoracic Society Guideline for oxygen use in adults in healthcare and emergency settings. BMJ Open Respir Res 4：e000170, 2017［PMID：28883921］
   - 酸素投与の実際の流れや病態別の注意点までカバーしているガイドライン．
3) Qaseem A, et al. Appropriate Use of High-Flow Nasal Oxygen in Hospitalized Patients for Initial or Postextubation Management of Acute Respiratory Failure：A Clinical Guideline From the American College of Physicians. Ann Intern Med 174：977-984, 2021［PMID：33900796］
   - ネーザルハイフローの実践的用法について詳しく説明しているガイドライン．

（鈴木　隆宏）

4 意識障害
失神じゃなければ AIUEOTIPS

1. 意識障害ではまず ABC 確認と低血糖を除外
2. 意識障害の鑑別はいつも AIUEOTIPS
3. 脳梗塞の意識障害はまれ
4. 病歴聴取で意識障害と失神を区別
5. 失神は必ず心原性を除外

症例 ❶ **2 型糖尿病の既往歴がある 82 歳女性.**

2 日前からの発熱と排尿時痛・右背部痛があり,急性腎盂腎炎の診断で日中に内科へ緊急入院した.セフトリアキソン(ロセフィン®)で治療開始.入院 1 日目の夕食前の回診で,呼びかけに反応しないと病棟からコール.バイタルサインは意識レベル JCS Ⅲ-200,体温 36.7℃,血圧 140/90 mmHg,脈拍 108/分・整,呼吸数 18/分,SpO₂ 98%(室内気).

Q どう対応するか？

意識障害ではまず ABC 確認と低血糖を除外

- 意識障害は重篤な疾患を伴うことが多いが,それだけに惑わされずにいつも通りバイタルサインを確認する.心電図・SpO₂ モニターを装着し,救急カートも準備する.
- 意識レベルは **Japan Coma Scale(JCS)** や **Glasgow Coma Scale(GCS)** で評価する.
- 看護師に普段の意識レベルを確認することも重要である.
- 次に **ABC(airway, breathing, circulation)** の順で気道が確保されているか,安定した自発呼吸があるか,循環が保たれているかを確認する.
- ABC に問題があれば,その治療を優先する.特に気道と呼吸は合併しやすい異常であり,緊急性が高いので注意する.問題がある場合は頭部後屈・顎先挙上で気道を確保し,バッグバルブマスクやジャクソンリースで換気しつつ,酸素投与を行う.
- 次に即座に除外・治療できるものとして低血糖がないか評価する.低血糖の時間が長いと不可逆的な脳障害が起こるため,意識障害の病棟コールをもらったら病棟に向かいつつ簡易血糖測定器での血糖測定を看護師へ依頼する.
- 低血糖がある場合は 50%ブドウ糖液を 20〜40 mL 緩徐に投与し,30 分後にフォロー

する．経口摂取可能な状態ならばスティックシュガー 10～20 g を内服させてもよい．
- 低血糖発作による意識障害はすみやかに回復することが多いため，補正後もベッドサイドで意識レベルを評価する．逆に低血糖が改善したにもかかわらず意識レベルが戻らない場合は，ほかの原因を探す必要がある．

本症例では…

- 訪室すると自発呼吸はあるものの，いびきをかいていた．
- まずは頭部後屈・顎先挙上で気道を確保し，血圧・脈拍・酸素化が保たれていることを確認した．
- 簡易血糖測定器で血糖を測定すると血糖値は 30 mg/dL だった．
- 低血糖発作と診断し，点滴ラインより 50％ブドウ糖液 40 mL を緩徐に静注した．
- 1～2 分後には意識レベルが清明になった．30 分後の再検で血糖値は 100 mg/dL まで回復した．
- カルテを振り返ると，併存症の 2 型糖尿病対してグリメピリドとメトホルミンを内服していた．自宅で食事がとれないまま，入院前日まで同量の経口血糖降下薬を内服していたために発症した低血糖発作と考えられた．

A まずはほかのバイタルサインに問題がないことを確認し，次に低血糖を必ず除外する！

低血糖とビタミン B_1 の投与

- 救急外来で背景疾患がわからない場合は，ビタミン B_1 欠乏症（Wernicke 脳症）に対して診断的治療を行うことがある．
- 意識障害の患者にルーチンで投与される場合もあるが，最近は簡易血糖測定器ですぐに血糖値が判明するので，低血糖がわかってから投与することも多い．
  〈処方例〉チアミン（メタボリン®）注（1 A：50 mg/1 mL）　2 A（100 mg）　静注
- 診断のためになるべく事前にビタミン B_1 を測定する検体を提出してから投与を行う．
- ビタミン B_1 欠乏が疑われる患者において，血糖値のみを補正して B_1 を補正しないと Wernicke 脳症が増悪する，という話は有名である．しかし，これはあくまで「ビタミン B_1 の補充なしに血糖補正を継続した場合に起こることがある」，という点に注意する．あくまで症例報告のレベルである．
- 目の前の低血糖による意識障害に対して，ビタミン B_1 が用意できるまでブドウ糖を投与しない，というのはむしろ控えるべきである．
- いわゆる昏睡カクテルとして，米国ではブドウ糖・ビタミン B_1 に加えて麻薬中毒の拮抗薬としてナロキソンを投与することが多いが，日本でルーチンに使用することは多くない．
  〈処方例〉ナロキソン（1 A：0.2 mg/1 mL）　2 A（0.4 mg）　静注
- ベンゾジアゼピン系薬剤の拮抗薬であるフルマゼニル（アネキセート®）注（1 A：0.5 mg/5 mL）を使用する場合もある．てんかん歴のある患者や数種類の睡眠薬を同時服用した急性薬物中毒患者では，アネキセート®の使用によりけいれんを誘発する可能性があり注意が必要である．

> **症例 ❷** C型肝硬変，COPDのある78歳男性．
>
> C型肝硬変の既往歴があり，COPDに対して普段は在宅酸素療法（鼻カニューレ1L/分）を使用．今回は急性肺炎で入院となり，抗菌薬と酸素療法を開始した．入院時の意識は清明だったが，翌日の早朝に意識レベル低下を認めた．バイタルサインは意識レベル JCS Ⅱ-10，体温36.5℃，血圧100/60 mmHg，脈拍90/分・整，呼吸数12/分，SpO_2 100%（鼻カニューレ3L/分）．簡易血糖測定では，血糖100 mg/dL．

Q どう対応するか？

鉄則 2　意識障害の鑑別はいつも AIUEOTIPS

- 緊急に介入が必要なABCの異常や，低血糖がなければAIUEOTIPSに沿って鑑別診断を考える．

AIUEOTIPS

Alcohol	アルコール中毒・離脱，Wernicke脳症
Insulin	低血糖，DKA（糖尿病性ケトアシドーシス），HHS（非ケトン性高浸透圧性昏睡）
Uremia	尿毒症
Endocrinopathy	甲状腺クリーゼ，副腎不全，粘液水腫
Electrolytes	**Na・K・Ca**・Mg異常，特にNaとCa
Encephalopathy	肝性脳症，高血圧性脳症（高血圧緊急症），代謝性脳症
Oxygen	低酸素血症，CO中毒，**CO_2ナルコーシス（高CO_2血症）**
Opiate/**O**verdose	薬物中毒（オピオイド・ベンゾジアゼピンなど）
Trauma/**T**umor	脳挫傷，急性・慢性硬膜下血腫，脳腫瘍，髄膜播種，腫瘍随伴症候群
Temperature	低体温，高体温，悪性症候群
Infection	**髄膜炎，脳炎，脳膿瘍，敗血症**
Psychogenic	精神疾患（転換性障害など）
Porphyria	ポルフィリア
Stroke/**S**AH	**脳梗塞（脳幹もしくは広範囲のみ）**，脂肪塞栓，**脳出血，くも膜下出血**
Shock	ショック
Seizure	**けいれん，非けいれん性てんかん重積**

※**太字**は特に重要かつ頻度が多い疾患/病態

- 救急外来の高齢者で頻度として高いのは，脳血管障害を含む神経系疾患（11.7%），敗血症などの感染症（14%），電解質異常や薬物中毒などの代謝性疾患（7.8%）との報告がある〔Int J Emerg Med 1：179-182, 2008〕．

- 意識障害では以下に沿って鑑別診断を行う．

①特定の病態が起こりやすい基礎疾患がないか
- 意識障害で特に注意すべき基礎疾患

　既往歴　CO_2 貯留疾患（COPD，結核後遺症），糖尿病，頭蓋内病変，肝疾患，腎疾患，悪性腫瘍，てんかん，精神疾患

　薬剤歴　低血糖：インスリン，SU 薬（半減期が長い），インドメタシン

　　　　　　傾眠傾向：精神病薬，睡眠薬

　外傷歴　頭部外傷歴（慢性硬膜下血腫は 2〜3 か月前の外傷でも起こりうるので注意）

②神経所見を含めた身体診察
- 意識障害があったとしても以下に注目すれば十分身体診察が行える．
- 特に眼，呼吸，四肢に注目する．

　(1)眼

共同偏視	テント上脳出血：障害側
	けいれん，テント下脳出血：健常側
	視床出血：下方
	橋出血：正中位
pinpoint pupil	オピオイド中毒，橋梗塞・出血，有機リン中毒
縮瞳	CO_2 ナルコーシス
対光反射の消失	脳幹障害
瞳孔不同	片側脳幹障害，動眼神経麻痺，Horner 症候群
眼球結膜黄染	肝性脳症
眼瞼結膜蒼白	出血性ショック
頭位変換眼球反射（人形の目反射）	両側障害あれば脳幹障害

　(2)呼吸

頻呼吸	低酸素血症をきたす疾患群
Cheyne-Stokes 呼吸	大脳半球・視床障害，心不全，尿毒症
Kussmaul 大呼吸	DKA，尿毒症などによる代謝性アシドーシスの代償反応

　(3)四肢

　　深部腱反射：錐体路障害（ただし発症早期には亢進しないので注意）

　　Babinski 反射，Chaddock 徴候

　　疼痛刺激への反応

　　項部硬直，Kernig 徴候，jolt accentuation，髄膜炎・くも膜下出血

　　羽ばたき振戦，肝性脳症

　　四肢の温感，CO_2 ナルコーシス

　　振戦・発汗，甲状腺クリーゼ，アルコール離脱

　　drop hand test*，転換性障害

*ベッドに横になった状態で手を持ち上げて顔の上にもっていき，手を離す．転換性

障害だと顔を避けて手がベッドに落ちる．真の意識障害であればそのまま顔に向かって手が落下する．転換性障害では昏睡にもかかわらず，ほかのバイタルサインには全く異常がみられないことが多い．

③各種検査
- 緊急時にはできるだけ AIUEOTIPS を網羅して検査を出す．

(1)動脈血液ガス＋血液検査
- 動脈血液ガスは数分で判明する．
  - → 低酸素血症，二酸化炭素貯留（CO_2 ナルコーシス），末梢循環不全（敗血症やけいれん発作など），CO 中毒，低 Na 血症，高 Ca 血症，DKA/HHS を鑑別できて，結果も素早く判明するため意識障害の鑑別に非常に有用である．
- 血算，生化学のほかにアンモニア（NH_3，要氷冷）を含める．その他の背景がわからない患者ではビタミン B_1，甲状腺機能，副腎機能，アルコール濃度の提出も検討する．
- 必要に応じて尿検査（尿ケトン），薬物中毒検出用キット（アイベックススクリーン®）も行う．
  - → 肝性脳症，尿毒症，Wernicke 脳症，粘液水腫，副腎不全，アルコール中毒，薬物中毒を鑑別．

(2)頭部 CT
- 頭蓋内病変の検出のほか，髄液検査前の頭部スクリーニングの意味もある．
- 状況に応じて順序は変わるが，原因不明の意識障害の場合は施行したほうがよい．
  - → 脳血管障害，急性・慢性硬膜下血腫，脳挫傷，脳膿瘍，脳腫瘍を鑑別．

(3)心電図
- 不整脈が疑われる場合や心原性疾患を疑う場合に施行する．
- くも膜下出血などの重大な頭蓋内疾患でストレスによる心内膜下虚血が起こることが知られており ST 低下や T 波陰転化が生じうる．

(4)髄液検査
- 特に発熱を伴う場合，くも膜下出血を疑う場合，原因不明の意識障害，けいれん後の意識障害の遷延などの場合に考慮する．
- 髄膜炎では治療の遅れが致命的となる．必要と思えば躊躇せずに施行する．
- 髄液検体は保存検体用に多めに採取しておくとよい．
  - → 髄膜炎，脳炎/脳症，脳膿瘍（髄液培養で生えない場合も多い），くも膜下出血，髄膜癌腫症などを鑑別．

(5)頭部 MRI や脳波
- (1)〜(4)でも原因が判明しない場合は，さらに中枢神経病変の評価を追加する．
  - → けいれん，非けいれん性てんかん重積，脳炎/脳症を鑑別．

- これらを踏まえた実際の動きとして，以下のすべての段階において常にバイタルサインに新しい変化がないか評価を繰り返す．
  1. 病室に到着：カルテレビューまたは看護師への聴取で可能な限りの病歴，既往歴，薬剤歴，入院後経過を把握する．
  2. 上記で特に注意すべき病態を念頭に置きながら，上記の身体診察を行う．
  3. 2と同時に血液検査も行う．可能な限り動脈血液ガス（頻呼吸やSpO₂低下がないなら静脈でもよい）も提出する．
  4. 1〜3までの結果に応じて頭部CTなどの画像検査，髄液検査などを企画する．

本症例では…

- 意識以外のバイタルサインは安定しており，低血糖は認めないため，AIUEOTIPSに沿って鑑別を進めていくこととした．
- 基礎疾患としては肝硬変→肝性脳症，COPD→CO_2ナルコーシスのほかに，急性肺炎→敗血症なども念頭に置いて診察を開始した．
- 身体所見では瞳孔は両側2 mm/2 mmと縮瞳しており，左右差はなかった．徐呼吸はあるが呼吸パターンは安定していた．四肢の反射に左右差はなく，項部硬直・羽ばたき振戦なし，drop hand test陰性だった．
- 血液検査（NH_3を含める），動脈血液ガス検査，血液培養を提出した．
- 動脈血液ガス検査ではpHは7.12，$PaCO_2$は85 mmHgと増加しており，身体所見とあわせてCO_2ナルコーシスを疑った．
- CO_2ナルコーシスに関してはバッグバルブマスクで数分間の換気を行ったところ，意識レベルは改善した．CO_2ナルコーシスの場合はFiO_2が0.21の室内気での補助換気によりCO_2を吐かせることが必要で，室内気ではジャクソンリースは膨らまないことを知っておく（3章「酸素飽和度低下」27頁を参照）．
- 意識障害の改善後に身体診察を行ったが，明らかな神経学的異常は認めず，頭部CTは施行しなかった．
- のちに血液検査でNH_3正常範囲内と判明し，その他の培養検査も陰性だった．
- 以上より，意識レベル低下の原因はCO_2ナルコーシスと診断した．必要以上に酸素投与が行われ，呼吸ドライブがかからなかったと考えられたため，以降SpO_2の目標値は90％前後として加療を続けた．

A 意識障害に対しAIUEOTIPSで鑑別を考え，基礎疾患・診察・検査で診断する

非けいれん性てんかん重積（NCSE：non-convulsive status epilepticus）

- ほかに明らかな意識障害の原因が認められない場合は，非けいれん性てんかん重積を鑑別診断に挙げる必要がある．
- 特にICU入室中など重症患者に多く，知らないと疑えないため，これを機に知っておく．
- けいれん発作を伴わないてんかん重積であり，12分以上の短いてんかん発作が断続的に

生じている状態である〔J Clin Neurophysiol 38：1-29, 2021〕.
- ICU 患者や小児に多く，脳波でしか診断はできない．ICU では脳波に影響を与える薬剤，環境での評価となるため診断は難しい．
- 5 つの研究，478 人の意識障害を認めた患者のうち，21.5％で NCSE が認められたとするレビューもある〔Epilepsy Behav 22：139-143, 2011〕.
- 治療はレベチラセタム（イーケプラ®）やバルプロ酸ナトリウム（デパケン®）などの抗てんかん薬を使用する〔J Epilepsy Res 10：45-54, 2020〕.

症例 ❸ Alzheimer 型認知症の併存症がある 88 歳男性．

3 年前に Alzheimer 型認知症と診断されている．搬送前日の夕食時までは普段と変わらない様子であった．搬送当日の朝に起床してこないことを心配した妻が部屋に行くと受け答えが曖昧で，左上下肢が動かない状態で発見され救急要請となった．搬送時バイタルサインは意識レベル JCS I-3, 体温 37.6℃, 血圧 145/88 mmHg, 脈拍 100/分・整，呼吸数 16/分，SpO_2 96%（室内気）. 瞳孔 3+/3+，眼位の異常なし，深部腱反射は左で低下し，Babinski 反射など異常反射はない．徒手筋力テストは 5/3 と左上下肢で低下していた．その他に失禁と舌咬傷が認められた．動脈血液ガス検査では pH 7.35, $PaCO_2$ 39 mmHg, HCO_3^- 25 mEq/L, 乳酸 3.7 mg/dL, 血糖 110 mg/dL.

Q. 片麻痺＋意識障害の原因は何であろうか？

鉄則 3　脳梗塞の意識障害はまれ

- 意識の維持には上行性網様体賦活系（ARAS），つまり脳幹網様体〜視床・大脳皮質への神経活動投射が必要とされる．
- 逆に意識障害は，この経路が両側で障害されなければ起こらない．
- それゆえ脳梗塞や一過性脳虚血発作（TIA）で意識障害を認めることはまれとされる．
- 脳梗塞で意識障害を伴うのは，以下を認める場合である．
  ①両側大脳皮質の広範な脳梗塞
  ② midline shift を伴う片側の脳梗塞（対側の大脳皮質の障害）
  ③脳幹梗塞（top of the basilar 症候群）
  ④小脳テントヘルニア（ARAS の障害）
- 通常の脳梗塞で意識障害を伴う場合は，その他の原因検索を行う必要がある．低血糖やけいれん発作後の Todd 麻痺などが鑑別に挙がる．
- 片麻痺＋意識障害では，脳実質内出血やけいれん発作後の Todd 麻痺などが鑑別上位となる．

本症例では…

- 脳梗塞で意識障害を認めるのはまれであるため，ほかの原因検索が必要である．
- 片麻痺だけであれば脳梗塞などが疑わしいが，意識障害も伴っており脳梗塞の可能性を下げて，脳出血やけいれん発作後のTodd麻痺などの鑑別を上位に挙げた．
- NH_3を含めた血液検査と動脈血液ガス検査を追加したところ，NH_3，乳酸値とCKの上昇を認めた．頭部CTでは出血を含めて新規の異常は認めなかった．頭部MRIにおいても新規の梗塞は認められなかった．
- 失禁や舌咬傷，乳酸上昇も合わせてAlzheimer型認知症に伴うけいれん発作→post-ictal stateに伴う意識障害＋Todd麻痺と考えられた（→250頁）．
- 経過観察目的で入院し，翌日には意識障害・左上肢筋力低下が改善したため，抗てんかん薬を開始して退院となった．

A 脳梗塞に意識障害を伴うことはまれであるため，疑わしくてもほかの原因がないかも探す

症例 ❹ 特記すべき既往歴のない78歳男性．

テレビを見ている際に1分程度反応がない状態があり救急搬送となった．来院時バイタルサインは意識清明，体温36.5℃，血圧110/70 mmHg，脈拍40/分・整，呼吸数16/分，SpO_2 96%（室内気）．簡易血糖測定で100 mg/dL．

Q 原因を鑑別するのに行うべき追加問診は？

鉄則4 病歴聴取で意識障害と失神を区別

鉄則5 失神は必ず心原性を除外

- 失神（syncope）は一過性の全脳虚血であり，意識障害とは病態や鑑別診断が異なるため区別して対応する．

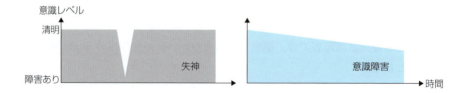

- 失神の特徴として，①急性発症，②短時間，③完全回復が挙げられるため，目撃者がいた場合は必ず確認する．
- 失神の場合は以下の問診を追加し，全例心電図を施行して必ず心原性（下表の太字）を見逃さないように気をつける．

失神の問診

直前の行動・体位	坐位，立位になった → 起立性低血圧，血管迷走神経反射 首をひねった → 頸動脈洞症候群 咳嗽，排尿，排便，食後 → 状況性失神 **臥位のまま，運動中 → 心原性**
前駆症状	悪心，発汗，顔面蒼白 → 血管迷走神経反射 **胸痛 → 心原性（急性心筋梗塞，肺動脈塞栓症，急性大動脈解離）** **前駆症状なし，動悸 → 心原性（不整脈・大動脈弁狭窄症）**
血管内脱水の有無	経口摂取不良，血便，利尿薬，抗血小板・凝固薬の使用 → 起立性低血圧
失神歴の有無	失神歴 → 繰り返す迷走神経反射，不整脈
家族歴	**突然死の家族歴 → 不整脈（QT延長症候群，Brugada症候群）**

- 心原性失神の評価にはいくつかスコアが提唱されているが，広く認められるものはまだない．心電図で異常を認めない場合でも心原性失神のリスクが高いとき〔循環器病の診断と治療に関するガイドライン：失神の診断・治療ガイドライン（2012年改訂版）を参照〕はホルター心電図などでさらに精査する．

本症例では…

- 本人と妻の話によると，突然目の前が真っ暗になって気づいたらテーブルの上に倒れていたとのこと．発作は1分程度で直後の意識は清明だった．舌咬傷や失禁もなかった．意識障害よりは失神だったと考えられる．
- 胸痛・呼吸困難・けいれんなどの前駆症状はなく，ここ1か月椅子にもたれかかって反応がないことがしばしばあったという．
- 来院時の心電図は完全房室ブロックであり，心原性失神と診断してすみやかに循環器内科へコンサルテーションを行い緊急入院とした．

A 意識障害と失神で鑑別診断は異なるため，反応がない状態から回復した直後の意識レベルを確認する．失神であれば心原性失神を鑑別する．

失神の原因と頻度

①心原性失神　（18％）：大動脈弁狭窄症，肥大型心筋症，不整脈など
②非心原性失神（48％）：血管迷走神経反射（18％），起立性低血圧（8％），神経疾患，精神疾患など
③原因不明　　（34％）

- 失神で入院した患者の17％に肺動脈塞栓症を認めたとの報告もある〔N Engl J Med 375：1524-1531, 2016〕．
- 約2割を占める心原性失神を見逃さないことが重要である．

失神の原因と長期的予後

- 心原性失神はその他の失神に比べて著しく予後が悪い．

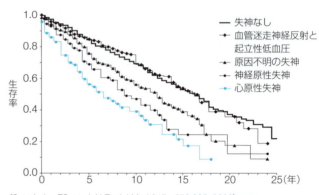

〔Soteriades ES, et al. N Engl J Med 347：878-885, 2002〕

ER における失神の予後予測スコア～Canadian Syncope Risk Score～

カナダ失神リスクスコア

分類	ポイント
臨床評価	
迷走神経反射を疑う病歴	−1
心疾患の既往歴	1
SBP（収縮期血圧）＜90 or ＞180 mmHg	2
検査	
トロポニン上昇	2
異常QRS軸（＜−30度 or ＞100度）	1
QRS幅＞130 ms	1
QTc＞480 ms	2
ER の診断	
迷走神経反射	−2
心原性失神	2
合計（−3 to 11）	

- −3〜−2 を Very Low，−1〜0 を Low，1〜3 を Medium，4〜5 を High，6点以上を Very High として30日以内の死亡率や重篤な心血管イベント発生率を予測するスコアも開発されている〔JAMA Intern Med 180：737-744, 2020〕．

● **参考文献**

1) Schabelman E, Kuo D. Glucose before thiamine for Wernicke encephalopathy: a literature review. J Emerg Med 42:488-494, 2012 [PMID:22104258]
   - ビタミンB_1を補正する前に血糖を補正することは悪いことなのかを追求した論文である．Case series にとどまっているが，一度は読んでおくとよい．
2) Terry AR, et al. CASE RECORDS of the MASSACHUSETTS GENERAL HOSPITAL. Case 5-2016. A 43-Year-Old Man with Altered Mental Status and a History of Alcohol Use. N Engl J Med 374:671-680, 2016 [PMID:26886525]
   - 現病歴までの部分を読むと実際の意識障害のワークアップがイメージしやすい．
3) Edlow JA, et al. Diagnosis of reversible causes of coma. Lancet 384:2064-2076, 2014 [PMID:24767707]
   - もう一歩先の意識障害の鑑別法を知りたい人向け．
4) Kidd SK, et al. Syncope (Fainting). Circulation 133:e600-e602, 2016 [PMID:27142609]
   - 失神の要点が簡潔にまとめられている．
5) Albassam OT, et al. Did This Patient Have Cardiac Syncope?: The Rational Clinical Examination Systematic Review. JAMA 321:2448-2457, 2019 [PMID:31237649]
   - 心原性失神の鑑別のためにさらに学びたい人向け．
6) Brignole M, et al. 2018 ESC Guidelines for the diagnosis and management of syncope. Eur Heart J 39:1883-1948, 2018 [PMID:29562304]
7) Shen WK, et al. 2017 ACC/AHA/HRS Guideline for the Evaluation and Management of Patients With Syncope: A Report of the American College of Cardiology/American Heart Association Task Force on Clinical Practice Guidelines and the Heart Rhythm Society. J Am Coll Cardiol 70:e39-e110, 2017 [PMID:28286221]
   - 6），7）は米国と欧州における失神のガイドラインである．循環器内科や救急科に興味のある人は日本のガイドラインとあわせて目を通しておこう．

〈藤野　貴久〉

5 徐脈頻脈
不安定な不整脈を見極める！

鉄則
1. 頻脈・徐脈をみたら「不安定な徴候」があるかを確認
2. 頻脈をみたら QRS 幅とリズムに注目し，洞性頻脈か否かを判断
3. 不安定な心室性不整脈は，まずカルディオバージョン
4. 発作性上室性頻拍（PSVT）には，ATP 製剤
5. 心不全や低血圧を伴う頻脈性心房細動には，Ca ブロッカー禁忌
6. 不安定な徐脈は，硫酸アトロピンとペーシング

症例 ❶ 健康診断で特に不整脈の指摘はない 74 歳男性．

数日前からの咳嗽と咽頭痛があり，動悸を自覚し，症状が持続したため救急外来を受診した．来院時バイタルサインは体温 37.8℃，血圧 126/80 mmHg，脈拍 128/分・整，呼吸数 18/分，SpO₂ 98%（室内気）であった．

Q まずはどう評価する？

鉄則 1 頻脈・徐脈をみたら「不安定な徴候」があるかを確認

- 脈拍＞100/分を頻脈，脈拍＜50/分を徐脈という．
- 頻脈・徐脈は時にバイタルサインの破綻をきたすため，まずは循環動態が「不安定」な頻脈・徐脈かを判断する必要がある．
- 具体的には意識と血圧，酸素化が保たれていることを確認する．これらが保たれていない場合を「不安定」と判断する．
- その他，ショックの徴候，呼吸困難，胸痛が伴う場合は「不安定」な徴候であるため，必ずその有無を確認し，早急に対応する．

本症例では…
- 意識や血圧は保たれており，循環動態の「不安定」を疑う所見は乏しく，安定した頻脈と判断した．

A 頻脈・徐脈をみたら，まずは安定か不安定かを確認する

意識，血圧などのバイタルサインは保たれている．次に確認すべきことは？

> **鉄則 2** 頻脈をみたら QRS 幅とリズムに注目し，洞性頻脈か否かを判断

- 頻脈・徐脈をみたら，必ず 12 誘導心電図を確認する（ただし，不安定であれば治療を急ぐため，モニター心電図のみで対応を進めつつ 12 誘導心電図を準備する）．
- 頻脈で注目すべきは QRS 幅（narrow か wide か）とリズムである．
- QRS が 120 ms 以上のものを wide QRS，そうでないものを narrow QRS と判断する．

頻脈の鑑別

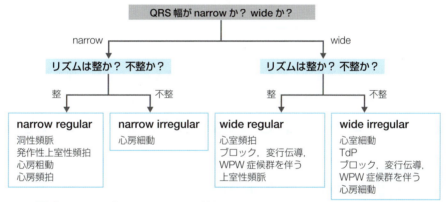

WPW 症候群：ウォルフ・パーキンソン・ホワイト症候群

- 頻脈の場合，洞性頻脈は代償反応の結果であることが多く，脈拍数を下げることで逆にバイタルサインの破綻をきたすことがあるため，最初に鑑別して除外を行う．

洞性頻脈

- 12 誘導心電図をとって正常な P 波の有無を確認する．
- 正常な P 波（Ⅱ，Ⅲ，aVF で陽性の P 波）が確認でき，QRS 波の幅が狭く（narrow QRS），リズムが一定であれば，洞性頻脈の可能性が高い．
  ※正常な P 波とは洞結節からの調律を意味し，正確には Ⅱ，Ⅲ，aVF，V_4～V_6 で陽性の P 波，aVR で陰性の P 波であること．ここでは便宜上，Ⅱ，Ⅲ，aVF で陽性の P 波と覚えておく．
- 通常，洞性頻脈の脈拍数は「220−年齢/分」を超えないとされるため，これを超える場合は，洞性頻脈以外を考慮する．
- また心房粗動などでは洞性頻脈との見分けが一見困難であることもあり，その場合は後述する ATP 製剤（アデホス®）の静注を施行して鑑別の一助とする．
- 洞性頻脈であることが判明したら，その原因の検索を行う．

> **洞性頻脈の主な原因「HI EDGE」**
> **H**yperthyroidism（甲状腺機能亢進症），**H**eart failure（心不全）
> **I**nfection（感染症），**I**nfarction（心筋梗塞），**I**nflammation（発熱や炎症）
> **E**mbolism（肺塞栓）
> **D**ehydration（脱水・貧血），**D**elirium（せん妄）
> **G**as（低酸素血症）
> **E**lectrolytes（電解質異常），**E**ndocrine（pheochromocytoma）〔内分泌疾患（褐色細胞腫）〕

本症例では…

- 12誘導心電図検査を行い，下記の心電図を得たことから，洞性頻脈と判断した．

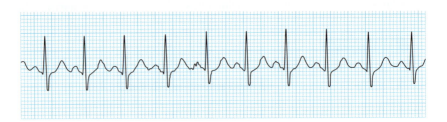

- 発熱と上気道症状を認めており，胸部単純Ｘ線写真で肺炎像を認めたことから，感染症と発熱による洞性頻脈が考えられた．

A モニター心電図と12誘導心電図でQRS幅とリズムを確認する

症例❷ 68歳男性，喫煙歴，脂質異常症の背景がある．

突然の動悸と胸痛を主訴に来院した．来院時バイタルサインは意識レベルJCS Ⅱ-20，体温36.2℃，血圧78/50 mmHg，脈拍180/分・整，呼吸数18/分，SpO₂ 96%（室内気）．モニター心電図は下図のようだった．

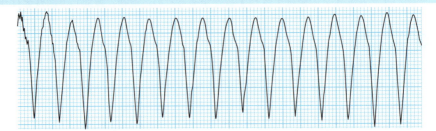

Q この頻脈はどう判断し，どのような対応をするか？

鉄則 3 不安定な心室性不整脈は，まずカルディオバージョン

- バイタルサインの破綻をきたす不整脈として重要なのは，心室性不整脈である心室頻拍（VT：ventricular tachycardia）と心室細動（VF：ventricular fibrillation）である．モニター心電図で幅の広いQRS波（wide QRS）を示すため要注意．血圧の維持されているVTも，pulseless VTやVFに移行する可能性があり，迅速な対応が必要である．必ず人を呼び，循環器内科医をコールする．
- 血圧が保てないようであれば，迷わずカルディオバージョン（電気的除細動）を行う．意識がある場合には鎮静が必要．
- 血圧が保たれていて，時間的余裕があればアミオダロンなどの薬物療法も考慮する．
- 心機能が低下している例では，心房細動などの幅の狭いQRS波（narrow QRS）を示す上室性不整脈でも血圧低下や酸素化低下が起こりうる．上室性不整脈でも循環動態が不安定な場合にはカルディオバージョンを考慮する．

電気ショック

- 電気ショックは致死的不整脈に対してQRSに同期させずに行う電気的除細動（defibrillation）と，頻拍性不整脈に対してQRSに同期させて施行するカルディオバージョン（cardioversion）がある

　同期必要：上室性不整脈，自己脈のある心室頻拍
　同期不要：心室細動，無脈性心室頻拍
　※同期とはQRS波を認識してR波の直後に放電することである．例えば，心収縮の相対不応期へ移る際に通電が行われるとShock on T波となり，VFを引き起こすリスクがあるため注意が必要である．

- 意識がある場合は鎮静
〈処方例〉プロポフォール（1％ディプリバン®）　4～5 mL（40～50 mg）　静注
〈処方例〉ミダゾラム（ドルミカム®）　4～5 mg　静注（1A：10 mg/2 mLを生理食塩水8 mLに希釈して1 mg/mLとして使用）
〈処方例〉チオペンタール（ラボナール®）　2～4 mL（2.5％溶液で50～100 mg）　静注
導入時
- エネルギー量
手動式および自動体外式除細動器（AED）のほとんどが二相性である．上室性不整脈であれば50 Jから開始し，段階的に150～200 Jまで出力を上げる．致死的な不整脈では150～200 Jを目処に電気ショックを行う．

除細動器の使い方

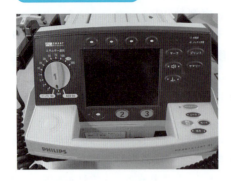
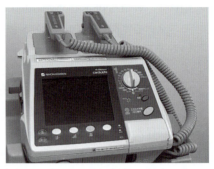

1. 除細動器付属の心電図モニターを装着
2. 誘導をⅡ誘導に設定
3. 同期モードを選択（R波に合わせてショックするため）（VF, pulseless VTでは非同期モードを使用）
4. エネルギー量を設定
5. 胸壁にパドルを押し当て充電
6. 人が離れていることを確認し，波形を見ながら放電する

- 心房細動や心房粗動の場合，血栓塞栓のリスクに注意．48時間以内の発症または抗凝固療法中であることを確認してから行う．
- 発症から48時間以上の場合は，カルディオバージョンを行う前に最低3週間連続して抗凝固療法を行うことが推奨されており，開始されていない場合には経食道心エコーで左房内血栓の評価を行い，血栓がない場合に考慮される．

心室性不整脈に対して使用する薬剤

〈処方例〉アミオダロン（アンカロン®注） 125 mgを5％ブドウ糖液100 mL（生理食塩水では沈殿物を形成する）に溶解して10分かけて投与

〈処方例〉リドカイン（キシロカイン®） 100 mg（1 A：5 mL）の場合は半分（2.5 mL）にして生理食塩水で希釈し2分以上かけて投与

- 不整脈の治療と同時に原因検索を行う．
- 心室性不整脈で早急に検索しなければいけないのは，電解質異常と虚血性心疾患である．血液検査と12誘導心電図，心エコーで評価する．
- torsades de pointesの場合は，低K血症，低Mg血症などの電解質異常だけでなく，抗不整脈薬，抗菌薬などQT延長の原因になる使用薬剤がないかを確認する．

本症例では…

- 血圧低下を伴うVTであり不安定な頻脈と判断した．ラボナール®を使用し鎮静のうえ，200 Jで除細動を行い，洞調律に復帰した．
- 洞調律復帰後の心電図で前胸部誘導にST低下を認め，緊急冠動脈造影検査で心筋梗塞の診断となり，不整脈の原因と考えられた．経皮的冠動脈形成術を施行してその後

の不整脈の再燃はみられなかった．

A 不安定な頻脈と判断し，電気的除細動を行う

> **症例 ❸**　28歳女性，繰り返す動悸．
>
> 繰り返す動悸を自覚しており，症状が持続するため救急外来を受診した．来院時バイタルサインは意識清明，体温36.5℃，血圧110/60 mmHg，脈拍180/分・整，呼吸数14/分，SpO_2 98％（室内気）．モニター心電図は下図のようだった．

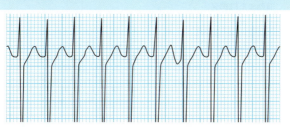

Q この頻脈はどう判断し，どのような対応をするか？

> **鉄則 4**　発作性上室性頻拍（PSVT）には，ATP製剤

- Valsalva手技の成功率は約50％程度と決して高くはないものの，成功すれば薬が不要であり，一度試みる価値がある．
- ATP製剤は比較的安全に使用できる薬剤だが，数秒間完全房室ブロックになるため，心電図モニターの装着は必須．患者にも一瞬気分が悪くなる場合があることを事前に伝えておく．救急カートと除細動の準備も忘れずに．
- ATP製剤で効果がない場合には，ベラパミル（ワソラン®）やジルチアゼム（ヘルベッサー®）などの投与を行う（各薬剤の使用方法は60, 61頁を参照）．
- 血行動態が不安定な場合にはカルディオバージョンを行う．

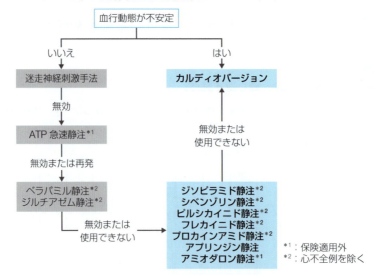

narrow QRSを示す発作性上室頻拍停止のフローチャート

〔日本循環器学会／日本不整脈心電学会．2020年改訂版 不整脈薬物治療ガイドライン．
https://www.j-circ.or.jp/cms/wp-content/uploads/2020/01/JCS2020_Ono.pdf．2023年8月閲覧〕

Valsalva手技

- 患者を仰向けにし，息を吸わせたあと，約10秒間息こらえをしてもらう．
- 息をこらえて胸腔内圧を上げることで静脈還流量が減り一過性に頻脈になるが，息こらえをやめることで静脈血が突如心臓に戻ることにより1回拍出量が増多する．結果的に頸動脈洞圧が上昇して迷走神経が刺激され，徐脈になる．
  ※修正Valsalva手技：患者を45度半座位にしてValsalva手技を行い，直後に仰臥位とし，下肢挙上で静脈還流量を増やす．従来のValsalva手技と比較して洞調律復帰率が高くなることが報告されている〔Lancet 386：1747-1753, 2015〕．

ATP製剤（アデホス®）

- 初回投与は10 mgを急速静注．それでも止まらなければ，20 mgを2回まで追加投与可能．
- 投与後一過性に脈がのびるため，心電図モニター監視下で行う．
- これを利用することで心房粗動や心房細動脈などとの鑑別に役立つ．
- 気管支喘息があれば禁忌（気管支攣縮作用）．
- 半減期が短い（10秒以下）ため，具体的には以下のように投与する．
  1. ラインの根元に三方活栓を2つ連ね，下流側の三方活栓にアデホス®シリンジをつける．
  2. 上流側に後押し用の生理食塩水シリンジをつける．
  3. アデホス®を急速静注したあとすぐに隣の生理食塩水で後押しする．
  ※この際，アデホス®を緩徐に静注したり，生理食塩水の後押しが遅れたりしてしまうと，半減期の短さから薬の効きが薄れてしまうので注意
  4. 留置針はなるべく心臓に近い上肢の血管にとる．

本症例では…
- 血行動態は安定していたので，カルディオバージョンは行わなかった．
- まず Valsalva 手技を行ったが，頻脈の改善乏しく，ATP 製剤（アデホス®）10 mg の急速静注にて改善した．

A 安定した頻脈であり，心電図から PSVT を疑いアデホス®投与で不整脈の頓挫を得た

発作性上室性頻拍の予防治療
- 発作の持続時間が短く，症状が軽い場合には再発予防の治療は必須ではなく，下記の抗不整脈薬の頓用などで対応する．
- 発作予防が必要な場合には，根治療法はカテーテルアブレーションとなる．
- 背景に WPW 症候群があるかないかで対応が異なる点に注意が必要であり，WPW 症候群でなければ心機能に応じてベラパミルやジルチアゼム，βブロッカーを用いる．WPW 症候群の場合にはその他の抗不整脈薬を使用する．

症例 ❹　78 歳女性．動悸と労作時呼吸困難．

来院 1 週間ほど下腿浮腫を認めており，動悸を自覚した．その後，労作時に呼吸困難を自覚するようになり，次第に息切れも出現したため救急外来を受診した．来院時バイタルサインは意識清明，体温 36.2℃，血圧 140/90 mmHg，脈拍 150/分・不整，呼吸数 18/分，SpO$_2$ 90％（室内気）．モニター心電図は下図のようだった．

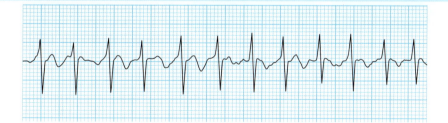

Q レートコントロールにどのような薬剤を選択するか？

 心不全や低血圧を伴う頻脈性心房細動には，Ca ブロッカー禁忌

- 発作性心房細動（発症 7 日以内）であれば，自然と停止することもあるため，バイタルが安定していれば経過をみることもあるが，今回のように「不安定」な症状の場合は，まずは安定化のために，原則として脈拍数を下げる治療（レートコントロール）を行う．また洞性頻脈と同様，原因検索を同時に行い，早急な原因解除に努めることも重

要である.
- そもそも血行動態が破綻している場合には,直流除細動を行う.
- しかし,心不全や低血圧を伴う頻脈性心房細動にCaブロッカーを投与すると心収縮を抑制し,状態を悪化させる可能性があるため注意が必要である.
- 心不全を伴った心房細動では急性期は静注薬のランジオロール(オノアクト®)やジゴキシン(ジゴシン®)でのレートコントロールを行い,利尿薬で心不全を安定させたタイミングで内服でのβブロッカーなどを選択していく.
- また不整脈や診療の際には常に電解質への配慮も重要であり,低K血症があれば是正を行う.例えば心不全であれば一般的にK値4〜5 mEq/Lが1つの基準として推奨される〔J Am Coll Cardiol 75:2836-2850, 2020〕.

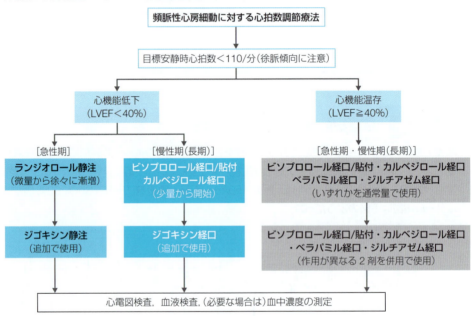

発作性心房細動のレートコントロール
頻脈性心房細動に対する心拍数調節療法の治療方針

〔日本循環器学会/日本不整脈心電学会.2020年改訂版 不整脈薬物治療ガイドライン.
https://www.j-circ.or.jp/cms/wp-content/uploads/2020/01/JCS2020_Ono.pdf. 2023年8月閲覧〕

- 心房細動に対する治療は,薬物療法とカテーテルアブレーションである.
- 薬物療法では,低心機能の症例ではβブロッカーであるランジオロールを少量から開始し,効果が不十分な際にはジギタリス製剤の併用を検討する.
- 特に低心機能(LVEF40%以下)では上記の通りCaブロッカーは血行動態を不安定にさせるため,血行動態が不安定な場合には心機能温存例に限ることを意識する必要がある.
- 除細動を考慮しながらレートコントロールの目的で心拍数を調整する場合にアミオダロンが使用されるが,保険適用外であるため注意する.

- 心機能温存例では経口薬と貼付薬を記載しているが，実際にはランジオロールやベラパミルなどの静注薬を使用することもある．使用方法は次頁の「レートコントロールで使用する薬剤の使い方」を参照.

発作性心房細動のリズムコントロール

心房細動に対する除細動施行のフローチャート

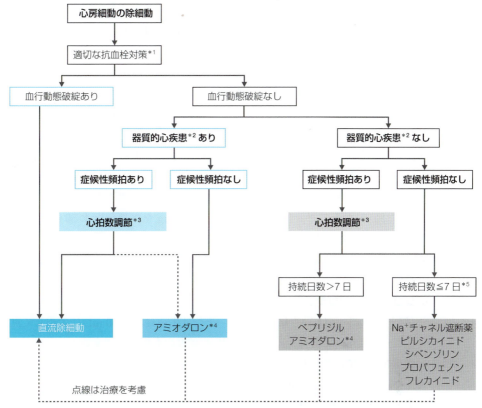

- *1：48時間以内の発症を確認できない症例では，経食道エコーで心内血栓を否定するか，3週間以上の適切かつ十分な抗凝固療法を行う．詳細は3．抗凝固療法を参照
- *2：肥大心，不全心，虚血心
- *3：血行動態が破綻しなくとも症候性の頻拍をきたしている症例では，適切な心拍数調節を併用する．詳細は4．心拍数調節療法を参照
- *4：アミオダロンの使用は，肥大型心筋症や心不全に合併した心房細動以外では保険適用外
- *5：有効性と血栓塞栓合併症を減らす観点からは，48時間以内に実施することが望ましい

〔日本循環器学会/日本不整脈心電学会．2020年改訂版 不整脈薬物治療ガイドライン．
https://www.j-circ.or.jp/cms/wp-content/uploads/2020/01/JCS2020_Ono.pdf．2023年8月閲覧〕

- 心房細動の停止（除細動）に際しては，必ず心房内血栓による塞栓症の発症に留意が必要であり，十分な抗凝固療法が行われていない場合には経食道心エコーを考慮する．
- 緊急の場合を除いて，この塞栓症の発症を最小限にすることが肝要である．
- 血行動態が破綻している場合には迷わず除細動を選択し，血行動態が安定している場合には，器質的心疾患があるならばアミオダロン，そうでなければその他の抗不整脈薬を選択する．
- その際，症候性の頻拍がみられる場合には，心拍数調整を行うとともに，即時に効果のみられる直流除細動が考慮される．

> レートコントロールで使用する薬剤の使い方

- いずれの薬剤も血行動態に影響を及ぼすため，心電図，血圧をモニターしつつ行う．

静注薬
①βブロッカー
〈処方例〉ランジオロール（オノアクト®） 50～150 mgを生理食塩水50 mLに希釈して1γから持続投与（～10γ）
- 効果発現が早い．投与中止後の効果消失も早く，使いやすい．
- 血圧低下に注意

②Caブロッカー
〈処方例〉ベラパミル（ワソラン®） 5 mg（1A 2 mL）を生理食塩水8 mLに溶解し，2 mL（1 mg）から静注10分程度で効果判定を行う．効果不十分の場合，追加で2～4 mg静注
- 注意点：心収縮がよいことが前提となる．心機能が悪いと逆に心臓収縮が抑制されてショックになることがある．必ず使用前に心エコーで評価し，重篤な心機能障害はないか，血圧は保たれているかをチェック．心不全や低血圧のときは使用しない．

〈処方例〉ジルチアゼム（ヘルベッサー®） 10 mgを生理食塩水50 mLなどに溶解し，約3分間で緩徐に静注．
- ベラパミルと同様に陰性変力作用に注意が必要であり，低心機能の症例には注意する必要がある．

③ジゴキシン（ジゴシン®）
〈処方例〉0.25 mg（1A）を緩徐に静注，または生理食塩水50 mLに希釈して点滴静注
- 注意点：使用前に腎機能障害とWPW症候群の有無を確認する．
- 作用発現までに多少時間がかかる（15～30分程度）ことを知っておく．
- 血中濃度0.5～0.9 ng/mLを目安に投与量を調節する．

④アミオダロン（アンカロン®）
〈処方例〉125 mgを5%ブドウ糖液100 mLに溶解し10分間で投与．その後，750 mgを5%ブドウ糖液500 mLに溶解し33 mL/時で6時間投与し，残りを17 mL/時で42時間持続投与
- 一般にはリズムコントロールの薬剤として知られているが，レートコントロール作用もある．
- 心機能が低下している症例や心不全症例で使用することもできる．
- 使用前に肝機能と甲状腺機能，またKL-6（間質性肺炎）を提出しておく．

内服薬
- 急性期以降は徐々に内服薬へ移行していく．
- 以前はジギタリス製剤や非ジヒドロピリジン系Caブロッカーなども使用されていたが，近年では心保護効果もあるβブロッカーの使用頻度が増えている．

① β ブロッカー

〈処方例〉カルベジロール（アーチスト®） 1回 1.25 mg　1日 1〜2回　経口投与　段階的に 1回合計 20 mg まで増量できる

〈処方例〉ビソプロロール（メインテート®）　1回 0.625 mg　1日 1回　経口投与　段階的に 1回合計 5 mg まで増量できる

- 薬理学的にはカルベジロールの 20 mg がビソプロロールの 5 mg 相当と考えられる．
- 心保護効果や生命予後改善効果などもあり，現在も広く使われている．

② Ca ブロッカー

〈処方例〉ベラパミル（ワソラン®）　1回 40〜80 mg　1日 3回　経口投与

〈処方例〉ジルチアゼム（ヘルベッサー®）　1回 30〜60 mg　1日 3回　経口投与

- いずれも陰性変力作用があるので，低心機能患者での使用には注意する．

③ ジゴキシン（ジゴシン®）

〈処方例〉0.125〜0.375 mg　1日 1回　経口投与

- 長期投与は死亡率が高くなるとの報告があるため長期投与には向かない．
- ジギタリス中毒に注意．

④ アミオダロン（アンカロン®）

〈処方例〉1日 400 mg を 1〜2週間投与後，効果や副作用の発現の有無をみながら 1日 100〜200 mg へと漸減し，維持量で継続する

- 静注薬と同様，使用前に肝機能と甲状腺機能，また KL-6（間質性肺炎）を提出しておく．

- 上記の薬剤や電解質の補正でも改善がない場合は，除細動を考慮する．
- 心房細動・心房粗動は発症 48 時間以上経過した場合，洞調律復帰時に左心耳内の血栓が飛散し，脳梗塞を起こす可能性があるため，電気的除細動による影響をよく考える必要がある．
- 薬物的除細動（リズムコントロール）も同様に考える．
- もし血行動態が不安定で本当に除細動を行うのであれば，抗凝固療法を行うとともに経食道心エコーを行い，心腔内血栓がないことを確認したうえで行うべきである．

本症例では…

- まず β ブロッカー（オノアクト®）1γ から静注を開始し，血圧が保たれていることを確認しながら，脈拍が 100/分以下になるよう調節した．

A 心不全を伴う頻脈性心房細動であり，陰性変力作用の強い Ca ブロッカーの使用は避けて，静注 β ブロッカーを使用した

心房細動の抗凝固療法

- 心房細動では前述のように，発症 48 時間以上経過すると心房・心耳内に血栓を形成しうるため，抗凝固療法を考慮する必要がある．

- 弁膜症性と非弁膜症性に分けて考え，弁膜症性ではワルファリンによる抗凝固療法が適応〔DOAC（direct oral anticoagulant）の適応はなし〕．
- 非弁膜症性では肥大型心筋症，$CHADS_2$ スコア≧1点，$CHADS_2$ スコア0点かつ CHA_2DS_2-VASc スコア≧2点で抗凝固療法が適応である．
- 抗凝固療法中は HAS-BLED スコア≧3点以上は出血性合併症に注意してフォローする．

$CHADS_2$ スコア

		危険因子	スコア
C	congestive heart failure/LV dysfunction	心不全，左室機能不全	1
H	hypertension	高血圧	1
A	age≧75y	75歳以上	1
D	diabetes mellitus	糖尿病	1
S_2	stroke/TIA	脳梗塞，TIAの既往歴	2
		合計	0～6

TIA：一過性脳虚血発作
〔Gage BF, et al. JAMA 285：2864-2870, 2001〕

心房細動における抗凝固療法の推奨

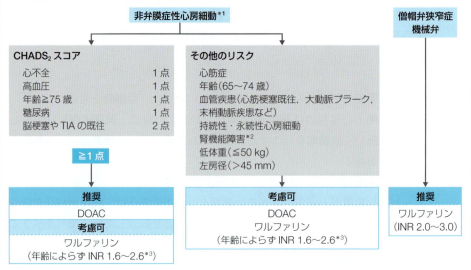

*1：生体弁は非弁膜症性心房細動に含める
*2：腎機能に応じた抗凝固療法については，3.2.3 どのDOACを用いるかの選択および**表36**を参照
*3：非弁膜症性心房細動に対するワルファリンのINR 1.6～2.6の管理目標については，なるべく2に近づけるようにする．脳梗塞既往を有する二次予防の患者や高リスク（$CHADS_2$ スコア3点以上）の患者に対するワルファリン療法では，年齢70歳未満ではINR 2.0～3.0を考慮

〔日本循環器学会/日本不整脈心電学会．2020年改訂版 不整脈薬物治療ガイドライン．
https://www.j-circ.or.jp/cms/wp-content/uploads/2020/01/JCS2020_Ono.pdf．2023年8月閲覧〕

CHA₂DS₂-VASc スコア

		危険因子	スコア
C	congestive heart failure/LV dysfunction	心不全，左室機能不全	1
H	hypertension	高血圧	1
A₂	age≧75y	75歳以上	2
D	diabetes mellitus	糖尿病	1
S₂	stroke/TIA/TE	脳梗塞，TIA，血栓塞栓症の既往歴	2
V	vascular disease(prior myocardial infarction, peripheral artery disease, or aortic plaque)	血管疾患（心筋梗塞の既往歴，末梢動脈疾患，大動脈プラーク）	1
A	age65-74y	65歳以上74歳以下	1
Sc	sex category(i.e. female gender)	性別（女性）	1
		合計	0～9*

*年齢によって0，1，2点が配分されるので合計は最高で9点にとどまる
TIA：一過性脳虚血発作
〔Camm AJ, et al. Eur Heart J 31：2369-2429, 2010〕

HAS-BLED スコア

		臨床像	スコア
H	hypertension	高血圧[*1]	1
A	abnormal renal and liver function	腎機能障害，肝機能障害（各1点）[*2]	2
S	stroke	脳卒中	1
B	breeding	出血[*3]	1
L	labile INRs	不安定な国際標準比（INR）[*4]	1
E	elderly	高齢者（＞65歳）	1
D	drugs or alcohol	薬剤，アルコール（各1点）[*5]	2
		合計	9

[*1] 収縮期血圧＞160 mmHg． [*2] 腎機能障害：慢性透析や腎移植，血清クレアチニン 200 μmol/L（2.26 mg/dL）以上．肝機能障害：慢性肝障害（肝硬変など）または検査値異常（ビリルビン値＞正常上限×2倍，AST/ALT/ALP＞正常上限×3倍）． [*3] 出血歴，出血傾向（出血素因，貧血など）． [*4] INR不安定，高値またはTTR(time in therapeutic range)＜60％． [*5] 抗血小板薬やNSAIDs併用，アルコール依存症
〔Pisters R, et al. Chest 138：1093-1100, 2010〕

非弁膜症性心房細動に対する DOAC の用法・用量設定基準

	ダビガトラン	リバーロキサバン	アピキサバン	エドキサバン
用法・用量	150 mg 1日2回	15 mg 1日1回	5 mg 1日2回	60 mg 1日1回
減量用法・用量	110 mg 1日2回	10 mg 1日1回	2.5 mg 1日2回	30 mg 1日1回
減量基準	・CCr＜50 mL/分 ・P糖蛋白阻害薬 ・年齢≧70歳 ・消化管出血既往 （ダビガトランでは減量考慮基準）	CCr＜50 mL/分	以下の2つ以上に該当： ・血清Cr≧1.5 mg/dL ・年齢≧80歳 ・体重≦60 kg	以下のいずれかに該当： ・CCr＜50 mL/分 ・P糖蛋白阻害薬 ・体重≦60 kg
腎機能低下による禁忌	CCr＜30 mL/分	CCr＜15 mL/分	CCr＜15 mL/分	CCr＜15 mL/分

〔日本循環器学会/日本不整脈心電学会．2020年改訂版 不整脈薬物治療ガイドライン．https://www.j-circ.or.jp/cms/wp-content/uploads/2020/01/JCS2020_Ono.pdf．2023年8月閲覧〕

レートコントロールとリズムコントロール

- 心房細動では、レートコントロール（心拍数調節）vs リズムコントロール（洞調律維持）についていくつかの報告がある．
- CAST試験〔N Engl J Med 321：406-412, 1989〕，AFFIRM試験〔N Engl J Med 347：1825-1833, 2002〕，AF-CHF試験〔N Engl J Med 358：2667-2677, 2008〕において，レートコントロールとリズムコントロールでは予後に有意差はなしと報告されていた．
- しかし，近年ではAFに対するアブレーションが広く普及したことにより，2020年のEAST-AFNET4trialの結果，アブレーションを含めたリズムコントロール療法がレートコントロール療法と比較して心血管イベントを減らすことが示され，現在はAFに対する早期のリズムコントロール療法の重要性が強調されている〔N Engl J Med 383：1305-1316, 2020〕．

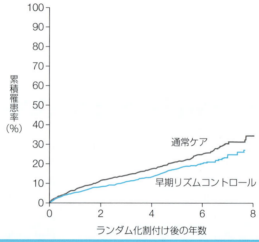

リスク人数					
通常ケア	1,394	1,169	888	405	34
早期リズムコントロール	1,395	1,193	913	404	26

症例 ⑤　74歳男性．ふらつき．

ふらつくような症状を繰り返し認め，一過性の意識消失をきたしたとのことで来院した．来院時バイタルサインは意識清明，体温36℃，血圧75/55 mmHg，脈拍34/分，呼吸数12/分，SpO$_2$ 95%（室内気）．モニター心電図は下図のようだった．

Q この不整脈は安定か不安定か？ またその対応は？

> **鉄則 6** 不安定な徐脈は，硫酸アトロピンとペーシング

- 徐脈でも頻脈と同様，緊急性の判断として，「安定」か「不安定」かが大事である．
- 頻脈同様，原因検索も重要で，原因としては必ず急性冠症候群（ACS）の有無を評価するとともに電解質や薬剤も確認する．
- 治療としては血圧低下・意識障害・心不全があればアトロピン（硫酸アトロピン）0.5 mg（1A）を静注する．
- ただし，房室ブロックにはアトロピンは無効であるため，すみやかに経皮ペーシングを行う．
- 経皮ペーシングは鎮静したうえで行う．
- 循環器内科に連絡したうえで，経静脈的に一時的ペースメーカーあるいは必要に応じて恒久的ペースメーカーを考慮する．

本症例では…

- 不安定な徐脈と判断し，まずアトロピン投与を行い，その後は脈拍と血圧の改善を得た．
- 循環器内科に連絡のうえで一時的ペースメーカーを留置することとした．

A 不安定な徐脈であり，硫酸アトロピン投与とペーシングを考慮する

参考文献

1) 日本循環器学会ほか：2020年改訂版不整脈薬物治療ガイドライン．2020
(http://www.j-circ.or.jp/cms/wp-content/uploads/2020/01/JCS2020_Ono.pdf)（2023年8月閲覧）
- 一般的な不整脈に関する薬物治療について明記されている．

2) 日本循環器学会ほか：不整脈非薬物治療ガイドライン（2018年改訂版）．2018
(https://www.j-circ.or.jp/cms/wp-content/uploads/2018/07/JCS2018_kurita_nogami.pdf)（2023年8月閲覧）
- 一般的な不整脈に関する非薬物治療について明記されている．

3) Michaud GF, Stevenson WG. Atrial Fibrillation. N Engl J Med 384：353-361, 2021［PMID：33503344］
- 心房細動の最新のレビュー，臨床上での実践的なことをわかりやすくまとめている．

4) Helton MR. Diagnosis and Management of Common Types of Supraventricular Tachycardia. Am Fam Physician 92：793-800, 2015［PMID：26554472］
- 上室性不整脈の初期対応やマネジメントがまとまっている．

5) Al-Khatib SM, et al. 2017 AHA/ACC/HRS Guideline for Management of Patients With Ventricular Arrhythmias and the Prevention of Sudden Cardiac Death：A Report of the American College of Cardiology/American Heart Association Task Force on Clinical Practice Guidelines and the Heart Rhythm Society. J Am Coll Cardiol 72：e91-e220, 2018［PMID：29097296］
- 心室性不整脈のマネジメントや心臓突然死の予防に関するガイドライン．

（鈴木　隆宏）

6 胸痛
5 killer chest pain を見逃すな！

1. 胸痛をみたら，まずは 5 killer chest pain（急性冠症候群，急性大動脈解離，肺血栓塞栓症，緊張性気胸，特発性食道破裂）を鑑別する
2. 急性冠症候群（ACS）を疑ったら，12 誘導心電図を施行して，ACS を疑う経過であれば循環器内科コールをためらわない
3. 肺血栓塞栓症（PE）を疑ったら D-dimer と modified Well's criteria を参考にして，CT などの画像検査を行う
4. 肺血栓塞栓症の重症度は，PESI スコアと右室機能不全所見/心筋バイオマーカーで判断する
5. 気胸では緊張性気胸の鑑別が最優先

症例 ① 74 歳男性，突然発症の胸痛.

未加療の高血圧の指摘のある 75 歳男性．来院当日，冬場の工事現場で夜間仕事中，突然の胸痛を自覚．その後背部にも疼痛が出現し，症状が改善しないため救急外来を受診．来院時バイタルサインは意識清明，体温 37.2℃，血圧 190/130 mmHg，脈拍 116/分・整，呼吸数 24/分，SpO₂ 94%（室内気）．

Q どのように対応する？

胸痛をみたら，まずは 5 killer chest pain（急性冠症候群，急性大動脈解離，肺血栓塞栓症，緊張性気胸，特発性食道破裂）を鑑別する

- 胸痛の患者をみたら，まずはバイタルサインを確認．不安定であればバイタルを安定させることを優先し，問診・検査・治療を迅速に進めていく．

胸痛患者の対応アルゴリズム

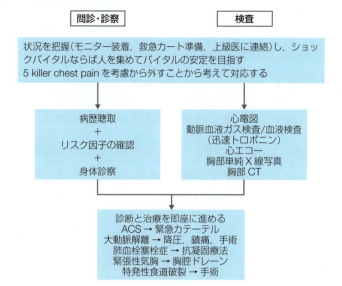

胸痛の緊急性判断・初期対応

- まずは患者のもとへ急いで向かう．
- バイタルサインの確認と同時に心電図を指示．バイタルが変動しうるため，モニターも必須．心肺停止（CPA：cardiopulmonary arrest）にもなりうるため，同時に除細動器，救急カートを準備．
- 胸痛対応では迅速な対応が必要になるため，問診および身体診察をしながら，心電図ならびに動脈血液ガス検査と血液検査を提出する．血液検査の結果がでるまでに，心エコーおよび必要に応じて胸部単純X線写真や胸部CTなどの検査を並行して進めていく．
- 胸痛患者の対応では，まず12誘導心電図を施行してST上昇型心筋梗塞の除外を行うことが重要であり，その後5～10分を目処に心電図をフォローする．
- 同じ条件で評価したいため，心電図のシールを貼った部位をマジックでマーキングしておく．
- 以前の心電図があれば必ず比較する．ERなどで自施設になければ，他院から取り寄せる．
- キャリブレーションは1/2 mVではなく1 mVで設定（比較のため）．
- 末梢ラインを確保する．
- 病歴聴取，身体診察，各種検査を進めつつ，上級医を呼ぶ．循環器疾患が疑われる場合は循環器内科をコール．絶対ためらわない．

問診

①バイタルサイン

胸痛＋血圧↑	急性心筋梗塞，大動脈解離，うっ血性心不全
胸痛＋血圧↓	急性心筋梗塞，心原性ショック，大動脈解離，肺血栓塞栓症，心タンポナーデ，緊張性気胸
胸痛＋SpO_2↓	心不全，急性心筋梗塞，肺血栓塞栓症，緊張性気胸
胸痛＋心拍数↓	急性心筋梗塞（特に下壁梗塞，右室梗塞）
胸痛＋心拍数↑	急性心筋梗塞，大動脈解離，肺血栓塞栓症，心タンポナーデ，緊張性気胸
胸痛＋意識レベル↓	心原性ショック，大動脈解離，肺血栓塞栓症

- バイタルサインは緊急度の評価に必須であり，血圧低下やSpO_2低下，著明な頻脈，呼吸促迫や意識レベルの低下がみられた際には，緊急度が高いと判断する必要がある．

②患者背景

- 各々の疾患群のリスクを評価する．
- 急性冠症候群：年齢（男性55歳以上，女性65歳以上），糖尿病，高血圧，脂質異常症，喫煙，肥満，家族歴
- 急性大動脈解離：高齢，男性，高血圧，外傷，結合織疾患（Marfan症候群など）
- 肺血栓塞栓症：長時間の坐位や臥床，悪性腫瘍，手術/外傷歴，喫煙，妊娠，肥満，ピル内服歴，カテーテルなど異物挿入
- 緊張性気胸：若年痩せ型男性，肺気腫，外傷，肺癌，間質性肺炎
- 特発性食道破裂：嘔吐後の激痛
- その他の動脈硬化リスク：慢性腎臓病（CKD）や透析患者，脳梗塞

胸痛の鑑別疾患

- 臓器別にアプローチすると以下のようになる．

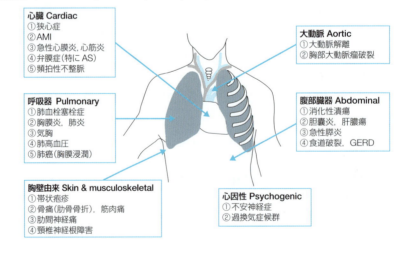

①問診・病歴聴取

- 病歴は非常に重要で，時間のないなかでも効率よく聴取する．特に，痛みの評価を「OPQRST」に基づいて行う．

OPQRST

O	Onset（発症）
P	Position/Provocative/Palliative factor（部位/増悪/寛解因子）
Q	Quality（性状）
R	Radiation（放散の有無）
S	Severity（重症度）
T	Time course（時間経過）

O：Onset & T：Time course
早朝安静時：冠攣縮性狭心症 ↔ 労作時：器質的狭窄による狭心症
突然：大動脈解離，肺血栓塞栓症，ACS
持続：狭心症（2〜10分）↔ 急性心筋梗塞（30分以上）
空腹時：GERD，十二指腸潰瘍 ↔ 食後：胃潰瘍，胆嚢炎，食後狭心症
吸気時：肺血栓塞栓症，胸膜炎，心膜炎
体動時：筋骨格系

P：Position/Provocative/Palliative factor

指1本　手のひらサイズ　握りこぶしサイズ　**胸部不快感の仕草**

指1本は虚血性心疾患は否定的．手のひらサイズ・握りこぶしサイズは心臓由来．
安静で改善：労作性狭心症
ニトログリセリンで改善：狭心症（5分以内），GERD，胆石発作（10分以上）．
※ニトログリセリンは他臓器の平滑筋にも作用するため．
坐位，前傾姿勢で改善：心外膜炎
臥位で増悪：GERD

Q：Quality
絞扼感，圧迫感：虚血性心疾患
引き裂かれるような鋭い痛み：大動脈解離
灼熱感：食道攣縮，逆流性食道炎，帯状疱疹
移動性：大動脈解離

R：Radiation
肩：虚血性心疾患（左手，両腕にも放散，その他，頸部，咽頭，歯，下顎にも放散しうる），胆嚢炎
背部：大動脈解離，虚血性心疾患
頸部と僧帽筋下縁（特に左側）：心膜炎，虚血性心疾患

S：Severity
NRS（numerical rating scale），VAS（visual analogue scale）でスコアリング
※ただし胸痛の重症度と虚血性心疾患の有無は相関しないため注意！（特に高齢，女性，糖尿病患者は典型的な症状に乏しい）

②身体診察

- 視診：全身状態をチェック．苦悶様表情や冷汗が多いなどは重篤な疾患のサイン．上から下へ診察．

- 神経：意識レベル，瞳孔
- 頸部：**頸静脈怒張(心不全)**，hepato-jugular reflux(心不全)，気管偏位(気胸)
- 胸部：握雪感(気胸)，呼吸音の低下・左右差(気胸)，努力呼吸，crackle・wheeze(心不全，肺炎，胸膜炎)，Ⅲ音Ⅳ音(心不全)，**心雑音(AS，AR，MR，心室中隔穿孔)**，心膜摩擦音(心膜炎)
- 腹部：血管雑音(大動脈疾患)，腸蠕動音，心窩部圧痛(消化器系疾患)，右季肋部痛(胆嚢炎)
- 四肢：左右差，腫脹・疼痛(DVTの有無)，**下腿浮腫(心不全)**，冷汗

③検査
- 胸痛の検査では12誘導心電図，血液検査(迅速トロポニン)・動脈血液ガス検査，胸部単純X線写真，心エコー，胸腹部造影CTなどを順次進めていく．

> **胸痛の検査**
> ①12誘導心電図
> ②血液検査・動脈血液ガス検査
> ③胸部単純X線写真
> ④心エコー
> ⑤胸腹部造影CT

①12誘導心電図
- 胸痛患者では必須であり，まず施行する検査である．ポイントとしては，必ず前回と比較し，5〜10分ごとに繰り返すこと．ST変化だけでなく，異常Q波，陰性T波，新規発症の左脚ブロックにも注目する．急性冠症候群の疑いがあればすぐに循環器内科コールする．
- ST変化の基準は基線とJ点とで行う〔J点：QRSの鋭い波からなだらかなカーブへの移行部(QRS波の終末点)〕．
- ST変化：解剖学的に連続した2つ以上の誘導でST偏位を認める場合を虚血性変化と判断する．
- ST上昇の鑑別：急性冠症候群，たこつぼ心筋症，冠攣縮性狭心症，心膜炎・心筋炎，左室瘤，早期再分極症候群．
- 心電図のST変化を読むときは必ず冠動脈の支配領域を意識し，それに対応する誘導の組み合わせごとに所見を確認．

②血液検査・動脈血液ガス検査
- WBC，CRP，AST，LDH，心筋逸脱酵素(CK，CK-MB，トロポニンTまたはトロポニンI)，D-dimerを提出．
- CK-MBは4〜6時間で上昇，12時間でピーク，3〜4日後に正常化．
- CK-maxが心筋梗塞の梗塞範囲を反映，予後予測に有用．
- トロポニンT/Iは2〜4時間で上昇，12〜18時間でピーク，4日後に再度ピーク(2相

性), 10〜14日後に正常化. トロポニンTとトロポニンIの心筋梗塞発症後の血中濃度の経時変化はおよそ近似する.
- トロポニンは心不全, 腎不全や透析患者, 横紋筋融解症(骨格筋トロポニンとの交差反応)では偽陽性となることがあり注意が必要.
- 発症超急性期(特に3時間以内)には偽陰性となりうるため, 繰り返し再検することが推奨される(2018年の日本循環器学会ガイドラインでも1〜3時間後の再検を推奨).

③胸部単純X線写真
- 心拡大, 肺水腫, 上縦隔の拡大, 気胸, 皮下気腫, 縦隔気腫を迅速にチェック.
- 肺炎(浸潤陰影), 胸水貯留も同時にチェック.

④心エコー
- 胸痛の場合の心エコーでは, ACSに伴う心室壁運動低下, 大動脈解離に伴うARやフラップ, 心タンポナーデを示唆する心嚢液貯留, 心室中隔穿孔や乳頭筋断裂に伴うMRの所見, 肺血栓塞栓症による右室負荷所見(右室による左室の圧排像)を見逃さない. 可能なら頸部や鎖骨切痕アプローチで大動脈弓・三分枝の解離も確認する.

⑤胸腹部造影CT
- 大動脈解離を疑ったとき:大動脈CT血管造影(3D/2D). 手術の可能性が高ければ, 最初から3Dで撮像.
- 肺血栓塞栓症を疑ったとき:PE CTで肺動脈相と静脈相(腹部〜下肢)をみる.

> **本症例では…**
> - 突然発症の胸痛であり, 5 killer chest painを想定して対応した.
> - 著明な血圧上昇を認め, 胸痛の性状としてOnset & Time courseは突然発症, Positionは胸部から背部にかけて, Qualityは裂けるような痛み, Radiationとしては移動痛, Severityとしては10/10であった.
> - 12誘導心電図では洞性頻脈以外にST変化を認めなかった.
> - 胸部単純X線写真では気胸はなく, 縦隔の拡大を認め, 経胸壁心エコーで大動脈に大動脈解離を示唆するフラップを認めた.
> - 造影CTでStanford A型の大動脈解離の診断となり, 降圧と鎮痛を始めて心臓血管外科/循環器内科オンコールに連絡した.

A まず5 killer chest painを想定して, 問診・身体診察・検査を同時並行で行い, 治療を開始する

迅速キット

- トロップTセンシティブ：心筋トロポニンT濃度 0.1 ng/mL 以上で陽性．高感度トロポニンTのカットオフ値が 0.014 ng/mL であることを考慮すると，発症 3 時間以内の感度（58%）は低い〔J Fam Pract 49：550-556, 2000〕．
- ラピチェック® H-FABP：H-FABP 6.2 ng/mL 以上で陽性．発症 3 時間以内の感度（96.4%）が優れている〔Am J Med 115：185-190, 2003〕．

 症例❷　64 歳男性．突然の胸痛．

喫煙歴，糖尿病，脂質異常症の既往歴がある 78 歳男性．数か月前から労作時に胸痛を自覚しており，1 週間前から安静時にも胸痛を自覚するようになった．来院当日の起床時から持続する胸痛を認めたため救急要請した．来院時バイタルサインは意識清明，体温 37.0℃，血圧 148/80 mmHg，脈拍 110/分・整，呼吸数 16/分，SpO_2 96%（室内気）．痛みの性状として Onset & Time course は突然発症．Position は胸骨正中，範囲は手のひらサイズ．Quality は握られるような圧迫感．Radiation としては左肩への放散痛あり．Severity は 7〜8/10 程度．その他，呼吸音の左右差は認めなかった．

Q　急性冠症候群（ACS）が疑われるが，どのように対応するとよいか？

> **鉄則 2　急性冠症候群（ACS）を疑ったら，12 誘導心電図を施行して，ACS を疑う経過であれば循環器内科コールをためらわない**

急性冠症候群（acute coronary syndrome：ACS）

- ACS とは，プラーク破綻に伴う冠動脈狭窄・閉塞によって生じる連続した疾患概念である．
- ST 上昇型心筋梗塞（STEMI），非 ST 上昇型心筋梗塞（NSTEMI），不安定狭心症（UAP）の 3 つの分類をおさえる．
- 重要なのは**心電図変化の有無**と**心筋逸脱酵素の上昇の有無**である．

	安定狭心症	UAP	NSTEMI	STEMI
心電図変化 （ST 変化）	なし	ST 下降・T 波変化	ST 下降・T 波変化	ST 上昇
心筋壊死 （心筋逸脱酵素の上昇）	なし	なし	あり	あり

■ STEMI

- primary PCI（percutaneous coronary intervention）の絶対適応．**迷わず循環器内科オンコールに連絡**．

- 心筋梗塞はショック，致死的不整脈，心室中隔穿孔，左室自由壁破裂，乳頭筋断裂による僧帽弁閉鎖不全症など，重篤な合併症を引き起こすため，早急な対応が必要である．
- 再灌流療法までに要する時間が重要であり，血流の途絶から**時間**が経過するほど心筋障害は不可逆となるため，door to balloon time は 90 分以内が目標．
- よって，ACS の対応は時間との勝負であるため，迅速な対応を普段から心がける．
- 初期対応は **MONA**

    M：Morphine（モルヒネ）
      塩酸モルヒネ静注 2〜5 mg 投与 → 5〜15 分程度で疼痛評価
    O：Oxygen（酸素）
      低酸素がある場合，酸素投与（SpO_2 90% 未満で投与をする，90% あればルーチンでは投与しない）
    N：Nitroglycerin（ニトログリセリン）
      ニトログリセリン舌下錠 1 錠またはスプレーの舌下噴霧
    A：Aspirin（アスピリン）
      アスピリン（バイアスピリン®） 200〜300 mg 噛み砕いて内服

- 加えてそのまま PCI を施行する場合は，
    クロピドグレル（プラビックス®）**300 mg**（75 mg 4 錠）でローディング．または，プラスグレル（エフィエント®）**20 mg**（20 mg 1 錠または 5 mg 4 錠）でローディング．かつ，未分画ヘパリン **3,000〜5,000 単位**（70〜100 単位/kg）ボーラス静注（ACT 250 秒以上を維持）を投与．
    ※上記は ER で投与するか，心カテーテルの直前にカテーテル室で投与するかは**循環器内科医に必ず相談**．各施設の ACS プロトコールも確認しておく．当院では STEMI は原則 DAPT，UAP/NSTEMI ではアスピリンのみローディングすることが多い．

■確認事項

- **出血性病変**（消化性潰瘍や脳出血）の既往歴の有無（急速に抗血栓療法を導入するため）
- **腎機能**（造影剤使を使用するため）
- **胸部単純 X 線写真**と**心エコー**（大動脈解離や気胸のほか，乳頭筋断裂/心室中隔穿孔などの心筋梗塞の合併症を否定するため）

■狭心症/心筋梗塞での心電図変化

冠動脈支配と対応誘導
前壁中壁：**左前下行枝**（中隔枝）→ V_1〜V_4 誘導
前壁　　：**左前下行枝** → V_2〜V_4（V_1 以外）誘導
側壁　　：**左回旋枝**（一部は前下行枝）→ I, aV_L, V_5, V_6 誘導
後壁　　：**左回旋枝** or **右冠動脈** → V_1〜V_4 誘導に鏡像（ST 低下）V_7〜V_9（背部誘導）も有効
下壁　　：**右冠動脈**（時に左回旋枝）→ II, III, aV_F 誘導
下壁中隔：**右冠動脈**（後下行枝）→ II, III, aV_F 誘導

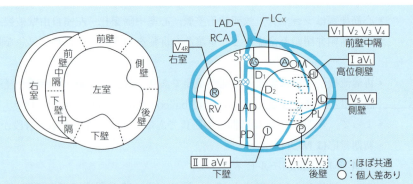

〔杉山裕章：心電図のみかた，考え方 応用編．p.122（図5-19），p.303（図12-20），中外医学社，2014〕

ST上昇の出現誘導と心筋梗塞の名称

	I	II	III	aV_R	aV_L	aV_F	V₁	V₂	V₃	V₄	V₅	V₆
前壁中隔							○	○	○	○		
前壁								○	○	○		
下壁		○	○			○						
側壁	○				○						○	○
高位側壁	○				○							
純後壁*							●	●	●			
広範囲前壁	○				○		○	○	○	○	○	○
下側壁		○	○			○					○	○
下後壁		○	○			○	●	●	●			
後側壁	○				○		●	●	●		○	○

症例によっては一部を欠く場合あり．○：ST上昇，●：ST低下．＊：「高位後壁」と表現されることも．
〔杉山裕章：心電図のみかた，考え方 応用編．p.256（表11-1），中外医学社，2014〕

本症例では…

- ACSを疑い，初期対応として12誘導心電図を施行し，II，III，aV_F（下壁誘導）のST上昇を認めた．
- 経胸壁心エコーで下壁の壁運動低下を認めており，STEMIが疑われ，循環器内科コンサルトのうえ，緊急カテーテル治療を行った．

A 胸痛の患者で急性冠症候群を疑ったら，迷わず循環器内科オンコールに連絡

腎機能低下患者では,「トロポニン上昇＝急性心筋梗塞」とは限らない

- 腎機能障害があると, 腎臓から排出されるはずのトロポニンが排出されないので一般的にトロポニンは上昇している.
- 急性心不全でも, 心内膜下虚血の影響でトロポニンが上昇していることがある. この場合, 急性心筋梗塞に伴って生じた急性心不全との鑑別は困難. 判断に迷ったら循環器内科に相談する.
- 逆にトロポニンが基準値内だからといって, 急性心筋梗塞は否定できない. 発症から検査までの時間が影響する. あくまで下記に示すほかの所見も含めて総合的に判断すること.

注意すべき ST 変化

- reciprocal change＝対側性 ST 低下.
  ST 上昇を示す梗塞を生じた左室壁の誘導の 180 度正反対の誘導で生じる ST 低下
    前壁梗塞：Ⅰ, aV_L で ST 上昇 ↔ Ⅱ, Ⅲ, aV_F で ST 低下
    下壁梗塞：Ⅱ, Ⅲ, aV_F で ST 上昇 ↔ Ⅰ, aV_L, V_5, V_6 で ST 低下
    → 冠動脈近位部閉塞を示唆する重症なサインであることに注意
- 広範な ST 低下に伴う aV_R 上昇 → 左冠動脈主幹部(LMT：left main trunk)閉塞や多枝病変.

症例 ❸　78 歳女性. 突然の胸痛と呼吸困難.

腰椎圧迫骨折で入院をしており, 1 週間ほど安静臥位で過ごしていた. その他の既往歴はない. 理学療法のために歩行を開始したところ突然の胸痛と呼吸困難を自覚した. バイタルサインは意識清明, 体温 36.8℃, 血圧 110/65 mmHg, 脈拍 100/分・整, 呼吸数 18/分, SpO_2 88％(室内気). 聴診では呼吸音に異常なし. 身長 160 cm, 体重 50 kg.

Q 病歴からまず疑うべき疾患と行うべき検査は？

 鉄則 3　肺血栓塞栓症(PE)を疑ったら D-dimer と modified Well's criteria を参考にして, CT などの画像検査を行う

- PE は病歴から疑うことが肝要であり, 前述の長期臥床や手術/外傷後などリスクファクターがある場合には注意する.
- 胸痛や酸素化低下が目立たず, 失神を主訴に来院する症例も少なくないため, 原則 D-dimer の陰性を確認するまでは鑑別として挙げておくことが重要である.
- 緊急性のある疾患のなかでも PE は身体所見や胸部単純 X 線写真での所見に乏しく, 心エコーは参考にはなるものの通常は胸部造影 CT まで施行しないと確定診断できない.
- 12 誘導心電図は胸痛の精査では必須である. 右側前胸部誘導の陰性 T 波や洞頻拍が

多い. 右心負荷所見が強い場合には, 右脚ブロックやS1Q3T3などが出現しうる.
- 胸部造影CTを施行するかどうかは, D-dimerやその他の所見をあわせた検査前確率の程度(modified Well's criteria)を参考にして決める.
- D-dimerは感度が高いが特異度は低いため, 診断の除外には有用である.
- 経胸壁心エコーは有用な検査であり, 重度のPEでは右心系の拡大と左室の圧排像(D-shape)がみられる.
- 急性肺血栓塞栓症はCT感度が83%, 特異度が96%と有用な検査であり, 下肢深部静脈血栓症の評価にも有用である〔N Engl J Med 354：2317-2327, 2006〕.

modified Well's criteria

深在静脈血栓症(DVT)の臨床症状	3.0
肺血栓塞栓症(PE)がほかの鑑別診断と比べてより濃厚	3.0
心拍数＞100/分	1.5
過去4週間以内の手術もしくは3日以上の長期臥床	1.5
DVTもしくはPEの既往歴	1.5
喀血	1.0
悪性疾患	1.0

PEの可能性低い(≦4)
　　D-dimer 陰性 ──→ 治療不要
　　D-dimer 陽性 ──┐
PEの可能性高い(＞4) ─┴→ 造影CT ──→ PEなし：治療不要
　　　　　　　　　　　　　　　　　　　└→ PEあり：治療

〔van Belle A, et al. JAMA 295：172-179, 2006〕

本症例では…
- 長期臥床の病歴があり, 起立時の突如の胸痛があることからPEを疑った.
- 血液検査でD-dimerが21.0 μLg/mLと上昇しており, 心エコーで右室の圧排像を認めた.
- 造影CTを施行して右肺動脈主幹部に血栓を認め, PEと診断した.

A PEを疑い, D-dimerとmodified Well's criteriaで画像検査を検討する

Q PEと診断がついたのちにどのように重症度の判定をするか？

鉄則 4

肺血栓塞栓症の重症度は, PESIスコアと右室機能不全所見/心筋バイオマーカーで判断する

PE の重症度判定/治療アルゴリズム

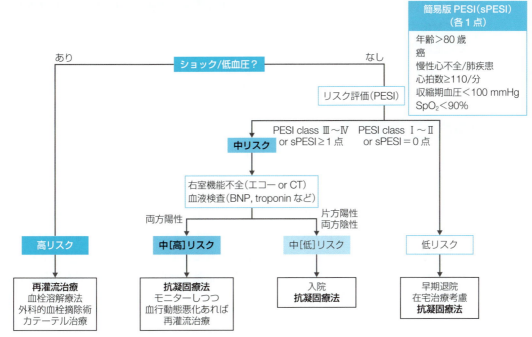

〔Konstantinides KV, et al. Eur Heart J 35：3033-3069, 2014〕

■ PESI スコア

加算ポイント

	ポイント	
	PESI	簡易版 PESI
年齢	＋年齢	1（＞80 歳）
男性	＋10	－
癌	＋30	1
慢性心不全	＋10	1
慢性肺疾患	＋10	
脈拍数 110 回/分以上	＋20	1
収縮期血圧 100 mmHg 未満	＋30	1
呼吸数 30 回/分以上	＋20	－
体温 36℃未満	＋20	－
精神状態の変化	＋60	－
SpO_2 90% 未満	＋20	1

合計ポイント

Class	ポイント（PESI）	30 日間死亡リスク	％
Ⅰ	≦65	非常に低い	0〜1.6
Ⅱ	66〜85	低い	1.7〜3.5
Ⅲ	86〜105	中等度	3.2〜7.1
Ⅳ	106〜125	高い	4.0〜11.4
Ⅴ	＞125	非常に高い	10.0〜23.9

ポイント（簡易版 PESI）	30 日間死亡リスク
0	1.0%（95% CI 0.0〜2.1）
≧1	10.9%（95% CI 8.5〜13.2）

〔Aujesky D, et al. 2005[49]，Jiménez D, et al. 2010[50]，Righini M, et al. 2010[51]を参考に作表〕

〔日本循環器学会．肺血栓塞栓症および深部静脈血栓症の診断，治療，予防に関するガイドライン（2017 年改訂版）．https://www.j-circ.or.jp/cms/wp-content/uploads/2017/09/JCS2017_ito_h.pdf．2023 年 8 月閲覧〕

- 造影 CT で診断に至った次は，重症度の判定を行い，治療選択肢を検討する．
- PESI スコアで中リスクと判定した場合には，血液検査で心臓バイオマーカー（トロポニン/NTproBNP）の上昇を測定し，画像検査で右室機能障害（心エコー/CT）の有無を評価する．
- PE の対応で重要なことはどのガイドラインにおいても，ショックを伴っている場合

はリスクが高く，酸素化の程度よりも循環動態の安定/不安定が重視されている．
- 心停止症例では機械的補助循環の導入を検討し，ショックがある症例では高リスクとして対応する．ショックがない症例ではPESIスコア(簡易版PESIスコア)を利用して重症度判定を行う．
- PEの治療の中心は抗血栓療法であり，中[高]リスク症例までは原則抗凝固療法を行い，高リスク症例では血栓溶解療法や外科的/カテーテル的血栓摘除術を検討する．

> **肺血栓塞栓症(PE)の治療**
- 高リスク → 抗凝固療法＋血栓溶解療法 or 外科的血栓摘除 or カテーテル治療
- 中[高]リスク → 抗凝固療法(DOACも可)，集中治療室入室
- 中[低]リスク，低リスク → 抗凝固療法
- 急性期の抗凝固療法は，未分画ヘパリンあるいはDOAC/ワルファリンを用いる．
- ワルファリンと異なり，DOACは最高血中濃度到達までの時間が短く即効性があるため，さまざまなガイドラインで使用が推奨されてきている．
- リバーロキサバンやアピキサバンは維持用量の倍量を使用する高用量の投与期間が設定されており，治療初期からのDOAC単剤での治療も可能となった．

■ 未分画ヘパリン
- 用量：80 U/kgを単回静注して，その後は18 U/kg/時で持続静注を行う．
- 目標APTT：ベースラインの1.5〜2.5倍を目処に調整する．
- 当院での組成：未分画ヘパリン10,000単位/10 mL＋生理食塩水90 mL
  　　　　　→ 100単位/mLで使用することが多い．

■ DOAC
- 血液検査でのモニタリングが不要で即効性を有するため，急性期治療に利用される．
- 腎機能および併用薬に応じて減量/中止する．

一般名	エドキサバン	リバーロキサバン	アピキサバン
商品名	リクシアナ®	イグザレルト®	エリキュース®
治療用量	初期治療(未分画)ヘパリンが投与されたあとに開始する 体重60 kg以下：30 mg/日 1日1回 体重60 kg超：60 mg/日 1日1回	初期21日間は15 mg 1日2回で開始し，投与21日目以降は15 mg 1日1回	初期7日間は10 mg 1日2回で開始し，投与7日目以降は5 mg 1日2回

■ ワルファリン
- 投与開始から治療域に到達するまで数日以上を要することから，急性期は未分画ヘパリンでの治療を開始し，血液検査でPT-INR 1.5〜2.5でのコントロールを行う．
- PT-INRが安定したのちに，4〜6週ごとに定期的にモニターしながらフォローする．
- 腎機能障害例でも使用可能である．

本症例では…
- 循環動態は安定しており，簡易版 PESI は 1 点/PESI 98 点であった．
- 心エコーと造影 CT で右室機能障害を伴っていたため，中［高］リスクと判断して，抗凝固療法としてヘパリン 5,000 単位投与のうえでヘパリン持続静注を 900 単位/時で開始し，集中治療室に入室して血行動態の悪化に備えてモニタリングを開始した．

A 循環動態の安定/不安定および PESI スコア，右心機能障害/心筋バイオマーカーの上昇の有無で治療方針を選択する

担癌患者の抗凝固療法
- 癌患者の抗凝固療法は，癌の治癒が得られない限り継続せざるを得ない．
- 世界的には低分子ヘパリンが第一選択で，ワルファリンと比較して有意に再発を予防した〔N Engl J Med 349：146-153, 2003〕．
- 経口薬としては，消化器癌でなければリバーロキサバンとエドキサバンが再発抑制に非劣性であった．消化器系の癌では臨床的に重大な出血が，低分子量ヘパリンよりも多い結果となっている〔J Clin Oncol 36：2017-2023, 2018/N Engl J Med 378：615-624, 2018〕．
- 消化器癌を除くと，アピキサバンでも血栓症の再発を低分子ヘパリンと同等に抑制し，大出血が少なかった〔J Thromb Haemost 18：411-421, 2020〕．

症例 ④　23 歳男性，突然の胸痛．
来院 3 日前に職場で突然左背部痛が出現した．その後も背部痛が持続し，呼吸困難を伴ったため来院した．来院時バイタルサインは意識清明，体温 36.8℃，血圧 110/65 mmHg，脈拍 84/分・整，呼吸数 24/分，SpO_2 95％（室内気）．聴診では左上肺野で呼吸音の低下を認め，心音に異常はなかった．

Q 診断と対応は？

気胸では緊張性気胸の鑑別が最優先

気胸/緊張性気胸
- 気胸は原発性自然気胸と続発性気胸があり，前者は高身長の痩せ型若年男性に多く，後者は肺気腫が最も多い．
- 気胸が高度になり，胸腔内圧が上がることで静脈還流が障害されて循環不全に至る病態を緊張性気胸と称する．
- 身体所見は有用な情報が多く，聴診では患側の呼吸音が低下し，打診で鼓音を呈す

る．気胸の一部で皮下に空気が進展すると皮下気腫を握雪感として触知できる．緊張性気胸に至っている場合には，静脈還流が障害された結果で頸静脈怒張がみられる．
- 緊張性気胸は呼吸不全だけではなく，循環動態の破綻（ショック）も併発するため緊急度が高く，疑った場合には胸部単純X線写真を撮影する前に身体所見とエコーなどから診断して緊急の脱気が必要になる．

気胸の虚脱度による分類

- 胸部単純X線写真で肺の虚脱の程度により下記のように分類する．

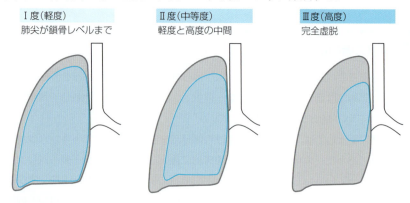

Ⅰ度（軽度）　肺尖が鎖骨レベルまで
Ⅱ度（中等度）　軽度と高度の中間
Ⅲ度（高度）　完全虚脱

気胸の対応

- 臨床症状や身体所見から気胸を疑い，各種検査を進めていく．
- 緊張性気胸に至っている場合には，緊急の脱気が必要なので，胸部単純X線写真や胸腔ドレナージなどの準備時間も惜しい．短時間で脱気するために，前胸部鎖骨中線第2〜3肋間を目安に16〜18ゲージの留置針を穿刺して時間をかせぐ．

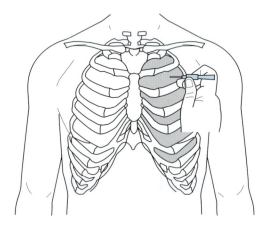

- 動脈血液ガス検査：即座に結果が得られ，重症度に応じてPaO_2の低下を伴う．
- 胸部単純X線写真：立位胸部X線写真で側胸壁や肺尖に向かって凸なラインがみられ，その外側の胸膜腔の肺血管影が消失する．なお，臥位胸部X線写真では軽度の気胸が描出されにくく，横隔膜の溝が深くなる deep sulcus sign がみられることがある．
- エコー検査：ベッドサイドで迅速に施行可能であり，lung sliding（呼吸運動に伴う胸

膜の動き）の消失や seashore sign（M-mode で正常肺実質が砂浜のように見える所見）
が消失するが，検査者の技術が求められる．
- CT：気胸の有無だけではなく，囊胞や癒着，腫瘍性病変などの併存する基礎疾患検索に有用である．

気胸の治療

- 基本は安静，胸腔穿刺（脱気），胸腔ドレナージを救急外来で行い，その後に胸膜癒着術や気管支鏡下気管支塞栓術などの手術を検討する．
    - Ⅰ度気胸：
      経過観察が可能である．続発性気胸の場合は肺疾患の程度により経過観察を行う．安静目的で入院することもある．
    - Ⅱ度-Ⅲ度気胸：
      胸腔ドレナージでドレーン留置を行うことが多く，原則入院治療が原則である．
    - 緊張性気胸：
      穿刺脱気で循環動態を安定化させつつ，胸腔ドレナージの留置を行う．

本症例では…

- 病歴および身体所見から気胸が疑われた．
- 循環動態は安定しており，緊張性気胸には至っていないと判断し，立位での胸部単純X線写真を施行した．
- Ⅱ度気胸と診断し，胸腔ドレナージでドレーン留置を行い，呼吸器内科オンコールに連絡した．

A 緊張性気胸には至っていないと判断し，画像検査のうえで胸腔ドレナージの方針とした

● 参考文献

1) 日本循環器学会ほか：大動脈瘤・大動脈解離診療ガイドライン（2020年改訂版）．2020
  （https://www.j-circ.or.jp/cms/wp-content/uploads/2020/07/JCS2020_Ogino.pdf）（2023年8月閲覧）
2) 日本循環器学会ほか：急性冠症候群ガイドライン（2018年改訂版）．2019
  （https://www.j-circ.or.jp/cms/wp-content/uploads/2018/11/JCS2018_kimura.pdf）（2023年8月閲覧）
3) 日本循環器学会ほか：肺血栓塞栓症および深部静脈血栓症の診断，治療，予防に関するガイドライン（2017年改訂版）．2018
  （https://js-phlebology.jp/wp/wp-content/uploads/2019/03/JCS2017_ito_h.pdf）（2023年8月閲覧）
  - 上記3つのガイドラインは各々の疾患に対する対応がことこまかに推奨されているので，一度は目を通しておきたい．
4) Anderson JL, Morrow DA. Acute Myocardial Infarction. N Engl J Med 376：2053-2064, 2017［PMID：28538121］
  - 急性心筋梗塞の診断と治療についておさえるのに有用．
5) Baumann MH, et al. Management of spontaneous pneumothorax：an American College of Chest Physicians Delphi consensus statement. Chest 119：590-602, 2001［PMID：11171742］
  - 国際的なガイドラインで，気胸に対する基本的なマネジメントがフローチャートで記載されている．

（鈴木　隆宏）

7 腹痛
腹痛診療は急性腹症の除外から始まる

1. 腹痛診療の第一ステップは急性腹症の除外から行う
2. 急性腹症のキーワードは「破裂」「閉塞」「捻転」
3. 若い女性の腹痛は妊娠と婦人科系疾患を除外
4. 腹部診察では疼痛部位と性状，患者背景を意識

症例 ① 63歳男性，虫垂炎術後の既往歴がある．

職場で勤務中に突然の腹痛を繰り返し，嘔吐を認めた．悶えるほど痛がり苦しんでいるため，職場の者が救急要請した．来院時バイタルサインは意識レベル JCS I-2，体温 37.2℃，血圧 140/68 mmHg，脈拍 120/分・整，呼吸数 24/分，SpO$_2$ 99%（室内気）．腹部正中を中心に広く圧痛，反跳痛を認め，筋性防御を伴った．

Q 腹痛診療でまず行うべきことは？

鉄則1 腹痛診療の第一ステップは急性腹症の除外から行う

- 腹痛をみたら，まずは緊急性の高い疾患から鑑別する．特に急性腹症（acute abdomen, surgical abdomen）を除外する．
- 急性腹症は発症1週間以内の急性発症で，手術などの迅速な対応が必要な腹部（胸部も含む）疾患と定義される．
- 診断の遅れが致命的な結果を招くため，まずはこの急性腹症を念頭に置いて診察，検査を行うことが大切である．
- 急性腹症を疑う臨床経過は，突然発症の激しい腹痛．
- 急性腹症を疑う身体所見は，rebound（反跳痛），defense（筋性防御），いわゆる汎発性腹膜炎を疑わせる所見である．
- 早期の外科的治療介入が必要な場合，一刻を争うため，検査を進めながら外科コールを行う．

本症例では…

- 来院当日に発症した突然発症の腹痛であり，反跳痛や筋性防御など腹膜の炎症が疑われたことから急性腹症を念頭に置いて対応した．

A 急性腹症が疑われる経過であり，各種検査を進める方針とした

Q 急性腹症で想起すべき疾患を考えるときのキーワードは？

> **鉄則 2** 急性腹症のキーワードは「破裂」「閉塞」「捻転」

急性腹症をきたす代表的疾患

破裂：腹部大動脈瘤破裂，大動脈解離，消化管穿孔，肝細胞癌破裂，脾臓破裂，異所性妊娠，卵巣嚢腫破裂
閉塞：急性腸管虚血，腸重積，急性心筋梗塞，急性閉塞性化膿性胆管炎
捻転：腸閉塞，S状結腸軸捻転，卵巣嚢腫茎捻転

腹痛の緊急性判断

- 腹痛診療において全身状態，バイタルサインの確認は非常に重要である．
- 特に，苦悶様症状や末梢冷感が顕著，あるいはバイタルサインが変化している場合は，急性腹症の可能性を常に考える．
- 状況に応じて心電図モニター，SpO_2モニター，血圧モニターを装着すること．
- 通常は痛みに伴い，血圧上昇，脈拍増加，呼吸数増加をみることが多い．
- 逆に血圧低下の場合は，腹部大動脈瘤破裂や消化管出血，腹腔内出血，腸管穿孔，敗血症などの重篤な腹痛疾患の可能性があるため，注意が必要．発熱も同様である．
- 腹痛患者では，その後の大量補液や投薬が必要になることが多く，末梢ラインを確保しておく．
- なお，対症療法として腹痛の診断前に鎮痛薬を使用することは診断の妨げにはならないため，適宜使用するよう心がける〔J Clin Med Res 11：121-126, 2019〕．当院ではアセトアミノフェンやペンタゾシン，フルルビプロフェン，フェンタニルなどの点滴製剤を使用することが多い．
- 急性腹症で緊急手術が想定される場合は，凝固，血液型，クロスマッチ，感染症の採血を提出しておくことも忘れない．

腹痛の身体診察

- 腹部の診察の順番は視診 → 聴診 → 打診 → 触診．
- 痛みのある部分は最後に触診する．
- 腹壁の緊張をとるため膝を曲げてもらうのを忘れずに．

- 特に，緊急性のある身体所見として，反跳痛，筋性防御は腹膜炎を示唆するため見逃さない．しかし高齢者，糖尿病患者，免疫不全患者の場合は腹膜炎でも認めないことがあるため注意する．確認すべき腹部所見は以下である．

> 視診：手術痕(腸閉塞)，腹部膨満(腸閉塞・便秘・腹水)
> 聴診：腸蠕動音(亢進，正常，減弱，消失)，血管雑音
> 打診：鼓音(腸閉塞)，肝叩打痛，CVA 叩打痛
> 触診：硬さ(軟，硬，板状硬)，圧痛部位(McBurney 圧痛点，Murphy 徴候など)，筋性防御・反跳痛・Carnett 徴候の有無(腹膜炎示唆)，ヘルニア(鼠径，大腿)，拍動性腫瘤(大動脈瘤)

本症例では…
- 臨床経過と身体所見から急性腹症が疑われ，腹部造影 CT を施行した．
- 腹部造影 CT では腹部正中に限局性の拡張した小腸がみられ，closed loop を認め，絞扼性イレウスと診断した．
- 外科コールし，緊急手術の運びとなった．

A 急性腹症では「破裂」「閉塞」「捻転」の 3 つのキーワードを念頭に置いて鑑別を考慮する

もっと知りたい！ 急性腹症で大事な身体所見

- Carnett 徴候(abdominal wall tenderness test)
  仰臥位で頭部・肩を挙上させ，腹部の筋肉に力を入れた際に，疼痛軽減 → 腹腔内病変，疼痛増強 → 腹腔内病変を除外(腹壁病変の可能性が高い)．
- 腹痛では腹部の診察以外の所見も手がかりとなりうるため，以下の部位にも注目する．
  頭部：眼瞼結膜蒼白〔出血(消化管，婦人科)の関与〕，眼球結膜黄染(肝胆道系疾患の関与)
  胸部：呼吸音，心音(心血管疾患の関与)
  直腸：直腸診〔腫瘤の触知(大腸癌)，付着便の性状(大腸癌)，便潜血(大腸癌)，子宮頸部の可動痛(婦人科系疾患)〕

症例 ❷ 26 歳男性．徐々に増悪した腹痛．

特に既往歴はない．来院前日から悪心が出現し，複数回食物残渣を嘔吐した．その後心窩部不快感が出現し，疼痛が増悪したため当院救急外来を受診した．来院時バイタルサインは意識清明，体温 37.2℃，血圧 120/64 mmHg，脈拍 110/分・整，呼吸数 20/分，SpO_2 97％(室内気)．身体所見上，腸蠕動音は亢進減弱なし，心窩部から右側腹部にかけて圧痛を認める．疼痛の最強点は右下腹部であり，同部位を中心に反跳痛と筋性防御を認めた．

Q 急性腹症が疑われたら行うべき検査は？

腹痛対応のアルゴリズム

①状況把握
- 外科的介入が必要な急性腹症をまずは意識して対応する．
- 若年女性では妊娠および婦人科系疾患を常に考慮する．

②問診・診察
- 全身状態，バイタルサインの確認．
- 身体診察では特に緊急性を疑わせる「反跳痛，筋性防御，Carnett 徴候」などを見逃さない．

③初期対応
- 静脈ラインを確保し，必要に応じて点滴の準備をする．
- 急性腹症を疑う場合には検査を進めながら，外科コンサルトを検討する．

④検査
- 血液検査・動脈血液ガス検査．
- 胸部単純 X 線写真，12 誘導心電図．
- 腹部エコー・造影 CT．

⑤治療
- 鑑別診断が行われたら，必要に応じて外科など各科へのコンサルトを行う．

血液検査，動脈血液ガス検査

- 血算，生化学［腎機能，肝胆道系酵素，CK（腸管虚血の有無），CK-MB（必ず心筋梗塞の否定），P-AMY（膵炎の鑑別），凝固〔D-dimer（動脈解離，腸間膜血栓症など）〕，CRP］．
- 急性腹症で手術が前提であれば，凝固検査（APTT, PT），血液型，クロスマッチ，感染症（HBs 抗原，HCV 抗体，HIV 抗体，梅毒検査）をあらかじめ採取．
- 汎発性腹膜炎や敗血症，絞扼性イレウスなどを疑う場合は動脈血液ガス（Lactate）も採取．
- 尿検査（尿路結石の有無，尿路感染症，ケトアシドーシス），妊娠迅速キット，クラミジアや淋菌などの性感染症（STD）検査も必要に応じて追加．特に骨盤内炎症性疾患（PID）が疑われる場合に考慮する．

12 誘導心電図

- 心窩部痛を主訴に来院する急性冠症候群の患者が一定の割合で存在する．
- 冠危険因子をもつ患者では特に注意して，心電図変化がないことを確認．外科的処置が必要になる場合には術前のスクリーニングとしても行う．
- また腸間膜や腎臓などの梗塞性病変が疑われる場合には，心房細動の有無の評価が必要である．

腹部・胸部単純 X 線写真

- 腸閉塞や消化管穿孔，尿路結石の診断に有用．立位，臥位で撮像．立位が困難であれば，デクビタス撮影（左側臥位）で代用する．Free air をみる場合は胸部単純 X 線写

真のほうがみやすく感度も高い〔Radiol Clin North Am 31：1219-1234, 1993〕．
- 胸部単純 X 線検査は上記の通り消化管穿孔が疑われる場合，肺炎や心膜炎などの胸部疾患が疑われる場合に追加を検討する．
- なお腹部単純 X 線検査は診断能が限定的なため，ルーチンでは行わず，疑わしければ下記の腹部エコーや CT 検査を考慮する．

腹部エコー

- 急性腹症に対するスクリーニング検査として行う．
- 肝臓，胆嚢，腎臓，脾臓，膀胱，小腸の評価を行う．大動脈瘤・解離，下大静脈（IVC）も一緒に評価する．

・小腸閉塞	：トゥーアンドフロー（閉塞のため腸内容物が進行せず腸内を行き来する所見），腹水の有無
・胆嚢炎	：Murphy 徴候，胆嚢腫大，胆嚢壁肥厚
・総胆管結石	：総胆管拡張，肝内胆管拡張，総胆管結石の描出
・腹部大動脈瘤	：動脈瘤の描出（5 cm 以上は破裂の危険大），腹腔内出血の有無
・尿路結石	：水腎症の有無，腎周囲の無エコー帯の有無（尿管破裂の有無）
・腹腔内出血	：FAST（focused assessment with sonography for trauma）（心嚢，両側胸腔，モリソン窩，脾周囲，膀胱直腸窩）

CT

- 急性腹症の時点で CT 適応となるため，被曝への配慮は必要であるが検査閾値は低くしておく．
- 単純・造影で撮影．出血性疾患を疑う場合は，早期相と遅延相を加えた 3 相で撮影を依頼する．
- 造影前に腎機能，心機能，アレルギーは必ず確認しておく．
- 腸閉塞を疑う場合は，各種ヘルニア嵌頓の可能性を考えて，大腿骨頸部下位までを撮影範囲とする．
- 特に高齢，多産女性では，閉鎖孔ヘルニアを忘れない．

■単純 or 造影 CT ?

- 腹部単純 CT が有用な場合：尿管結石，総胆管結石，急性虫垂炎，腹腔遊離ガスは単純 CT で評価できることが多い．
- 腹部造影 CT が有用な場合：臓器虚血や血管性病変，急性膵炎の重症度判定などで検討される．

【評価項目】
- 臓器別（肝胆膵，脾，腎，副腎，消化管，骨盤臓器，筋骨格，胸腔）
- 脂肪織〔臓器周囲の脂肪織濃度上昇（dirty fat sign）は炎症示唆〕
- extravasation（造影剤血管外漏出）
- 腹水，free air（肺野条件で確認）
- 造影不良域（虚血の評価）

> **本症例では…**
> - 心窩部の不快感と右下腹部痛が主な症状であり，虫垂炎を念頭に置きつつ，胃潰瘍や膵炎，急性心筋梗塞なども鑑別として考慮し，血液検査や12誘導心電図などを行った．
> - 血液検査ではWBC 18,000/μL，CRP 12.4 mg/dLと軽度炎症反応が上昇しており，血液像で核の左方移動を認めた．
> - これまでのエピソードから急性虫垂炎を疑い腹部CTを施行したところ，右下腹部に脂肪織の濃度上昇，腹水貯留を認め，周囲に膿瘍形成を疑う所見を認めた．
> - 急性虫垂炎の診断で消化器外科オンコールに連絡し，入院となった．

A 急性腹症ではCT検査や腹部エコー検査を念頭に置き，血液検査や12誘導心電図などを含めて評価を行う

虫垂炎

- 食欲低下 → 心窩部痛 → 悪心・嘔吐 → 右下腹部に痛みが移動 → 発熱 → 白血球上昇の順で症状が変化する．
- 半日〜2日の間でこれらの症状が出現．**疼痛が嘔気・嘔吐よりも先行**するのがポイント．
- 特徴的な身体所見はheel drop jarring test（踵落とし試験），McBurneyの圧痛点やpsoas徴候，obturator徴候，Rovsing徴候（左下腹部を圧迫すると右下腹部の痛みが増強），Rosenstein徴候（左側臥位で右下腹部の圧痛点を圧迫すると痛みが増強）がある．
- 虫垂の位置が通常と異なる場合，痛みの部位や性状が異なることも少なくないので注意．
- 血液学的検査は目立った特徴はなく炎症反応の上昇が主である．
- 腹部エコーでは施行者の技量に左右されるのが問題であるが，感度85%，特異度90%との報告がある．腹部CTは感度96%，特異度96%であり，診断精度ではエコーより優れる．虫垂腫脹は≧6 mmで腫大とし，その他にも虫垂壁構造の乱れや糞石などが観察されることがある．MRI検査は感度95%，特異度92%とこちらも診断能に優れており，妊婦など被曝を避ける必要のある場合に考慮される検査である〔Comparative Effectiveness Review 157, 2015〕．
- Alvarado score（MANTRELS score）7点以上で感度84%，特異度74%であり，9点以上では強く虫垂炎を疑う．3点以下であれば虫垂炎は否定的と考える．したがって，4〜10点の際にはエコーやCT，MRIなどの画像検査に進む．

身体所見	右下腹部の圧痛	2
	発熱（37℃以上）	1
	反跳痛	1
症状	食欲不振	1
	悪心・嘔吐	1
	右下腹部に移動する痛み	1
血液検査	白血球増多（WBC＞10,000）	2
	左方移動（好中球＞75%）	1
		計10点

〔Ann Emerg Med 15：557-564, 1986〕

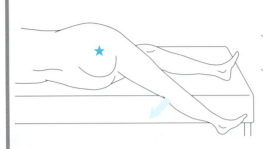

psoas 徴候
大腿の伸展で疼痛増強 → 腸腰筋の炎症

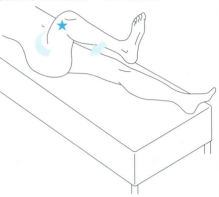

obturator 徴候
股関節内転で疼痛増強 → 骨盤内の炎症

FAST（focused assessment with sonography for trauma）

- 外傷患者の診察時に体腔内のエコーフリースペースを探して出血の有無を評価するものである．
- ほかにも腹水や膿瘍などもエコーフリースペースとして描出されるため，緊急時での評価に有用である．
- ①心膜腔 → ②モリソン窩 → ③右胸腔 → ④脾臓周囲 → ⑤左胸腔 → ⑥ダグラス窩の順番に評価する．

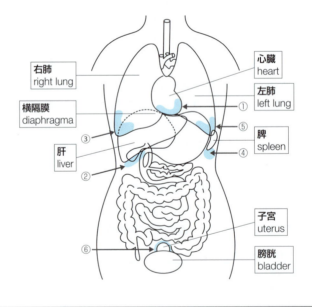

症例 ❸　26歳女性．下腹部痛．

特に既往歴なし．来院前日の夕刻に突然の下腹部痛が出現した．数時間安静を保ったがその後も右下腹部を中心に疼痛が持続したため，救急外来を受診した．来院時バイタルサインは意識清明，体温37.2℃，血圧110/60 mmHg，脈拍110/分・整，呼吸数20/分，SpO₂ 97%（室内気）．身体所見では腸蠕動音は亢進減弱なし，左下腹部に強い圧痛あり．数日前に性交渉歴があり，最終月経は18日前から4日間である．WBC 14,500/μL，CRP 2.4 mg/dL．

Q まず何をすべきか？

鉄則 3　若い女性の腹痛は妊娠と婦人科系疾患を除外

- 腹痛をみたら，その患者背景に注目する．
- 女性の下腹部痛ではまず妊娠および月経歴の確認は必須である．
- 問診や診察だけで妊娠の除外は不可能であるため，女性の急性腹症の精査では妊娠反応検査を行うことを検討する．

女性の急性腹症でまず鑑別するべき疾患	
妊娠関連	異所性妊娠，流産，陣痛，常位胎盤早期剥離，子宮破裂，円靱帯痛，絨毛膜羊膜炎，HELLP症候群
妊娠非関連	虫垂炎，胆嚢炎，腸閉塞，急性膵炎，尿路結石，卵巣茎捻転，子宮筋腫，卵巣出血

■ 妊娠可能年齢での女性の腹痛診療

Step1：妊娠の評価を行い，異所性妊娠の検索を行う
Step2：腹部エコーで卵巣出血や卵巣茎捻転など女性の急性腹症の疾患を評価する．その際に一般腹痛診療として虫垂炎などの評価もあわせて行う
Step3：異所性妊娠や卵巣茎捻転，卵巣出血，PIDなどが疑われる場合には，産婦人科へのコンサルトを検討する

- 若年女性や妊娠中の腹痛ではエコー検査が必須であり，FASTで腹腔内の出血や卵巣，子宮などの評価を行う．PIDや感染症を疑う場合には前述の通りクラミジアや淋菌の検査も行うこと．

本症例では…

- 性交渉歴もあり，同意を得たうえで簡易妊娠判定キットにてチェックを行ったが妊娠反応は陰性であった．腹部診察を施行したところ，右卵巣に一致する部位に圧痛が認められた．
- 腹部エコー検査ではダグラス窩にエコーフリースペースを認めた．婦人科当直医師に連絡し，最終的に左卵巣出血と診断された．

A まずは妊娠の有無を確認し，婦人科系疾患を含めて評価する

> **症例 ❹**　54歳男性．右上腹部痛．
>
> 脂質異常症があり，来院当日の夕方頃に急に右季肋部に差し込むような疼痛を自覚した．その後，発熱と悪寒を認めるようになったため当院救急外来を受診した．来院時バイタルサインは意識清明，体温 37.6℃，血圧 122/76 mmHg，脈拍 110/分・整，呼吸数 18/分，SpO₂ 97%（室内気）．身体所見では腸蠕動音は亢進減弱なし．眼瞼結膜の黄染を認めた．右季肋部に圧痛があり，反跳痛や筋性防御は認めない．

Q どのように鑑別診断を絞り込むか？

鉄則 4　腹部診察では疼痛部位と性状，患者背景を意識

腹痛の鑑別疾患

①解剖学的部位アプローチ

- ここまで腹痛診療の流れをさらったが，最も大事なのは身体所見から緊急性を判断しつつ，その所見から鑑別疾患を想定できることである．ここではじっくりと身体診察におけるポイントをさらう．
- まず，解剖学的部位によってアプローチすると下図のようになる．

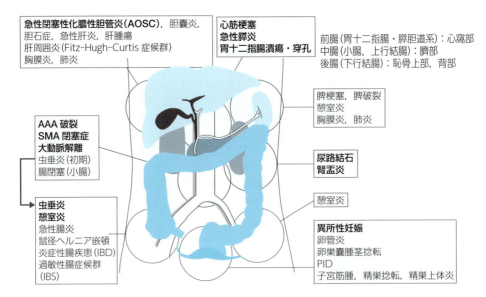

- その他，解剖学的部位とは関係なく生じる腹痛疾患として，糖尿病性ケトアシドーシス（DKA）や急性間欠性ポルフィリン血症，高Ca血症，副腎不全，鉛中毒，心身症（過敏性腸症候群）などがある．

②腹痛の問診・病歴聴取

- 腹痛診療でも胸痛と同様に痛みの評価は「OPQRST」に基づいて行う（→ 69 頁）．

O：Onset & T：Time course

突然　：消化管穿孔，腹部大動脈瘤破裂，血栓塞栓性疾患，腸閉塞など
急性　：急性胆管炎，急性膵炎
徐々に：虫垂炎，憩室炎，腸炎，PID
発作的：結石疾患（胆石，尿管結石）
間欠的 → **内臓痛**（管腔臓器，消化管蠕動，子宮収縮を反映）：腸閉塞，虫垂炎，腸炎，子宮筋腫
持続的 → **体性痛**（固形臓器，腹膜への炎症を反映）：腹膜炎

P：Position/Provocative/Palliative factor

特定の食物摂取：高脂肪食 → 胆嚢炎，アルコール → 急性膵炎
体動や歩行で改善 → **内臓痛**
体動や振動で増悪 → **体性痛**

Q：Quality

sharp pain（鋭痛）　　　　　　　　　：**体性痛**，粘膜関連，炎症関連
dull pain（鈍痛）　　　　　　　　　　：**内臓痛**，管腔臓器関連，腫瘤性疾患
心窩部 → 臍部 → 下腹部　　　　　　：大動脈解離
心窩部 → 臍部 → 右下腹部　　　　　：急性虫垂炎，憩室炎
右季肋部 → 右側腹部 → 右下腹部：十二指腸潰瘍穿孔，尿管結石

R：Radiation

背部へ　　：急性膵炎
右肩へ　　：急性胆嚢炎，肝膿瘍
左肩へ　　：膵尾部，脾臓
肩甲骨部へ：急性膵炎，胆嚢炎，横隔膜下膿瘍
精巣へ　　：尿路結石，急性虫垂炎，腹部大動脈瘤破裂

S：Severity

NRS（numerical rating scale），VAS（visual analogue scale）でスコアリング

内臓痛・体性痛・関連痛について

- 内臓痛

  臓器を取り囲む神経線維が消化管収縮や過伸展によって引き伸ばされることによって生じる．間欠的で鈍痛，局在性に乏しいびまん性の漠然とした痛み．

- 体性痛

  壁側腹膜の神経線維に化学的刺激が加わって生じる．持続的で鋭痛，比較的局在性のある限局的な疼痛．さまざまな原因（出血，化学物質刺激，感染）による腹膜の炎症を示し，重篤な疾患を示唆．

- 関連痛

  内臓からの疼痛刺激が脊髄に伝わる際に，内臓神経求心路と皮膚からの脳脊髄神経求心路の間の短絡から隣接する神経線維を刺激し，同じレベルでの脊髄皮膚デルマトーム領域に疼痛を自覚．

腹痛診療の問診

- 腹痛の患者背景, 鑑別の際に以下の項目を確認する.
  - ・心血管系リスクファクター：高齢, 高血圧, 糖尿病, 脂質異常症, 重喫煙歴
  - ・血管塞栓性疾患(上腸間膜動脈閉塞, 腎梗塞, 脾梗塞)のリスク：心房細動既往歴
  - ・腸閉塞のリスク：手術歴
  - ・婦人科疾患：妊娠歴, 性交渉歴, 月経周期, 経口避妊薬の使用の有無
  - ・胃, 十二指腸潰瘍：NSAIDs使用歴, ピロリ菌除菌歴, ストレス
  - ・急性胆嚢炎：胆石指摘の既往歴, 胆石発作の既往歴, 高脂肪食摂取後の増悪
  - ・急性膵炎：アルコール摂取歴, 胆石既往歴, 家族性脂質異常症の有無
  - ・急性腸炎：海外渡航歴, 生もの摂食歴, 同様の症状の家族歴
  - ・尿管結石：過去の尿管結石既往歴, 先行する血尿, 高尿酸血症

病歴で確認するべきこと

食事内容, 最終食事, 最終排便, 最終排ガス(腸閉塞)の有無
嘔吐：腸閉塞, 虫垂炎, 心筋梗塞, 胆石, 尿路結石 (胃液様：Vater乳頭よりも口側, 緑色様：Vater乳頭よりも肛門側, 糞便様：回腸末端閉塞)
便秘：腸閉塞, 骨盤内膿瘍, 便秘症, 虚血性腸炎
下痢：急性腸炎, 虫垂炎, PID
吐血：胃・十二指腸潰瘍
血便：虚血性腸炎, 大腸炎　黒色便：胃・十二指腸潰瘍　白色便：閉塞性黄疸
不正性器出血：婦人科系疾患
排尿時痛, 血尿, 頻尿, 残尿感：泌尿器疾患

本症例では…

- 急な経過で出現した右季肋部痛であり, 発熱と黄疸を認めており, 胆管炎を疑った.
- 血液検査でWBC 13,000/μL, CRP 4.7 mg/dLと炎症反応の上昇を認めた.
- 腹部造影CTで胆管内に嵌頓する結石を認め, 胆管周囲の脂肪織濃度の上昇, 肝実質の一過性早期濃染を認めたため, 消化器内科にコンサルトした.

A 患者背景を意識した問診と, 診察で得られた腹痛の情報から鑑別疾患を絞り込む

急性胆管炎

- 急性胆管炎は結石や腫瘍などの何らかの原因により胆道閉塞をきたすことで胆汁がうっ滞し, ここに胆汁の感染をきたすことで起こる感染症である.
- 診断は「全身の炎症所見」「血液検査の黄疸・炎症所見」「画像所見」の3つを組み合わせて次頁の表のように行う.

急性胆管炎診断基準

A. 全身の炎症所見	A-1. 発熱（悪寒戦慄を伴うこともある）
	A-2. 血液検査：炎症反応所見
B. 胆汁うっ滞所見	B-1. 黄疸
	B-2. 血液検査：肝機能検査異常
C. 胆管病変の画像所見	C-1. 胆管拡張
	C-2. 胆管炎の成因：胆管狭窄，胆管結石，ステントなど

確診：A のいずれか＋B のいずれか＋C のいずれか
〔Kiriyama S, et al. J Hepatobiliary Pancreat Sci 25：17-30, 2018〕

急性胆嚢炎

- 急性胆嚢炎の原因の 90％は胆石である．診断は「局所の炎症所見」「全身の炎症所見」「画像所見」の 3 つを組み合わせて以下のように行う．

急性胆嚢炎診断基準

A. 局所の炎症所見	A-1. Murphy 徴候
	A-2. 右上腹部の腫瘤/疼痛/圧痛
B. 全身の炎症所見	B-1. 発熱
	B-2. CRP の上昇
	B-3. 白血球数の上昇
C. 急性胆嚢炎の特徴的画像所見	

確診：A のいずれか＋B のいずれか＋C
疑診：A のいずれか＋B のいずれか
ただし急性肝炎，ほかの急性腹症，慢性胆嚢炎が除外できるものとする．
Murphy 徴候：炎症のある胆嚢を検者の手で触知すると，痛みを訴えて呼吸を完全に行えない状態になることを指す．
〔Yokoe M, et al. J Hepatobiliary Pancreat Sci 19：578-585, 2012〕

● 参考文献

1) Gans SL, et al. Guideline for the diagnostic pathway in patients with acute abdominal pain. Dig Surg 32：23-31, 2015［PMID：25659265］
   - 腹痛の診断の流れがわかる図は一見の価値あり．
2) Cartwright SL, Knudson MP. Evaluation of acute abdominal pain in adults. Am Fam Physician 77：971-978, 2008［PMID：18441863］
   - 成人の腹痛の系統立った診察について記載．
3) 急性腹症診療ガイドライン出版委員会（編）：急性腹症診療ガイドライン 2015．医学書院，2015
   - 急性腹症の治療についてエビデンスが検討されている．
4) Vaghef-Davari F, et al. Approach to Acute Abdominal Pain：Practical Algorithms. Adv J Emerg Med 4：e29, 2019［PMID：32322797］
   - 腹痛診療のフローチャートが腹痛をきたしている部位ごとに記載されている．

（鈴木　隆宏）

8 頭痛
まずは二次性頭痛から！

1. まずは脳血管疾患の可能性がないかチェック
2. 緊急対応の必要な二次性頭痛に注意
3. 幅広い二次性頭痛を丁寧にスクリーニング
4. 二次性頭痛を除外したら，POUND score を用いて，片頭痛を軸に一次性頭痛を鑑別
5. 片頭痛と診断したら，トリプタン製剤が必要か素早く判断

> **症例 ①** 片頭痛の既往歴がある 52 歳女性．
> 来院当日，夕飯を作っていたところ，急に頭痛が出現したため救急外来を受診した．来院時バイタルサインは意識清明，体温 36.6℃，血圧 178/102 mmHg，脈拍 60/分，呼吸数 18/分，SpO₂ 99%（室内気）．

Q 頭痛患者を見たら，まずどの疾患に気をつける？どう対応する？

頭痛対応のフローチャート

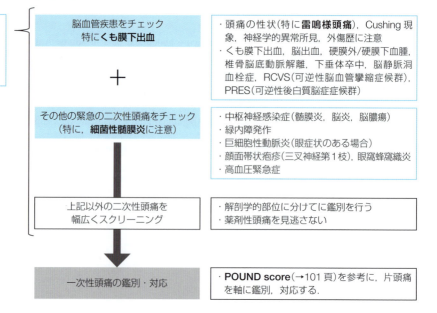

鉄則1　まずは脳血管疾患の可能性がないかチェック

- 頭痛患者で緊急性が高く，遭遇する頻度も高い疾患は脳血管障害であり，最初にその可能性を評価する．
- 頭痛の性状に対する問診が最も大切である．バイタルサイン，神経所見，既往歴を確認する．下記のような所見に注意する．

頭痛の性状	"人生で最悪の頭痛""突然発症の強い頭痛""普段とは違う頭痛""はじめての頭痛"
バイタルサイン	高血圧＋徐脈（いわゆる"Cushing現象"）
神経学的異常所見	意識障害，けいれん，失語や構音障害，運動障害，感覚障害，しびれなど
既往歴	頭痛の既往歴がない，頭部外傷後，高血圧

- Cushing現象とは，頭蓋内圧亢進の際にみられる高血圧＋徐脈のことを指す．頭蓋内圧が上昇すると，脳の灌流を保つために血圧が上昇し，それに対する圧受容器反射が起こって徐脈となる．
- 脳血管疾患が疑われる場合は，早期に頭部CT検査を行う．単純CT検査で原因がわからない場合や，動脈解離を疑う場合は早期に頭部MRI（MRA）あるいはCT血管造影を行う．
- 頭痛を起こす脳血管障害として，くも膜下出血，脳出血，硬膜外/硬膜下血腫，椎骨脳底動脈解離，下垂体卒中，脳静脈洞血栓症，可逆性脳血管攣縮症候群（RCVS：reversible cerebral vasoconstriction syndrome），可逆性後白質脳症症候群（PRES：posterior reversible encephalopathy syndrome）などが挙げられる．
- 脳梗塞では基本的に頭痛は起こらないが，動脈解離が原因の場合は頭痛が起こる．
- 雷鳴様頭痛（突然発症で1分以内に強い痛みのピークに達する）には特に注意し，くも膜下出血や脳出血を疑う．CT画像でそれらの所見がなければ，RCVS，PRES，脳静脈洞血栓や動脈解離，下垂体卒中などの可能性を考える．

本症例では…

- 詳しく問診をすると，片頭痛の既往歴はあるものの，突然発症の人生で最も強い頭痛で，普段の片頭痛とは異なったため来院したことがわかった．Cushing現象があり，明らかな麻痺はなかった．
- くも膜下出血を疑い，ただちに頭部CTを施行したところ，くも膜下出血に合致する所見を認めた．
- ただちに脳神経外科にコンサルトし，入院となり，クリッピング手術が施行された．

A どの頭痛患者でもまずは脳血管障害に注意する．頭痛の既往歴と性状，バイタルサイン，神経所見を確認し，疑えば早期に画像検査を行う

くも膜下出血の診断の注意点

- くも膜下出血は10万人あたり8人が発症し，死亡率が高く見逃したくない疾患であるが，実際には誤診や診断の遅れがあることが知られている．そのため，診断での注意点を把握しておきたい．
- まず，"人生で最悪の頭痛"や"突然発症の非常に強い頭痛"といった典型的な頭痛は半数（最大でも8割程度）にしか認めない．
- そのため，典型的な頭痛がなくても，もともと頭痛の既往歴がない患者や，好発年齢（平均50歳），女性，高血圧，喫煙歴，家族歴などのリスクがある患者では積極的に疑う必要がある．
- 警告頭痛（動脈瘤破裂の2～8週前に微小出血により起こる頭痛）は10～40％，嘔気・嘔吐は70～80％程度であり，必ず存在するわけではない．意識障害も26～53％にしか認められず，局所的な神経所見も伴わない症例が多い．
- 頭痛が比較的軽度で，嘔気・嘔吐が強い場合，頭痛ではなく嘔気・嘔吐の枠組みで対応されてしまうこともある．
- 以上から，少しでも疑ったら頭部CTを撮影する．CTの発達により，特に発症6時間以内は感度が98～100％と非常に高く，CTで除外可能なレベルに近づいてきている．
- しかしながら発症6時間以内にCTを行っても最大で5％の見逃しが発生するとの報告もあり，またCTは時間の経過とともに感度が下がることが知られ，さらに貧血患者（Hb 10 g/dL未満）でも感度が下がることに注意が必要である．
- 頭部MRIはCTが陰性の症例でも所見が検出できることがある（FLAIR画像で血腫が高信号となる）が，MRIで所見がないからといって否定はできない．
- CT血管造影も動脈瘤の同定と同時にくも膜下出血の診断に寄与することが知られているが，適切な解釈が行える専門医が必要である．
- くも膜下出血を強く疑うものの，画像検査で所見がない場合は，髄液検査を行い，出血やキサントクロミーがないかを確認することがガイドライン上でも推奨されている．感度は100％近いとされるが，これは検査室で分光分析を用いた場合であり，肉眼では見逃すこともある．またTrauma tapとの見分け方については，一般に髄液の排出とともにその色が徐々に薄くなるかどうかで鑑別を行うが，判断が難しい場合も多い．
- つまり検査は，頭部CT → 腰椎穿刺（施設によりMRIやCT血管造影も用いる）という流れであるが，CTの発達により腰椎穿刺を行うケースはかなり減っていると思われる．
- 診療で最も注意する点はCTの読影である．上述の感度は専門の放射線科医が読影を行っているものが基本であるため，自身で見落としのない読影ができるかどうかが一番の問題点である．なるべく放射線科医と読影にあたるのが望ましい．また自身の読影に自信がもてなければ，腰椎穿刺の閾値を低めに考えることが必要である．

〔Lancet 400：846-862, 2022/Stroke 43：1711-1737, 2012を参考に作成〕

> **症例❷** 頭痛の既往歴のない76歳男性.
>
> 来院3週間前から倦怠感と微熱があり,来院10日前から右側頭部痛が出現し,継続するため救急外来を受診した.全身状態は良好であり,来院時バイタルサインは意識清明,体温37.8℃,血圧145/72 mmHg,脈拍90/分,呼吸数14/分,SpO₂ 98%(室内気).身体所見では髄膜刺激徴候や異常神経所見はなかった.血液検査ではWBC 12,000/μL,CRP 5.4 mg/dL.頭部CT検査では脳出血や明らかな異常所見はなかった.

Q 脳血管障害が否定的な頭痛患者では次は何に気をつける?

鉄則 2　緊急対応の必要な二次性頭痛に注意

- 脳血管障害の可能性を検討するのと並行して,ほかの緊急対応が必要な二次性頭痛を鑑別する.
- 一般に"**SPOONS**"が,一次性頭痛と二次性頭痛の鑑別に有用である.当てはまる場合は上記の緊急性の高い二次性頭痛の可能性が高くなる.

S	Systemic symptoms	全身症状(発熱,体重減少,倦怠感)
P	Pattern change	以前と異なる頭痛,頻度・性状・重症度(特に人生最悪の頭痛),経過(増悪傾向)など
O	Onset : sudden	雷鳴様頭痛,急激な悪化
O	Onset : older	40歳以上での初発(特に50歳以上)
N	Neurologic symptoms	神経症状・異常神経所見(混乱,意識変容,けいれん,麻痺,乳頭浮腫,髄膜刺激徴候など)
S	Systemic disease	全身性疾患(悪性腫瘍,HIV,免疫抑制者)

- 具体的には下表に示す頭痛の原因に応じて症状や所見の確認を行う.脳血管障害以外で**特に注意すべきは細菌性髄膜炎**であり,疑えば早期に培養採取をして抗菌薬投与,腰椎穿刺を行う(16章「細菌性髄膜炎」199頁を参照).

緊急対応が必要な 二次性頭痛の原因	注意する症状や所見
脳血管障害	"突然の頭痛","最悪の頭痛",Cushing現象,神経異常所見,外傷歴,高血圧
脳腫瘍,髄膜播種,水頭症,脳ヘルニア	起床時の頭痛,増悪傾向の頭痛,悪性腫瘍の既往歴,けいれん,嘔気・嘔吐,神経異常所見
中枢感染症(髄膜炎・脳炎・脳膿瘍)	発熱,嘔気・嘔吐,意識障害(変容),髄膜刺激徴候
緑内障発作	眼痛,視野障害,毛様充血
巨細胞性動脈炎(側頭動脈炎)	発熱,視力障害,顎跛行,側頭動脈の硬結怒張,リウマチ多発筋痛症
顔面帯状疱疹(第1枝),眼窩蜂窩織炎	神経痛,皮疹,発熱,眼球運動障害
高血圧緊急症	めまい,嘔気・嘔吐,眼底乳頭浮腫,腎機能障害,高度の高血圧(拡張期血圧≧130 mmHg)

本症例では…

- SPOONSのチェックを行った．頭痛の既往歴がない高齢者であり，発熱や倦怠感といった全身症状を伴っていることから，二次性頭痛の可能性が高いと考えた．
- 緊急対応が必要な二次性頭痛のチェックを行ったところ，顎跛行があり，右側頭動脈の硬結を認めた．また，片目ずつ見てもらうと，右目で明らかに視力が落ちていることが判明した．
- 膠原病内科にコンサルトし，エコーでは右側頭動脈壁の肥厚を認めた．眼症状があったことから，即座に眼科診察が行われ，前部虚血性視神経症と診断された．
- 巨細胞性動脈炎の診断で入院となり，ステロイドパルス療法が開始された．

A 脳血管障害が否定的な頭痛患者では，次に緊急性の高い二次性頭痛に気をつける

症例❸ 関節リウマチで免疫抑制治療中の50歳女性．

関節リウマチでメトトレキサート16 mg，プレドニゾロン5 mg内服中．来院2日前より左後頭部に疼痛が出現したため，来院前日に近医クリニックを受診した．頭部CTが撮影されたが原因はわからず，アセトアミノフェンを処方され，改善がなければ総合病院を受診するように指示を受けた．その後，1日経過をみたが改善しないため来院した．来院時バイタルサインは意識清明，体温36.9℃，血圧136/72 mmHg，脈拍70/分，呼吸数14/分，SpO_2 98%（室内気）．頭痛は左後頭部に強く，NRS（numerical rating scale）5/10程度で，突然発症ではなく，明らかな増悪傾向はなかった．嘔気や脱力などの神経症状もない．診察では髄膜刺激徴候はなく，神経学的異常所見も認めなかった．体重50 kg．

Q 緊急対応が必要な頭痛ではなさそうな場合，頭痛の鑑別はどう進める？

鉄則3 幅広い二次性頭痛を丁寧にスクリーニング

- 緊急性の高い頭痛を除外したら，二次性頭痛を丁寧にスクリーニングする．
- 具体的には，次頁の図のように解剖学的部位に分けて原因を考えるとよい．
- 疼痛の部位を丁寧に確認し，発症形式や随伴症状を確認することで，どの部位が原因か目星をつけることが可能である．
- 次頁の図のなかでも薬剤の使用過多による頭痛は見逃しやすいので注意する（100頁の「もっと知りたい！」を参照）．

頭痛の鑑別（太字は緊急性の高い疾患）

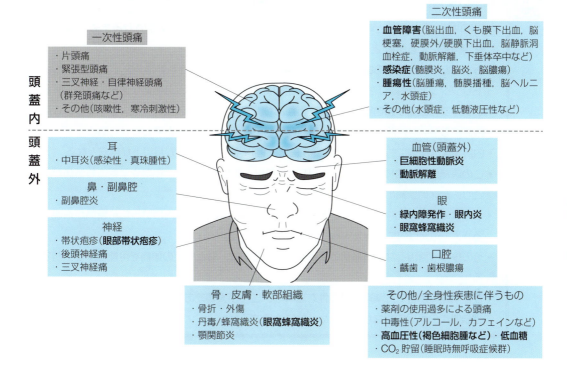

本症例では…

- 痛みが後頭部に限局していることから，同部位の皮膚や筋骨格，神経，動脈などが鑑別になると考えた．また免疫抑制治療を受けている患者であるため，感染症には注意して診察にあたった．
- 再度問診を行うと，疼痛はビリビリした痛みで，左後頭部を触るだけでも痛いとのことだった．
- 診察すると，左後頸部，耳介後部から頭頂部にかけてのC2の神経支配領域に，周囲に紅暈（こううん）を伴う小水疱の集簇を認めた．同部位の皮膚を触ると疼痛は増悪した．
- 頭痛は皮疹の部位に合致しており，髄膜炎を疑う所見はなく，その他の頭痛の原因は明らかではなかった．
- 以上より帯状疱疹と診断した．免疫抑制患者であることを考慮し，入院治療を行う方針とした．腎機能は正常であり，アシクロビル1回250 mg（5 mg/kg）を1日3回で投与開始した．

A 緊急対応が必要ない頭痛では，臓器別に幅広く二次性頭痛の鑑別を行う

薬剤の使用過多による頭痛（薬物乱用頭痛）

- 以前は薬物乱用頭痛と呼ばれたが，"薬物乱用"が違法薬物などを連想させるため，"薬剤の使用過多による頭痛"という名前になった．
- もともと一次性頭痛のある患者で，頭痛に対する治療薬（アセトアミノフェンやNSAIDs，トリプタン製剤など）を高頻度に一定期間以上用いると，もとの頭痛が増悪したり，新しいタイプの頭痛が起こったりすることがあり，これを薬剤の使用過多による頭痛という．
- 鎮痛薬の過剰な内服が，中枢性に疼痛閾値を下げることが原因と考えられている．
- 内服頻度は薬剤にもよるが概ね2〜3日に1回以上，期間は3か月以上が目安となる．
- この頭痛は基本的に慢性で，1か月に15日以上頭痛が起こる．夜間や早朝にも頭痛が起こり，起床時頭痛の鑑別となる．
- 治療は原因薬剤の中止である．原因薬剤の中止後，48時間以内にいったん頭痛が増悪するが，1週間以内には消失する．
- その後は，原因となる鎮痛薬の使用を減らすために，もともとの頭痛を可能な限り予防する．
- 慢性頭痛の患者で，薬剤の可能性を忘れないことが大切である．NSAIDsは薬剤性の無菌性髄膜炎の原因にもなりうるため，特に注意する．

症例 ❹ 片頭痛の既往歴のある32歳女性．

来院3時間前から頭痛が出現したため来院した．頭痛は拍動性で，左側の眼球奥に位置しており，NRSは7/10であった．嘔気を伴い動くのもつらく，じっとしていたいという．光が全体的に眩しい感じはあるものの，視野が欠けたり，チカチカと光るものが見えたりはしなかった．頭痛は急性発症であったが痛みの種類は以前診断された片頭痛と似ていた．来院時バイタルサインは意識清明，体温36.2℃，血圧120/68 mmHg，脈拍84/分，呼吸数14/分，SpO$_2$ 99%（室内気）．身体所見では，髄膜刺激徴候や神経学的異常所見はなかった．その他の二次性頭痛を示唆する所見はなかった．

Q この患者の頭痛の原因は何か？　二次性頭痛が否定的な頭痛患者ではどのように対応する？

二次性頭痛を除外したら，POUND score を用いて，片頭痛を軸に一次性頭痛を鑑別

- 二次性頭痛を除外したら一次性頭痛（主に片頭痛，緊張性頭痛，群発頭痛）を鑑別する．
- 片頭痛の特徴をまず抑え，それと比較する形で緊張性頭痛や群発頭痛の特徴を理解しておくとよい．
- 有病率は片頭痛が8％，緊張性頭痛が20％，群発頭痛が0.1％であり，群発頭痛は非常にまれである．

- 基本的に救急外来を受診するほどの頭痛は片頭痛か群発頭痛であり，有病率と合わせると救急外来で遭遇する1次性頭痛は片頭痛が多い．

①片頭痛

- 片頭痛の特徴として，**"POUND score"** を把握する．頭痛の特徴や程度，持続時間，随伴症状で構成されており，片頭痛の診断において問診が最も重要であることがわかる．また家族歴もリスクとなる．

片頭痛に対する POUND score

P(Pulsating)	拍動性
O(Hour)	持続時間(4～72時間)※おおよそ"3"時間～"3"日と考えると覚えやすい
U(Unilateral)	片側性，繰り返す場合は左右が変わることが多い
N(Nausea)	嘔気・嘔吐
D(Disabling)	日常生活への支障

4項目以上当てはまるときは，非常に片頭痛らしいことが知られている．
項目数：尤度比(95% CI)
4項目以上：24(1.5～388)，3項目：3.5(1.3～9.2)，2項目：0.41(0.32～0.52)

- 片頭痛では閃輝暗点といった前兆が有名であるが，実際は前兆のない片頭痛のほうが多い(104頁の「もっと知りたい！」を参照)．また片側性や拍動性であることが特徴として有名であるが，どちらも半数程度である．
- 片頭痛の特徴として嘔気・嘔吐があるが，脳出血(特に小脳)，髄膜炎の可能性には改めて注意する．
- また誘発因子や増悪因子として下記のものがある．今後の予防にも重要であり，必ず聴取する．

体調関連	ストレス，疲れ，睡眠不足，睡眠過多，月経
食事関連	アルコール(特にワイン)，チーズやチョコレート
環境関連	気温や気圧の変化，天候の変化など

②緊張性頭痛

- 緊張性頭痛は，典型的には両側性に，圧迫感や締めつけ感が特徴的である．持続時間は数十分のこともあれば数日続くこともあり，一定しない．
- 痛みは軽度～中等度で，救急外来を受診することはあまりない．
- 片頭痛と異なり体動による増悪や嘔気などの随伴症状に乏しいが，光過敏や音過敏を呈することがある．
- 夕方にかけて増悪することが多く，片頭痛と異なり朝に症状が出ることは少ない．
- 運動やホットパック，入浴，マッサージなどが有効なこともある．

③群発頭痛

- 群発頭痛は，若年男性に多い．片側性の非常に強い頭痛で，片側眼窩，眼窩上部，側頭部に疼痛が起こる．
- "群発"という名前の通り，1回の持続時間が15分～3時間の頭痛が，1日に2～8回起こる．持続時間が片頭痛に比べて短いことが特徴である．

- 頭痛と同側の結膜充血，流涙，鼻閉や鼻汁，眼瞼浮腫，顔面の発汗，縮瞳や眼瞼下垂など自律神経症状を伴うか，興奮した様子がみられる．
- 片頭痛は，動作によって頭痛が増悪するため患者は暗所での安静を好むが，群発頭痛では痛みのためにじっとしていられず動き回る．

■主な一次性頭痛のまとめ

	片頭痛	緊張性頭痛	群発頭痛（三叉神経・自律神経性頭痛）
好発	**10～20歳代**での発症が多い 50歳以降は有病率が減少 **女性**に多い(男女比1：3～4)	10～50歳代と幅広く，高齢で発症することもよくある． やや女性に多いがほぼ同等	20～40歳に多い **男性**に多い(男女比5：1)
頭痛の特徴	片側性(両側性が40%) 拍動性(半数は拍動性なし) 中等度～高度 **日常的な動作で増悪**する	**両側性** 圧迫感や締めつけ感 軽度～中等度 動作では増悪しない	片側(**両側はまずない**) 眼窩部，眼窩上部，側頭部 動作で増悪しない
経過	**4～72時間**持続する	**数十分から数日間**継続する	1回の発作は**15分～3時間** 発作頻度：2～8回/日 発作が起こる群発期(数週～数か月)と発作が起こらない寛解期(数か月～数年)が存在
その他	20～30%程度で前兆を伴う **嘔気・嘔吐**や光過敏，音過敏を伴う 動作で増悪するため**暗い部屋で安静**を好む	光過敏や音過敏は伴うこともある	頭痛と同側に**充血，流涙，鼻閉，発汗，縮瞳**などの症状がでる 頭痛がきわめて高度で，**横になれずそわそわと歩き回る**

> **本症例では…**
> - 頭痛の既往歴があり，問診や診察からも二次性頭痛は否定的であった．
> - 改めてPOUND scoreをつけると，拍動性，片側性，嘔気，日常生活への障害で最低4点はあり，持続時間も矛盾はなかった．
> - 病歴からは，光過敏はあるものの，閃輝暗点はなく，前兆はないと考えた．
> - 頭痛の性状や程度から緊張性頭痛は否定的で，流涙や鼻汁はなく，患者が安静を求めることから群発頭痛も否定的と考えた．
> - 以上より，前兆のない片頭痛と診断した．

A 二次性頭痛が否定的な患者では，POUND scoreを用いて片頭痛を軸に鑑別を進める

Q 本症例はどのように治療する？

鉄則 5 片頭痛と診断したら，トリプタン製剤が必要か素早く判断

- 片頭痛では早期の治療が症状の緩和に重要である．前兆のみの患者には効果がないことも多いため，原則は頭痛が出たら早期に薬剤を投与する．

- 軽症〜中等症の場合はNSAIDs(軽度であればアセトアミノフェンも選択肢となる)，中等度〜重度の頭痛やNSAIDsが無効であった病歴のある患者ではトリプタン製剤を用いる．NSAIDsとトリプタン製剤を併用してもよい．
- トリプタン製剤には皮下注射や点鼻薬も存在し，これらは嘔気が強い患者でも使いやすい．また注射製剤は効果の発現が早いという利点がある．
- また嘔気・嘔吐の治療も並行して行うが，メトクロプラミド(静注)はメタアナリシスで片頭痛の頭痛自体にも有効であった報告〔BMJ 329：1369-1373, 2004〕があり，特に嘔気のある患者では積極的に使用する．
- 急性期の治療後は，聴取した誘発因子や増悪因子をもとに生活指導を行う．また，発作頻度の高い患者では予防薬の投与を行うこともある(詳細は参考文献2などを参照)．

①一次性頭痛の急性期治療

	片頭痛	緊張性頭痛	群発頭痛
治療例	アセトアミノフェン 1回500 mg 頓服 ロキソプロフェンナトリウム(ロキソニン®) 1回60 mg 頓服 スマトリプタン(イミグラン®)錠 50 mg 頓服(2時間以上あけて1日2回まで) スマトリプタン皮下注1回3 mg 皮下注1時間以上あけて1日2回まで スマトリプタン点鼻薬1回20 mg 点鼻(噴霧)2時間以上あけて1日2回まで	アセトアミノフェン 1回500 mg 頓服 ロキソプロフェンナトリウム 1回60 mg 頓服 保険適用外であるが筋弛緩薬が用いられることもある． エペリゾン塩酸塩(ミオナール®) 1回50 mg 1日3回 チザニジン塩酸塩(テルネリン®) 1回1〜3 mg 1日3回	アセトアミノフェン 1回500 mg 頓服 ロキソプロフェンナトリウム 1回60 mg 頓服 スマトリプタン(イミグラン®)注 1回3 mg 皮下注1時間以上あけて1日2回まで 100%酸素(7 L/分以上)を15分以上吸入
その他	嘔気に対して， メトクロプラミド(プリンペラン®) 10 mg 静注 ドンペリドン(ナウゼリン®) 1回10 mg 頓服	抗不安薬や抗うつ薬なども用いられることがある．	保険適用があるのはスマトリプタンの皮下注射製剤と酸素療法のみであるが，トリプタン製剤の内服なども行われることがある．

トリプタン製剤は，リザトリプタン(マクサルト®)，スマトリプタン(イミグラン®)，ゾルミトリプタン(ゾーミッグ®)，エレトリプタン(レルパックス®)，ナラトリプタン(アマージ®)などがあり，どれを用いてもよい．

②トリプタン製剤の禁忌

- トリプタン製剤は血管を収縮させる作用があるため，脳血管障害や虚血性心疾患，コントロール不良の高血圧のある患者では禁忌である．また，MAO阻害薬やプロプラノロールも相互作用のため禁忌である．
- また選択的セロトニン再取り込み阻害薬やセロトニン・ノルアドレナリン再取り込み阻害薬との併用もセロトニンの効果が高まるため併用注意となる．

本症例では…

- 以前の片頭痛では NSAIDs はあまり効果がなかったとのことであった．
- 脳血管障害や虚血性心疾患など，トリプタン製剤の禁忌がないことを確認した．
- 嘔吐があり内服は難しいと判断し，イミグラン®3 mg の皮下注射を行い，プリンペラン®10 mg を静注したところ，頭痛と嘔気は改善した．
- 再度話を聞くと，最近仕事が忙しく睡眠時間も短く，チョコレートやワインの摂取量も増えていたため，片頭痛の誘発・増悪因子について説明し生活指導を行った．
- 普段の発作時から嘔気が強いということであったため，イミグラン®点鼻薬 20 mg を処方し，かかりつけ医に紹介とした．

A 片頭痛では，トリプタン製剤の適応を検討し，なるべく早期に治療を行う

片頭痛の詳しい分類と前兆について

- 片頭痛の前兆とは，頭痛の 60 分前〜直前に起こる，完全可逆性の再発性中枢神経症状のことである．
- 片頭痛では閃輝暗点といった前兆が有名であるが，実際は前兆のない片頭痛のほうが多い．前兆がある場合とない場合とで診断基準が異なることを知っておくとよい．
- 下表の前兆のない頭痛にある通り，日常動作で増悪する中等度〜重度の頭痛であれば，その性質を問わない．つまり，緊張性頭痛のような両側性の締め付けられる痛みでも，重度かつ日常動作で増悪し，嘔気があり，持続時間が 4〜72 時間であれば片頭痛と分類される．
- また前兆のない場合は 5 回，ある場合も 2 回の発作が必要であり，初回の場合は明確な診断には至らない．

国際頭痛分類第 3 版による片頭痛の分類

前兆のない片頭痛	前兆のある片頭痛
1. 持続時間は 4〜72 時間(未治療の場合，治療無効の場合) 2. 以下の 2 つ以上を満たす 片側性，拍動性，中等度〜重度の頭痛，日常動作により増悪し日常動作を避ける 3. 頭痛発作中に，嘔気・嘔吐または光過敏・音過敏を生じる	1. 以下の 1 つ以上の前兆がある 　視覚症状，感覚症状，言語症状，運動症状，脳幹症状，網膜症状 2. 以下の 3 つ以上を満たす ①1 つの前兆は 5 分以上かけて増悪する ②2 つ以上の前兆が引き続き起こる ③前兆は 5〜60 分間持続する ④少なくとも 1 つの前兆は片側性である ⑤少なくとも 1 つの前兆は陽性症状である ⑥前兆に伴って，あるいは前兆発現後 60 分以内に頭痛が起こる
その他の疾患を除外し， 上記の 1, 2, 3 を満たす頭痛発作が **5 回以上**ある	その他の疾患を除外し 上記の 1, 2 を満たす頭痛発作が **2 回以上**ある

※前兆は基本的には頭痛発作前であるが，頭痛後に始まることも，頭痛期に入った後に持続することもある．

- 報告により割合は異なるが，わが国では前兆はおおよそ 10〜30% に認めるとされ，下記のようなものがある．閃輝暗点と光過敏は別であることがポイントである．光過敏は緊張性頭痛でもみられるが，閃輝暗点は原則片頭痛でしかみられない．

> **片頭痛の前兆**
>
> 視覚症状：前兆のある片頭痛の90％以上で起こる．閃輝暗点が陽性現象として有名．暗点のみの場合も存在する．
> 感覚症状："チクチクした感覚"として現れる．顔面や舌，身体の片側にさまざまな広がりをもつ．感覚鈍麻となることもある．
> 言語症状：失語症状が現れる．
> 運動症状：主に麻痺症状，脱力が出現する．
> 脳幹症状：構音障害，回転性めまい，耳鳴り，難聴，複視，運動失調，意識レベルの低下（GCS≦13）．
> 網膜症状：単眼の視覚異常（閃輝暗点，視覚消失など）が繰り返し起こる．

● 参考文献

1) Headache Classification Committee of the International Headache Society（IHS）. The International Classification of Headache Disorders, 3rd edition（beta version）. Cephalalgia 33：629-808, 2013［PMID：23771276］
   ・国際頭痛分類の第3版．日本頭痛学会のHPで日本語訳がダウンロードできる．
2) 日本神経学会・日本頭痛学会・日本神経治療学会（監）：頭痛の診療ガイドライン2021．医学書院，2021
   ・現在は2021年度版である．日本頭痛学会のHPでこちらのガイドラインもダウンロード可能．一次性頭痛について詳しく記載されている．頭痛患者をみたら適宜見る癖をつけるとよい．
3) Connolly ES, et al. Guidelines for the Management of aneurysmal subarachnoid hemorrhage：a guideline for healthcare professionals from the American Heart Association/American Stroke Association. Stroke 43：1711-1737, 2012［PMID：22556195］
   ・米国心臓協会，米国脳卒中学会のくも膜下出血のガイドライン．特に症状や診断の部分を一度読んでおくことをおすすめする．
4) Claassen J, Park S. Spontaneous subarachnoid haemorrhage. Lancet 400：846-862, 2022［PMID：35985353］
   ・くも膜下出血の最新のレビュー，救急部をローテーションしている間に読もう．

（福井　翔）

9 嘔気・嘔吐
「NAVSEA」で鑑別を

1. 嘔気をみたらまず原因をアセスメント，安易な投薬に走らない
2. 嘔気の6つの原因は「NAVSEA」
3. オピオイド使用時には必ず嘔気対策
4. 担癌患者の嘔気の鑑別を忘れずに
5. 嘔気・嘔吐で急性冠症候群（ACS）を見逃さない

症例 ❶ 72歳女性．嘔気・嘔吐．
来院5日前から腹部膨満感あり，排便なし．来院前日から排ガスもなくなり，腹痛，嘔気・嘔吐が出現したため，当院外来を受診した．来院時バイタルサインは意識清明，体温36.8℃，血圧140/85 mmHg，脈拍120/分・整，呼吸数20/分，SpO_2 99％（室内気）．身体所見上，腸蠕動音亢進と金属音を聴取，腹部全体に圧痛あり，反跳痛なし，打診で鼓音著明．

 とりあえず制吐薬の投与！でよいか？

鉄則 1　嘔気をみたらまず原因をアセスメント，安易な投薬に走らない

- 嘔気・嘔吐には，つい制吐薬による対症療法をしがちである．しかし嘔気・嘔吐の診療で最も重要なことは，「原因をアセスメントし，原因除去を試みる」ことである．

鉄則 2　嘔気の6つの原因は「NAVSEA」

嘔気の6つの原因「NAVSEA(NAUSEA ではない)」

N : Neuro	中枢神経刺激，障害や頭蓋内圧亢進，脳循環障害： 　頭蓋内圧亢進(**脳腫瘍**，**脳出血**，**くも膜下出血**，脳梗塞，脳炎) 　髄膜刺激〔**髄膜炎(感染性・癌性)**〕
A : Abdominal	消化管腹膜系 胃内容物うっ滞，消化管伸展，漿膜伸展： 　**腸閉塞**，**便秘症**，**胃粘膜障害**，胆石発作，**胆管炎**，膵炎，**腎盂腎炎**
V : Vestibular	前庭神経： 　突発性難聴，良性発作性頭位めまい，前庭神経炎，Ménière 病
S : Sympathetic, Somatopsychiatric	交感神経・副交感神経の異常： 　**急性冠症候群(ACS)**，**緑内障発作**，心身症，**神経性食思不振症**，視覚嗅覚の刺激
E : Electrolyte, Endocrinologic disorder	電解質，内分泌疾患： 　**高 Ca 血症**，**低 Na 血症**，甲状腺機能亢進症，副甲状腺機能亢進症・低下症，Addison 病，**妊娠**，**ケトアシドーシス**，腎不全，肝不全，誘発物質(感染によるエンドトキシン，腫瘍からのサイトカイン)
A : Addiction	**薬物中毒**(オピオイド，ジギタリス，テオフィリン，リチウム，アルコール)，化学療法(CINV : chemotherapy induced nausea and vomiting)，麻酔(PONV : post operative nausea and vomiting)

本症例では…

- 症状と身体所見から腸閉塞がまず疑われる．
- 詳細に問診をすると，7年前に大腸癌を発症して開腹手術を行った既往歴があった．
- 腹部単純 X 線写真，腹部 CT でニボーを伴う腸管ガス像，腸管拡張像が認められ，腸閉塞と診断した．
- 胃管を挿入して減圧を行うことにより，症状は改善した．
- 腸閉塞(特に完全閉塞に至っている症例)にメトクロプラミド(プリンペラン®)，ドンペリドン(ナウゼリン®)などの抗ドパミン(D_2)薬を投与すると，腸管蠕動を亢進させて腹痛・嘔気・嘔吐を増悪させる可能性がある．最悪の場合には消化管穿孔に至るおそれがあり，禁忌ではないが十分に注意が必要である．

A まずは嘔気・嘔吐の原因をアセスメントし原因の除去を行う．「とりあえず制吐薬」は NG

嘔気・嘔吐のメカニズム

- 嘔気・嘔吐のメカニズムはまだ完全には解明されていないが，おおまかにどの部位にどの受容体が存在するかは薬剤選択時に有用であるため，理解しておくとよい．
- 嘔吐中枢(vomiting center)：延髄外側網様体部に存在．孤束核・小脳・前庭神経核・化学受容器引金帯(CTZ : chemoreceptor trigger zone)からの入力や大脳皮質や辺縁系からの直接入力によって，嘔吐反射が生じる．
- CTZ：延髄背側の第4脳室正中口の両側に位置．血液脳関門が発達していないため，常に血漿中の有害成分を感知．

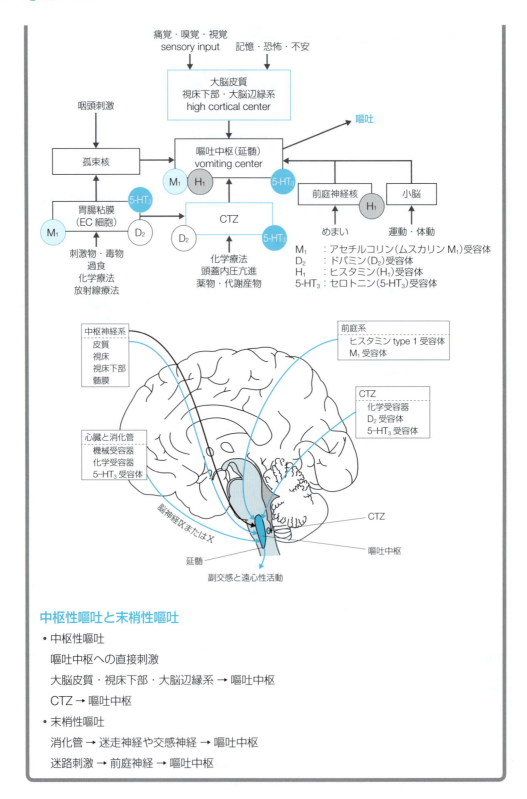

中枢性嘔吐と末梢性嘔吐

- 中枢性嘔吐

  嘔吐中枢への直接刺激

  大脳皮質・視床下部・大脳辺縁系 → 嘔吐中枢

  CTZ → 嘔吐中枢

- 末梢性嘔吐

  消化管 → 迷走神経や交感神経 → 嘔吐中枢

  迷路刺激 → 前庭神経 → 嘔吐中枢

> **症例 ❷** 前立腺癌で癌性疼痛のある 80 歳男性.嘔気あり.
>
> 前立腺癌に対して化学療法を施行中.来院約 2 週間前から背部痛の増悪あり,画像検査で脊椎への骨転移を認めた.自宅での疼痛コントロールが困難となり疼痛管理目的で入院し,強オピオイドが開始された.オピオイド開始 2 日目に「今朝から嘔気があって嘔吐した」とコールがあった.バイタルサインは意識清明,体温 36.4℃,血圧 110/70 mmHg,脈拍 90/分・整,呼吸数 12/分,SpO_2 96%(室内気).

Q 病歴から嘔気・嘔吐の原因として最も疑うべき鑑別診断は?

鉄則 3　オピオイド使用時には必ず嘔気対策

- まずは NAVSEA で鑑別をしていく.
- オピオイドを導入した 1 週間以内にはオピオイドが過量投与になっていなくても嘔気の副作用が多い.オピオイド導入時にはルーチンで制吐薬を処方すべきである.
- オピオイドによる嘔気:
  CTZ μ受容体刺激 → D_2 受容体の活性化 → 嘔吐中枢の活性化
  前庭器 μ受容体刺激 → ヒスタミン遊離 → 嘔吐中枢の活性化
  消化管 μ受容体刺激 → D_2 受容体の活性化 → 消化管運動の抑制 → 嘔吐中枢の活性化
- 上記のような機序で生じるため,特に D_2 受容体拮抗薬はオピオイドによる嘔気・嘔吐に有効である.抗ヒスタミン薬も有効だが,傾眠の副作用があるためオピオイドと副作用が重なってしまう.

本症例では…

- 病歴からオピオイドの副作用による嘔気が最も考えられた.プロクロルペラジン(ノバミン®)内服にて症状は改善した.
- オピオイドの嘔気は 7 日間前後で耐性ができるため,ノバミン® を 7 日間継続し,その後に中止する方針とした.

A オピオイドによる嘔気.オピオイドを導入した患者には嘔気の予防を忘れない!

嘔気・嘔吐への薬剤アプローチ

- まずは嘔気・嘔吐の病態に合わせてその原因除去に努める.原因除去が困難な場合は薬物療法を行う.
- 次に重要な点は,原因に合わせてどの作用機序の薬剤が奏効するか考えながら処方すること.同じ作用機序の薬剤を複数重ねても効果は薄く,副作用が出やすくなる.

- 嘔吐に関する神経伝達物質受容体を下の表にまとめた．それぞれに拮抗薬(制吐薬)が存在する．
- 制吐薬を処方する場合は原則，少量から開始とし，効果をみながら適宜，増量・減量を行う．制吐薬による副作用(特にドパミン拮抗薬による錐体外路症状や抗ヒスタミン薬による傾眠，せん妄など)が生じていないかこまめに評価する．

受容体・機序	分布	病態	代表的薬剤	受容体拮抗薬の特徴
アセチルコリン(ムスカリン:M_1)受容体	嘔吐中枢	腸蠕動亢進 腹部腫瘍など迷走神経から嘔吐中枢への刺激	ブチルスコポラミン(ブスコパン®)	・攣縮性・緊張性腸管疼痛，胆石疝痛，尿管結石，陣痛に有効 ・抗コリン作用(口渇，便秘，腸閉塞，排尿障害，散瞳，頻脈，動悸)に注意 ※緑内障，前立腺肥大症は禁忌
ドパミン(D_2)受容体	CTZ，消化管	オピオイドや尿毒物質が血流から直接CTZを刺激	メトクロプラミド(プリンペラン®) ドンペリドン(ナウゼリン®) プロクロルペラジン(ノバミン®) ハロペリドール(セレネース®)	下記を参照
ヒスタミン(H_1)受容体	嘔吐中枢，前庭神経核	前庭神経が刺激	ジフェンヒドラミン(トラベルミン®) ジメンヒドリナート(ドラマミン®)	・突発性難聴や良性発作性頭位めまい，Ménière病，乗り物酔いなどの前庭神経刺激，頭蓋内圧亢進などに使用 ・体動時の嘔気にも有用 ・副作用に眠気と抗コリン作用 ※緑内障，前立腺肥大症は禁忌
セロトニン(5-HT_3)受容体	嘔吐中枢，CTZ，消化管	化学療法，放射線療法によるセロトニン遊離	グラニセトロン(カイトリル®) パロノセトロン(アロキシ®)	・抗悪性腫瘍薬・放射線治療で誘発される嘔気・嘔吐に適応あり ・特に急性嘔吐に有効 ・過敏症に注意
サブスタンスP→ニューロキニン(NK_1)受容体	疑核周辺部網様体(CTZ，嘔吐中枢)	化学療法によるサブスタンスPの放出	アプレピタント(イメンド®) ホスアプレピタント(プロイメンド®)	・化学療法誘発性の嘔吐に有効．遅発性嘔吐まで抑制
多次元受容体(MARTA)			オランザピン(ジプレキサ®)	・セロトニン受容体・ドパミン受容体・ムスカリン受容体・ヒスタミン受容体・$α_1$受容体などの多くの受容体に同時に作用・マルチブロッカーのため，単剤で効果不十分の際に1剤で対応可能で重宝する．遅発性嘔吐にも有効 ※糖尿病は禁忌

抗ドパミン(D_2)受容体拮抗薬

①末梢性

〈処方例〉メトクロプラミド(プリンペラン®) 5mg 1回1〜2錠 1日3回 食前内服・10mg 1日1回 静注/筋注

〈処方例〉ドンペリドン(ナウゼリン®) 10mg 1回1錠 1日3回 食前内服・坐剤 60mg 1日2回 直腸内投与

- 末梢のD_2，5-HT_3受容体に作用し，**胃・十二指腸運動促進，胃内容排出促進**作用．胃内容停滞時に有効なため，**食事中や食後の嘔気・嘔吐**，糖尿病性胃不全に有効．CTZのD_2受容体にも弱いながら作用する．

- 副作用：
  - **薬剤性パーキンソン症候群**(錐体外路症状，アカシジア，ジスキネジアなど)：ドンペリドンよりもメトクロプラミドのほうが薬剤性パーキンソン症候群は多い(**ドンペリドンは脳内へ移行しにくいため**)．特に高齢者と若い女性は薬剤性パーキンソン症候群のリスクである〔Mov Disord 26：2226-2231, 2011〕．
  - 悪性症候群：急激な中止で生じる．ドンペリドンは不整脈誘発のリスク．
  - 高プロラクチン血症：D_2受容体によるプロラクチン分泌抑制が外れるため．
  - ともに消化管蠕動を促進するため，腸閉塞かどうか注意する．
  - メトクロプラミドは授乳婦，ドンペリドンは妊婦では避ける(FDA category：B)ことが望ましい．

②**中枢性**

フェノチアジン系

〈処方例〉プロクロルペラジン(ノバミン®)　5 mg　1回1錠　1日3～4回　食前内服・5 mg筋注・5 mg＋生理食塩水 50 mL 静注

- CTZのD_2受容体と嘔吐中枢のH_1受容体に作用．**オピオイドや電解質の直接CTZ刺激にて生じる嘔気・嘔吐**に有効．カテコラミン($α_1$)受容体にも作用するため，低血圧などの副作用に注意．
- **ノバミン® は静注も可能**〔5 mgを生理食塩水 50 mLに溶解し，30分以内で投与(添付文書には未記載)〕．

ブチロフェノン系

〈処方例〉ハロペリドール(セレネース®)　0.75 mg　1回1錠　1日1回　眠前
→ 徐々に増量し，維持量は1日3～6 mg

- CTZのD_2受容体に強く作用．**オピオイド誘発，化学的・代謝性の嘔気・嘔吐**に有効．
- 制吐作用が強い反面，口渇，眠気，錐体外路症状などの副作用の発現頻度も高い．
- 半減期は長いため，1日1回投与．
- QT延長が生じる可能性がある．心室性不整脈のリスクが上がるので事前に心電図をチェックしておく．

症例❸　原発性肺癌 Stage Ⅳの77歳男性．嘔気・嘔吐あり．

骨に転移のある肺癌末期の状態．癌性疼痛に対してオキシコンチン® を1か月前から使用している．数日間，食欲が低下し，来院前日から嘔吐を繰り返すようになった．プリンペラン®やセレネース®を使用しても一向に改善しない．来院時バイタルサインは意識レベル JCS I-1，体温 36.9℃，血圧 160/92 mmHg，脈拍 50/分・整，呼吸数 18/分，SpO_2 98%(室内気)．

嘔吐の原因は？ 上記の対応の問題点は？

> **鉄則 4** 担癌患者の嘔気の鑑別を忘れずに

- 担癌患者の嘔気・嘔吐は30〜75％と高頻度であり，担癌患者においては嘔気・嘔吐の原因はオピオイド使用に限らない．担癌患者でも必ず「NAVSEA」に沿って鑑別することが大切である．

担癌患者の嘔気・嘔吐の原因

- 必ず鑑別を挙げられるように整理しておく．
- 担癌患者では「NAVSEA」のうち，特に以下の疾患を想起する．
  - Neuro：脳転移
  - Abdominal：消化管障害（腸閉塞，粘膜障害，悪性腹水），便秘症
  - Vestibular：頻度は少ない
  - Sympathetic, Somatopsychiatric：精神的問題
  - Electrolyte, Endocrinologic disorder：高 Ca 血症
  - Addiction：化学療法，放射線療法，オピオイド

嘔気・嘔吐の際に行う検査

①血液検査，動脈血液ガス検査，②尿検査，妊娠反応，③12 誘導心電図
④画像検査（腹部単純 X 線写真，腹部エコー，腹部 CT，頭部 CT，頭部 MRI）

①血液検査，動脈血液ガス検査，②尿検査，妊娠反応

- 血算，生化学〔腎機能，肝胆道系酵素，CK，CK-MB，TropT，P-AMY，電解質（特に Na，Ca），血糖〕を提出．
- 動脈（静脈）血液ガスも提出．必要に応じて，甲状腺ホルモン，副腎ホルモン，静脈ケトン分画を追加．
- 尿検査〔尿路結石，腎盂腎炎の有無，DKA（糖尿病性ケトアシドーシス）のケトン体〕
- 女性なら妊娠を否定するために妊娠迅速キットも同時に行う．

③12 誘導心電図

- 嘔気の鑑別に心筋梗塞が入っていれば絶対に忘れない．胸痛を伴う場合や心血管リスクの高い人は必ずとること．

④画像検査

- 「NAVSEA」で鑑別するとき，やはり中枢神経系疾患と消化器系疾患は必ず除外したい．
- 中枢神経系疾患を想定 → 頭部 CT，頭部 MRI
- 消化器系疾患を想定 → 腹部単純 X 線写真，腹部エコー，腹部 CT

本症例では…

- オピオイドは以前から内服しているため，耐性があると考えられる．対症療法に反応せず，原因は別にあると考えた．
- バイタルサインでは血圧上昇と徐脈という，いわゆる Cushing 現象を認めた．
- 腹部単純 X 線写真では腸閉塞の所見はなく，血液検査で Na や Ca も基準値内であった．
- 頭蓋内圧亢進を疑い頭部 CT を撮像したところ，右側頭葉に転移があったため転移性脳腫瘍の診断とした．
- グリセリン（グリセオール®）200 mL を 8〜12 時間ごととベタメタゾン（リンデロン®）8 mg を 12〜24 時間ごとの点滴で開始したところ，嘔気は軽減した．

A NAVSEA で原因を鑑別！ 癌に囚われずに鑑別する！

ステロイド

- **化学療法による嘔気**に対して有効で予防的投与として汎用されている．化学療法の際の実際の使用方法に関しては日本や海外のガイドラインを参照してほしい．
- 脳腫瘍による**頭蓋内圧亢進**などに対しては制吐作用に加え抗浮腫作用を期待して使用される．
- 脳腫瘍に対して放射線照射を行う際に，照射開始後に浮腫が一時的に増悪して頭痛・嘔気・嘔吐などが増悪することがあるので，その予防としてあらかじめ投与しておく場面も多い．
- 制吐目的で短期的に使用される場合には副作用は少なく，不眠，高血糖，精神症状には注意する．

症例 ❹ 68 歳男性．嘔気，心窩部不快感．

高血圧，脂質異常症で内服加療中．特に誘因なく，気分不良となり，嘔気を自覚したため，当院救急外来を受診した．なんとなく前胸部から心窩部にかけて違和感があるという．来院時バイタルサインは意識清明，体温 36.8℃，血圧 146/92 mmHg，脈拍 102/分・整，呼吸数 18/分，SpO₂ 97％（室内気）．身体所見では冷汗をかいており，苦悶様．

Q 嘔吐の原因は？ どう対応する？

> **鉄則 5** 嘔気・嘔吐で急性冠症候群（ACS）を見逃さない

- ここでも「NAVSEA」に準じて鑑別を行うことが重要．
- NAVSEA のなかでも特に見逃しやすいものに ACS がある．

本症例では…

- 痛みというほどではない胸部違和感を伴い冠動脈疾患のリスクが高かったため，まず 12 誘導心電図を実施した．Ⅱ，Ⅲ，aV_F で ST 低下があり，ACS として，循環器内科にコールした．同時に腹部エコー検査を行ったが，胆嚢結石や肝内胆管拡張は認めなかった．
- 心電図で ACS と判断し，循環器内科にコンサルトした．心筋逸脱酵素の上昇も認めたことから，緊急カテーテル治療を行った．

A NAVSEA のなかでも ACS は見逃しやすい緊急疾患！明らかな胸痛がなくとも高リスクであれば心電図検査を行う！

● 参考文献

1) Anderson WD 3rd, Strayer SM. Evaluation of nausea and vomiting：a case-based approach. Am Fam Physician 88：371-379, 2013［PMID：24134044］
   - 嘔気・嘔吐の発症形式から詳しく解説があり理解が深まる論文．
2) Navari RM, Aapro M. Antiemetic Prophylaxis for Chemotherapy-Induced Nausea and Vomiting. N Engl J Med 374：1356-1367, 2016 ［PMID：27050207］
   - 化学療法に伴う嘔気・嘔吐のレビュー．
3) 日本癌治療学会（編）：制吐薬適正使用ガイドライン第 2 版．金原出版，2015
   - 担癌患者における制吐薬の使用についての日本のガイドライン．日本の現状に即しているので活用しやすい．
4) Hesketh PJ, et al. Antiemetics：ASCO Guideline Update. J Clin Oncol 38：2782-2797, 2020［PMID：32658626］
   - 米国臨床主要学会の最新のガイドラインアップデートである．日本で使用されていない薬剤も紹介されている．最新の化学療法薬の制吐リスクなどもあるため役に立つ．
5) NCCN Clinical Practice Guidelines in Oncology Antiemesis Version 2.2017（https://oncolife.com.ua/doc/nccn/Antiemesis.pdf）（2023 年 8 月閲覧）
   - 腫瘍学を志す人々にはおなじみの NCCN ガイドラインである．上記の ASCO とあわせて持っておきたい．
6) Krakauer EL, et al. Case records of the Massachusetts General Hospital. Weekly clinicopathological exercises. Case 6-2005. A 58-year-old man with esophageal cancer and nausea, vomiting, and intractable hiccups. N Engl J Med 352：817-825, 2005［PMID：15728815］
   - NEJM の症例報告だが，癌患者を通して嘔気・嘔吐を深く学べるよい論文である．特に Figure が秀逸！

〈藤野　貴久〉

10 血糖異常
低くても高くても注意

1. 低血糖ではすみやかにブドウ糖補充をしつつ「ABCDEF」で原因検索
2. インスリン療法の絶対適応，相対適応をチェック
3. 生体のインスリン分泌を模倣して超速効型と持効型を分配
4. インスリンによる血糖コントロールでは責任インスリンを意識
5. 高血糖緊急症をみたら，ただちに脱水補正とインスリンの持続静注

症例❶　グリメピリド内服中の 79 歳女性．

糖尿病に対してシタグリプチン（DPP-4 阻害薬）50 mg とグリメピリド（SU 薬）2 mg を内服中．来院 2 日前から感冒症状が出現，食事摂取不良となっていた．来院当日の朝から発汗著明で意識障害が出現し，四肢の脱力もあり，救急搬送された．来院時バイタルサインは意識レベル JCS Ⅱ-30，体温 36.5℃，血圧 128/78 mmHg，脈拍 56/分・整，呼吸数 12/分，SpO₂ 96%（室内気）．

Q. 意識障害の原因は？ 初期対応は？

鉄則1　低血糖ではすみやかにブドウ糖補充をしつつ「ABCDEF」で原因検索

- 意識障害をみたら必ず低血糖を除外することを忘れない（4 章「意識障害」39 頁を参照）．
- 低血糖が意識障害の原因であれば，ブドウ糖投与ですぐに意識レベルの回復が得られる．
- 一定時間以上の低血糖状態の持続は不可逆的な脳細胞の変化を引き起こすため，生命にかかわる問題であり，早急な対応が必要である．
- 特に意識障害を含む中枢神経症状（けいれんや麻痺など）がある場合は緊急事態として迅速に対応する．

低血糖の対応

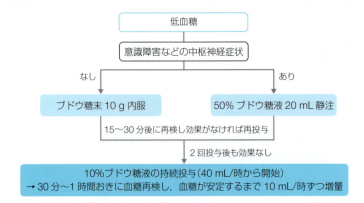

＜意識障害がなく，無症状～軽微な場合＞
- 経口摂取できる場合はブドウ糖末 10 g を内服する．できなければ意識障害がある場合に準じる．
  - → 15～30 分後に再検し，効果がなければ再度ブドウ糖末 10 g 服用（お菓子やジュースも可）

＜意識障害があり，または中枢神経症状がある場合＞
- 50％ブドウ糖液 20 mL を静注，静脈ライン確保困難であればグルカゴン 1 mg 筋注
  - → 15～30 分後に再検し効果がなければ再度 50％ブドウ糖液 20 mL を静注

- 上記の対応後も低血糖となるときは何らかの低血糖が遷延する要因が関与している可能性が高く，持続的な糖の投与を行いつつ原因検索を行うことが望ましい．
- 10％ブドウ糖液の持続投与（40 mL/時から開始）を開始し，30 分～1 時間おきに血糖再検し，血糖が安定するまで 10 mL/時ずつ増量する（高血糖となるリスクよりも低血糖が怖いため投与量はしぶらない．高齢者などでは容量負荷による心不全には注意する）．
- グルカゴン 1 mg を筋注または静注あるいはグルカゴン 3 mg 点鼻（バクスミー®）では肝グリコーゲンの放出により血糖が上昇する．10 分程度で効果が発現する．ただし，アルコール多飲者など肝硬変患者では，肝グリコーゲンの放出ができず効果は期待できない．

低血糖の症状
- 血糖値が低下するにつれて，副交感神経刺激症状 → 交感神経刺激症状がメインとなり，その後は中枢神経症状が起こる．
- 低血糖頻回発作患者や糖尿病コントロール不良患者，βブロッカー内服患者では自覚症状がないことがあるため（無症候性低血糖）注意する．
- 低血糖では脱力が起こる．大部分が両側性であるが，一部は片側性であたかも脳梗塞のようにみえる．脳梗塞の症状がある患者をみる際，特に振戦や発汗など，ほかの低血糖の症状があるときは，低血糖を最初にチェックする．

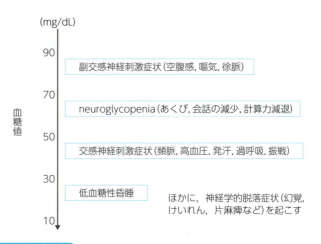

低血糖の鑑別 ABCDEF

- 低血糖が改善しても安心せず，必ず原因を検索する．「ABCDEF」がわかりやすい．

> **A**：Alcohol（アルコール）
> **B**：Bacteria（敗血症）
> **C**：Cancer（癌）
> **D**：Drug（持効型インスリン，SU薬…作用時間ともに長い）→ 圧倒的に多い
> **E**：Endocrine（インスリノーマ，インスリン自己免疫症候群，甲状腺疾患，副腎不全）
> **F**：Failure〔肝不全，腎不全（インスリン排泄遷延）〕

- インスリンやSU薬による医原性低血糖が多い．高齢者や認知症患者での内服の誤りや経口摂取不良に注意．
- 意識のない本人だけが搬送された場合は，糖尿病の既往歴や常用薬などの情報が得られない場合もある．
- グリメピリドなどのSU薬や持効型インスリンによる低血糖では，薬効の持続時間が長いため，ブドウ糖補充で一時的に血糖値が上昇しても再度低血糖に陥ってしまうことが多い．ブドウ糖液の持続投与を行い，経過観察目的の入院をする．
- インスリンの打ち間違えや食事摂取不良などではすべての症例で入院が必要なわけではなく，薬剤の減量や投与方法の再教育ですむこともある．
- しかしながら，高齢者や認知症患者など低血糖が再度起こるリスクが高い場合や，独居などで意識障害を生じたときのリスクが高い場合は入院をし，薬剤調整や教育，服薬管理体制などの環境整備を行う．

本症例では…

- 血糖測定したところ46 mg/dLの低血糖であった．糖尿病の既往歴があり，経口摂取不良およびSU薬による低血糖が考えられた．
- 50％ブドウ糖液20 mLの投与により，93 mg/dLまで意識レベルの回復が得られたが，低血糖が遷延する可能性が考えられたため，入院として10％ブドウ糖液の持続投与（40 mL/時）を行った．
- その後，低血糖は起こらず，翌日には輸液を中止したが，再発しなかった．食事摂取も改善傾向となったため，グリメピリドを半量に減量して，外来経過観察とした．

原因は低血糖．初期治療は 50％ブドウ糖液 20 mL の静注．SU 薬による低血糖は遷延するため，原則は入院経過観察

経口血糖降下薬

- 経口薬は主にインスリン非依存状態（インスリン分泌能保持が前提）の 2 型糖尿病に使用される．
- あくまで食事と運動療法を行ったうえでの治療であることに注意する．
- 大きく分けて，①インスリン抵抗性改善薬，②インスリン分泌促進薬，③糖吸収・糖排泄調節薬の 3 種類に分けると整理しやすい．

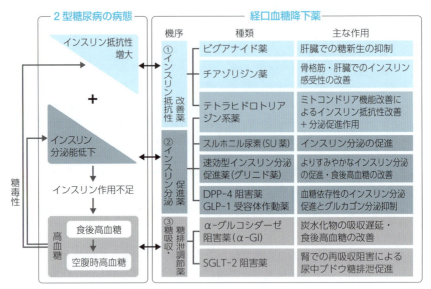

病態に合わせた経口血糖降下薬の選択
〔日本糖尿病学会（編・著）：糖尿病治療ガイド 2022-2023．文光堂，2022 を参考に作成〕

経口血糖降下薬の優先順位

- 近年のエビデンスの蓄積により，薬剤の選択はより複雑となっており，ガイドラインや指針によっても記載が異なる．
- 一般には，第一選択として，薬価と効果，細小～大血管イベントの抑制効果から，**ビグアナイド薬（メトホルミン）**が勧められることが多い（合併症によっては他剤が第一選択になりうるようになってはいる）．
- 第二選択からは，病態や安全性に応じた処方が求められるが，明確な決まりはない．以前は第二選択として，DPP-4 阻害薬が用いられることがとても多かったため，現在も使用している患者は多い．

疾患や病態からの使い分け

非肥満症例(インスリン分泌不全が想定される):DPP-4 阻害薬,α-GI
体重低下を目指す場合:GLP-1 作動薬,SGLT-2 阻害薬
心血管疾患の既往歴や高リスク:SGLT-2 阻害薬や GLP-1 作動薬
心不全:SGLT-2 阻害薬
慢性腎臓病:SGLT-2 阻害薬(難しければ GLP-1 作動薬)

安全性の観点からの使い分け

高齢者や低血糖リスクの高い患者:SU 薬やグリニドを避ける
腎機能障害:ビグアナイド薬,SU 薬,チアゾリジン薬,グリニドは避ける(高度の障害では SU,ビグアナイド薬,チアゾリジン薬は禁忌)
心不全患者:チアゾリジン薬は禁忌,高度の心不全ではビグアナイド薬も禁忌
尿路感染症,脱水や脳梗塞のリスク:SGLT-2 阻害薬は避ける
高齢者で食事摂取が少ない,やせ症例:SGLT-2 阻害薬や GLP-1 作動薬は避ける

- 近年は SGLT-2 阻害薬や GLP-1 作動薬など比較的新規の薬剤が,特に心腎合併症のある場合に推奨されているが,一方で薬価は高額であり,実際の臨床では経済面にも配慮した処方が必要となることも多い.

①インスリン抵抗性改善薬

- ビグアナイド薬:メトホルミン(メトグルコ®)
  インスリン抵抗性を改善させる.用量を増やすと効果が高くなる.体重を増加させず,血管合併症に対するエビデンスもある.
  副作用:消化器症状(胃腸障害).ヨード造影剤使用時は乳酸アシドーシス(検査当日と前後 2 日間の合計 5 日間休薬が基本).予定手術の周術期にも休薬.腎機能障害,肝機能障害時も使用しない.
- チアゾリジン薬:ピオグリタゾン(アクトス®)
  副作用:浮腫,心不全(禁忌),体重増加,骨粗鬆症(※閉経後は骨密度フォロー),膀胱癌リスク

②インスリン分泌促進薬

- スルホニル尿素(SU)薬:グリクラジド(グリミクロン®),グリメピリド(アマリール®)
  イメージは持効型インスリン製剤の内服版.
  副作用:体重増加,遷延性低血糖(作用時間が長いため高齢者などではなるべく使わない)
- グリニド(速効型インスリン分泌促進薬):ナテグリニド(スターシス®,ファスティック®),ミチグリニド(グルファスト®),レパグリニド(シュアポスト®)
  イメージは速効型インスリン製剤の内服版.
  副作用:体重増加,低血糖
- DPP-4 阻害薬:
  腎代謝:シタグリプチン(ジャヌビア®,グラクティブ®),アログリプチン(ネシーナ®),アナグリプチン(スイニー®),サキサグリプチン(オングリザ®),トレラグリプチン(ザファテック®),オマリグリプチン(マリゼブ®)
  肝代謝:ビルダグリプチン(エクア®),テネリグリプチン(テネリア®)
  胆汁排泄:リナグリプチン(トラゼンタ®)

トレラグリプチン(ザファテック®)，オマリグリプチン(マリゼブ®)などは週1回投与の薬剤である．

食事摂取に伴ってインスリン分泌を促進するインクレチン(GLP-1とGIP)を分解する酵素DPP-4を阻害．単剤では低血糖は生じにくい．

副作用：低血糖増強，胃腸障害，急性膵炎

- GLP-1作動薬：セマグルチド(リベルサス®)，その他は注射薬

先述のインクレチンのアナログ製剤．DPP-4と同様，単剤では低血糖生じにくく，また体重低下作用があるのも特徴

副作用：胃腸症状，急性膵炎，DPP-4阻害薬との併用は行わない

- テトラヒドロトリアジン系薬：イメグリミン(ツイミーグ®)

ミトコンドリア機能改善によりインスリン抵抗性改善＋分泌促進の2つの作用を兼ね備えた薬剤であり，2021年に保険収載された．

副作用：消化器症状，低血糖(主にSU薬やグリニドとの併用)，ビグアナイド薬(メトホルミン)と共通する作用があり，併用で消化器症状が増えるため注意

③糖吸収・糖排泄調節薬

- α-グルコシダーゼ阻害薬(α-GI)：ボグリボース(ベイスン®)，アカルボース(グルコバイ®)，ミグリトール(セイブル®)

小腸での糖吸収を抑制．食後高血糖を改善．糖質摂取の多い患者に適応．

副作用：腹部膨満感，放屁，便秘，下痢などの消化器症状があり，食欲不振につながりうるため，特に高齢者で注意．

- SGLT-2阻害薬：イプラグリフロジン(スーグラ®)，ダパグリフロジン(フォシーガ®)，ルセオグリフロジン(ルセフィ®)，トホグリフロジン(アプルウェイ®，デベルザ®)，カナグリフロジン(カナグル®)，エンパグリフロジン(ジャディアンス®)

近位尿細管でのブドウ糖再吸収を抑制し，尿中への糖排泄を促進することで血糖を降下させる．体重低下作用があり，腎保護作用や心不全管理などにも効果があり，より幅広く用いられるようになっている．インスリン分泌には関与しないため低血糖リスクは少ない．

副作用：血糖正常ケトアシドーシス，口渇，多尿，尿路性器感染症(脱水に注意が必要で，体重も減少させるため，特に飲水や食事摂取が不安定な高齢者では慎重な処方が必要)

症例❷　新規インスリン導入となった72歳女性．

近医で高血糖と2型糖尿病を指摘されていたが病院の定期受診はしていなかった．今回，重症肺炎で入院となったが，入院時の随時血糖270 mg/dLであり，HbA1cを提出したところ12.6%であった．2型糖尿病の診断となった．もともと，慢性腎障害があり，Cr 2.5 mg/dL(CKD grade 4)であり，入院中に血糖管理をすることとなった．身長155 cm，体重68 kg，GAD抗体陰性．

Q 血糖の治療はどうする？ インスリンの適応は？

鉄則 2　インスリン療法の絶対適応，相対適応をチェック

- 糖尿病の治療歴がない患者が来院した場合は，インスリンで初期から血糖のより迅速なコントロールを行うか，内服薬で緩徐にコントロールするかを判断する必要がある．
- 下記のインスリンの適応を把握しておき，インスリンを使う必要性があるか判断する．

インスリンの絶対/相対適応

絶対適応	相対適応
インスリン依存状態 高血糖性昏睡 重度の肝障害または腎障害 重症感染症，外傷 全身麻酔を行う外科手術時 糖尿病合併妊婦 静脈栄養時の血糖コントロール	インスリン非依存だが，著明な高血糖がある場合（血糖空腹時：≧250 mg/dL，随時：≧350 mg/dL） 経口薬でコントロール不可能 痩せ型で栄養状態が悪い場合 ステロイド治療時 糖毒性の解除目的

〔日本糖尿病学会（編・著）：糖尿病治療ガイド 2022-2023．文光堂，2022 を参考に作成〕

本症例では…
- 2型糖尿病で意識障害はないものの，著明な腎機能障害があり，さらに重症な感染症を合併していた．
- また随時血糖も 270 mg/dL と高値であることを加味し，インスリンでコントロールを行うこととした．

A 腎障害と重症感染症から，インスリン療法の適応あり

Q インスリンは何をどのように何単位で開始する？

鉄則 3　生体のインスリン分泌を模倣して超速効型と持効型を分配

- 糖尿治療の前提は低血糖を起こさないことである．そのため，特に初学者は，はじめから厳格なコントロールを目指すのではなく，緩徐に調整するように意識する．
- インスリン治療は健常者のインスリン分泌のイメージをもつことが重要である．
- 健常者のインスリン分泌は次頁の図のように基礎分泌と追加分泌とで構成される．前者を持効型インスリン製剤，後者を超速効型インスリン製剤で代用することで，健常者のインスリン分泌パターンを模倣する．

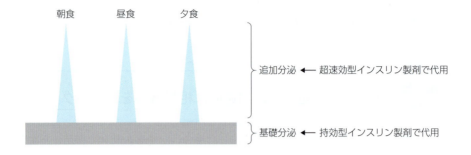

■初期インスリン投与量の設定法

Step 1：1日の総インスリン必要量を決定

- 年齢，腎機能，インスリン抵抗性に応じてまず1日総インスリン必要量を計算．

基本は体重(kg)×0.2〜0.3 単位/kg．

年齢	腎機能	インスリン抵抗性	設定量
70歳以上	異常		0.2 単位/kg/日
70歳未満	正常	軽度(血糖値 140〜200 mg/dL)	0.2〜0.3 単位/kg/日
		重度(血糖値 201〜400 mg/dL) 1型糖尿病	0.3〜0.5 単位/kg/日

Step 2：持効型と超速効型とに分配

- 1日総インスリン必要量を基礎分泌分と追加分泌3回分に分配する．
- 比率は基礎分泌(30〜50％)，追加分泌(50〜70％)．
- さらに追加分泌分を朝昼夕食前の3回分に均等に分配する．

> **本症例では…**
> - 70歳以上で腎機能障害もあるため1日総インスリン必要量を体重(kg)×0.2 単位として計算した．
> - 1日総インスリン必要量は 60 kg×0.2 単位/kg/日＝12 単位/日．
> - 総必要量を持効型と超速効型におよそ50％ずつに分配するため，持効型インスリンを6単位，超速効型インスリンを2単位-2単位-2単位とした．

A インスリンの初期投与は年齢，腎機能障害の有無，インスリン抵抗性によるが，概ね体重×0.2〜0.3 の量を，超速効型，持効型インスリンに分配して行う

インスリン製剤の種類

- インスリンには以下の3種類の製剤がある．
  - プレフィルド製剤：最もよく用いられる使い捨ての皮下注射キット，"〜〜ペン"という名前が多い．
  - カートリッジ製剤：カートリッジを交換する皮下注射，"〜〜カート"，"〜〜ペンフィル"という名前が多い．

・バイアル製剤：GI療法や高血糖緊急症などの静脈投与で用いる．"〜〜注"という名前がついている．
- またインスリン製剤はその作用時間によって，「超速効型」「速効型」「中間型」「持効型」に分かれる．
- 基礎分泌分として使用するのは主に「持効型」，追加分泌分として使用するのは「超速効型」または「速効型」である．

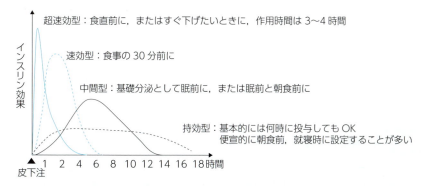

- 以下に代表的な製剤を示す．

	一般名	商品名	発現時間	最大作用時間	持続時間
超速効型	アスパルト	ノボラピッド®	10〜20分	1〜3時間	3〜5時間
	リスプロ	ヒューマログ®	15分以内	0.5〜1.5時間	3〜5時間
	グルリジン	アピドラ®	15分以内	0.5〜1.5時間	3〜5時間
速効型	ヒトインスリン	ヒューマリン®R ノボリン®R	0.5〜1時間	1〜3時間	5〜7時間
中間型	ヒトインスリン	ヒューマリン®N ノボリン®N	1〜3時間	8〜10時間	18〜24時間
持効型（持続24時間以下）	デテミル	レベミル®	1時間	明らかなピークなし	約24時間
	グラルギン	ランタス®	1時間	明らかなピークなし	約24時間
持効型（持続24時間以上）		ランタス®XR	1〜2時間	明らかなピークなし	>24時間
	デグルデグ	トレシーバ®	なし	明らかなピークなし	>42時間

- 上記のほかに，超速効型や速効型と中間型インスリンを混合した製剤や，超速効型と持効型を配合した製剤などがあり，注射回数を減らす場合などに用いられる．
- 超速効型については効果発現時間など多少の違いはあるが，概ね同等の効果と考えて差し支えない．
- 持効型は，持続が24時間以下か以上かにより大きく2つに分けておくとよい．例えば，グラルギン製剤を朝食時に投与していると，24時間後の朝食時の血糖測定の際には効果が切れてきてしまい，血糖が高値になることがある．そのような場合にはより長時間作用する製剤に変更することで血糖が安定する．

インスリン処方時の注意点

- インスリン製剤を処方する際にはいくつかほかにも必要な物品や注意点がある．
- インスリン：針の装着や空気を抜く目的で，空打ちを毎回2単位（ランタス®XRは3単位）を行う必要がある．そのため空打ち分を考えて処方する必要がある．例えば，ランタス®を就寝時6単位，ヒューマログ®を朝3昼3夕3単位で処方している場合は，1日あたりランタス®は6+2=8単位，ヒューマログ®は(3+2)×3=15単位を処方する．
- 注射針：14本入りが基本であるため14の倍数で処方する．4回打ちの患者に30日分処方するには120本が必要となるが，その場合は14×9=126本処方することになる．
- 穿刺針，センサー：血糖の測定回数×日数分を処方する．
- その他，消毒綿や，初回には血糖測定器も必要である．

症例❸ 糖尿病教育入院の65歳男性．

糖尿病で外来治療を行っていたが，コントロール不良なため教育入院となった．適切な食事量とインスリン量を決めるのが今回の入院目的である．前日の血糖値とインスリン量は以下の通り．

	朝食前	昼食前	夕食前	就寝時
血糖値	220 mg/dL	198 mg/dL	300 mg/dL	220 mg/dL
ヒューマログ®	6単位	6単位	6単位	
ランタス®				4単位

Q インスリンをどのように調節するか？

インスリンによる血糖コントロールでは責任インスリンを意識

- 責任インスリンとは，ある血糖値に最も影響を与えるインスリンのことである．
- 例えば朝食直前に投与した超速効型インスリンの効果は昼食前の血糖に最も現れる．そのため，昼食前血糖に対する責任インスリンは朝食直前のインスリンとなる．
- 同様に夕食前，就寝時の血糖値は，その前の食事（昼，夕）における各追加分泌に対する結果を反映していると考えられる．
- そのため昼，夕食前，就寝時の血糖が高い/低い場合は1つ前の超速効型インスリンの投与量を調節する．
- 朝食前血糖値が高い場合は，基礎分泌に対する血糖を反映していると考えられるため持効型で調節する．
- 持効型の変更後，朝食前血糖は2〜3日かけて徐々に安定するため，その遅れを加味して変更を行う．
- 基本的に，インスリン1単位で20〜40 mg/dLの血糖降下作用があるとされるが，患者のインスリン抵抗性によって効き目に個体差があるため，投与量を変更した際の血糖値の変動を丁寧に観察することが大切である．

- 低血糖をさけるために緩徐にコントロールする意識をもち，特に入院中は血糖値をみながら徐々に変更していけばよい．

> **本症例では…**

- 朝食前を含め全体的に血糖値が高いので基礎分泌のインスリンが足りていないと考えられ，責任インスリンである持効型のランタス®を増量してベースの血糖値を下げる必要があると考え，4→6単位に増量した．
- また夕食前の血糖値がほかと比べて特に高く，ベースが下がっても夕食前の血糖値は高いと予想され，責任インスリンである昼食前（夕食前ではない）のヒューマログ®の単位数を増やすこととした．6→8単位に増量した．
- 夕食前から就寝時にかけては血糖が低下しており，夕食前のヒューマログ®を6→4単位に減量した．
- 血糖をフォローして，引き続きインスリン量の調整を行うこととした．

A インスリン治療による血糖コントロールでは，責任インスリンに注目し，低血糖に注意しながら少しずつ調整する

もっと知りたい！ スライディングスケール

インスリン指示 ①
補正インスリン・BMI 25 未満
〈血糖値〉　〈インスリン量〉
　　～70　　下記*の低血糖対応
　71～140　　0
　141～180　　0
　181～230　　2 単位
　231～280　　4 単位
　281～499　　6 単位
血糖値 500 以上 or バイタル急変 or 意識障害があれば Dr. コール

インスリン指示 ②
補正インスリン・BMI 25 以上
〈血糖値〉　〈インスリン量〉
　　～70　　下記*の低血糖対応
　71～140　　0
　141～180　　2 単位
　181～230　　4 単位
　231～280　　6 単位
　281～499　　8 単位
血糖値 500 以上 or バイタル急変 or 意識障害があれば Dr. コール

インスリン指示 ③
食事摂取安定・強化療法
〈血糖値〉　〈インスリン量〉
　　～70　　下記*の低血糖対応
　71～140　　0
　141～180　　定期＋1 単位
　181～230　　定期＋2 単位
　231～280　　定期＋3 単位
　281～499　　定期＋4 単位
血糖値 500 以上 or バイタル急変 or 意識障害があれば Dr. コール

インスリン指示 ④
絶食時・経管栄養持続投与時
〈血糖値〉　〈インスリン量〉
　　～70　　下記*の低血糖対応
　71～140　　0
　141～180　　0
　181～230　　2 単位
　231～280　　4 単位
　281～499　　6 単位
血糖値 500 以上 or バイタル急変 or 意識障害があれば Dr. コール

＊［低血糖時］
（1）意識清明で経口摂取可能なら 10 g ブドウ糖摂取し Dr. コール．30 分後に血糖再検し Dr. コール．
（2）意識レベル低下あり，経口摂取不可能なら，50％ブドウ糖 20 mL 静注し Dr. コール．30 分後に血糖再検し Dr. コール．

- 検査や周術期で絶食時の患者や摂食量が不安定な患者において著明な高血糖の場合に血糖値に応じて超速効型インスリンの投与量を調整して注射する方法を，スライディングスケールという．
- 血糖値の予測が難しい場合などには使いやすいが，起こってしまった高血糖に対する後追いの治療であるため，なるべく短期間の使用とする．
- 血糖上昇を事前に予測して予防するインスリン固定注射のほうが血糖コントロールが安定するため望ましい．当院では前頁のようなスライディングスケールを使用しているが，実際は症例ごとに具体的な単位数を調整していることが多い．

症例 ❹ 糖尿病の 68 歳女性．意識障害．

2 型糖尿病に対する内服加療中．最近脳梗塞となり，ADL はベッド上となっていた．数日前から咳嗽と喀痰が出現し，経口摂取不良であった．来院当日朝からの意識障害で当院救急外来を受診した．来院時バイタルサインは意識レベル JCS Ⅲ-100，体温 38.6℃，血圧 100/52 mmHg，脈拍 112/分・整，呼吸数 18/分，SpO_2 94%（室内気）．身体所見，身長 155 cm，体重 50 kg，口腔内舌乾燥が著明．

Q 状況から注意すべき病態は？ 初期治療は？

鉄則 5 高血糖緊急症をみたら，ただちに脱水補正とインスリンの持続静注

- 低血糖は当然だが，高血糖でも意識障害を起こすことを忘れない．
- 高血糖緊急症には糖尿病性ケトアシドーシス（DKA）と高血糖高浸透圧症候群（HHS）があり，どちらも緊急疾患のため迅速な対応が求められる．

■ DKA と HHS

- DKA は 1 型糖尿病をはじめ，主にインスリン依存状態の患者に起こる．極度のインスリン欠乏とインスリン拮抗ホルモンの増加により，高血糖（≧250～300 mg/dL），高ケトン血症（β-ヒドロキシ酪酸の増加），アシドーシス（pH 7.3 未満）をきたした状態である．
- 一方，HHS は主に高齢の 2 型糖尿病患者に起こる．著しい高血糖（≧600 mg/dL）と高度な脱水による高浸透圧血症により，循環不全をきたした状態で著しいアシドーシスは認めない（pH 7.3～7.4）．

- 以下に DKA と HHS のおおまかな鑑別のポイントを挙げる.

	DKA	HHS
患者像	若年，1型またはインスリン依存状態	高齢，インスリン非依存状態
病態	よりインスリン欠乏，アシドーシスがメイン	より脱水と高浸透圧血症がメイン
血糖値(mg/dL)	>300	>600
動脈血 pH	≦7.30（重症になるにつれ低下）	>7.30
重炭酸(mEq/L)	≦18	>18
尿中ケトン	陽性	陰性（〜軽度陽性）
有効血漿浸透圧(Osm)	≦320	>320
アニオンギャップ	開大	さまざま
典型的な水分欠乏量(mL/kg)	100	100〜200

〔聖路加国際病院内科レジデント（編）：内科レジデントマニュアル 第9版. 医学書院, 2019 より改変して作成〕

■ DKA/HHS の病態

- 共通する病態を抑えておくことが大切である.
- 感染症や嘔吐・下痢，飲水不良などによる脱水やインスリンなどの怠薬により血糖が高値になる.
  - → 高血糖となると浸透圧利尿でさらに脱水となり，細胞外液量が減ってしまう.
    （同時に高浸透圧で細胞内の水も細胞外へ移行するため細胞内液量の低下も起こる）
  - → これにより循環血漿量が低下すると交感神経優位となるためさらに血糖が上昇する.
  - → 浸透圧利尿によりさらに脱水状態，より高血糖となる.
- この病態が単純に増悪していくのが HHS である.
- 一方，DKA 上記のプロセスのなかでインスリン作用不足が問題となるため，細胞が糖を利用できず，かわりに脂肪酸がケトン体となりエネルギー源として用いられる. これにより著明なケトアシドーシスをきたし，このアシドーシスが原因で状態がさらに悪くなる.
- これらの病態のバランスには，患者により差があり，明確に区別できない症例も経験される.

■ DKA/HHS の原因

- 上記の病態を考えればわかる通り，感染症や膵炎，心筋梗塞や脳梗塞などの重症疾患，外傷，手術，妊娠，怠薬（特にインスリン）や高カロリー輸液，ステロイド使用による血糖上昇などが原因となる.
- 原因の覚え方として"I"が強調される. Infection（感染），Infarction（心筋梗塞や脳梗塞），Inflammation（強い炎症性疾患 膵炎など），Insulin deficiency（インスリン不足・怠薬），Iatrogenic（医原性：高カロリー輸液やステロイドなど），Infant（妊婦）.
- また飲水不良や嘔吐・下痢などで脱水が起こることが高血糖を増悪させる重要なメカニズムであるため，高齢者や ADL が低下した患者など十分な飲水ができない患者で

起こることが多い.
- 糖尿病患者は心筋梗塞や脳梗塞のリスクも高く,DKA/HHSの原因にもなるが,実際に意識障害で来院した際には症状や所見がわかりにくいことも多いため注意する.

■ DKA/HHSの検査
- 血糖値,HbA1c(直近の血糖コントロールの把握),抗GAD抗体(1型と2型の区別必要),尿定性(尿中ケトン体の検出),静脈血ケトン分画を提出.
- 鑑別のために動脈血液ガス(アシデミアの有無)も必要.
- 血清Naは低下(高血糖による低Na血症)していることが多いため,むしろ正常値〜高値Naの場合は脱水がより高度の可能性が高いことを覚えておく(22章「低ナトリウム血症」269頁を参照).

■ 尿/静脈血ケトン検査
- インスリン欠乏状態ではTG分解→β酸化が亢進,ケトン産生.アセト酢酸,3-ヒドロキシ酪酸(3-OHBA),アセトンの総称.
- DKAで特に上昇するのは3-OHBAだが,これは尿中ケトン検査では反応せず陰性となりうるため,尿中ケトン検査が陰性でもDKAは否定できない.
- 静脈血検査では3-OHBAも検査できるが,結果がすぐには出ないため,疑ったら確認のために提出することはあるが結果を待たずに治療を始める.

■ DKA/HHSの治療
- 高血糖緊急性をみたら,**生理食塩水の急速投与(500〜1000 mL/時)とインスリンの初期＋持続点滴(0.1単位/kgを投与後0.1単位/kg/時で持続投与)**を開始する.これが最も重要である.
- 持続インスリン製剤は"ヒューマリン®R 50単位/0.5 mLを生理食塩水49.5 mLに溶解し,1単位/mL"として用いる.例えば体重50 kgの患者であれば,5単位(5 mL)をボーラス投与し,その後,5単位(5 mL)/時で持続投与を行う.
- その際には必ずKをチェックする.インスリンを開始するとKは急に低下するため,Kがもともと低ければインスリンの量を減らす,点滴にKを入れるなど柔軟に工夫する.
- 上記を開始しつつ,原因にも迅速に介入する.例えば,感染症であれば,培養検査と抗菌薬投与を迅速に行う.また頻回に血液(ガス)のフォローが必要であり,早めに動脈ラインを確保する.
- その後の治療のポイントは「脱水補正(輸液)」「高血糖の是正(インスリン)」「電解質補正(Kの補正)」「原因の除去(アシドーシスの補正)」である.次頁にそれぞれの治療の流れを示す.

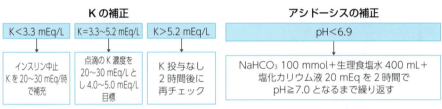

〔Kitabchi AE, et al. Diabetes Care 32 : 1335-1343, 2009 より改変して作成〕

- 輸液：ベースに血糖高値による高浸透圧があるため，Na が高値の場合は 1/2 生食を用いてもよい．心疾患の有無を確認し，脱水を補正したあとには心不全にならないように注意する．
- 血糖補正：特に最初の血糖が高い場合，急激な血糖低下は浸透圧変化による脳浮腫をきたす可能性があるため，緩徐な低下を心がけ，200〜300 mg/dL 程度となったら，無理に下げすぎないようにする．DKA の場合は，ケトーシスを改善させるためにケトン体やアニオンギャップなども参考に糖を入れながらインスリンを続ける．血糖が 200 mg/dL 前後で安定したら，皮下注射に切り替えることが多い．
- 電解質/K の補正：K は病態改善に伴い著明に低下するため要注意．K 4〜5 mEq/L を目標に K 補充，2 時間ごとにチェックし，補液 1 L に対して 20〜30 mEq の K 補充を行う．また Mg や P などほかの電解質も不足していることが多いため適宜補充する．
- アシドーシス：pH<6.9 で NaHCO₃ の投与を行うが，輸液とインスリンが始まると改善することも多いため，過剰な補正にならないように注意する．特にアシドーシスが原因となる循環不全（カテコラミン不応）がある際に有用と考えられる．

本症例では…

- 動脈血液ガスを測定したところ pH 7.234 のアシデミアがあり，尿検査ではケトン陽性で，DKA の診断となった．
- ただちに，生理食塩水を 1L/時で投与を開始した．K は 5.8 mmol/L であったため，ヒューマリン® 1 単位/mL を 5 単位（5 mL）ボーラス投与し，5 単位（5 mL）/時で持続

投与を開始した．pH は 7.2 であったため，NaHCO₃ の補充は行わなかった．
- 病歴から DKA の誘因として肺炎が考えられたため，喀痰＋血液培養を採取し抗菌薬を開始した．

> **A** 高血糖緊急症に注意．輸液とインスリンを早期に開始！

SGLT-2 阻害薬による血糖正常ケトアシドーシス
- 基本的にはケトアシドーシスの際には，HHS ほどではないものの高血糖がみられる．
- しかしながら SGLT-2 阻害薬を内服している患者では，血糖が尿中に排泄されるため，血糖が正常でもケトアシドーシスをきたしていることがあるので，全身状態が悪ければ積極的に動脈血液ガスを採取する．ほかにも救急外来受診前にインスリンを自己注射した場合や，経口摂取が少ない患者でも，血糖が正常化することがありうる．

シックデイの対応
- 糖尿病患者が感染症などのために，食事が十分に摂取できない状態をシックデイという．
- 食事摂取が不良だと低血糖になる．一方，発熱や感染が高血糖を引き起こし，飲水不良，嘔吐・下痢などで脱水が起こると高血糖にもなってしまう．
- そのため，シックデイの際は十分に水分摂取を行い，おかゆなど可能な限り食事(特に炭水化物)を摂取するように指導する．
- 上述の通りケトアシドーシスなどが起こりうるため SGLT-2 阻害薬は中止，乳酸アシドーシスを起こすビグアナイドも中止する．
- 速効型のインスリンやインスリン分泌促進薬は，食事量により減量中止する．一方，持効型インスリンは継続する．

糖毒性
- 極端な高血糖には，①β細胞に異常が起こしてインスリン分泌を極端に低下させる，②インスリンに対する細胞レベルでの糖取り込みが低下する(インスリン抵抗性)，という作用があり，これを一般に糖毒性と呼ぶ．
- この糖毒性によるインスリン分泌能の低下とインスリン抵抗性により，高血糖はさらに増悪するという悪循環に陥る．
- 適切な治療により血糖値が低下して糖毒性が解除されると，血糖コントロールは急激に改善する．そのため，糖毒性を意識せずにインスリンや治療薬を増量していると突然低血糖になることがある．
- 血糖が下がってきた患者では糖毒性が解除される可能性を意識して，インスリンを減らすなど，低血糖を予防することが大切である．

感染と血糖コントロール

- 感染症患者においては，高血糖は細胞性免疫や貪食能の低下を引き起こす．
- 細菌にとっては，高血糖は栄養状態を向上させて増殖を助長させる．
- 糖尿病患者では血管障害を合併していることが多く，血流障害が感染を増悪させる．
- また高血糖の背景にはインスリン欠乏・抵抗性があり，それにより蛋白の異化亢進が進むため，外傷，術後患者では創傷治癒の遷延をきたす．
- 上記より，感染をはじめとした急性期の病態では血糖のコントロールを行うほうがよいと考えられる．ではどこまで血糖を下げればよいのだろうか？ 基本的に急性期では140〜180 mg/dL 程度のコントロールを行うと考えておけばよい．最低限，下記の流れを知っておくとよい．

① もともと Leuven I trial〔N Engl J Med 345：1359-1367, 2001〕で厳格な血糖コントロール（目標：80〜110 mg/dL）が ICU 患者の予後を改善させる可能性が示唆されたものの，厳格すぎる血糖コントロールは低血糖やそれに起因する予後の低下などが引き起こす可能性もあると考えられた．

② そこで NICE-SUGAR trial〔N Engl J Med 360：1283-1297, 2009〕では，6,104 名の内科/外科ICU 患者を，厳格に血糖値をコントロール（目標：81〜108 mg/dL）する群と，それより高めに血糖値をコントロール（目標：144〜180 mg/dL）する群にランダムに分けて比較した．厳格コントロール群でむしろ有意に 90 日死亡率が高く，（27.5% vs 24.9%，p＝0.02），重症の低血糖（≦40 mg/dL）も有意に多くなった（6.8% vs 0.5%，p＜0.001）．

・以上の結果から，急性期の血糖管理では，血糖値の目標値を下げすぎず，144〜180 mg/dL 程度を目標にコントロールすることが一般的となった．

③ その後も脳梗塞でのより厳格な血糖管理の研究〔JAMA 322：326-335, 2019〕なども行われたが，やはり 140〜180 mg/dL 程度のコントロールで十分という結果であり，引き続き，目標は 144〜180 mg/dL でよいと考えられる．

●参考文献

1) 日本糖尿病学会（編・著）：糖尿病治療ガイド 2022-2023．文光堂，2022
   - 糖尿病の診断から非薬物治療，薬物治療まで要点を記載してある．基本的に研修医は全員持っておき，通読することを勧める．同学会から糖尿病診療ガイドラインも出ているが，こちらはエビデンスなどを含めてより詳細を学びたいときに参照するとよい．

2) Ahmad E, et al. Type 2 diabetes. Lancet 400：1803-1820, 2022 [PMID：36332637]
   - 2型糖尿病の最新のレビュー．診断から合併症，治療まで網羅されている．上記日本語文献で概要を掴んだあとに読むのがよいだろう．

3) ElSayed NA, et al. 9. Pharmacologic Approaches to Glycemic Treatment：Standards of Care in Diabetes-2023. Diabetes Care 46：S140-S157, 2023 [PMID：36507650]
   - 米国糖尿病学会の糖尿病ガイドライン．合併症がある場合の治療について，より詳しくデータも含めて知りたいときに．

4) Kitabchi AE, et al. Hyperglycemic crises in adult patients with diabetes. Diabetes Care 32：1335-1343, 2009 [PMID：19564476]
   - 長らく使用されている DKA/HHS の治療のフローチャートあり．基本として今でも大切な文献．

（福井 翔）

11 不眠とせん妄
"とりあえず薬"から脱却しよう！

1. 不眠をみたら5Pに沿って必ず原因を評価
2. 睡眠薬は不眠のタイプに応じて投与
3. 睡眠薬処方の前にCO_2貯留のリスクと肝・腎機能をチェック
4. せん妄を疑ったら見当識，注意力，認知機能障害をチェック
5. せん妄では，薬物治療に加えて，要因を評価して適切に介入
6. 特に突然発症のせん妄では，新規病態の合併に注意

症例❶ 不眠を訴える54歳の男性．

特記すべき既往歴なし．本日憩室炎で入院し，絶食・補液，セフメタゾール（セフメタゾン®）投与で加療中．午前1時過ぎに「眠れない」という訴えがあり，当直がコールされた．バイタルサインは意識清明，体温37.3℃，血圧120/80 mmHg，脈拍80/分・整，呼吸数12/分，SpO_2 98％（室内気）．

Q 不眠でコール，対応はどうする？

鉄則1 不眠をみたら5Pに沿って必ず原因を評価

- 不眠は頻度の高い症状だが，"不眠 → 睡眠薬処方"という安直な対応は，背景の病態を見逃し，患者に不利益を与えうる．
- 不穏（せん妄），呼吸困難や疼痛，瘙痒などさまざまな病態が，"不眠"としてコールされる可能性があり，原因によって対応が大きく異なる．
- そのため不眠を訴える患者では必ず「どうして眠れないか？」を考える．
- 5Pに沿って原因を評価し，入院患者では特に身体的・薬理学的要因に注意する．
- 不眠の原因が疼痛や瘙痒の場合は，その原因を改善するだけで眠れることも多い．
- ほかにも，例えば入院患者であれば，普段使っている寝具を持ってきてもらう，バイタルサインのチェック回数を減らしたり点滴の時間を調整したりすることで訪室を最低限にする，患者の不安や緊張を取り除く，といったことも睡眠の改善につながる．このような視点を忘れないようにする．

不眠の原因 5P

Physical（身体的）	Physiological（生理学的）	Psychological（心理学的）	Psychiatric（精神疾患的）	Pharmacological（薬理学的）
発熱，疼痛，瘙痒感，呼吸困難，動悸，睡眠時無呼吸症候群，むずむず脚症候群	時差ぼけ，環境の変化，交代勤務，騒音，光，不快な温度	精神生理性不眠，精神的ストレス，心配事，緊張，重篤な疾患による精神的ショック	アルコール依存，不安神経症，うつ病	ステロイド，利尿薬，カフェイン，パーキンソン病薬（ドパミン製剤など），抗不整脈薬（βブロッカーなど），脂質異常症（クロフィブラートなど）

本症例では…

- 話を聞くと全身に瘙痒感があり寝つけないとのことだった．瘙痒に伴う入眠障害と考えられた．
- 丁寧に診察すると全身に薄い発疹があり，病歴から抗菌薬による薬疹が疑われた．
- 抗菌薬を変更し，抗ヒスタミン薬の内服を行うと不眠は解消され，睡眠薬は必要なかった．

不眠では必ず原因を探し，まずはその原因への介入を行う

薬剤関連の不眠

- 入院患者では薬剤による不眠が意外に多い（上記の「不眠の原因 5P」の表を参照）．
- そのなかでもよくみられる例として，利尿薬やステロイドがある．
- 利尿薬は夜間に効果が出ないように調整する．男性では，抗ヒスタミン薬などによる前立腺肥大の増悪が原因となることもある．
- ステロイドも夜間の投与を避け，作用時間の短いものを選択し，2 回投与であれば朝昼にする．
- 特にステロイドを始める患者では，事前に不眠の可能性を患者に説明して，頓服で使用できる睡眠薬を用意しておくとよい．
- その他の薬剤も不眠を起こす報告がある．例えばβブロッカー（メトプロロール）はメラトニン分泌を減らすことが知られ〔Acta Med Scand 223：525-530, 1988〕，またクロフィブラートはトリプトファン代謝を通じて，脳でのセロトニン合成を増やすことで不眠を起こしうる〔Pharmacol Res Commun 6：163-173, 1974〕とされる．しかし臨床で実際に問題となることは少ない印象があり，まずはほかの原因を検索することが重要であろう．

睡眠に対する非薬物療法

- 原因への対応，睡眠薬の利用とともに，非薬物療法も効果があることを理解する．
- 非薬物療法には，睡眠衛生教育，認知行動療法，精神療法，高照度光療法がある．
- このなかでも睡眠衛生教育はいわゆる患者教育であり，患者に睡眠や不眠，睡眠薬などについて理解してもらうことで睡眠を向上させるものである．これは非専門医でも実施可能で，プライマリ・ケアでもよく用いられ，研修医も含めた医療者全員が行うことができる．次頁の指針を参考に行うことが多い．

睡眠障害対処の 12 の指針

睡眠障害対処の 12 か条	ポイント
1. 睡眠時間は人それぞれ，日中の眠気で困らなければ十分	時間にこだわらない，適切な睡眠は人により長さが違う，季節でも変わる，加齢で必要な睡眠時間は短くなる
2. 刺激物を避け，眠る前には自分なりのリラックス法を	就床 4 時間前のカフェイン摂取，就床 1 時間前の喫煙は避ける，音楽や入浴，香り，筋弛緩トレーニングなどを上手に用いる
3. 眠くなってから床につく，就床時間にこだわりすぎない	眠ろうとする意気込みがかえって寝付きを悪くしうる，床に入っても眠れなければ，いったん起きてリラックスをする
4. 同じ時刻に毎日起床	早寝早起きではなく，同じ時間の早起きが睡眠のリズムを作る
5. 光の利用でよい睡眠	起床後はなるべく早く太陽の光を浴びる，目から入った太陽の光は体内時計のリズムをリセットする 家にいることが多いと日光曝露が少なくなるため適度に屋外に出る
6. 規則正しい 3 度の食事と運動習慣	朝食を摂ることが目覚めを促進する．夜食をなるべく避ける．昼間の運動は睡眠を改善するため，規則的に行うのがよい
7. 昼寝をするなら 15 時前の 20〜30 分	昼寝は 30 分未満で時間帯が遅くなりすぎないように 夕食後の居眠りに注意する
8. 眠りが浅いときは，むしろ積極的に遅寝・早起きに	寝床で長く過ごしすぎると熟眠感が減るので，寝床で過ごす時間をまずは減らす
9. 睡眠中の激しいいびき，呼吸停止や足のぴくつき，むずむず感は要注意	睡眠時無呼吸やレストレスレッグ症候群(むずむず脚症候群)に注意し，専門家に適切に紹介する
10. 十分眠っても日中の眠気が強いときは専門医に	昼間の眠気が交通事故などのリスクを上げることに注意する 日中の眠気が強い場合は専門医の評価が必要である
11. 睡眠薬代わりの寝酒は不眠のもと	アルコールは寝付きはよくなるが，夜間後半の睡眠が浅くなり，中途覚醒も増えて，睡眠の質を悪化させる
12. 睡眠薬は医師の指示で正しく使えば安全	さまざまな種類の睡眠薬があり，適切に用いれば安全である．自己判断での急な減量や中止はしない．特にベンゾジアゼピン系はアルコールとの併用を避ける

〔厚生労働省精神・神経疾患研究委託費睡眠障害の診断・治療ガイドラインの作成とその実証的研究班，平成 13 年度研究報告書より〕

症例 ❷ COPD 増悪で加療中の 68 歳男性．

5 日前からの発熱・呼吸困難で来院．COPD 増悪の診断で入院．メチルプレドニゾロン（メドロール®）40 mg ごと 1 日 2 回（8 時・20 時），ピペラシリン・タゾバクタム（ゾシン®）で加療を開始．夜 10 時に眠れなさそうだと当直コールがあった．バイタルサインは意識清明，体温 37.6℃，血圧 110/60 mmHg，脈拍 80/分・整，呼吸数 18/分，SpO_2 92%（鼻カニューレ 2 L/分）．

➡ 5P に沿って原因を確認した．身体面では呼吸困難はなく，アルコール依存やうつ病などの既往歴もなかった．薬剤ではステロイドの投与が影響し，また入院に伴っての環境変化や緊張も影響していると考えられた．患者は睡眠薬を希望している．

Q どう対応する？この患者で気をつけることは？

鉄則 2　睡眠薬は不眠のタイプに応じて投与

- 睡眠薬には副作用（転倒リスクなど）があるため，不眠の原因や程度，患者希望を加味し，必要なときのみ睡眠薬を処方する．
- 睡眠薬を処方する際は不眠のタイプに合わせて処方するのが基本である．
- 例えば，なかなか眠れないが一度眠ってしまえばそのまま眠れる（入眠困難）のであれば，長時間作用する薬剤は必要ない．反対に，眠れるが複数回起きてしまう（中途覚醒）患者に短時間しか効かない薬剤は効果が低い．
- 不眠のタイプは下表のように4つに分けて考える．このほかに過眠症（日中に過剰な眠気，居眠りが毎日のように繰り返してみられ，せん妄・認知症，非典型的うつ，ナルコレプシーなどが原因となる）がある．また早朝覚醒の患者ではうつに注意する．

不眠のタイプ		入眠障害	中途覚醒	早朝覚醒	熟眠障害
特徴		入眠に30分以上かかる	夜間覚醒2回以上	予定時刻より2時間以上早く起きてしまう	睡眠が浅い 眠ったのに眠い
睡眠薬の選択					
1. 高齢者，CO_2貯留，せん妄リスクが高い場合 →ベンゾジアゼピン系睡眠薬を避け，少量より開始		レンボレキサント（デエビゴ®）5 mg（併用薬により2.5 mg） →トラゾドン（レスリン®）25〜50 mg，スボレキサント（ベルソムラ®）10〜15 mg（高齢者は15 mgまで） →不十分であればレンボレキサントやスボレキサントとトラゾドンの併用，またはミアンセリン（テトラミド®）10 mg（増量可能）など			
2. 上記リスクのない場合	軽度	レンボレキサント 5〜10 mg	スボレキサント 20 mg		
	中等度以上	ゾルピデム（マイスリー®）5〜10 mg	トラゾドン 50 mg		
			ブロチゾラム（レンドルミン®）0.25 mg		
		レンボレキサント 5〜10 mg＋トラゾドン 50〜100 mg，ミアンセリン 10 mg（増量可能）など			

〔聖路加国際病院心療内科　山田宇以先生，種本陽子先生の資料を参考に作成〕

鉄則3　睡眠薬処方の前にCO_2貯留のリスクと肝・腎機能をチェック

- 基本的には，すべての睡眠薬に多少の呼吸抑制や筋弛緩作用があると考えられるが，特にベンゾジアゼピン系睡眠薬で注意が必要である．
- これらの作用は重症COPDや神経筋疾患〔ALS（筋萎縮性側索硬化症），重症筋無力症など〕では，CO_2ナルコーシスや呼吸不全を引き起こしうる．
- CO_2貯留リスクのある患者ではなるべく睡眠薬の使用を避けるが，どうしても睡眠薬が必要になる場合は呼吸抑制の少ない睡眠薬を選ぶ．ベンゾジアゼピン系睡眠薬を避け，トラゾドンやスボレキサントなど呼吸抑制をきたしにくいものを使用する．
- 特に高齢者では，筋弛緩作用による転倒リスクの増加があるため，なるべくベンゾジアゼピン系睡眠薬は避ける．
- 意識障害を呈しうる患者（低Na血症など）では，意識障害が出現したときに，睡眠薬の効果か病態の悪化が原因か判断が難しくなるため，睡眠薬はなるべく処方しない．

- 処方の際には必ず肝・腎機能を確認し，薬剤の過剰投与や作用遷延が起こらないようにする．

不眠のタイプと睡眠薬の初期選択例
- 前頁の表のように不眠のタイプと患者背景から睡眠薬の選択を行う．
- これまでベンゾジアゼピン系睡眠薬が用いられることが多く，耐性や依存などが問題となっていた．近年は異なる作用機序の薬剤が登場して広く使われるようになっており，ベンゾジアゼピン系睡眠薬を使う頻度は減少している．
- 高齢者では先述の通り，ベンゾジアゼピン系睡眠薬は避ける場合が多い．若年者では問題なく使用可能であるが，依存のきっかけにならないように，使用を必要時のみの短期間に留める．軽度の不眠でほかの作用機序の薬剤が使えるならばそれらを優先してもよいと考えられる．
- 最初から2剤の併用は行わない．1剤で効果が不十分なときには，薬剤の変更ないしは前頁の表のように併用を行うが，ベンゾジアゼピン系睡眠薬の併用は行わない．
- 上記のリスクのない患者，中等度以上の不眠の対応でも睡眠が得られないときは，ブロチゾラム 0.25 mg（就寝時）＋ミアンセリン 10〜30 mg（就寝2時間前）の併用や，一時的にトリアゾラム（ハルシオン®）0.25〜0.5 mg（就寝時）を用いるなどする．
- 内服が難しい場合，使用可能であれば，ゾルピデムやブロチゾラムなどのOD錠を唾液で溶かして内服することができる．また点滴のみの場合は，ハロペリドール（セレネース®），ヒドロキシジン（アタラックス®-P），フルニトラゼパム（サイレース®）などが候補となる．
- また睡眠薬を開始しても，原因の除去や改善，睡眠指導や環境整備を忘れずに行い，睡眠薬の減量，中止を目指す．
- 入院を契機に不眠になった患者は，その状態が改善されれば睡眠薬は中止できるはずであり，退院後も漫然と処方しないように気をつける．

睡眠薬の種類と特徴
■ベンゾジアゼピン系睡眠薬，非ベンゾジアゼピン系睡眠薬
- GABA受容体を活性化させることで，鎮静作用を呈し睡眠薬として使われる．
- 中時間〜長時間作用薬は半日〜1日以上効果があるため睡眠薬としては用いにくく，主に超短時間〜短時間作用薬が用いられる．
- 次頁の表の2剤を使用できるようにしておく（ベンゾジアゼピン系睡眠薬と非ベンゾジアゼピン系睡眠薬の違いは139頁の「もっと知りたい！」を参照）．
- 超短時間作用型のベンゾジアゼピン系睡眠薬としてトリアゾラムがあり，強い不眠では用いることがあるが，依存性もあり短期間の使用に留める．

非ベンゾジアゼピン系睡眠薬	
ゾルピデム(マイスリー®) 　5 mg 1～2錠 ほかの超短時間作用型 ゾピクロン(アモバン®) エスゾピクロン(ルネスタ®)	・超短時間作用型 ・半減期が2時間と短めで，入眠障害に用いる ・5 mgから開始し，必要があれば10 mgまで増量 ・ベンゾジアゼピン系睡眠薬に比べ呼吸抑制は弱い ・重篤な肝機能障害患者では禁忌
ベンゾジアゼピン系睡眠薬	
ブロチゾラム (レンドルミン®) 　0.25 mg 1～2錠 ほかの短時間作用型 エチゾラム(デパス®)	・短時間作用型 ・半減期が7時間とゾルピデムよりは長く，中途覚醒や早朝覚醒にも使える ・0.25 mgから開始し，必要があれば0.5 mgまで増量 ・OD錠を用いれば絶飲食の患者でも使用可能

副作用や注意点

- せん妄を誘発しうるので，せん妄リスクの高い患者では避ける，あるいはせん妄に対する薬剤とともに投与する．
- 特にベンゾジアゼピン系睡眠薬は筋弛緩作用や呼吸抑制作用があるため，CO_2貯留リスクのあるCOPD患者や睡眠時無呼吸症候群では原則用いない．また重症筋無力症などの神経筋疾患患者でも投与は行わない．抗コリン作用のため，急性閉塞隅角緑内障患者にも禁忌である．
- 高齢者では，筋弛緩作用や平衡機能障害による転倒に注意する．
- 重篤な肝機能障害ではゾルピデムは禁忌である．肝機能障害患者で濃度が上昇する薬剤があるため，用量調節を行う．半量程度で開始することが多い．
- アルコールもGABA受容体に作用するため薬剤の作用が増強してしまう．アルコールを避けるように指導する．
- これらの薬剤の急激な中止は，一時的に以前よりも強い不眠(反跳性不眠と呼ばれる)を引き起こすため，中止または切り替えをする場合は，一度不眠が起こりうることをあらかじめ伝えておく．

■オレキシン受容体拮抗薬

- 日中に活性化して覚醒に寄与するオレキシン受容体を抑制し，催眠作用を呈する．
- 併用禁忌の薬剤があることに注意が必要だが，比較的安全に用いることができる．

スボレキサント (ベルソムラ®) 　15～20 mg 1錠	・Tmax 1.5時間，半減期10時間 ・20 mgを就寝時に内服，高齢者では15 mgまで ・症状に応じて10 mg錠に減量可能 ・半減期が長く，夜間の急な頓服には向かない ・日中に眠気が出た場合は，減量や内服時間を早める ・せん妄誘発もなく，呼吸抑制も弱く使いやすい ・併用禁忌に注意！(CYP3A4の代謝を阻害するため，クラリスロマイシン，アゾール系抗真菌薬，抗HIV薬などが併用禁忌) ・悪夢が1～5％にみられる

レンボレキサント （デエビゴ®） 2.5～10 mg 1 錠	・Tmax 1～1.5 時間，半減期 50 時間（長時間効果があるわけではない） ・5 mg を就寝時に内服，10 mg まで増量可能 ・CYP3A4 を阻害する薬剤（アゾール系抗真菌薬，クラリスロマイシン，ベラパミルなど）を併用する際は 2.5 mg に減量 ・肝機能障害では 5 mg まで ・入眠潜時を短くするため，入眠困難に使用可能で，頓服としても有用であると考えられる ・認知機能への影響やせん妄誘発も少なく，呼吸抑制も弱く使いやすい ・スボレキサントと同様に悪夢がみられる

- デエビゴ®は 2020 年に日本で認可された．効果発現が早く，入眠障害に使用可能で，ゾルピデムよりも効果的であった RCT〔JAMA Network Open 2：e1918254, 2019〕もある．
- 日本の専門家のコンセンサス〔Front. Psychiatry 14：1168100, 2023〕でも推奨が強くなっており，今後より広く使用されると考えられる．

■ メラトニン受容体アゴニスト

- メラトニンは，概日リズムを形成するホルモンで，夜間に分泌が高まることで睡眠につながる．その受容体を活性化させて催眠作用を呈するのがラメルテオンである．
- 概して効果はマイルドだが，安全性も高いため安心して使いやすい．

ラメルテオン （ロゼレム®） 8 mg 1 錠	・1 時間以内に濃度は最大となり，半減期は 1～2 時間 ・効果はマイルドだが，安全性もとても高い ・時差ぼけなどで用いられることが多い ・入眠困難に用いられるが，時差ぼけのように入眠だけでなく起床困難なども伴う軽症例がよい適応 ・高度の肝機能障害では禁忌

■ 鎮静系抗うつ薬

トラゾドン

- SSRI（選択的セロトニン再取り込み阻害薬）の要素をもつ抗うつ薬であり，不眠に対する保険適用はない．
- しかし，ヒスタミン受容体阻害作用による催眠作用があり，睡眠薬として用いることも可能である．
- ベンゾジアゼピン系の筋弛緩や依存などの副作用がなく，幅広く使いやすい．

トラゾドン （レスリン®） 25 mg 2 錠	・半減期は 6 時間 ・Tmax は 3～4 時間だが，効果発現が比較的はやく，頓服にも用いることができる ・50 mg を 1 日 1 回就寝時に用いる．最大で 200 mg まで増量できるが，より抗うつ薬の要素が強くなる ・呼吸抑制やせん妄のリスクが高い患者でも使いやすい

ミアンセリン

- もともとは SNRI（セロトニン・ノルアドレナリン再取り込み阻害薬）に近い抗うつ薬であり，不眠に対する保険適用はない．
- しかし，セロトニンやヒスタミンの阻害作用があり，鎮静作用をもつため，不眠に対する薬剤としても用いられることがある．

ミアンセリン (テトラミド®) 10 mg 1〜3錠	・効果発現に2時間かかり，半減期は18時間と長い ・そのため頓服には適さず，就寝時ではなく，その2時間前や夕食後に飲んだほうが効果的である ・10 mgから開始し，必要に応じて30 mgまで増量する(うつには最大で60 mgまで用いる) ・ベンゾジアゼピン系のような筋弛緩作用はなく，せん妄誘発もないため，リスクが高い患者で使いやすい ・MAO阻害薬が併用禁忌である

- このほか，非定型抗精神病薬であるクエチアピン(セロクエル®)にも鎮静作用があり睡眠薬としても用いることができる．せん妄のリスクが高い患者でよい適応となる．

本症例では…

- CO_2貯留リスクから睡眠薬を処方しないことも患者に提案したが，希望が強かった．
- 肝機能・腎機能，相互作用のある薬物使用がないことを確認し，ベルソムラ®を少量の10 mgで処方したところ，CO_2貯留なく，睡眠が得られた．
- ステロイドが夜間に投与されており，担当医に減量や時間の変更が可能かについて申し送りを行った．

A. 本患者はCO_2ナルコーシスのリスクがあるため，呼吸抑制の少ない睡眠薬を選択した

ベンゾジアゼピン系睡眠薬と非ベンゾジアゼピン系睡眠薬の違いは？

- 中枢神経系のベンゾジアゼピン受容体には，中枢性のω_1とω_2，末梢性のω_3の3つのサブタイプがあり，そのなかの2つが特に重要である．
- ω_1受容体は小脳，黒質，淡蒼球に分布し，**鎮静・催眠作用，抗けいれん作用**に関係する．
- ω_2受容体は，海馬，脊髄，線条体に分布して，**筋弛緩・抗不安作用**と関連する．
- 従来のベンゾジアゼピン系睡眠薬はω_1，ω_2の両方に親和性を有する．筋弛緩作用があるので起床後のふらつきなどのリスクになる．抗不安作用は，不安が強く眠れない患者で効果的だが，より依存が形成されやすい．
- 一方，非ベンゾジアゼピン系睡眠薬はよりω_1受容体選択的に作用することにより，筋弛緩作用が少なく安全性が高いため，高齢者でも使いやすいとされる．
- しかしこの受容体の選択性はあくまで程度の話であり，非ベンゾジアゼピン系睡眠薬に筋弛緩作用が全くないわけではなく，非ベンゾジアゼピン系睡眠薬のなかでも種類によって親和性は異なるとされる．
- そのため，ベンゾジアゼピン系睡眠薬と非ベンゾジアゼピン系睡眠薬は無理に区別をしないほうが整理しやすい．

> **症例❸** 82歳女性．夜間の不穏行動．
>
> 独居でADLは自立しているが，脳梗塞の既往歴あり，認知機能低下が指摘されていた．来院前日から発熱と喀痰があり来院し，肺炎の診断で入院して抗菌薬が開始された．入院2日目の22時に「家に帰ります」と言ってラインを自分で抜去したため当直コールとなった．バイタルサインは意識レベル JCS I-3，体温37.8℃，血圧100/60 mmHg，脈拍90/分・整，呼吸数16/分，SpO$_2$ 95%（鼻カニューレ2L/分）．

Q 急に何が起こったのだろうか？

鉄則 4　せん妄を疑ったら見当識，注意力，認知機能障害をチェック

- 研修医になりたてのときはせん妄のイメージがなかなかつかみにくいので，まずはその概念を抑えておく．
- せん妄とは，**"脳の機能がもともと低下している認知症患者や高齢者に起こりやすい，病気や薬剤，環境変化などによる心身への負担が引き起こす可逆性の急性脳不全"** である．
- 最初は認知症と紛らわしく感じるかもしれないが，認知症は慢性の病態で，せん妄は急性の病態である．慢性腎不全と急性腎不全のような関係だと考えればよい．
- 具体的には，意識障害，注意力障害，認知機能障害が起こり，急性発症と変動性，可逆性が特徴である．
- せん妄を疑ったら，下記のように見当識，注意力，認知機能の障害を確認する．

見当識障害	・意識レベルの低下が目立つのではなく，意識内容の変化（意識変容）が前面に出ることが多い ・時間 → 場所 → 人物の順に障害される 　時間：「今何時頃ですか？」「お昼ですか？ 夜ですか？」（時計などが見えないように） 　場所：「ここがどこかわかりますか？」 　人物：「いまお話させていただいてる私がだれかはわかりますか？」
注意力障害	・話に集中できない，会話の内容を覚えていない，ほかのことに気を取られるなどがみられる ・認知症では進行するまで障害されないことが多く，急に出現する場合はせん妄が多い
認知機能障害	・MMSE（Mini-Mental State Examination）やHDS-R（長谷川式簡易知能評価スケール）で評価可能 ・利便性からは1分間動物スクリーニング（144頁の「もっと知りたい！」を参照）が有用

- 次にこれらの障害が **"急性"** で **"変動が大きい"** かが大切であり，そうであればせん妄の可能性が高くなる．
- 自分の受け持ち患者でなければ，普段の様子を知っている看護師や家族などに普段の様子を確認する．認知機能は，入院前や入院時に評価されていれば，変化をみることで急性の変化があるか判断できる．

本症例では…

- 患者に見当識を尋ねるとすべて障害されていた．そわそわと落ち着きがなく会話は成立せず，1分間動物スクリーニング(144頁の「もっと知りたい！」を参照)も5匹と陽性であった．見当識・注意力・認知機能障害があると判断した．
- 看護師に話を聞くと，本日の夕方頃からやや不穏となり，昨日の入院時と様子は明らかに違うとのことだった．急性で症状の変動が大きいと考えられた．
- 上記より，患者はせん妄状態にあると評価した．

A 急な見当識・注意力・認知機能障害を呈し，せん妄が生じたと考えられる

Q ではこのせん妄患者に対し，どのように対応するべきか？

> **鉄則 5** せん妄では，薬物治療に加えて，要因を評価して適切に介入

- せん妄状態はライン抜去や転倒などのリスクがあり治療に支障をきたす．また医療スタッフの負担にもつながるため，適切な対応が求められる．
- せん妄の対応は，①せん妄への薬物療法，②原因となる疾患や薬剤への対応，③環境整備に分けるとわかりやすい．

①せん妄への薬物療法

- せん妄は転倒などにより患者を危険に晒すため，安全を確保するために症状のコントロールを行う．
- 主に抗精神病薬の鎮静作用や抗幻覚作用を用いてせん妄に対応する．
- せん妄の症状が強いときや夜間の場合は鎮静効果のある薬剤を用いる．その際は内服が可能か？ 糖尿病があるか？ により次頁のアルゴリズムに則って処方を行う．
- クエチアピン(セロクエル®)は複数の作用をもち，作用発現も1時間と早く，作用遷延のリスクも低いため，糖尿病がなく内服可能であれば第一選択となる．
- 一方，日中で症状が強くなければ，鎮静作用の弱いものを使いたいため，リスペリドン(リスパダール®)を処方することが多い．
- せん妄に対する薬剤を開始した場合も，下記の誘因が解除されたら，減量中止を行う．自宅で再度せん妄になる可能性は低いため，退院時には薬剤は原則中止する．

せん妄に対する鎮静療法

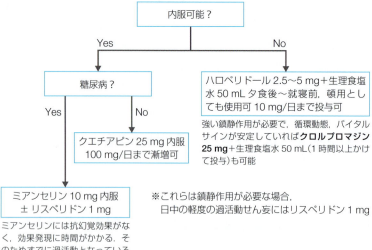

〔山田宇以(編): Medical alliance 特集 せん妄. 学研メディカル秀潤社, 2015年6月号より改変して作成〕

せん妄に用いる薬物の特徴

内服薬	
クエチアピン(セロクエル®) 25〜100 mgを1日1回 夕食後や就寝前	・MARTA(multi-acting receptor targeted antipsychotic)であり、抗ドパミン(抗幻覚)、抗ヒスタミン(鎮静)、セロトニン(鎮静、抗不安)作用をあわせもつ ・作用発現まで約1時間、半減期は4時間程度 ・25 mg(または50 mg)から開始し、状態に合わせて100 mgまで増量する ・1〜2時間で効果がなければ追加投与してもよい ・糖尿病には禁忌(日本の添付文書)
ミアンセリン(テトラミド®) 10〜30 mgを1日1回 夕食後(就寝前)	・効果発現まで2時間、半減期は18時間程度と長い ・半減期も長いため、頓服には向かず、夕食後や就寝時の定期投与が基本 ・10 mgから開始し、必要に応じて30 mgまで増量可能 ・鎮静作用が強い一方、抗幻覚作用はほとんどない ・うつや疼痛にも効果あり ・糖尿病でも使用できるが、口渇、前立腺肥大に注意. MAO阻害薬が併用禁忌
リスペリドン(リスパダール®) 0.5〜1 mgを1日1〜2回 昼食後・夕食後など	・最大血中濃度に1時間程度で達する、半減期は4時間程度 ・1回0.5〜1 mgを使用し、1時間で効果がなければ追加投与する ・3 mg以上で錐体外路症状を認めやすくなるため、3 mg以内にとどめたほうがよい ・幻覚、妄想に強いが、鎮静効果は弱いので日中も使いやすい ・内用液は液体であり飲み物に混ぜて飲んでもらえる(お茶類やコーラは含有量の低下を引き起こすため不可、炭酸飲料や味噌汁などに入れると苦味を紛らわせることができる) ・糖尿病でも使用できる

(つづく)

(つづき)

点滴薬	
ハロペリドール(セレネース®) 5〜10 mg＋生理食塩水 50 mL 点滴静注	・効果発現が早い．半減期は 14 時間で作用遷延のリスクがある ・鎮静作用もあるが，抗ドパミンによる抗幻覚作用が主 ・静脈内投与のほうが錐体外路症状は出にくい ・用量の上限はよくわかっていない ・QT 延長に注意，パーキンソン病や重症心不全などでは禁忌
クロルプロマジン(コントミン®) 25 mg＋生理食塩水 50 mL 点滴静注	・クエチアピンと同様に複数の作用をもつ ・鎮静効果は強いが，半減期は 30 時間で眠気が日中に残りやすい ・血圧が低下することがあるため，バイタルサインが不安定な患者には使用しない ・口渇，便秘などを起こしうる

- 難治例では，これらの治療に加えて，睡眠薬を併用して鎮静を行うこともある．それでも難しく安全が確保できなければ，集中治療域でより強い鎮静療法を行う．

②原因となる疾患や薬剤への対応

- せん妄のリスクには下記のようなものが挙げられる．
- 背景因子のある患者ではせん妄リスクが高いことを認識し，下記の環境整備を行う．またせん妄をなるべく早期に発見して，高度になる前に薬物治療を行うようにする．
- 誘因に対しては積極的に治療，介入をする．

背景因子	誘因
高齢(75 歳以上) 認知症 せん妄の既往歴 視力・聴力障害 ADL の低下 脳血管疾患の既往歴 アルコール多飲	・症状や病態： 　感染症(敗血症，尿路感染，腹腔内感染)，発熱，疼痛，尿閉，便秘，脱水，電解質異常(Na, K など)，酸塩基平衡異常，血糖異常，悪性腫瘍，脳血管障害，心不全，呼吸不全，肝不全，腎不全 ・薬剤：睡眠薬(特にベンゾジアゼピン系)，ステロイド，オピオイド，抗ヒスタミン薬，抗コリン薬，抗パーキンソン病薬，三環系抗うつ薬など ・環境：身体抑制，尿道カテーテル，点滴ラインなど ・その他：手術，緊急入院，外傷など

③環境整備

- せん妄のリスクが高い患者では，上記の治療だけでなく，環境整備で改善やさらなるせん妄の予防を行うことが大切である．
- 家族や看護師，リハビリ担当者，院内のせん妄チームとも情報を共有して，協力して行うことが重要である．

せん妄予防の環境整備

・昼夜のリズムをしっかりつける
・カーテンを開けて景色が見えるようにして，1 日のサイクルを明確にする
・カレンダー，時計などを置き，日時を明確にする
・日中の覚醒を促し，リハビリテーションなどで活動度を高める
・適切な排泄リズムを作る
・メガネや補聴器を使用するなど，視聴覚機能を整える
・自宅の物を増やし，家族の写真を配置するなど，リラックスできる環境を作る

- ・家族が付き添うなどして，継続的なコミュニケーションをとる
- ・不要なデバイスは抜去する
- ・不快な症状を積極的に緩和する
- ・せん妄を悪化させる薬剤などを中止変更する

本症例では…

- 内服は可能であったため，糖尿病がないことを確認してセロクエル® 25 mg 1錠を内服してもらったところ，就寝した．
- 翌日より昼・夕食後にリスパダール® 1 mgの予防内服を開始し，環境整備を行い，せん妄の再燃なく経過した．
- 状態の改善とともにリスパダール®は減量中止を行った．
- 本症例は，脳血管障害の既往歴のある高齢者で，感染症，鼻カニューレからの酸素もあり，せん妄のリスクが非常に高かったと考えられる．夕方に様子が少しおかしかったタイミングで，早期にせん妄を発見してリスパダール®を内服し，必要に応じてセロクエル®を頓服できるようにしておけば，ライン抜去は防げたかもしれない．

A せん妄に対しては，安全の確保のため鎮静療法を行い，介入できる要因がないかチェックし，環境整備を行う

認知症に対する1分間スクリーニング

- せん妄と認知症の区別のために認知機能の急激な変化があるかが有用である．そのため高齢者では入院時に認知機能をチェックしておくとよい．しかしHDS-Rなどは時間がかかるため全例に施行するのは難しい．
- 動物名を用いた1分間スクリーニングというものがあり，非常に簡単で時間もかからない．
- 認知症やせん妄リスクの評価のために，高齢者が入院したときはこのスクリーニングをしてみるとよい．

方法：1分間にできるだけ多く動物の名前を言ってもらう
解釈：
- ・13匹以上で健常老年者，12匹以下ではAlzheimer型認知症の可能性が高くなる（感度91%，特異度81%）
- ・14匹以上の場合はMCI（mild cognitive impairment：軽度認知障害）との鑑別に有用（感度81%，特異度69%）

- ほかには10匹をカットオフとすると，インスリン自己注射が問題なくできるかの信頼性の判定に有用であるとされる．

> **症例 ❹** 70歳女性．夜間の不穏行動．
>
> もともと ADL は自立しており，高血圧の既往歴がある．うっ血性心不全で入院し，治療を開始して経過は良好であった．入院7日目，夜間にベッドの柵を越えて廊下に出てきているところを発見されて当直コールとなった．バイタルサインは意識レベル JCS I-3，体温 37.7℃，血圧 105/50 mmHg，脈拍 100/分・整，呼吸数 20 分，SpO₂ 97%（室内気）．

Q 急に発症したせん妄，何に気をつける？

特に突然発症のせん妄では，新規病態の合併に注意

- せん妄は，状態が悪いときに起こることが多く，落ち着いている患者で突然発症する場合は，新規の原因が加わっていることが多い．
- せん妄を"状態悪化を示唆するサイン"として捉えることが大切である．
- せん妄を発症した患者は，そうでない患者と比べて予後が悪いことが複数の研究で知られている．
- 急に発症したせん妄の半数近くは感染症が原因であるとされ，ほかにも脳血管障害，薬剤，電解質異常，血糖異常などが重要な原因である．

本症例では…

- 日中の記録を見返すと同日の血液検査で炎症反応が上昇しており，尿中 WBC・亜硝酸塩が陽性になっていた．また2日前まではうっ血性心不全の治療の一環で，尿道カテーテルを挿入していることもわかった．
- 再度診察すると左 CVA 叩打痛があり，腎盂腎炎が疑われた．血液培養・尿培養を提出し，抗菌薬を開始した．
- 脳血管障害や電解質異常など，ほかにせん妄を誘発する原因は明らかでなかった．
- 内服には非協力的だったため，セレネース® 5 mg を点滴したところ，患者の状態は落ち着き，その後就寝した．
- 翌日血液培養 2 セット 4/4 本から *Escherichia coli* を検出し，尿路感染症，菌血症によるせん妄だったと判明した．

A 突然発症のせん妄は状態悪化のサイン！ 念入りに原因を検索！

 低活動型せん妄

- せん妄には，症例で示した過活動型せん妄のほかに，低活動型せん妄，混合型せん妄がある．
- 低活動型せん妄は，活動性低下・食欲低下・傾眠傾向を呈し，"見過ごされやすいせん妄"

として有名である．しかしながら，活動型せん妄よりも予後が悪いことが知られる〔J Gerontol A Biol Sci Med Sci 62：174-179, 2007〕．
- 鎮静作用や抗幻覚作用の効果が乏しいため，薬剤での介入は難しく，環境整備を行い，日中の活動性を上げることで徐々に改善することを促すしかない場合が多い．
- 甲状腺機能低下症，副腎不全や慢性硬膜下血腫などの疾患がまれに隠れている場合があるので注意する．
- うつ病との鑑別が必要になる場合があるが，せん妄は日内変動があるのに対し，うつ病は月単位で進行する点で区別できる．

過活動型	低活動型	混合型
・落ち着きのなさ ・過覚醒・不眠 ・焦燥感 ・幻覚や妄想 ・興奮・易怒性・徘徊	・傾眠 ・無気力・活動性低下 ・自発運動低下 ・発語減少 ・食事摂取低下	・24時間以内に両方が存在

家族に対するせん妄の説明

- 家族がせん妄状態の患者と電話などで会話をしたり，面会したりすると，普段との違いに驚きショックをうけ，病院や医療者との信頼関係を損ねることもある．特にハイリスクの患者ではあらかじめ入院時にせん妄の可能性について説明しておくとよい．

> 例：「高齢者の入院患者では1割程度"せん妄"という状態になります．ご高齢の方や特に認知機能が低下している方の場合，身体の不調やストレス，治療に必要な薬剤などの影響で急に状況がわからなくなったり，注意力が散漫になったり，認知機能が低下したりすることがあり，これをせん妄といいます．普段と様子が違うので驚かれるご家族の方も多いのですが，入院されているご高齢の方だとよくある一般的なものです．また基本的には一時的なもので，病状が改善して，元の環境に戻ることでせん妄も改善しますので安心して下さい．ただ寝ぼけたようになって自分で点滴を抜いたり，転倒したりすることがあるので，ご本人の安全を優先して，落ち着くためのお薬を使う場合などがあります．ご家族の方と面会したり，お話したりすることもせん妄の予防になると考えられますので，無理のない範囲でご協力いただければ幸いです．」

●参考文献

1) 内山　真（編）：睡眠障害の対応と治療ガイドライン第3版．じほう，2019
   - 睡眠関連で1冊もっておくならこの本．病態，薬物療法から非薬物療法まで幅広く解説されている．
2) Perlis ML, et al. Insomnia. Lancet 400：1047-1060, 2022［PMID：36115372］
   - 不眠についてのレビュー，薬剤などにも詳しく言及されている．シリーズになっており，日中の眠気や概日リズム異常に対するレビューが前後にあるため，より広い概念を掴むにはあわせて読むとよい．
2) Marcantonio ER. Delirium in Hospitalized Older Adults. N Engl J Med 377：1456-1466, 2017［PMID：29020579］
   - せん妄の管理上のポイントが簡潔にまとめられている．
4) Wilson JE, et al. Delirium. Nat Rev Dis Primers 6：90, 2020［PMID：33184265］
   - せん妄の臨床的なまとめから詳しい病態メカニズムまで解説されており，深めたい人向け．リスクファクターなどの綺麗な図があり，これだけでも見ておくとよい．

（福井　翔）

12 病棟で経験するアレルギー
Ⅰ型？ 重症？

1. アナフィラキシーを疑ったら，すぐにアドレナリン筋注 0.5 mg
2. アレルギー性の皮疹を疑ったら，まずはⅠ型か非Ⅰ型か区別
3. 抗菌薬アレルギーは交差性に注意
4. 非Ⅰ型アレルギーでは，全身症状（発熱，倦怠感）と皮疹のパターン（特に粘膜疹）で重症度を評価

症例 ① 喘息の既往歴がある 44 歳女性．抗菌薬点滴中の皮疹と呼吸困難．

3日前からの排尿時痛，背部痛，発熱で来院し，腎盂腎炎の診断で入院となった．入院後，初回のセフォタキシム（セフォタックス®）1 g の点滴を行っていると，点滴開始 30 分後に体幹〜四肢に蕁麻疹が出現し，息が苦しいとコールがあった．訪室時バイタルサインは意識清明，体温 37.8℃，血圧 100/58 mmHg，脈拍 110/分・整，呼吸数 26/分，SpO₂ 92%（室内気）であった．身体所見では体幹部から四肢近位側に癒合性のある膨疹を認め，wheeze を聴取した．体重 55 kg．

Q 診断とその根拠は？ 治療はどうしようか？

鉄則 1 アナフィラキシーを疑ったら，すぐにアドレナリン筋注 0.5 mg

- アナフィラキシーは急速に発症し，死に至ることもある重篤な全身性の過敏性反応である．
- 緊急事態であり，下記の基準を参考にアナフィラキシーが疑われれば，人を集めて迅速に対応する．
- 重要なのは，アドレナリンのみに即効性がある点である．アドレナリン投与の遅れは死亡と関連するため，バイタル維持をしながら，アドレナリンの投与を最優先する．
- 抗ヒスタミン薬も一応投与することが多いが，アナフィラキシー状態ではヒスタミン受容体が飽和しており薬剤自体がヒスタミン受容体に結合できず，効果発現が遅い．皮膚症状は改善させるが救命効果はないとされる．

アナフィラキシーの診断基準

- アナフィラキシーの基準は下記の 2 通りがある．皮膚症状に加えて気道および呼吸器症状，循環器症状，消化器症状を意識する．

1. 皮膚症状がある場合
- **急激な皮膚粘膜症状**：全身の蕁麻疹，瘙痒，紅潮，または口唇や舌，口蓋垂の腫脹
  - に加えて
- **気道/呼吸器症状**：呼吸困難，wheeze，呼気流量低下，SpO_2 低下
- **循環器症状**：血圧低下やそれに伴う臓器障害，筋緊張低下，失神，失禁など
- **消化器症状**：腹痛や嘔吐（特に食事以外のアレルギーの場合に）
  - のいずれかが存在する場合

2. 皮膚症状がない場合
既知のアレルゲンに曝露（例えば薬剤投与）**されたあとに数分から数時間で起こる．**
- **血圧低下**：収縮期血圧＜90 mmHg 未満または普段の血圧から 30％以上の低下
- **気管支攣縮症状**：呼吸困難，wheeze，SpO_2 低下など
- **喉頭症状**：strider，変声，嚥下時痛
  - のいずれかが存在する場合

〔World Allergy Organization J 13：100472, 2020 より作成〕

アナフィラキシーの初期対応

1. 助けを呼び，アドレナリンの準備を指示，モニターを装着しつつ，バイタル維持を開始．
2. 可能な場合は，原因からの曝露を解除（例：抗菌薬の点滴を止める）．
3. アドレナリン 0.01 mg/kg（成人 0.5 mg，6 歳以上の小児 0.3 mg）を**大腿部中央前外側に筋注**する．

- 21〜23 ゲージ程度の針を用いることが多いが決まりはない．
- アナフィラキシーの際にアドレナリン投与の禁忌はないため投与をためらわない（大動脈瘤やコントロール不良の高血圧などへの配慮は必要とされているが禁忌はない）．

※アドレナリン投与後も効果が不十分な場合，5〜15 分で繰り返し投与する
※患者が β ブロッカーを内服している場合はアドレナリンの作用が十分に得られないことがあるため，グルカゴン G を 1〜5 mg 静注も検討する（投与の際は，5 分以上かけてゆっくり投与，消化器系の副作用があるため，特に嘔吐に注意して顔を横に向けておく）

〔World Allergy Organization J 13：100472, 2020 より作成〕

- 上記と並行して下記を行う．
  - 患者を評価（A：気道，B：呼吸，C：循環）し，A が維持されていなければ挿管を考慮する．
  - 酸素をマスクで 6〜8 L，なければ鼻カニューレで投与．
  - 患者を仰臥位にして，特に血圧低下があれば下肢を挙上（仰臥位で苦しい場合は座位や，嘔吐があれば側臥位など柔軟に）．
  - 静脈ラインを確保（なるべく太い針を用いる）し，生理食塩水を 1〜2 L の急速投与（1 時間程度）で開始（成人の場合，最初の 5〜10 分で，5〜10 mL/kg つまり 500 mL

のバッグを半分〜1本投与する).
- 抗ヒスタミン薬投与.ヒスタミン H_1 受容体ブロッカーである d-クロルフェニラミン(ポララミン®)5 mg とヒスタミン H_2 受容体ブロッカーであるファモチジン(ガスター®注射液)20 mg 両方を生理食塩水 50 mL に溶いて投与(血圧低下の可能性があるため,ショックの患者では注意して 30 分以上かけて投与する.またファモチジン注射液を含む H_2 ブロッカーはアレルギーに対して保険適応外使用であることに注意).
- アドレナリン投与後も wheeze の改善がなければベネトリン®ネブライザーなどでサルブタモールの吸入を行う.
- ステロイドの投与を行うこともある(下記の「もっと知りたい!」を参照).

本症例では…

- 蕁麻疹に加え,呼吸困難と SpO_2 の低下がありアナフィラキシーと判断した.普段の収縮期血圧は 120 mmHg 程度であり,頻脈も考えると,循環器系にも影響が出ていると考えられた.腹痛や嘔吐はなかった.
- ほかに新たに投与した薬剤などはなく,原因はセフォタックス®と考えた.
- まず人を集め,アドレナリン 0.5 mL の準備を最優先するように指示した.
- セフォタックス®投与を中止し,患者を仰臥位として足を挙上し,フェイスマスク 6 L で酸素投与を開始した.
- 救急カートが到着したところで,アドレナリン 1 mg/mL のシリンジキットを 0.5 mL まで捨てて 23 ゲージの注射針を装着し,大腿外側に筋注を行った.
- 点滴ラインに残っている薬液をシリンジで吸引したのち,生理食塩水の急速投与を開始した.
- 抗ヒスタミン薬(ポララミン®5 mg,ガスター®注射液 20 mg)を投与した.
- アドレナリン投与後,5 分ほどで呼吸困難や蕁麻疹は改善傾向となった.モニターを装着して経過観察を行った.

A 皮膚+呼吸器症状よりアナフィラキシーと診断し,早期にアドレナリン筋注を行う!

アナフィラキシーの2相性反応

- 2相性反応とは,アナフィラキシーの症状がいったん軽快したあとに再度症状が生じる場合を指し,成人の 0.4〜23% に発生する.
- 初回の反応が重篤なケースで起こりやすい.
- 6〜12 時間以内におよそ半数が起こるが,24 時間以降も起こる可能性があるとされる.
- アドレナリンを要するような重篤な反応は早期(中央値 1.7 時間)に多く,そのような反応の 3/4 は 4 時間以内に起こる.
- アナフィラキシー後は,原則は 1 日の経過観察入院が望ましい.帰宅の場合は十分に説明を行い,最低でも 4 時間,可能な限り長時間の経過観察を行うのがよいと考えられる.

- 2相性反応を予防するためにステロイドが投与されることがあるが，相反するエビデンスがあり，一律の使用は推奨されていない．アドレナリンの複数回の投与が必要な重症例や，もともと喘息の患者，喘息症状が強い患者などではステロイドの効果が高い可能性があり，ステロイドを投与することも多い．
- ステロイドの量や種類に一定の見解はない．軽症例ではプレドニゾロン（プレドニン®）20 mg内服が行われる．重症例では，ヒドロコルチゾンコハク酸（ソル・コーテフ®）250 mg点滴やメチルプレドニゾロンコハク酸（ソル・メドロール®）1 mg/kg（40〜60 mg）点滴などが行われる．アスピリン喘息がある場合はコハク酸の静注や急速点滴は発作を引き起こす可能性があるため，ベタメタゾン（リンデロン®）10 mgの点滴投与などに変更する．

アナフィラクトイド反応

- 造影剤やバンコマイシンによりアナフィラキシーと同様の蕁麻疹，呼吸困難などが出現することがあり，アナフィラクトイド反応と呼ばれる．
- 機序はさまざまだが，薬剤が肥満細胞を直接刺激してヒスタミンの遊離を引き起こすなどがある．
- アレルギー反応であるアナフィラキシーと異なり，投与速度を遅くする，薬剤の量を減らす，アセトアミノフェン，抗ヒスタミン薬，ステロイドの前投薬によって使用可能となることも多い．
- 両者を区別することは困難であるため，重篤な症状が起こった薬を投与することはリスクではあるが，工夫して投与できる可能性があることは覚えておくとよい．

症例❷　45歳女性，夕食後の皮疹．

花粉症の既往歴がある45歳女性．アレルギー歴はない．検診で肺に腫瘍が指摘され気管支鏡検査目的に入院し，気管支鏡施行予定である．入院当日の夕方に食事をしている最中に皮疹が出現したためコールとなった．バイタルサインは意識清明，体温36.3℃，血圧128/72 mmHg，脈拍68/分・整，呼吸数14/分，SpO₂ 100%（室内気）．口腔内に明らかな皮疹はない，前胸部，背部，上腕，大腿に癒合性のある膨疹を認めた．ほかには口腔内がやや痒いような違和感があるという．

Q どう評価する？　治療は？

鉄則 2　アレルギー性の皮疹を疑ったら，まずはⅠ型か非Ⅰ型か区別

アレルギーのフローチャート

- アレルギー性の皮疹を想定したアレルギーのフローチャートを下記に示す．

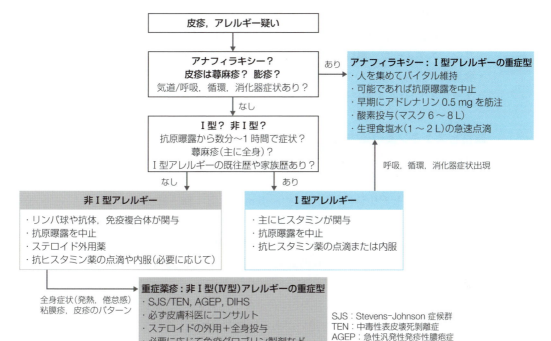

- アレルギーはよくⅠ型～Ⅳ型（またはⅤ型）に分類される．
- Ⅰ型は即時型アレルギーと呼ばれ，皮疹では蕁麻疹を呈する．IgEと肥満細胞，ヒスタミンが病態の中心である．Ⅰ型アレルギーの重症型がアナフィラキシーである．
- 一方，その他のアレルギー性皮疹はⅣ型アレルギー（一部はⅢ型アレルギー）であり，リンパ球（や免疫複合体）が病態の中心となる．抗原への曝露後，数日～1週間程度以降に出現する．薬疹の場合，この非Ⅰ型の重症例がいわゆる重症薬疹となる．
- Ⅰ型アレルギーを鑑別するポイントとして，①発症までが数分（1時間以内であることが多い），②1つの皮疹の持続時間は数時間（時間や場所を変えて持続することはある），③発症部位は全身，④Ⅰ型アレルギーの既往歴あり，⑤アレルギー疾患の家族歴あり，⑥抗ヒスタミン薬効果あり，などが挙げられる．
- アレルギー性の皮疹を疑ったときは必ず，①発症までの時間，②持続時間，③発症部位，④既往歴，⑤家族歴を聴取する．

Ⅰ型アレルギーによる皮疹（蕁麻疹）への対応

- まずはアナフィラキシーではないか，呼吸器，循環器，消化器症状をチェックする．
- 原因となりうる薬剤の投与中や食事中の場合は，ただちに中止する．
- 新たに曝露した薬剤や食事の聴取を行う．特に症状が出現する数時間前までに曝露した抗原に注意する．過去のアレルギー（疑い）のエピソードも聴取する．
- 疑わしい薬剤や食事などが判明したら，それらの曝露を避ける．
- 検査としてRAST（radioallergosorbent test）やプリックテストがある（153頁の「もっ

と知りたい！」を参照）．
- 治療は抗ヒスタミン薬の内服（3日程度）である．初期対応では点滴薬を用いることもある（**症例1**を参照）．
- 瘙痒感が強い場合は氷囊を使って冷やす，または「メントール，フェノール，グリセリン，エタノール，蒸留水」の配合薬の塗布などを行う．
- 蕁麻疹は全身に出ていることが多く，広範囲の塗布が必要となるため，外用薬（特にステロイド）は基本的に使用しない．

■抗ヒスタミン薬の処方例

〈処方例〉ロラタジン（クラリチン®）　10 mg　1日1回　朝または夕
〈処方例〉フェキソフェナジン（アレグラ®）　60 mg　1日2回　朝夕
〈処方例〉レボセチリジン（ザイザル®）　5 mg　1日1回　就寝時
〈処方例〉ビラスチン（ビラノア®）　20 mg　1日1回　空腹時（就寝時や食間）

- クラリチン®，アレグラ®，ビラノア®は比較的眠気が少なく，添付文書に運転注意の記載がない．ザイザル®は比較的眠気が起こりやすく，運転に従事する患者に処方しないように注意が必要である．
- 妊婦にはクラリチン®，ザイザル®は安全だが，アレグラ®は安全性が確立されていないなど，添付文書の記載にも違いがある．処方の都度，添付文書をよく確認して処方することが求められる．

本症例では…

- 皮疹は明らかな蕁麻疹であり，食事が原因と考えると曝露後にすぐ症状が出ていることや花粉症の既往歴からⅠ型アレルギーであると考えた．
- 気道/呼吸器・循環器・消化器症状はなくアナフィラキシーではないと判断した．
- 夕食中であり，口腔内の痒みがあることからも食事が原因と疑った．新規薬剤はなかった．
- 話を詳しく聞くと，以前に果物を食べた際に口腔内の瘙痒を感じたことが複数回あり，またラテックスでも瘙痒が出たことがあるとのことだった．本日の夕食にキウイが出ており，原因の可能性が高いと考えられた．
- アレグラ® 60 mg 1日2回の内服を開始し，アレルギー科外来を紹介した．

A アレルギー性の皮疹ではⅠ型アレルギーか非Ⅰ型アレルギーかを鑑別する．Ⅰ型アレルギーでは抗原曝露回避と抗ヒスタミン薬で治療を行う

アレルギーの検査について（RAST，プリックテスト，パッチテスト，DLST）

- アレルギーの検査は直観的にわかりにくく，先述したアレルギーの分類とともに誤解されている場合も多い．
- RAST，プリックテストは IgE を介した I 型アレルギーにのみ適応となり，その他のアレルギーでは使用されない．

アレルギーの種類	検査の種類	検査の説明	解釈
I 型アレルギー	RAST	radioallergosorbent test（放射性アレルゲン吸着試験）で特定の抗原に患者血清を反応させて特異的 IgE 抗体価を測定する検査	検査が陽性であっても感作されているのみで，臨床的なアレルギー症状を反映しないことがある
	プリックテスト	試薬，または食物などを前腕屈側に垂らして針で刺し，膨疹の出現を評価する検査	
IV 型アレルギー	パッチテスト	原因物質が付着したパッチを皮膚に貼付し反応をみる検査	
IV 型（または I 型）アレルギー	DLST (drug-induced lymphocyte stimulation test)	薬物を患者血液から分離した単核球に加え，リンパ球の活性を評価する検査	感度は低いが特異度は高く，病歴から検査前確率を適切に見極めて施行すれば有用．

症例 ③ 68歳男性．胆管炎で入院中．ピペラシリン・タゾバクタム（ゾシン®）による治療を受けている患者の皮疹．

1週間前に閉塞性胆管炎からの敗血症性ショックで入院となり，内視鏡的逆行性胆管膵管造影（ERCP）による排石後にピペラシリン・タゾバクタムを投与開始となった．投与開始7日目の朝，胸腹部や背部に紅斑が出現していることが判明した．本人に確認すると，前日の朝から腹部に皮疹が出始めたとのことだった．バイタルサインは意識清明，体温 36.4℃，血圧 145/78 mmHg，脈拍 67/分・整，呼吸数 17/分，SpO₂ 99%（室内気）．前胸部，腹部，背部に癒合性のある浸潤を触れる境界明瞭な紅丘疹を認めた．WBC 6,900/μL（好酸球 1,030/μL），CRP 0.45 mg/dL，AST 52 IU/L，ALT 41 IU/L．

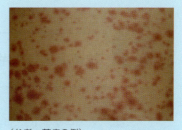

（参考：薬疹の例）
〔聖路加国際病院皮膚科 新井 達先生のご厚意により掲載〕

Q. 何型アレルギー？ 治療は？

本症例では…

- "**鉄則2：アレルギー性の皮疹を疑ったら，まずは I 型か非 I 型か区別**"に従い，I 型か非 I 型かを検討する．
- 本症例は発症直前に薬剤投与や食事摂取はなく，長時間皮疹が継続しており，I 型アレルギーの既往歴などはなかった．また皮疹も膨疹ではなかった．

- また新規の薬剤はピペラシリン・タゾバクタム（ゾシン®）があり原因として疑われた．その場合，抗原曝露から発症まで1週間経過しており，Ⅰ型アレルギーの可能性は低いと考えられた．

非Ⅰ型アレルギーによる皮疹（薬疹）

- 非Ⅰ型の薬疹の種類は多様だが，最も多いのは播種性丘疹紅斑型薬疹である．
- 原因としては抗菌薬，抗けいれん薬，向精神薬，サルファ剤やNSAIDsなどが多い．
- Ⅰ型アレルギーと異なり，感作に時間がかかるため，抗原曝露後7〜10日頃に発症する．抗菌薬を開始して，状態が安定してきた頃に皮疹が出るのが典型的である．
- しかしながら以前にも同じ薬剤の使用歴があり，すでに感作されている場合は投与開始当日や数日以内にも発症しうる．
- 主にⅣ型アレルギーが関与し，病態の中心となるのはリンパ球である．
- そのため治療としては，抗原回避（被疑薬の中止）に加え，ステロイドの外用剤を塗布する．
- ヒスタミンは病態の中心ではないものの，瘙痒や血管拡張による病態の悪化に関与していると考えられる．そのため，抗ヒスタミン薬を用いることもあるが，あくまでこれらに対して補助的に用いるイメージである．病態を直接改善させるⅠ型アレルギーとは役割が異なる．

A Ⅳ型アレルギー．治療は抗原回避とステロイドの外用剤を塗布

Q 抗菌薬変更時の注意点は？

> **鉄則3** 抗菌薬アレルギーは交差性に注意

- 入院中に遭遇するアレルギーのなかで抗菌薬によるものは多い．βラクタム系抗菌薬，マクロライド，ST合剤，テトラサイクリン系抗菌薬などの頻度が高い．
- アレルギーは薬物の特定の構造に対して起こることを意識する．例えば，βラクタム系抗菌薬であれば，βラクタム環に起こる場合と側鎖に起こる場合とがある．
- βラクタム環に対して起こるものであれば，同じβラクタム環を保つ抗菌薬はすべて交差性があり使用できないことになる．
- 一方，側鎖に対するアレルギーであればβラクタム系抗菌薬すべてが使用不可能というわけではなく，側鎖が似ている交差性をもつものが使用不可能となる（次頁の「もっと知りたい！」を参照）．
- βラクタム環に対してアレルギーが起こっている可能性を否定することは難しいため，βラクタム系抗菌薬にアレルギーが起きた場合はβラクタム系抗菌薬は避け，異なる系統の薬剤にすることが安全である．
- その場合は，グラム陽性菌であればクリンダマイシンや一部のキノロン，バンコマイ

シン，グラム陰性菌にはキノロンやアミノグリコシド，嫌気性菌にはメトロニダゾールなどを用いる．
- 代替薬がない場合，減感作投与や漸増投与，側鎖に注意して同系統の薬剤を慎重に使用するなどの対処が考慮されるが，原則として専門医にコンサルトしたうえで行ったほうがよい．

本症例では…

- ピペラシリン・タゾバクタム(ゾシン®)が原因として考えられた．
- ほかのペニシリンは使用不可能であり，ほかのβラクタム系抗菌薬もなるべく避けたほうがよいと考えた．
- 血液培養から感受性良好な *Escherichia coli* が検出されていたため，レボフロキサシン(クラビット®)500 mgの内服に変更した．

A 抗菌薬のアレルギーの場合は異なる系統の薬剤に変更する

ペニシリンアレルギーのときどうする？

- ペニシリンアレルギーの遭遇頻度は高いため，対応を知っておく必要がある．対応の原則は，βラクタム系抗菌薬以外の系統に変更することである．
- しかしながら耐性などでほかのβラクタム系抗菌薬を使用せざるを得ない状況では，患者に十分な説明をして同意を得たうえで投与を行うこともある．ただしもともとが危険なアレルギー，つまりⅠ型(特にアナフィラキシー)や重症薬疹の場合は，βラクタム系抗菌薬の使用は避ける．
- ペニシリン(系)アレルギーの既往歴があっても，実際に皮膚検査が陽性となるペニシリンアレルギーである患者は10％以下とされる〔JAMA 270：2456-2463, 1993/J Allergy Clin Immunol Pract 5：813-815, 2017〕．
- ペニシリンは代謝産物へのアレルギーがあるため，側鎖などにかかわらず，1つのペニシリン系抗菌薬にアレルギーが出た患者ではほかのペニシリンは使用できない．
- セフェムについては，ペニシリン系抗菌薬アレルギーの既往歴がある患者では禁忌とはなっていない．しかし第1世代セフェムでは5〜16％，第2世代セフェムでは10％，第3世代セフェムでは2〜3％で交差反応が出たと報告されている．使用する場合は新しい世代のセフェムを選択する．また側鎖が似ているものは用いるのを避ける(次頁の表を参照)．
- モノバクタムはペニシリンとの交差反応は少ないとされる(ただし，セフタジジムと側鎖の交差反応があるのでセフェムアレルギーでより注意が必要)．
- カルバペネムについては，ペニシリンアレルギー患者の1％でしか皮膚反応が陽性とならず，皮膚反応が陽性でなかった患者にペネムを投与した場合，アレルギーは出なかったという報告がある〔N Engl J Med 354：2835-2837, 2006〕．

βラクタム系抗菌薬の交差反応

	ペニシリンG	アモキシシリン（アンピシリン）	ピペラシリン	セファゾリン	セファクロール	セフトリアキソン	セフォタキシム	セフタジジム	セフェピム	メロペネム	アズトレオナム
ペニシリンG				✓		✓	✓	✓	✓	✓	✓
アモキシシリン（アンピシリン）				✓		✓	✓	✓	✓	✓	✓
ピペラシリン				✓		✓	✓	✓	✓	✓	✓
セファゾリン	✓	✓	✓		✓	✓	✓	✓	✓	✓	✓
セファクロール				✓		✓	✓	✓		✓	✓
セフトリアキソン	✓	✓	✓	✓	✓					✓	
セフォタキシム	✓	✓	✓	✓	✓					✓	
セフタジジム	✓	✓	✓	✓	✓					✓	
セフェピム	✓	✓	✓	✓	✓					✓	
メロペネム	✓	✓	✓	✓	✓	✓	✓	✓	✓		✓
アズトレオナム	✓	✓	✓	✓	✓					✓	

凡例：
- 同一薬剤
- ペニシリン代謝産物によるアレルギー
- R1側鎖が同一で交差反応の可能性あり
- R1/R2側鎖が類似または臨床研究で交差反応の可能性あり
- ✓ 交差反応なし

〔Clin Microbiol Infect 29：863-875, 2023 より改変して作成〕

> **症例❹** 骨折後の24歳男性．全身の紅斑．
>
> 来院10日前に右橈骨遠位端骨折に対してギプス固定を行い，ロキソプロフェンナトリウム（ロキソニン®）の定期内服を開始した．来院前日より体幹部から四肢に紅斑が出現したため来院した．来院時バイタルサインは意識清明，体温38.4℃，血圧112/63 mmHg，脈拍92/分・整，呼吸数20/分，SpO_2 100%（室内気）．身体所見では浸潤の触れるターゲット状紅斑が散在していた．口腔にもびらんを認めた．眼粘膜には明らかなびらんはみられなかった．WBC 9,300/μL，CRP 5.46 mg/dL，AST 132 IU/L，ALT 119 IU/L．

Q 本患者で気をつけることは？

鉄則 4　非Ⅰ型アレルギーでは，全身症状（発熱，倦怠感）と皮疹のパターン（特に粘膜疹）で重症度を評価

重症薬疹の種類と特徴

- 非Ⅰ型アレルギーによる薬疹のなかでも，粘膜を侵襲したり，臓器病変を併発したりして重篤な転帰をとる重症型を重症薬疹と呼ぶ．
- Stevens-Johnson症候群（SJS：Stevens-Johnson syndrome）/中毒性表皮壊死剝離症（TEN：toxic epidermal necrolysis），薬剤性過敏症症候群（DIHS：drug-induced hypersensitivity syndrome），急性汎発性発疹性膿疱症（AGEP：acute generalized exanthematous pustulosis）の3つは覚えておく必要があり，次頁の表のように特徴が異なる．
- 皮疹の広がりだけをみて重症薬疹，あるいは重症化するリスクが高いかを判断するのは難しい．早期に見つけるには，全身症状と皮疹のパターンが鍵である．
- 全身症状が目立つのが重症薬疹の特徴である．皮疹の範囲が限局していても，熱や倦怠感が強い場合は，重症薬疹のリスクが高いと思って対応をしたほうがよい．全身症状の強い患者では短時間で皮膚症状も急激に増悪することが経験される．
- 皮疹のパターンでは，前述の播種性丘疹紅斑型薬疹に比べると，多形滲出性紅斑（いわゆるターゲット状紅斑）のほうがSJSやTENとなるリスクが高い．粘膜疹も重要であり，口腔粘膜だけでなく，結膜や外陰部についても問診や診察を行う．AGEPでの小膿疱やDIHSでの麻疹様の皮疹や眼周囲が蒼白となった顔面浮腫も特徴的である．
- 検査では，白血球（病態により好酸球や好中球）高値，肝障害，炎症反応増加が強い．
- 重症薬疹を疑ったら，ただちに被疑薬をすべて中止する．特にDIHSは数か月前に始めた薬剤も原因となるため，長期間の薬歴聴取が必要となる．
- 皮膚科やアレルギー科，目の粘膜障害があれば眼科など，専門医に早期にコンサルトを行い治療にあたる．

- 治療は高用量ステロイド点滴やステロイドパルス，大量γグロブリン療法や血漿交換などが行われる．
- これらの免疫抑制治療や皮膚のバリア破綻による感染症で死亡するケースが多いため，感染の合併には常に注意する．

	SJS/TEN	DIHS	AGEP
皮疹	初期は多形滲出性紅斑 →その後，**粘膜疹や皮膚の壊死性変化(水疱や表皮剝離)**が目立つ 粘膜疹(眼，口唇，外陰部)に冒されているものがSJS，体表面積の10%以上に壊死性変化が起こるとTEN	播種状紅斑丘疹型薬疹と類似した皮疹を呈し，初期には軽症にみえる．皮疹は癒合傾向がみられ紫斑も交じる．その後，急速に広がり，紅皮症様になることもある．顔面皮疹，顔面腫脹が高率に起こる．眼周囲の蒼白を伴う特徴的な顔貌を呈する．	発熱とともに無菌性の小水疱〜毛根に一致しない小膿疱が全身に分布する．間擦部(腋窩や鼠径部)などを中心に広がる．
皮疹以外	高熱，倦怠感 眼病変(偽膜形成や眼表面上皮欠損を伴う角結膜炎) 食事摂取不良(口腔や消化管の粘膜障害) まれに粘膜のみの症例があるため注意	発熱，リンパ節腫脹 白血球増加(>11,000)，**好酸球増加(>1,500)，異型リンパ球増加(5%)** **高度の肝障害** **ヒトヘルペスウイルス-6**(やサイトメガロウイルス)の再活性化(発症から2〜3週間後に抗体価が上昇)	**高熱(38℃以上)** 強い倦怠感 **好中球増加(>7,000)とCRP上昇** 肝機能障害は軽度
発症時期	1〜3週間後	2〜8週間後(**時間が経過してから発症**)	数日から1週間(**早期に発症**)
原因薬剤	**下記のほかにもさまざまな薬剤が起こす** サルファ剤，抗けいれん薬，アロプリノール，βラクタム系抗菌薬，ニューキノロン系抗菌薬，テトラサイクリン系抗菌薬，抗結核薬，NSAIDs マイコプラズマやヘルペスウイルスなどの感染が原因となることもある．	**原因薬物が限られるのが特徴** 抗けいれん薬(カルバマゼピン，バルプロ酸ナトリウム，フェニトイン，フェノバルビタール) サルファ剤(サラゾスルファピリジン，ゾニサミド) アロプリノール，ミノサイクリン，メキシレチン，インスリン	βラクタム系抗菌薬(特にアモキシシリンやアンピシリンが多い)やマクロライド，テトラサイクリン系抗菌薬，キノロン，抗真菌薬，アロプリノール，カルバマゼピン，ジルチアゼム，アセトアミノフェンなど
予後その他	粘膜や皮膚粘膜移行部の瘢痕化を起こし，視力障害なども起こるため，早期の治療が重要	原因薬物中止後も2週間以上作用遷延することがあるため，中止してすぐに改善がなくても被疑薬となりうる．	薬剤の中止とステロイド投与で比較的すみやかに消退する．

本症例では…

- 診察では感染症など，ほかの発熱の原因ははっきりしなかった．
- 皮疹は多形滲出性紅斑で一部水疱やびらんを伴っていた．口腔粘膜のびらんも認め，発熱，倦怠感，採血での白血球増加や肝障害からも重症薬疹が考えられ，SJSと診断した．
- 皮膚科にコンサルトを行い，被疑薬であるロキソニン®を中止して，外用薬とともにメチルプレドニゾロンコハク酸(ソル・メドロール®)60 mg静注を1日1回で開始した．2週間ほどで症状は改善傾向となったため，皮疹の経過をみながら，ステロイドを減量した．

A 薬疹をみたときは，全身症状（発熱，倦怠感）や皮疹のパターン（特に粘膜疹）に注意して，重症薬疹を見逃さないようにする

● 参考文献
1) 岡田正人：レジデントのためのアレルギー疾患診療マニュアル第2版．医学書院，2014
    - 実臨床に則してわかりやすく書かれており，研修医は買うことを推奨する．アレルギーの患者を見たら，その都度該当する箇所を読むのがおすすめ．
2) Cardona V, et al. World allergy organization anaphylaxis guidance 2020. World Allergy Organ J 13：100472, 2020［PMID：33204386］
    - 最新のアナフィラキシーの指針．今回紹介した新しいアナフィラキシーの基準などが記載されている．日本アレルギー学会から，この文献も反映したアナフィラキシーガイドライン2022が発行されており，学会のHPでダウンロード可能である．一度は読んでおきたい．
3) 日本アレルギー学会（作成）：アレルギー総合ガイドライン2022．協和企画，2022
    - 日本のガイドライン．喘息やアレルギー性鼻炎から薬剤アレルギーまで幅広く解説されている．
4) Blumenthal KG, et al. Antibiotic allergy. Lancet 393：183-198, 2019［PMID：30558872］
    - 皮疹だけではなく，幅広く抗菌薬のアレルギー性病態について解説されている．

（福井　翔）

13 その他（転倒，点滴・経鼻胃管・胃瘻自己抜去，点滴漏れ）
どんなコールも油断大敵

1. どんなコールでもまずはバイタルサインと ABC を確認
2. 気管カニューレの自己抜去ではまず気道閉塞の原因があれば吸引を行い，カニューレの再挿入ができなければ瘻孔を塞いで用手換気
3. 胃瘻の自己抜去では造設時期を確認して瘻孔が塞がる前に対応
4. 転倒では背景の原因疾患の検索と，転倒による合併症を確認
5. 末梢静脈ラインの自己抜去では，薬剤の種類と刺入部の局所所見を確認
6. 経鼻胃管（NG チューブ）自己抜去では，胃管チューブの目的を確認し，再挿入の必要性を判断する

症例 ❶ 脳梗塞の既往歴があり，気管切開後の 82 歳男性．

脳梗塞の既往歴があり気管切開後，呼吸困難で患者本人がナースコールをした．看護師が訪室すると気管カニューレが抜けていたためドクターコールをした．

Q まず何を確認するか？

どんなコールでもまずはバイタルサインと ABC を確認

- 緊急性がなさそうなコールでも対応が遅れれば重篤になる可能性がある．
- 必ずバイタルサインの確認とともに ABC（A：気道，B：呼吸，C：循環）を評価することを忘れない．

本症例では…
- バイタルサインは意識レベル JCS I-3（普段どおり），血圧 110/70 mmHg，脈拍 82/分・整，呼吸数 26/分，SpO₂ 74％（室内気）であった．

- SpO$_2$低下を認めており，緊急対応が必要な状況であった．

A SpO$_2$を含めたバイタルサインを確認する

Q どう対応すればいいか？

> **鉄則2** 気管カニューレの自己抜去ではまず気道閉塞の原因があれば吸引を行い，カニューレの再挿入ができなければ瘻孔を塞いで用手換気

- 気管カニューレは気道確保や人工呼吸器管理を目的として挿入されており，その自己抜去はバイタルサインの異常の有無にかかわらずエマージェンシーとして対応すべきである．
- 気管カニューレ抜去後は異物が気道内を閉塞している可能性があるので，すみやかに気道の開通を目的とした吸引を行う．
- 気管カニューレ交換時には主にアンビューバッグまたはジャクソンリース，SpO$_2$モニター，気管切開カニューレ（交換予定サイズと1つ小さいサイズの2個準備），吸引器，カフの穴あき確認用具（滅菌カップ，滅菌蒸留水），その他（ガーゼやシリンジ，消毒液など）を準備してもらうように伝える．
- 気管カニューレ自己抜去の対応はSpO$_2$が維持されているかどうかで緊急度は異なる．

SpO$_2$の低下がない	・慌てずに同サイズのカニューレを準備する ・難しい場合は1つ小さいサイズのカニューレを挿入する
SpO$_2$の低下がある	・適切な吸引をしたうえで気管切開部の瘻孔から酸素マスクなどで酸素投与を行い，SpO$_2$が改善した時点で再挿入を試みる ・すみやかに再挿入できない場合は，瘻孔を指で塞いで用手換気を行う

※なお，非緊急時でもカニューレ交換時は1つ小さいサイズのカニューレを準備しておくようにする．

本症例では…

- 瘻孔を塞いだうえで用手換気を行い，SpO$_2$ 95％まで改善した．その後同サイズの気管カニューレを挿入して対応した．

A 気管カニューレ自己抜去はエマージェンシーであり，本症例のようにSpO$_2$の低下が見られる症例では即座の適切な気道確保が必要である

> **症例❷** 胃瘻造設後の82歳の男性．
>
> 胃瘻造設後の患者であり，施設で本人が胃瘻チューブを抜いて手に握りしめていたため救急搬送された．来院時バイタルサインは意識清明，体温36.5℃，血圧120/70 mmHg，脈拍85/分・整，呼吸数16/分，SpO₂ 96%（室内気）．

Q どう対応すればよいか？

鉄則3　胃瘻の自己抜去では造設時期を確認して瘻孔が塞がる前に対応

- 胃瘻は自己抜去のほかに，固定用のバルーンの水が減少して抜ける場合もある．
- 胃瘻には4つのタイプがある．胃のなかでの固定がバルーンによるものとバンパーによるものの2つ，体外での固定がボタン型とチューブ型の2つ，それぞれの組み合わせで4つあることを知っておく．バンパー型では内部の固定具が胃内に脱落することがあり，内視鏡的な回収が必要になるので消化器内科のオンコールに連絡する．

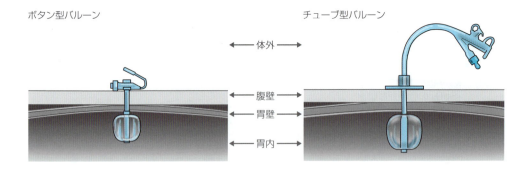

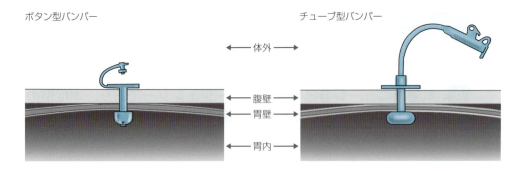

- 胃瘻チューブ交換時には主に胃瘻チューブ，ガイドワイヤー，蒸留水10 mL，造影液〔アミドトリゾ酸ナトリウムメグルミン（ガストログラフイン®）（20 mL）＋蒸留水（20 mL）〕，その他（ガーゼやシリンジ，消毒液など）を準備してもらうように伝える．

再挿入前

- まずはカルテから，いつ胃瘻を造設したかを確認する．造設して 4 週間以内であれば瘻孔が完成していない可能性があり，その際の再挿入は迷入の危険があるため，内視鏡下での挿入も考慮する．
- 胃瘻抜去後数時間で瘻孔は閉じ始める場合があり，胃瘻チューブがすぐ手に入るならすみやかに再挿入する．
- 胃瘻チューブがすぐに手に入らなければ，尿道カテーテル (14 Fr) でもよいので挿入し，瘻孔を保つことが重要である．

■挿入手順

① ガイドワイヤーを挿入し，挿入されているチューブの固定水を抜き，チューブを抜去する．
② チューブの先端に潤滑ゼリーをつけて挿入し，チューブの手元の末端からガイドワイヤーがでてきたらそれを保持してチューブを進める．
③ バルーンに固定用の蒸留水を注入し，ガイドワイヤーを抜去，ストッパーを調整して適切な長さで固定する．
④ 最後に位置の確認のために画像検査を施行する．

再挿入後

- 挿入後はアミドトリゾ酸ナトリウムメグルミン（ガストログラフイン®）で確認造影を行う．
- ガストログラフイン®：生理食塩水 ＝ 1 : 1〜2 で希釈し，40 mL 注入する．
- 腹部単純 X 線写真を撮影し，胃〜十二指腸が造影されれば胃内にあることがわかる．
- 胃内にあると確認されても，胃瘻を使い始めて腹痛などの異常があれば，ただちに中止する．ガストログラフイン® 50 倍希釈 300 mL の投与下で腹部 CT を撮影し，腹腔内漏出の有無をチェックする．
- 造影で腹腔内への迷入が確認された場合は，チューブを抜いて腹膜炎に準じて抗菌薬加療や場合により消化管穿孔に準じて外科的治療を検討する．
- 再挿入が難しい場合は無理せず内視鏡下での挿入を検討する．

本症例では…

- 胃瘻造設より 1 年経過しており，迷入のリスクは低いと考えられた．病室にあった予備の胃瘻チューブを挿入し，ガストログラフイン®造影で胃内に入っていることを確認した．

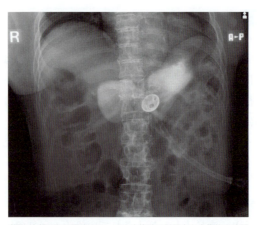

〔蟹江治郎ほか：胃瘻カテーテル交換時の問題点と交換後の確認法 図5より（http://ronbun.fukiage-clinic.com/2013_07shouka.htm）（2023年8月閲覧）〕

A
- 胃瘻チューブの自己抜去では，瘻孔が数時間以内に閉鎖しうるので，カルテで造設時期を確認し，すばやく再挿入を行う
- ただし，再挿入では腹腔内への迷入に注意する必要があるため，必要時は消化器内科に連絡する

> **症例❸** 心房細動による心不全で入院中の64歳女性．
> 心房細動によるうっ血性心不全で入院中であった．心不全の治療は順調であったが，リハビリを継続している際に転倒したところを看護師が発見して当直医に連絡があった．

Q どう対応すればよいか？

鉄則 1　どんなコールでもまずはバイタルサインとABCを確認

- 発熱，血圧低下，徐脈などが転倒の原因となっていることもあるので，繰り返しになるが必ずバイタルサインを確認することを忘れない．

本症例では…
- バイタルサインは意識清明，体温36.3℃，血圧120/70 mmHg，脈拍120/分・不整，呼吸数24/分，SpO₂ 94％（室内気）だった．

A まずはバイタルサインを確認してバイタルの異常があれば迅速な対応が必要である

転倒した原因は何か？

> **鉄則 4** 転倒では背景の原因疾患の検索と，転倒による合併症を確認

転倒の原因

- 転倒の診察では必ず転倒の原因となる背景疾患がないかを意識した診察が重要である．
- また転倒の目撃者がいるかを確認する．本人の訴えでは転倒だが，実は失神発作やけいれん発作であることもある．
    ① 循環器系：血管迷走神経反射，血圧低下（敗血症，出血，脱水，自律神経障害など），不整脈
    ② 神経系：せん妄，認知症，歩行障害，視覚異常，脳血管障害，けいれん発作，四肢の脱力
    ③ その他：薬剤（ベンゾジアゼピン系睡眠薬，抗ヒスタミン薬，αブロッカー，夜処方の利尿薬，24時間持続投与の点滴），環境因子（部屋が暗い，床が濡れている，点滴台がトイレと逆方向にあるなど）

転倒に伴う合併症

- バイタルサインの対応と並行して転倒した患者では，以下の身体所見を評価する．
    ① 頭蓋内出血・頭蓋骨骨折：頭部打撲，意識レベル，神経学的所見の異常の有無
    ② 骨折（特に大腿骨頸部骨折，脊椎圧迫骨折）がないか
- 身体所見に加えてリスク因子として以下がないかを探す．
    ① 頭蓋内病変：血小板減少（肝硬変，血液疾患），抗血小板・抗凝固薬使用
    ② 骨折：骨粗鬆症，ステロイドの使用，悪性腫瘍の骨転移
- 必要に応じて四肢・脊椎のX線，頭部CTをオーダーする．
- 認知症で十分評価できない場合や出血リスクが高い患者では，明らかな神経学的異常がなくても頭部CTを検討する．
- 転倒を本人が覚えていない，周りが見ていない場合にはCTの閾値を低くして検査を行う必要がある．
- 頭部CTで異常所見がなくても頭部打撲の24〜48時間後に症状が出現することもあり，2〜3か月後に慢性硬膜下血腫を認める場合がある．家族に説明のうえ症状の観察を継続する．

本症例では…

- 神経診察をすると転倒時から左上下肢の麻痺の所見を認めたため，脳梗塞の発症が疑われた．
- 頭蓋内病変のリスクが高いと考えて頭部CT/MRIで脳梗塞の診断となった．
- 骨折に関しては有意な身体所見は認めなかった．

- 転倒の原因としては心房細動による脳梗塞での脱力が考えられたため，すみやかに脳神経外科のオンコールに連絡した．

A 入院中の転倒にも隠れた重篤な病態があるため見逃さないように気をつける

症例 4 急性閉塞性化膿性胆管炎に対して抗菌薬加療中の 72 歳男性．

糖尿病の既往歴があり，インスリン使用中である．内視鏡的逆行性胆管膵管造影法（ERCP）による処置後に，菌血症に対してピペラシリン・タゾバクタム（ゾシン®）での抗菌薬加療中であった．敗血症性ショックに対してノルアドレナリン 0.2γ を末梢静脈ラインから点滴投与中であった．夜間に患者から点滴刺入部の疼痛の訴えがあり，看護師が末梢点滴の漏出を発見し，当直医に連絡した．バイタルサインは意識清明，体温 36.7℃，血圧 90/50 mmHg，脈拍 94/分・整，呼吸数 18/分，SpO₂ 96%（室内気）．

Q どう対応すればよいか？

鉄則 5 末梢静脈ラインの自己抜去では，薬剤の種類と刺入部の局所所見を確認

- 末梢静脈ラインの自己抜去に伴う問題は以下の 2 つである．

①投与しなければならない薬剤が投与できない

- 例えば静脈栄養の持続投与が突然中断すると，低血糖を起こしうる．またカテコラミンやインスリン持続投与の中断も問題となる．
- バイタルサインを含めて確認し，別のラインを確保する．

投与中断が問題となる薬剤

TPN（完全中心静脈栄養）持続投与	特に持効型インスリンを併用している場合は低血糖になる可能性がある．血糖をフォローし，必要ならば末梢静脈ラインからでよいのでブドウ糖を投与
インスリン持続投与	高血糖になる可能性がある
昇圧薬投与	すぐに血圧低下する可能性があるので別の点滴ラインを確保し，投与を継続
化学療法	血管外漏出の有無を確認して対側の腕に新規のラインを確保する．手背・関節部は避けること
輸血	新鮮凍結血漿投与時は，解凍後 3 時間以内に投与しなければならない

②点滴漏れ部位の出血や皮膚障害

- 出血傾向〔特に DIC（disseminated intravascular coagulation；播種性血管内凝固症候群）〕のある患者では，抜去に伴う局所の出血により合併症が生じうる．
- 特に内頸静脈の中心静脈カテーテルでは皮下出血のために上気道閉塞をきたすことがある．四肢でも大量皮下出血で Hb 低下，著明な腫脹をきたすことがあるため，局所の出血・血腫の確認が必要である．

- また以下の薬剤は皮膚障害が知られているため要注意である．

皮膚障害を認める薬剤

抗癌剤	アントラサイクリン系（イダルビシン，ドキソルビシン，ダウノルビシン，エピルビシン）：悪性リンパ腫，白血病，乳癌 ビンカアルカロイド系（ビンクリスチン）：悪性リンパ腫 タキサン系（パクリタキセル，ドセタキセル）：肺癌，乳癌，卵巣癌
カテコラミン	ノルアドレナリン，ドブタミン
蛋白分解酵素阻害薬	ナファモスタット
高浸透圧薬	グリセオール®，造影剤，50％ブドウ糖液，ビーフリード®
その他	バンコマイシン，シプロフロキサシン，アシクロビル，ニカルジピン，フェニトイン

- 皮膚障害のリスクがある薬剤の自己抜去や血管外漏出が起こった場合は，患部を挙上・安静・冷却する．ただしビンクリスチンとエトポシドでは冷却は禁忌であるため，加熱を行う．
- 外用処置（冷湿布，デルモベート®軟膏塗布）で済むことも多いが，ステロイドを局注する場合もあるため原則として皮膚科にコンサルトする．

本症例では…

- 投与されていた薬剤はノルアドレナリンであった．末梢静脈ラインをすみやかに確保し，ノルアドレナリンの投与を開始した．
- 昇圧薬中断で血圧低下を認めていたため，もう1本末梢静脈ラインを確保して輸液負荷も行った．
- また，刺入部の局所所見で発赤と疼痛を認めており，ノルアドレナリンの漏出が疑われたため，冷却・デルモベート®軟膏塗布のうえ翌日皮膚科コンサルトとした．

A 投与していた薬剤と刺入部周囲の炎症性変化を確認する．必要に応じて投与ラインを迅速に確保する

抗癌剤の皮膚障害

- 抗癌剤は皮膚障害の起こしやすさに応じて，3種類に分かれる．
   ① **壊死性薬剤**（vesicant drug）：少量の漏出でも水疱性皮膚壊死を生じ，難治性皮膚潰瘍を起こしうる
   ② **炎症性薬剤**（irritant drug）：局所での炎症を起こすが潰瘍形成までには至らない
   ③ **非壊死性薬剤**（non-vesicant drug）：多少漏れても炎症や壊死を生じにくい
- 壊死性薬剤のなかでもアントラサイクリン系抗癌剤は皮膚障害の程度が強いことが知られているが，2014年1月にトポイソメラーゼⅡ阻害を機序として細胞障害を抑制する薬剤のデクスラゾキサン（サビーン®）が新規に発売されている．
- 血管外漏出後6時間以内にデクスラゾキサンの投与を開始し3日間の投与を行う．C_{Cr} 40 mL/分以下での用量調整が必要である．
- アントラサイクリン系抗癌剤での血管外漏出を認めた際には，専門科にコンサルトしたう

えで使用を検討したい.
- 本文中で紹介したものはいずれも壊死性薬剤である．その他の抗癌剤の分類は以下の通りである．

壊死性薬剤	ビノレルビン，フルオロウラシル，エトポシド，シスプラチン，エリブリン
炎症性薬剤	シクロホスファミド，イリノテカン，アクラルビシン，ゲムシタビン，ブレオマイシン，カルボプラチン
非壊死性薬剤	L-アスパラギナーゼ，シタラビン，メトトレキサート

〔聖路加国際病院院内手順/Kreidieh FY, et al. World J Clin Oncol 7：87-97, 2016/Pérez Fidalgo JA, et al. HSE. NCCP Background Document Extravasation Classification of Systemic Anti-Cancer Therapy, 2017/NHS East Midlands. Guidelines for Management of Extravasation, 2018〕

症例 ❺ 急性大動脈解離術後の 78 歳の女性．

急性大動脈解離術後であり，食事摂取が困難であったため，経鼻胃管を挿入して経腸栄養を行っていた．夜間に経鼻胃管を自己抜去してしまったと看護師より連絡があったが，忙しくてすぐに対応できずにいた．数時間後，嘔吐のあとにひどくむせこんで SpO₂ が低下したという連絡があった．バイタルサインは意識清明，体温 37.8℃，血圧 114/74 mmHg，脈拍 98/分・整，呼吸数 28/分，SpO₂ 88%（室内気）．

Q どう対応するか？また今回の症例ではすぐに再挿入をするか？

どんなコールでもまずはバイタルサインと ABC を確認

- 経鼻胃管自己抜去時は，持続で投与されていた栄養剤などが気道に流れ込むリスクがあるので，誤嚥が問題になる．
- 必ずバイタルサインの確認から行い，吸引で対応し，必要に応じて気道確保を行う．

経鼻胃管（NG チューブ）自己抜去では，胃管チューブの目的を確認し，再挿入の必要性を判断する

- 経鼻胃管（NG チューブ）の用途は 2 つある．
  ①経管栄養　：投与中に抜去されると栄養剤が気管から肺へ流入してしまう
  ②ドレナージ：通過障害があると胃内容物が逆流してしまう
- 夜間の自己抜去である場合など，①では特に急いで再挿入が必要になることは少ないが，腸閉塞の患者などで②ドレナージ目的の経鼻胃管の場合はすばやく再挿入することが必要である．
- 特に高齢者では自己抜去されないような配慮が大切である．経鼻胃管が手の周りに来ないように配置したり，必要によっては身体抑制も考慮する．

本症例では…

- 経腸栄養剤の持続投与を行っており，抜去時にむせ込みによる窒息，その後の肺炎をきたしていたものと考えられた．
- すみやかに気道内の異物の吸引を行ったため，その後すみやかに呼吸状態は安定した．
- 夜間は再度抜去の恐れもあるため，翌日朝に改めて胃管チューブの再挿入を検討することにした．

A 経鼻胃管抜去では，抜去時の誤嚥に注意し，病態と胃管チューブの目的を考慮して適切なタイミングで再挿入する

● 参考文献

1) DeLegge MH, et al. Gastrostomy tubes：Complications and their management, Inadvertent gastrostomy tube removal. Up To Date, 2022
   - 胃瘻自己抜去に関する対応がまとまっている．
2) NHS East Midlands. Guideline for Management of Extravasation, 2018
   (https://eastmidlandscanceralliance.nhs.uk/images/EXTRA.pdf)（2023 年 8 月閲覧）
   - 抗癌剤の血管外漏出の対応をフローチャートでわかりやすく記載されている．

（鈴木　隆宏）

入院編
正確で迅速な診断を！
緊急性の高い病態を見極めろ！

14 肺炎 172
15 尿路感染症（UTI） 187
16 細菌性髄膜炎 199
17 喘息発作・COPD 増悪 202
18 急性心不全 212
19 脳梗塞 226
20 けいれん 243
21 急性腎障害（AKI） 255
22 低ナトリウム血症 269
23 高カリウム血症 283
24 消化管出血 292
25 急性膵炎 301
26 肝機能障害 307
27 関節痛・関節炎 320
28 甲状腺 330
29 オンコロジック・エマージェンシー 335

14 肺炎
背景と起因菌を想定した診療を

1. 肺炎はまず「市中肺炎」と「院内肺炎」,「人工呼吸器関連肺炎」を区別
2. 市中肺炎の入院適応（重症度判定）は敗血症の有無と「A-DROP」を確認
3. 市中肺炎をみたら細菌性肺炎か非定型肺炎かを判定
4. 院内肺炎では患者背景を十分考慮して抗菌薬を選択する
5. よくならない肺炎では感染症以外に注意

> **症例 ①** 78歳男性．発熱と呼吸困難．
> 来院数日前から咳嗽と喀痰を自覚するようになり，38℃台の発熱を認めた．近医を受診し，上気道炎とのことで総合感冒薬で経過をみていたが解熱が得られず，呼吸困難を自覚するようになったため当院外来を受診した．来院時バイタルサインは意識清明，体温38.2℃，血圧122/74 mmHg，脈拍120/分・整，呼吸数20/分，SpO$_2$ 88%（室内気）．身体所見上，右下肺野でcoarse cracklesを聴取した．血液検査でWBC 12,400/μL，CRP 4.8 mg/dL，BUN 21.7 mg/dL，Cr 0.94 mg/dL．胸部単純X線写真で右下肺野に浸潤陰影を認めた．喀痰グラム染色では好中球の貪食像を伴うグラム陽性双球菌を多数認めた．肺炎球菌のワクチン接種歴はなかった．

Q. 病歴からは肺炎が疑わしい．発症の場や病態の観点からこの肺炎は？

鉄則1 肺炎はまず「市中肺炎」と「院内肺炎」,「人工呼吸器関連肺炎」を区別

市中肺炎 CAP (community-acquired pneumonia) 病院外で発症した肺炎	院内肺炎 HAP (hospital-acquired pneumonia) 入院48時間以降に発症した肺炎
	人工呼吸器関連肺炎 VAP (ventilator-associated pneumonia) 気管挿管下の人工呼吸患者に，人工呼吸開始48時間以降に新たに発生した肺炎

- 肺炎とは肺実質の急性の感染性による炎症と定義される．
- 肺炎の症状として，咳嗽，喀痰，呼吸困難といった呼吸器症状と，発熱，倦怠感といった全身症状に注目する．
- 他疾患の除外は必要であり，特に心不全と喘息は鑑別を要するため，現病歴，既往歴，身体所見に加え，各種検査による総合的評価で，これらの疾患を除外する（17章「喘息発作・COPD増悪」202頁，18章「急性心不全」212頁を参照）．
- 肺炎と診断したら，次に**市中肺炎**（**CAP**：community-acquired pneumonia）と**院内肺炎**（**HAP**：hospital-acquired pneumonia）を区別する．
- 従来は医療施設などで発生した肺炎を**医療ケア関連肺炎**（**HCAP**：healthcare-associated pneumonia）と分類していた．しかし2019年のAST（米国胸部学会）ガイドラインでの分類は，HCAPはかえって広域抗菌薬の使用が増加した一方で患者予後に改善がみられなかったとの報告があり，現在はこの分類は使用されず，HCAPはCAPの概念に包括されている〔Am J Respir Crit Care Med 200：e45-e67, 2019〕．
- 一方で**人工呼吸器関連肺炎**（**VAP**：ventilator-associated pneumonia）は2016年にASTとIDSA（米国感染症学会）が合同ガイドラインで言及しており，気管挿管後に伴う肺炎としてCAPとも区別されている．
- このCAP・HAP・VAPの分類により，想定する起炎菌や治療選択肢が変わるため，その後の抗菌薬の選択に大きく関与する．
- 一般に，CAP患者では基礎疾患を有していることはまれであり，耐性菌が起炎菌となる可能性は少ないと考えられる一方，HAP，VAPでは耐性菌が起炎菌となる可能性を常に考慮しなければならない．

本症例では…
- 今回これらの症状に加え，血液検査で炎症反応の上昇と，胸部単純X線写真で右下肺野に肺炎を認めているため，肺炎と診断した．
- 院外での肺炎の発症であり，市中肺炎として対応することとした．

A 市中肺炎

Q 市中肺炎と診断した．ではこの肺炎の重症度判定は？

鉄則 2　市中肺炎の入院適応（重症度判定）は敗血症の有無と「A-DROP」を確認

- 肺炎と診断したら，肺炎の重症度を評価して入院の適応を考える必要がある．
- 治療の場と抗菌薬の選択のため，「敗血症の有無」の判定と重症度「A-DROP」を評価する．

市中肺炎の重症度判定

- 主に①**敗血症の有無の判断**，②**重症度の判断**の2項目に関して検討する．

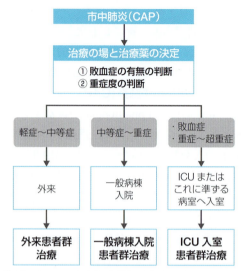

〔日本呼吸器学会成人肺炎診療ガイドライン2017作成委員会（編）：成人肺炎診療ガイドライン2017．日本呼吸器学会，2017〕

①敗血症の有無の判断

- 「qSOFA」スコアで2点以上であれば，敗血症が疑われ，さらに臓器障害の評価を「SOFA」スコアで行い，ベースラインから2点以上の増加があれば敗血症と判断される．敗血症であれば入院適応である．

qSOFA スコア
(1) 呼吸数 22/分以上
(2) 意識変容〔Glasgow Coma Scale(GCS)＜15〕
(3) 収縮期血圧 ≦100 mmHg

②重症度の判断

- 重症度を「A-DROP」システムで評価し，3点以上であれば入院で加療を行う．

A-DROP システム

A（Age）　　　　　　：男性 70 歳以上，女性 75 歳以上
D（Dehydration）　　：BUN 21 mg/dL 以上または脱水あり
R（Respiration）　　：SpO₂ 90%以下（PaO₂ 60 Torr 以下）
O（Orientation）　　：意識変容あり
P（blood Pressure）：血圧（収縮期）90 mmHg 以下

軽症　：上記5つの項目のいずれも満たさないもの
中等度：上記項目の1つまたは2つを有するもの
重症　：上記項目の3つを有するもの
超重症：上記項目の4つまたは5つを有するもの．ただし，
　　　　ショックがあれば1項目のみでも超重症とする

- 重症度分類と治療の場の関係は次のようになっている．

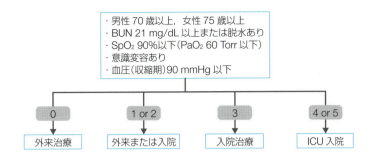

- 逆に「酸素療法は不要」「バイタルサインは安定」「全身状態は良好で食事摂取も可能」「重症な呼吸器疾患，糖尿病，肝腎疾患，悪性疾患はない」などの肺炎では，軽症と判断して外来治療を考えてもよいということ．症例に応じて，適切な治療の場を選択することが重要である．最近では室内気で SpO_2 95％以上の軽症肺炎であれば最短抗菌薬2日間でもよいとの報告もでている〔Clin Infect Dis 76：e1217-e1223, 2023〕．

> **本症例では…**
- 喀痰のグラム染色で莢膜を有したグラム陽性双球菌を認め，尿中肺炎球菌抗原も陽性であった．肺炎球菌性肺炎を強く疑った．
- 70歳以上で SpO_2 は室内気で90％以下であり，BUN 21 mg/dL以上と脱水の傾向がみられることから A-DROP は3点の重症と判定し，入院治療を行う方針とした．

A 肺炎の重症度は A-DROP に従って判定する．本症例は重症と判断した

> **症例 ❷** 数日前から倦怠感と咳嗽のある17歳女性．
> 特に既往歴のない若年女性であり，数日前から倦怠感と頑固な咳嗽を自覚した．家で様子をみていたが，本日になり 38.4℃ の発熱をきたしたため来院した．現在学校内ではマイコプラズマ肺炎が流行している．来院時バイタルサインは意識清明，体温 36.2℃，血圧 110/72 mmHg，脈拍 92/分・整，呼吸数 14/分，SpO_2 97％（室内気）．身体所見上，胸部にラ音を聴取しない．血液検査で WBC 7,400/μL，CRP 2.4 mg/dL，BUN 12.7 mg/dL，Cr 0.64 mg/dL．胸部単純X線写真で異常所見を認めない．喀痰グラム染色は喀痰が得られず施行困難であった．

Q 市中肺炎をみたらまず行うべき鑑別は？

鉄則 3 市中肺炎をみたら細菌性肺炎か非定型肺炎かを判定

- 肺炎診療では起炎菌の同定が非常に重要となってくる．
- 大きく細菌性肺炎と非定型肺炎とに区別する．これは想定すると抗菌薬が変わってくるためであり，最初に意識しておくことが重要である．

- 市中肺炎でそれぞれ想起する起炎菌は，
  細菌性肺炎 → 肺炎球菌（*Streptococcus pneumoniae*），インフルエンザ桿菌（*Haemophilus influenzae*），モラクセラ・カタラーリス（*Moraxella catarrhalis*）
  非定型肺炎 → マイコプラズマ・ニューモニエ（*Mycoplasma pneumoniae*），レジオネラ・ニューモフィラ（*Legionella pneumophila*），クラミドフィラ・ニューモニエ（*Chlamydophila pneumoniae*）
- 喀痰のグラム染色は診断に非常に有用であるため，必ず行う．同時に血液培養も提出する．
- その他，迅速診断法として，喀痰肺炎球菌細胞壁抗原検査や尿中抗原検査（肺炎球菌，レジオネラ）も有用である．ただし，肺炎球菌ワクチン接種でも陽性となることもあるため，ワクチン接種の有無も必ず確認しておく．ワクチン接種後5日間程度は偽陽性となることもあるので注意する．

非定型肺炎の鑑別項目

- 鑑別に用いる項目

> ①年齢＜60歳
> ②基礎疾患がない，あるいは軽微
> ③頑固な咳がある
> ④胸部聴診上，所見が乏しい
> ⑤痰がない，あるいは迅速診断法で起炎菌が証明されない
> ⑥末梢白血球数が＜10,000/μL である

- 6項目中4項目を満たせば，非定型肺炎が疑われ，3項目以下の合致であれば細菌性肺炎が疑われるため，確認しておく．
- ただし，レジオネラ肺炎は含まれないことに注意する．

本症例では…

- 若年の特に基礎疾患のない女性であり，咳嗽の症状が強かったことがわかる．胸部聴診所見に乏しく，喀痰も少ないことと，血液検査で白血球数の上昇がないことから，非定型肺炎の鑑別項目をすべて満たしているものと考えられた．
- 周囲でマイコプラズマ肺炎の流行があり，マイコプラズマ肺炎の可能性を考慮した．

A 市中肺炎をみたら「細菌性」か「非定型」かを必ず鑑別する

患者のバックグラウンドと関連する起炎菌

- 器質的な肺疾患（COPD）→ インフルエンザ桿菌，モラクセラ・カタラーリス，肺炎球菌
- 脾臓摘出の既往歴 → 肺炎球菌，インフルエンザ桿菌
- 誤嚥のリスク（神経疾患など）→ 緑膿菌，嫌気性菌
- 大量飲酒者 → クレブシエラ・ニューモニエ，肺炎球菌，嫌気性菌
- 小児との接触歴 → クレブシエラ・ニューモニエ

- 頻回の入院歴や抗菌薬治療歴，高齢者施設入居者 → 緑膿菌（培養歴を確認）
- インフルエンザ感染後 → 黄色ブドウ球菌の頻度が増加，肺炎球菌が最多
- 温泉・24 時間風呂 → レジオネラ
- 鳥類や動物との接触歴 → オウム病クラミジア（*Chlamydia psittaci*）
- 透析中，低栄養，ホームレス，結核の既往歴，免疫抑制剤使用 → 結核菌
- HIV 感染者，免疫抑制患者 → ニューモシスチス（*Pneumocystis*），ステノトロホモナス・マルトフィリア（*Stenotrophomonas maltophilia*）
※マルトフィリアは挿管患者＋広域抗菌薬使用患者などでも考慮

Q 抗菌薬は何を選択する？

市中肺炎の抗菌薬「エンピリック療法」

①細菌性肺炎

外来治療

内服薬：

ペニシリン系抗菌薬，マクロライド系抗菌薬，レスピラトリーキノロン系抗菌薬（レボフロキサシン，ガチフロキサシン，モキシフロキサシン）

〔※レスピラトリーキノロン系抗菌薬：肺組織移行性良好．肺炎球菌，異型肺炎（マイコプラズマ肺炎，クラミジア肺炎）に効果あり．慢性呼吸器疾患の患者にも選択〕

〈処方例〉アモキシシリン・クラブラン酸（オーグメンチン®）　1 回 250 mg　1 日 3 回
〈処方例〉レボフロキサシン（クラビット®）　1 回 500 mg　1 日 1 回
〈処方例〉モキシフロキサシン（アベロックス®）　1 回 400 mg　1 日 1 回

静注薬：

セフトリアキソン，レボフロキサシン，アジスロマイシン

〈処方例〉セフトリアキソン（ロセフィン®）　1～2 g　静注　24 時間ごと

入院治療

静注薬：

アンピシリン・スルバクタム or セフトリアキソン or レボフロキサシン（ペニシリンアレルギー時）± アジスロマイシン or ミノサイクリン or レボフロキサシン（非定型カバー）

〈処方例〉アンピシリン・スルバクタム（ユナシン®-S）　1.5～3 g　静注　6～8 時間ごと
〈処方例〉セフトリアキソン（ロセフィン®）　1～2 g　静注　24 時間ごと

②非定型肺炎

内服薬：

〈処方例〉アジスロマイシン（ジスロマック®）　1 回 500 mg　1 日 1 回　3 日間
〈処方例〉レボフロキサシン（クラビット®）　1 回 500 mg　1 日 1 回
〈処方例〉モキシフロキサシン（アベロックス®）　1 回 400 mg　1 日 1 回

静注薬：

〈処方例〉ミノサイクリン（ミノマイシン®）　100 mg　静注　12時間ごと
〈処方例〉アジスロマイシン（ジスロマック®）　500 mg　静注　24時間ごと
〈処方例〉レボフロキサシン（クラビット®）　500 mg　静注　24時間ごと

- マイコプラズマにはアジスロマイシンまたはミノサイクリン，レジオネラにはレボフロキサシンまたはアジスロマイシンを使用する．
- 3日間使用しても症状の改善に乏しい場合は，定型細菌性肺炎を考えた抗菌薬を追加する．
- もちろん個々の菌名が同定されれば，それに特異的な抗菌薬を選択することが重要である．

本症例では…

- 経過から非定型肺炎が疑われており，周囲でマイコプラズマ肺炎が流行していたため，マイコプラズマ肺炎として，ジスロマック® 500 mgを1日1回3日間で開始した．
- のちに咽頭拭い液のマイコプラズマLAMP法が陽性であり，治療後は症状のすみやかな改善が得られた．

A 非定型肺炎のマイコプラズマ肺炎に対してアジスロマイシンでの治療を選択した

レジオネラ

- 旅行先のホテル，温泉施設，病院，循環風呂での給水，入浴設備の汚染から集団発症することが知られている．
- どの年齢でも罹患するが，リスクとしては移植などの免疫不全，透析中，高齢，慢性肝障害，アルコール依存症，喫煙，COPDなどがある．
- 倦怠感，頭痛，筋肉痛で発症することが多い．2～10日の潜伏期間ののち，悪寒戦慄を伴った高熱があり，急激に呼吸困難が進行する．下痢や中枢神経症状も多い．比較的徐脈もみられる．
- 肝機能異常，低Na血症，CK高値を呈することがあり，画像所見は多彩で一定ではないが，原則肺病変ありきの病気である．
- 尿中レジオネラ抗原検査は有用だが，レジオネラ・ニューモフィラ以外は検出できない．
- 治療は，レボフロキサシンやモキシフロキサシンなどのニューキノロン系抗菌薬や，アジスロマイシンなどのマクロライド系抗菌薬．
- 予後は不良で致死率は15～20％であるため，早急に疑い治療する必要のある疾患である．

> **症例 ❸** 脳梗塞加療のために入院中の 90 歳男性.
>
> 脳梗塞の慢性期のリハビリ目的で入院していた. 当日朝食の際に誤嚥をきたし, その後徐々に咳嗽と呼吸困難の症状が出現した. 同日夜間から 38.5℃ の発熱を認めたため, 当直コールをした. バイタルサインは意識レベル JCS I-2, 体温 38.2℃, 血圧 112/64 mmHg, 脈拍 104/分・整, 呼吸数 22/分, SpO_2 90%(室内気). 身体所見では右下肺野に crackles を聴取した. 血液検査では WBC 12,400/μL, CRP 3.4 mg/dL, BUN 18 mg/dL, Cr 0.64 mg/dL. 胸部単純 X 線写真で新規に右下肺野に浸潤影を認めた. 喀痰グラム染色では多種の細菌が混在する polymicrobial pattern であった. 過去の喀痰培養で緑膿菌の検出歴がある.

Q. 院内肺炎で注意するべきことは？

鉄則 4　院内肺炎では患者背景を十分考慮して抗菌薬を選択する

- 院内肺炎(HAP)は入院後 48 時間以上経過してから新しく発症した肺炎である. つまり, 入院時すでに発症していた肺炎は含まれない.

HAP 診断の流れ

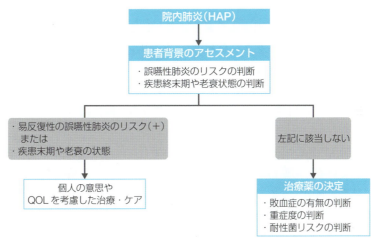

〔日本呼吸器学会成人肺炎診療ガイドライン 2017 作成委員会(編): 成人肺炎診療ガイドライン 2017, p.6, 図 5. 日本呼吸器学会, 2017 を参考に作成〕

- 院内肺炎では予後不良の終末期肺炎の像や老衰の経過で発症することが多いため, 適切な抗菌薬治療が生命予後を必ずしも改善するとは限らない. 誤嚥性肺炎を今後も反復するリスクがある場合や, 疾患末期状態, 老衰状態である場合は, 患者本人や家族と治療に関してよく相談し, 彼らの意思を尊重したうえで, QOL を優先するような選択肢も考慮すべきであるとガイドラインでは述べられている.

HAP の重症度分類

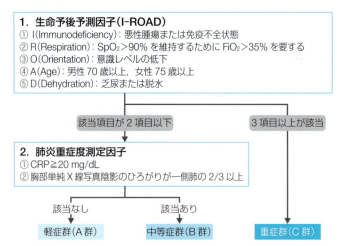

〔日本呼吸器学会成人肺炎診療ガイドライン 2017 作成委員会(編):成人肺炎診療ガイドライン 2017, p.41, 図 5. 日本呼吸器学会, 2017 を参考に作成〕

抗菌薬の選択

- 原則的には,積極的な治療を行うことを希望された場合は,市中肺炎と同様に「敗血症の有無の判断」「重症度の判断(I-ROAD)」「耐性菌リスクの判断」を行い,適切な抗菌薬を選択する.
- HAP を CAP と区別する重要な要素として,HAP の原因菌はブドウ糖非発酵菌(緑膿菌,アシネトバクターなど)やメチシリン耐性黄色ブドウ球菌(MRSA)などの関与が多いことが挙げられる.
- したがって,喀痰培養を含めた検体の採取が重要であり,特に過去に緑膿菌や MRSA が検出されている場合には,これらの耐性菌のカバーを十分に検討する必要がある.
- 特に MRSA や緑膿菌のリスクが高い場合には,広域抗菌薬で治療することが推奨されている.初期治療で MRSA や緑膿菌をカバーした治療を行っている場合には培養結果が判明するまで継続が推奨されている.
- なお,誤嚥性肺炎をきたした際に,肺膿瘍や膿胸などの併発している場合を除いて,ルーチンの嫌気性菌のカバーは推奨されていない.
- 耐性菌の頻度や菌の抗菌薬感受性は施設によって異なり,可能であれば施設のアンチバイオグラムを確認すること.
- 広域抗菌薬を開始した場合も,数日後に培養検査の結果が判明した時点で,de-escalation を検討する.

① MRSA の初期治療

静注薬:

　バンコマイシン,リネゾリド,テイコプラニン
　〈処方例〉バンコマイシン　15 mg/kg　1 日 2 回,トラフに合わせて調整

〈処方例〉リネゾリド（ザイボックス®）　600 mg　1日2回
〈処方例〉テイコプラニン（タゴシッド®）　400 mg　1日1回

②緑膿菌の初期治療

静注薬：

ピペラシリン・タゾバクタム，セフェピム，セフタジジム，アズトレオナム

〈処方例〉ピペラシリン・タゾバクタム（ゾシン®）　4.5 g　1日4回
〈処方例〉セフェピム　1〜2 g　8時間ごと
〈処方例〉セフタジジム　2 g　8時間ごと
〈処方例〉アズトレオナム（アザクタム®）　2 g　8時間ごと

- 抗菌薬の終了時期については確立されたものはないが，解熱から48時間以上経過し，自覚症状が改善していることや，血液検査で炎症反応の改善が得られていることを参考にする．抗菌薬投与期間は一般的には7日間が推奨されている．

本症例では…

- 家族に治療方針について確認したところ，積極的な治療介入を望まれたため，抗菌薬治療を入院で行うこととした．
- 緑膿菌の感受性を確認して，ピペラシリン・タゾバクタム（ゾシン®）4.5 g 静注を1日4回で開始した．

A 院内肺炎では繰り返す誤嚥のリスクや患者・家族の意思について慎重に検討し，耐性菌などの患者背景を確認したうえでの抗菌薬治療を開始する

人工呼吸器関連肺炎（VAP）

- 気管挿管より48時間以降に発生した肺炎と定義される．
- VAPは挿管患者の約1割に発症し，挿管する期間が長いほどVAP発症のリスクは増大する〔JAMA 316：2427-2429, 2016〕．
- ICU滞在日数や入院日の増多のみでなく，死亡率の上昇を引き起こす重要な院内感染症である．
- 診断は発熱や気道分泌物の増多などの症状から，胸部単純X線写真での新規の浸潤影や白血球数異常などで行われることが多い．
- VAPを疑う患者では喀痰培養を提出し，起炎菌の同定と薬剤感受性試験を行う．この際には気管支鏡などの侵襲的な検査は必ずしも必要としていない．
- VAPには早期VAPと晩期VAPがあり，早期では肺炎球菌やStreptococcus属，メチシリン感受性黄色ブドウ球菌（MSSA），インフルエンザ桿菌，大腸菌，クレブシエラなどが多く，晩期VAPではMRSAや緑膿菌，基質特異性拡張型βラクタマーゼ（ESBL）産生菌などの耐性菌が検出されやすくなる．

- 抗菌薬選択は各種培養が同定されるまでは個々の症例および施設のアンチバイオグラムを確認して処方する．一般的には院内肺炎と抗菌薬選択の考え方は変わらないが，耐性菌リスクが高い場合には広域抗菌薬が検討される．
- 近年わが国からの報告でグラム染色を用いた抗菌薬治療が広域抗菌薬の制限と非劣性の臨床効果を示しており，グラム染色の有用性が着目されている〔JAMA Netw Open 5：e226136, 2022〕．
- 多剤耐性菌によるVAPのリスクファクター：
  1. 90日以内の静注抗菌薬使用
  2. VAP発症時に敗血症性ショックを併発している
  3. VAP発症前にARDS（急性呼吸窮迫症候群）をきたしている
  4. VAP発症の5日以上前から入院している
  5. VAP発症前に急性腎不全で血液浄化療法を施行している

症例 ❹　56歳男性．数日前からの呼吸困難．

数年前から肥大型心筋症に伴う心房細動でアミオダロン（アンカロン®）を他院で処方されていた．来院数日前から呼吸困難を自覚するようになり，徐々に症状が増強したため，当院救急外来を受診した．来院時バイタルサインは意識清明，体温37.3℃，血圧134/76 mmHg，脈拍114/分・整，呼吸数22/分，SpO_2 88％（室内気）．身体所見では両側肺野で広くcracklesを聴取する．血液検査でWBC 15,600/μL，CRP 7.4 mg/dL，胸部単純X線写真では両側にすりガラス影を認めた．心エコーで心不全を示唆する所見を認めなかった．グラム染色では明らかな菌体を検出できなかったが，市中肺炎としてまずは抗菌薬加療をユナシン®とジスロマック®で開始した．しかし，抗菌薬加療開始後も発熱と炎症反応，画像所見の改善が得られず，呼吸状態の悪化を認めた．

Q　まず何を考えるか？

鉄則 5　よくならない肺炎では感染症以外に注意

- 肺炎治療を開始する際には，心不全や薬剤性間質性肺炎などの可能性を念頭に置いた対応が必須である．
- 細菌性肺炎に対する抗菌薬の治療効果判定は薬剤投与3日後に行う．
- 評価は体温（発熱），咳嗽，喀痰量の3項目で行い，3項目中2項目以上を「改善（改善傾向あり）」とする．
- 治療が奏効している際，菌血症を伴わない場合は7～10日，伴う場合は14日間抗菌薬を継続する．
- 抗菌薬投与開始後も改善のない肺炎の場合，まずは適切な抗菌薬が選択されているか，投与量は適切か，投与間隔は適切か，確認を行う．それでも改善を認めない場合は，前提として市中肺炎として合致するか再検討する必要がある．

- 感染性のなかでも，結核などは特に注意が必要であり，必ず念頭に置いておかなければならない．
- 特にニューキノロン系抗菌薬は，高齢者において，結核の partial treatment となりうるため，安易なニューキノロン系抗菌薬の使用は厳に慎むべきである．
- 感染性では，ほかに閉塞性肺炎や膿胸，膿瘍形成でも改善に乏しいことがあるため，画像検査などの再検討が必要である．
- その他に，間質性肺炎，好酸球性肺炎，過敏性肺炎，薬剤性肺炎，放射線性肺炎，COPD増悪，心不全，ARDS，肺胞出血，肺癌，リンパ増殖性疾患などを鑑別に挙げる．

胸部単純X線写真の読み方

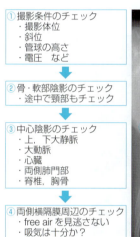
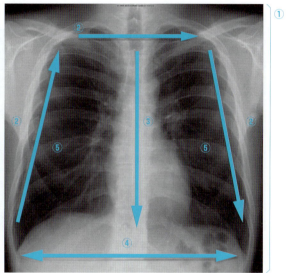

■胸部単純X線写真の読影手順

①撮影条件のチェック

- 患者名・年齢・性別を確認
- 体位は？→立位，坐位，仰臥位，正面 or 側面，PA or AP
- 管球の高さは適切か？→左右鎖骨胸骨端が第4肋骨後方陰影と重なっていればOK
- 管球の電圧は適切か？→椎体，特に棘突起の輪郭が明確に見えたらOK
- 正面からの撮影か？→左右肋骨胸骨端の中央点が椎骨の棘突起に位置していればOK
- 最大吸気での撮影かどうか？→第10肋骨の後方陰影が追えればOK

②骨・軟部陰影のチェック

- 頸部軟部組織・鎖骨・肩甲骨・肋骨・乳房確認
- 側彎および圧迫骨折の有無

③中心陰影のチェック

a) まずは全体的に見て，拡大している部分がないか確認（縦隔の偏位にも注目）
b) 気管～気管分岐部および気管の偏位を確認
c) 大動脈と心臓を確認，PA像では心胸郭比を計算
d) 両側の肺門部（肺動脈，肺門部リンパ節）を確認

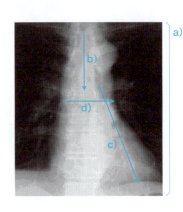

- A-P window（aortic pulmonary window）
  動脈管索，左反回神経，ボタローリンパ節，上行大動脈リンパ節などが脂肪に包まれて存在する．
  A-P window の消失 → 左肺門部肺癌，反回神経腫瘍，ボタローリンパ節腫大

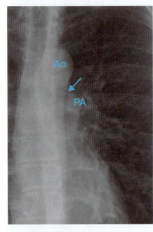
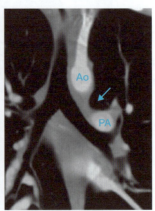

Ao：大動脈，PA：肺動脈

- 気管分岐角
  気管分岐角の開大 → 後縦隔腫瘍

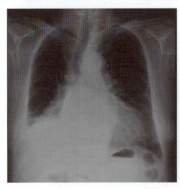
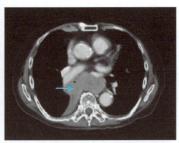

気管分岐角の開大

- 右傍気管線(paratracheal stripe)

  鎖骨の高さから右上葉気管支上縁の高さまでの気管の右壁が数mmの厚さの線状影として描出.

  立位で4mm以上を異常所見 → 傍気管リンパ節腫大・気管腫瘍・胸膜病変・肺腫瘍

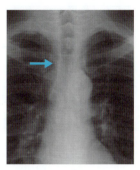
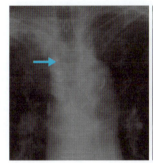
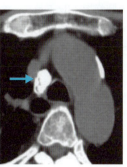

正常　　　　　　　　　　　右傍気管線消失

④両側横隔膜周辺のチェック

- 横隔膜の高さ(右横隔膜のほうが左より第1肋間高い)
- 横隔膜の平坦化
- 横隔膜に重なる浸潤陰影や結節影
- 大腸ガス(肝彎曲部および脾彎曲部)
- 胃泡
- 実質臓器(肝臓および脾臓)
- free air

⑤肺野を詳しくチェック

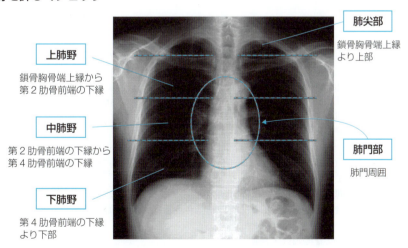

肺尖部：鎖骨胸骨端上縁より上部

上肺野：鎖骨胸骨端上縁から第2肋骨前端の下縁

中肺野：第2肋骨前端の下縁から第4肋骨前端の下縁

下肺野：第4肋骨前端の下縁より下部

肺門部：肺門周囲

- 浸潤陰影(consolidation)：水様物質が肺胞腔に蓄積してできる. 境界不鮮明な陰影で既存構造は見えなくなる(血管影を追えない).
- すりガラス状陰影(ground glass opacity)：既存構造が見える肺野濃度の上昇と定義され, 血管影は追うことができる肺野に霞がかかったような陰影.
- 網状影・網状線状影：多数のこまかい線状影が交錯して網状を呈するもので, 肺間質

の病変を示唆する．
- 粒状影：3 mm 以下．
- 小結節影：3 mm〜1 cm．
- 結節影：3 mm〜3 cm．
- 腫瘤影：3〜5 cm．
- 塊状影：5 cm 以上．

シルエットサインとは
- 水濃度と水濃度の陰影が相接して存在するとその境界のコントラストが失われて不鮮明になること．
  1. 肺胞ガスが漏出液，滲出液，血液，細胞成分などＸ線的に水濃度を示す物質で置換される．
  2. 肺胞が虚脱して肺胞内の空気が失われる．
  3. 水や腫瘍などがあって肺内ガスが心臓や胸部大動脈などに接することができない．

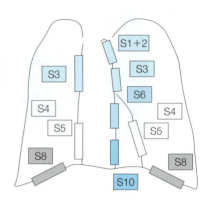

本症例では…
- KL-6 の上昇を認め，アンカロン®内服による薬剤性間質性肺炎を疑い，アンカロン®を中止しステロイド治療を開始した．

A 治療抵抗性の肺炎では，必ず感染症以外のほかの疾患の可能性を再検討する

● 参考文献
1) Aliberti S, et al. Community-acquired pneumonia. Lancet 398：906-919, 2021［PMID：34481570］
   - 市中肺炎の最新のレビュー．
2) Kalil AC, et al. Management of Adults With Hospital-acquired and Ventilator-associated Pneumonia：2016 Clinical Practice Guidelines by the Infectious Diseases Society of America and the American Thoracic Society. Clin Infect Dis 63：e61-e111, 2016［PMID：27418577］
   - HAP および VAP の 2016 年ガイドライン．
3) Metlay JP, et al. Diagnosis and Treatment of Adults with Community-acquired Pneumonia. An Official Clinical Practice Guideline of the American Thoracic Society and Infectious Diseases Society of America. Am J Respir Crit Care Med 200：e45-e67, 2019［PMID：31573350］
   - 2019 年の ATS/IDSA から出された最新の市中肺炎ガイドラインであり，必読．
4) 日本呼吸器学会成人肺炎診療ガイドライン 2017 作成委員会（編）：成人肺炎診療ガイドライン 2017．日本呼吸器学会，2017
   - 日本での肺炎診療の推奨が詳しく記載．

（鈴木　隆宏）

15 尿路感染症（UTI）
単純？　それとも複雑？

1. 膀胱炎と腎盂腎炎，単純性と複雑性を分けて考えよう
2. 腎盂腎炎を疑ったら，敗血症と閉塞に注意
3. 尿道カテーテル挿入中の患者では常に"CAUTI"に注意
4. 男性の原因不明の発熱では必ず前立腺炎を疑おう

> **症例 ❶** 特記する既往歴のない20歳女性．
>
> 来院2日前より，排尿時痛と下腹部痛，残尿感が出現したため外来を受診した．本人の全身状態は良好．来院時バイタルサインは意識清明，体温36.3℃，血圧118/60 mmHg，脈拍68/分・整，呼吸数14/分，SpO$_2$ 100%（室内気）．尿潜血陽性，尿中WBC 3+．

Q 診断は？　その根拠は？

鉄則1　膀胱炎と腎盂腎炎，単純性と複雑性を分けて考えよう

- 尿路感染症を考えたときのフローチャートを下記に示す．ここでは主に膀胱炎と腎盂腎炎について述べる．

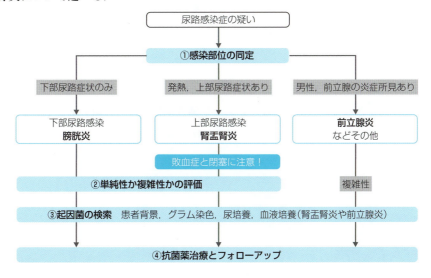

①感染部位の同定

- 尿路感染症は，下記のように上部尿路感染（腎盂腎炎）と下部尿路感染（主に膀胱炎）とに大きく分けられる．
- 基本的に膀胱炎では発熱や上部尿路症状（腰背部痛）がないことが重要である．反対に腎盂腎炎では下部尿路症状を伴うこともあるが，原則は発熱と上部尿路症状が目立つ．

膀胱炎と腎盂腎炎の鑑別

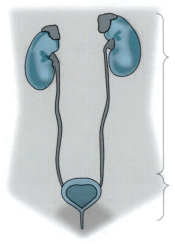

上部尿路（腎臓～尿管）感染症：腎盂腎炎

	症状	身体所見	検査所見
腎盂腎炎	発熱，悪寒，側腹部～腰背部痛，嘔気・嘔吐，尿混濁　下部尿路症状を伴うこともある	肋骨脊柱角（CVA）叩打痛　腎把握痛	炎症反応高値　尿中白血球陽性　亜硝酸塩陽性　尿培養陽性

下部尿路（膀胱～尿道）感染症：主に膀胱炎

	症状	身体所見	検査所見
膀胱炎	下腹部痛（違和感），排尿時痛，残尿感，血尿，尿混濁　発熱や腰背部痛はない	陽性となる身体所見は少ないが，下腹部（恥骨上部）の圧痛が10～20％で陽性	炎症反応はそこまで上昇しない　血尿　尿中白血球陽性　亜硝酸塩陽性　尿培養陽性

→ その他に尿道炎，前立腺炎，精巣（上体）炎

- 膀胱炎の排尿時痛は排尿終末に起こる．排尿の特に最初が痛い場合は尿道炎が典型的である．
- 腰背部痛については，痛みではなく"重たい"と表現する患者も多いので注意する．
- CVA叩打痛の有無を調べる際には，患者の痛みに配慮し急に強く叩かず，最初は弱く叩き，痛みがなければ徐々に強くする．左右差を確認することが所見の有無の判断に有用である．
- CVA叩打痛が陽性であれば，双手診で疼痛部位が腎臓でよいかを確認をする．
- また胆嚢炎のsonographic Murphy signのようにエコーを用いて診察を行ってもよい．

②単純性か複雑性かの評価

- 想定される起因菌が異なるため，単純性か複雑性の分類も重要である．単純性の場合はおよそ90％以上が *Escherichia coli*，*Klebsiella* spp.，*Proteus* spp. である．

分類	単純性(uncomplicated)	複雑性(complicated)
定義	非妊娠 閉経前	男性 妊娠または閉経後女性 尿路閉塞 神経因性膀胱 免疫抑制 カテーテル留置中
起因菌	*Escherichia coli* *Klebsiella* spp. *Proteus* spp. *Staphylococcus saprophyticus*	*Escherichia coli* *Klebsiella* spp. *Proteus* spp. *Enterobacter* spp. *Citrobacter* spp. *Serratia* spp. *Pseudomonas aeruginosa*

③起因菌の検索(詳細は38章「抗菌薬の使い方 総論」458頁を参照)

- 尿のグラム染色と尿培養検査は全例で,血液培養は腎盂腎炎,前立腺炎では行う.
- 上記の単純性,複雑性における起因菌を参考にしつつ,グラム染色で起因菌を絞り込む.
- 過去の入院歴や免疫状態を含めた患者背景や過去の培養歴(緑膿菌,ESBL産生菌,AmpC産生菌)も参考に,起因菌を想定する.

④抗菌薬治療(腎盂腎炎の治療は後述)とフォローアップ

膀胱炎の場合(外来治療)

〈処方例〉スルファメトキサゾール・トリメトプリム(バクタ®) 1回2錠 1日2回
〈処方例〉セファクロル(ケフラール®) 1回500 mg 1日3回 毎食後
〈処方例〉セファレキシン(ケフレックス®) 1回500 mg 1日4回 毎食後

- 治療期間は単純性の場合は3日間,複雑性の場合は3〜7日間
- 原則的には尿培養の再度のフォローアップなどは必要なく,尿培養でカバーが外れている,症状が改善しないなどがあれば再度受診をしてもらう.

本症例では…

- 下部尿路症状があり,発熱や腰背部痛がないこと.既往歴のない非妊婦であることから単純性膀胱炎と診断した.
- 初回の膀胱炎で,入院歴や培養歴,過去の頻回の抗菌薬使用などもなかった.
- 尿のグラム染色では腸内細菌様グラム陰性桿菌(GNR)を認めため,大腸菌などの腸内細菌を想定し,バクタ®1回2錠を1日2回で3日間処方した.

A 下部尿路症状があり,発熱や腰背部痛がないため,膀胱炎と診断した

無症候性細菌尿

- 無症状でも尿培養から菌が検出される場合〔女性：2回連続（1〜2週間）で10^5 CFU/mL以上，男性：1回でも10^5 CFU/mL以上〕を無症候性細菌尿と呼ぶ．
- 治療する意義は乏しく，耐性菌の観点からも基本的に治療は行わないが，泌尿器科手術前と妊婦では治療を行う．
- 確固たるエビデンスに乏しい領域もあり，病院により診療が異なることも多いため，より詳しく知りたい場合は米国感染症学会のガイドラインを参照するとよい〔Clin Infect Dis 68：e83-e110, 2019〕．

繰り返す膀胱炎の予防法

- 若年女性の繰り返す膀胱炎は，性交渉に関連するものも多く，予防の観点が重要である．
- 繰り返す膀胱炎の場合，日常的に水を多めに飲む（1日1.5 L）と半数程度予防できる〔JAMA Intern Med 178：1509-1515, 2018〕．
- 性交渉後にST合剤（スルファメトキサゾール・トリメトプリム）1錠を飲むと9割以上予防できる報告もある〔JAMA 264：703-706, 1990〕．また性交渉後の排尿も重要とされる．
- クランベリージュースも尿中の細菌繁殖を抑制する作用があり，日常的に飲むことが有効かもしれないものの，議論が分かれる〔J Urol 198：614-621, 2017〕．
- また尿を我慢しない，排便後などの清潔指導（便中の細菌が尿道口に付着しないように前から後ろに向かって清拭する）も一般に行われる．
- まれではあるが，直腸膀胱瘻など器質的疾患が原因の場合もあるため，短期間に繰り返して治療抵抗性の場合はエコー検査やCT検査を行う．

症例❷ 尿路結石の既往歴のある60代女性．

来院2日前より右腰痛が出現し，来院前日より39℃の発熱を呈したために夜間救急外来を受診した．来院時バイタルサインは意識清明，体温38.8℃，血圧120/68 mmHg，脈拍96/分・整，呼吸数18/分，SpO_2 100％（室内気）．WBC 12,000/μL，CRP 8.8 mg/dL，Cr 0.9 mg/dL，AST 36 IU/L，ALT 29 IU/L，尿中WBC 3＋，尿中亜硝酸塩＋．本人の全身状態は良好で，右CVA叩打痛陽性，右腎把握痛陽性，その他に発熱の原因を示唆する所見はない．発熱と上部尿路症状があることから，急性腎盂腎炎を疑った．

Q 急性腎盂腎炎では何に気をつける？

 腎盂腎炎を疑ったら，敗血症と閉塞に注意

- 腎盂腎炎で怖いのは敗血症と閉塞性腎盂腎炎である.
- 腎臓は血流が多く,感染により容易に菌血症や敗血症にもなりやすいため,必ず敗血症の状態でないか確認する(1章「発熱」2頁を参照).
- また尿管結石や腫瘍浸潤,子宮筋腫,後腹膜線維症などで閉塞が起こっている場合は,閉塞を解除してソースコントロールを行わなければならない.
- そのため腎盂腎炎を疑ったら,
  ①バイタルチェックし,敗血症の場合はモニター管理
  ②血液培養と尿培養とり,なるべく早期に抗菌薬を投与
  ③腹部エコーを行い水腎症の有無をチェック→水腎があればCTで原因をチェックを行う.
- 一般に全例に画像検査を行うわけではなく,尿路結石の既往歴,敗血症や腎機能障害,尿 pH≧7.0 のとき(*Proteus* spp. などがアンモニアを産生してリン酸マグネシウムアンモニウム結石を作るため)には行う意義が大きいとされている〔Clin Infect Dis 51:1266-1272, 2010〕.
- しかしエコーへのアクセスがよければ,簡単かつ非侵襲的に閉塞や膿瘍形成などをチェックできるため,可能な限り行うのがよいだろう.
- 閉塞性腎盂腎炎の場合,仮にバイタルが安定していても,急に敗血症性ショックとなることも多いので,必ず入院としてバイタルをモニターする.
- すぐに泌尿器科オンコールに連絡し,尿管ステント留置または腎瘻の造設を行う.敗血症性ショックの場合は緊急で閉塞解除を行うことが推奨される.一方,ショックでない症例では決まりはないが,なるべく早期に解除したほうがよい.

腎盂腎炎の治療
■ 外来治療の場合

〈処方例〉スルファメトキサゾール・トリメトプリム(バクタ®)　1回2錠　1日2回
〈処方例〉シプロフロキサシン(シプロフロキサン®)　1回400 mg　1日2〜3回　点滴静注
〈処方例〉セフトリアキソン(ロセフィン®)　1回1〜2g　1日1回　点滴静注を菌株や感受性判明まで外来で連日投与することも1つである

■ 入院治療の場合
① 入院歴や緑膿菌や AmpC 産生菌の検出歴がない場合
　〈処方例〉セフォチアム(パンスポリン®)　1回1g　8時間ごと　点滴静注
　〈処方例〉セフォタキシム(セフォタックス®)　1回1g　8時間ごと　点滴静注
　〈処方例〉セフトリアキソン(ロセフィン®)　1回1g　1日1回　点滴静注
② 入院歴,緑膿菌や AmpC 産生菌の検出歴がある場合
　〈処方例〉セフタジジム　1回1g　8時間ごと　点滴静注(緑膿菌カバーのみ)
　〈処方例〉セフェピム　1回1g　8時間ごと　点滴静注(緑膿菌＋AmpC 産生菌カバー)
③ ESBL 産生菌の可能性があり,重症な場合など
　〈処方例〉メロペネム(メロペン®)　1回1g　8時間ごと　点滴静注

④他剤が副作用などで使用不可能な場合

〈処方例〉シプロフロキサシン（シプロフロキサン®）　400 mg　8時間ごと　点滴静注
〈処方例〉レボフロキサシン（クラビット®）　500 mg　1日1回　点滴静注（または内服）

- 閉塞腎盂腎炎では，カバーを外した際のリスクがより高いため，最初は緑膿菌カバーも含めた抗菌薬を選択して，感受性判明後しっかりと de-escalation をすることも行われる．
- またニューキノロン系は耐性を獲得している場合も多く，特に重症な場合は初期治療としては極力用いないほうがよい．

治療期間
- 原則は2週間である．
- キノロン使用時は1週間でも効果が同等と報告がある〔Lancet 380：484-490, 2012〕．
- 血液培養陽性例でも，7日目の時点で48時間解熱しており，かつ状態が安定している場合は，7日で治療を終了することも可能とされている〔Clin Infect Dis 69：1091-1098, 2019〕．
- 血流感染をきたした複雑性尿路感染では，14日に比べて10日の治療でも再発は増加せず，7日の治療だと再発が増加するが，βラクタムの点滴やバイオアベイラビリティーのよい経口薬にスイッチした症例では差がなかったという報告がある〔Clinical Infectious Diseases 76：1604-1612, 2023〕．

本症例では…
- 尿培養，血液培養を採取した．グラム染色では腸内細菌様 GNR がみられ，過去の入院歴や緑膿菌の検出歴はなかったため，セフォタックス®1 g を投与した．
- もともと尿路結石の既往歴があることからも閉塞の否定は必要と考え，腹部エコーを行ったところ，右水腎があり，CT 検査で結石による右尿管閉塞の所見を認めた．モニターを装着し，泌尿器科オンコールに連絡した．
- バイタルが安定していたため，入院して明朝一番にステント留置予定となったが，その後血圧が徐々に低下し頻脈となったため，再度泌尿器科医に連絡し，緊急でステント留置を行った．

A 急性腎盂腎炎では敗血症と閉塞に注意！

尿中亜硝酸(U-Nit)検査
- 尿中亜硝酸塩反応は尿中白血球とならんで，尿路感染の診断に参考となる検査である．
- 感度は低いものの，特異度が比較的高いため，陽性である場合は細菌尿のある可能性が高い（感度49％，特異度98％）〔Lancet Infect Dis 10：240-250, 2010〕．
- すべての細菌で陽性となるわけではなく硝酸塩を亜硝酸塩に還元できる大腸菌などの腸内細菌が感染していると陽性となる．
- 反対に，この反応を起こさない緑膿菌，腸球菌などでは陰性となるため，菌株を想定する場合も参考にできる．

- 反応が尿中で起こるのには時間がかかるため，検査尿の貯留時間が短いとき（< 4 時間）は陰性となる．

グラム染色でグラム陽性球菌（GPC）がでたら？
- 尿路感染症は GNR が原因であることが多いが，GPC が検出されることもあり，コンタミネーションのほかに下記が考えられる．
  ① B 群溶血性レンサ球菌 → 高齢者や妊婦，免疫抑制患者などで問題となる
  ② 腸球菌 → セフェムが効かないことに注意する．*Enterococcus faecium* の場合はバンコマイシンが必要
  ③ *Staphylococcus saprophyticus* → 性交渉のある若年女性の尿路感染症で多い原因菌
  ④ 黄色ブドウ球菌 → 尿路感染の原因としては比較的まれであり，血流感染から尿中に菌が移行していないか，ほかの感染症（心内膜炎を含む）を注意深く検索する．
- グラム染色の所見で，菌種をある程度絞り込むことができるが，特に腸球菌や黄色ブドウ球菌を疑う際には抗菌薬や注意する病態が変わるので注意しておく．

 圧迫骨折で入院中の 72 歳女性．

圧迫骨折で入院 2 週間目．入院時に疼痛により排尿ができず尿道カテーテルを留置した．入院 15 日目の夕方に 38.4℃ の発熱とせん妄症状がありコールとなった．バイタルサインは意識レベル JCS I-3，体温 38.4℃，血圧 136/78 mmHg，脈拍 86/分・整，呼吸数 16/分，SpO_2 96%（室内気）．WBC 11,200/μL，CRP 6.2 mg/dL，Cr 0.6 mg/dL，尿中 WBC 3+，尿中亜硝酸塩−．

Q 気をつける発熱の原因は？対応で気をつける点は？

鉄則 3 尿道カテーテル挿入中の患者では常に"CAUTI"に注意

- CAUTI とは catheter-associated urinary tract infection の略称である．
- 米国感染症学会のガイドライン〔Clin Infect Dis 50：625-663, 2010〕では，
  ① 尿道留置カテーテル，膀胱瘻カテーテル，間欠導尿をしている患者
  ② 尿路感染症に合致する症状があり，ほかの感染源が同定されていない
  ③ カテーテル尿や中間尿（カテーテルなど抜去後 48 時間以内）から培養で $\geq 10^3$ CFU/mL の細菌の検出がある場合と定義される
- CAUTI の難しい点は，尿道カテーテルは長期に留置すると感染にかかわらず細菌尿となるため，感染の診断において尿所見が参考になりにくいことである．また上下部尿路症状がはっきりしないことも多い．
- 反対に，膿尿があると発熱の原因が CAUTI だと思いこんでしまい，ほかの発熱の原

因を見逃すことにもつながる．
- そのため，CAUTIを疑った際には，上下部尿路症状や下腹部の圧痛，CVA叩打痛をより注意深く確認しつつ，ほかの発熱の原因がないかも丁寧に確認する．

CAUTIの対応の注意点
- CAUTIでは先述の通り感染にかかわらず細菌が定着するため，必ず尿道カテーテルを交換後に尿培養を採取する．交換後に採取することで感染の原因となっている菌をより正確に同定できる．
- このカテーテルの交換は，症状の早期改善，CAUTIの再発の予防の観点からも重要である．

CAUTIの治療〔米国感染症学会のガイドライン Clin Infect Dis 50：625-663, 2010 より〕
- 細菌が陽性となっているだけでは治療適応はないため，症状などから臨床的に尿路感染と判断できたもののみを治療する．
- 抗菌薬の選択は腎盂腎炎と同様だが，入院中であるため，緑膿菌をカバーする抗菌薬を初期治療には用いることが多い．
- 治療期間は，治療開始後に症状が即座に改善すれば7日，改善しなければ10〜14日とする．
- 重症でない患者であれば5日間のキノロン系抗菌薬による治療，若年女性でカテーテルを抜去し症状がすぐ改善した場合は3日間の治療も検討できるとされる．
- なるべく早く尿道カテーテルを抜去することも大切である．

> **本症例では…**
> - 発熱のほかに下腹部の不快感が増強しており，また左CVA叩打痛が陽性であった．
> - 問診や診察では，発熱の原因として感染症などの原因ははっきりしなかった．上記よりCAUTIを疑った．
> - 尿道カテーテルを交換後，尿培養を採取し，また尿検査，血液検査，血液培養検査を行った．
> - グラム染色ではブドウ糖非発酵菌様GNRが見られたため，腎機能に合わせセフェピム1gを1日2回で開始した．

A 尿道カテーテル留置中の患者でありCAUTIに気をつける．必ず尿道カテーテルを交換し，その後培養採取を行う

腎盂腎炎がよくならないときはどうする？
- 例えば，腎盂腎炎の治療をしているものの，発熱がなかなか改善しない場合にどうするとよいだろうか？
- まず薬剤熱を含めたほかの発熱の原因をチェックし，腎盂腎炎が原因でよいかを確認する．
- グラム染色や培養検査を繰り返して，抗菌薬のカバーや量が適切かも確認する．
- 同時に膿瘍形成と閉塞をチェックすることが大切である．腹部エコーで腎実質の低エコーや水腎がないかをチェックする．

- 膿瘍の場合は穿刺などソースコントロールを行わなければ改善しないこともある．また抗菌薬も膿瘍が消失するまで長期に投与する必要がある．
- また初療時に閉塞がなくとも，治療中に結石が詰まったり，ステントが閉塞したりすることがあるため注意する．

緑膿菌や腸球菌のカバーについて

- 抗菌薬の選択で最も困ることは緑膿菌カバーの必要性である．基本的には医療曝露がある患者の感染症で起因菌となるため，院内感染症でカバーを検討する．尿路感染では下記を考慮して総合的にカバーするかを判断する．
  患者背景：男性，長期入院，直近の入院歴，抗菌薬使用（特にβラクタム・βラクタマーゼ阻害薬），免疫抑制，尿道カテーテル留置，尿路変向術後
  検査：グラム染色でブドウ糖非発酵菌様 GNR，過去の培養で緑膿菌検出歴
  その他：重症患者でカバーを外せない場合
- 尿路感染症以外でも院内感染（院内肺炎など），発熱性好中球減少症，気管支拡張症や嚢胞性線維症，糖尿病性足壊疽で湿潤病変の場合，壊死性（悪性）外耳道炎なども緑膿菌がよく原因となるためカバーを行うことが多い．
- また尿路感染症ではセフェム系抗菌薬を使用することが多いため，セフェム系抗菌薬が効かない腸球菌のカバーについても問題となる．
- 腸球菌は毒性が弱く，重症となるまで時間的に余裕があるため，グラム染色で GPC，過去の培養で腸球菌が検出，重症例などを除き，初期治療でカバーは行わないことが多い．

症例 ❹　発熱がよくならない 70 歳男性．

来院 5 日前より 38℃台の発熱が出現した．局所の症状ははっきりしなかった．来院 2 日前に近医で全身の CT 検査を行ったが原因ははっきりせず，ウイルス性感染症としてアセトアミノフェンを処方され内服していた．その後も発熱が改善しないため来院した．来院時バイタルサインは意識清明，体温 38.2℃，血圧 120/50 mmHg，脈拍 108/分・整，呼吸数 18/分，SpO_2 98%（室内気）．倦怠感が強そうである．副鼻腔の圧痛や耳介牽引痛なし，口腔内所見特記事項なし，髄膜刺激徴候なし，心雑音，呼吸音正常，腹部圧痛なし，CVA 叩打痛や脊椎叩打痛なし，皮膚に発赤なし，関節の腫脹や圧痛なし．WBC 12,800/μL，CRP 9.2 mg/dL，Cr 1.23 mg/dL，尿中 WBC 3+，尿中亜硝酸塩−．

Q 忘れてはいけない鑑別は？　どうする？

鉄則 4 男性の原因不明の発熱では必ず前立腺炎を疑おう

- 前立腺炎は明らかな排尿障害などがあれば比較的簡単に診断できるが，患者が症状を訴えないとしばしば見逃される．
- 男性の発熱で原因がわからないときは，排尿困難や頻尿，排尿時痛について必ず問診する．もともと前立腺肥大の症状がある患者も多いので，普段から増悪しているかを聴取することが重要である．
- 前立腺炎が疑わしい場合や，ほかの発熱の原因がない場合は必ず前立腺を触診し，熱感，腫脹，圧痛がないかを確認する．
- 尿中白血球があるなど尿路感染が疑わしいとわかっていても，治療期間が異なるため必ず診断をつける．
- また腎盂腎炎と同じく尿検査，グラム染色，尿培養，血液培養検査も行う．
- 認知症患者や高齢者で病歴の聴取が難しい場合は特に診断が難しい．前立腺の触診の際の表情なども観察するとともに，ほかの発熱の原因がないことを丁寧に除外する．

前立腺炎の治療

- 起因菌はほかの尿路感染と類似しているが，性交渉のある場合は淋菌やクラミジアも原因菌になるため注意する．
- 抗菌薬の選択も腎盂腎炎と同様であるが，キノロン系抗菌薬が前立腺への移行性がよいため推奨される．
- 一方，βラクタム系抗菌薬も，特に炎症があるときは前立腺への移行性はよいと考えられており，使用可能である．ただし第1世代のセファロスポリンの前立腺への移行が悪いため，感受性があっても用いないほうがよい．
- 急性前立腺炎の治療期間は4週間である．合併症がなく，経過のよい患者ではより短くても（最低2週間程度）よいかもしれないが，再燃や慢性前立腺炎への移行の可能性もあるため，4週間の治療を原則とする．

本症例では…
- 追加で問診を行うと，以前から前立腺肥大の症状があるものの，それが増悪しているとのことだった．
- 前立腺を触診すると熱感と圧痛があった．
- 尿のグラム染色ではブドウ糖非発酵菌様の所見であった．
- 急性前立腺炎の診断で，腎機能に合わせてセフェピム1gを1日2回で開始した．

A 男性の原因不明の発熱であり，必ず前立腺炎を疑う．排尿症状の問診と前立腺の触診を忘れない！

その他の特徴的な尿路感染症

急性巣状細菌性腎炎（acute focal bacterial nephritis：AFBN）
- 普通の腎盂腎炎と腎膿瘍の中間の病態であり，小児に多いものの成人（特に糖尿病患者）でも起こりうる．
- 造影CTの後期相で巣状の造影不良域がみられるのが特徴．

- 通常の腎盂腎炎よりも長期に2〜4週間程度治療を行うことが多い．腎膿瘍と異なりドレナージを行えるような膿瘍は形成されていない．

AFBNと腎膿瘍のCT画像所見（自験例）

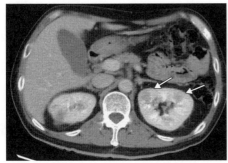
AFBN：左腎臓に巣状の造影不良域を認める

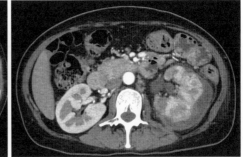
腎膿瘍：左腎内部と周囲に膿瘍に合致する低吸収域を認める

気腫性尿路感染症（気腫性膀胱炎，気腫性腎盂腎炎）

- 気腫性の尿路感染症が主に糖尿病患者（または免疫抑制患者）に起こることがある．これらは腎周囲や膀胱内/膀胱壁内にガスが貯留する壊死性の感染症であり，まれな疾患ではあるものの致死的となりうるため知っておくとよい．
- 気腫性膀胱炎は膀胱壁内や膀胱内のガスが特徴的である．尿道カテーテル留置して尿のドレナージを行い，抗菌薬を投与することで改善することが多いが，敗血症性ショックや膀胱破裂につながるケースもあり注意を要する．
- 気腫性腎盂腎炎は予後不良で，重症になるほどガスや膿瘍や腎臓や尿管の周りに広がる．Huangの分類〔Arch Intern Med 160：797-805, 2000〕という重症度分類があり，それに基づいた治療が提唱されている．
- 広域抗菌薬の投与とともに早期にドレナージを行うが，重症例では腎摘出が必要となることもある．

気腫性膀胱炎と気腫性腎盂腎炎のCT画像所見（自験例）

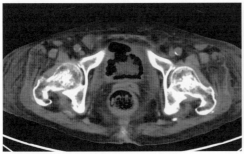
気腫性膀胱炎：膀胱内と膀胱壁にガスを認める

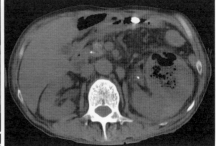
気腫性腎盂腎炎：左腎内にガスと膿瘍と考えられる低吸収域を認める

● **参考文献**

1) EAU Guidelines. Edn. presented at the EAU Annual Congress Milan 2023[ISBN 978-94-92671-19-6]
   - 欧州泌尿器学会が出しているガイドライン．無症候性細菌尿から単純性・複雑性尿路感染症，性感染症まで幅広くカバー．学会のホームページからダウンロードできるので持っておき適宜参照するのにおすすめ．
2) Gupta K, et al. Urinary Tract Infection. Ann Intern Med 167：ITC49-ITC64, 2017［PMID：28973215］
   - 尿路感染症について幅広く診断〜治療まで記載がある．論拠となる研究についてもコンパクトに記載されているので，一度通読しておいてもよいだろう．日米で使用できる薬剤の種類や用量に違いがあることには注意．
3) Johnson JR, Russo TA. Acute Pyelonephritis in Adults. N Engl J Med 378：48-59, 2018［PMID：29539281］
   - 一番大切な腎盂腎炎についての Review．入院治療が必要か外来治療でよいかも含めて記載がある．
4) Wagenlehner FME, et al. Epidemiology, definition and treatment of complicated urinary tract infections. Nat Rev Urol 17：586-600, 2020［PMID：32843751］
   - 複雑性尿路感染症の菌株やメカニズム，病態について詳しく知りたいときに．

（福井　翔）

16 細菌性髄膜炎
初期対応は丸暗記！1秒でも早く抗菌薬投与！

1. 細菌性髄膜炎を疑ったら迅速に血液培養を採取し，抗菌薬を投与，腰椎穿刺はそのあと
2. 抗菌薬は第3世代セファロスポリン＋バンコマイシン
3. 副腎皮質ステロイドは抗菌薬投与前，または同時に投与

> **症例 ❶** 2型糖尿病の併存症がある65歳男性．
> 来院当日の朝から発熱があり，活気不良であった．昼過ぎになっても解熱せず，家族の呼びかけに反応しないため救急要請となった．来院時バイタルサインは意識レベル JCS Ⅲ-100, GCS E1V2M3, 体温 39.6℃, 血圧 80/45 mmHg, 脈拍 120/分・整, 呼吸数 28/分, SpO_2 96%（室内気）．身体所見，眼瞼結膜の蒼白なし，眼球結膜に黄染なし，心音整，過剰心音なし，心雑音なし，呼吸音に左右差なし，右側胸部に coarse crackles 聴取, 項部硬直あり, Kernig 徴候陽性, CRT は約4秒，両側膝関節周囲に網状皮斑あり．

Q 疑わしい疾患は？ 初期対応はどうする？

鉄則 1 細菌性髄膜炎を疑ったら迅速に血液培養を採取し，抗菌薬を投与，腰椎穿刺はそのあと

- 発熱＋意識障害＋髄膜刺激徴候とくれば細菌性髄膜炎は鑑別の最上位となる．
- 細菌性髄膜炎を疑った段階で，初期対応のギアを最高に上げる．一刻も早い抗菌薬投与が必要であり，遅れれば遅れるほど生存率が下がってしまうからである．
- いわゆる「髄膜炎対応」を覚えておかなければならない．調べている時間はもったいないので，本章で対応を暗記していつでも髄膜炎対応が取れるようにしておく．
- 次頁の図のように，最優先は**血液培養の採取 → 抗菌薬投与**である．これだけは覚えておく．
- 慣れないうちは腰椎穿刺を最優先にしてしまいがちだが，抗菌薬投与を開始してからでも遅くはない．
- 頭蓋内圧亢進が疑われる場合は，腰椎穿刺前に頭部 CT による評価を行う．くも膜下出血や脳出血でも発熱＋意識障害は起こりうる．

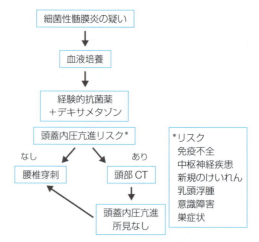

〔Tunkel AR, et al. Clin Infect Dis 39：1267-1284, 2004 より改変して作成〕

 抗菌薬は第3世代セファロスポリン＋バンコマイシン

- 細菌性髄膜炎は年齢によって原因菌が変わるため，原因菌とそれに応じた抗菌薬を知っておく必要がある．
- 年齢別の起因菌をまとめる．

年齢	起因菌	抗菌薬
＜1か月	Streptococcus agalactiae Escherichia coli Listeria monocytogenes	アンピシリン＋セフォタキシム または アンピシリン＋アミノグリコシド
1〜23か月	Streptococcus pneumoniae Haemophilus influenzae Escherichia coli Listeria monocytogenes Neisseria meningitidis	第3世代セファロスポリン＋バンコマイシン ±アンピシリン
2〜50歳	Streptococcus pneumoniae Neisseria meningitidis	第3世代セファロスポリン＋バンコマイシン
＞50歳	Streptococcus pneumoniae Listeria monocytogenes Neisseria meningitidis Escherichia coli	第3世代セファロスポリン＋バンコマイシン ＋アンピシリン

〔Tunkel AR, et al. Clin Infect Dis 39：1267-1284, 2004 より改変して作成〕

- 治療薬の基本は上記の表の通り，第3世代セファロスポリン＋バンコマイシンである．バンコマイシンを加える理由としては，ペニシリン耐性肺炎球菌（penicillin-resistant *Streptococcus pneumoniae*：PRSP）を考慮しているためである．

 副腎皮質ステロイドは抗菌薬投与前，または同時に投与

- 細菌性髄膜炎の治療では，副腎皮質ステロイドを投与することが推奨される．

- これは肺炎球菌性髄膜炎において神経学的予後が改善することがわかっているからである〔N Engl J Med 347：1549-1556, 2002〕．
- その後のメタ解析において，ステロイドによる死亡率低下の効果は肺炎球菌においてのみみられることが判明した．また聴力障害や神経学的予後の改善は先進国ではみられるが，発展途上国ではみられないこともわかっている〔Cochrane Database Syst Rev 2015：CD004405, 2015〕．
- これらから日本では，細菌性髄膜炎において初期治療からステロイドを投与することが推奨される．
- 用量は以下の通りである．初回は，経験的抗菌薬を投与する前，または同時に投与する．
〈処方例〉デキサメタゾン（デカドロン®）　0.15 mg/kg　6時間ごと　または10 mg　6時間ごと
- 注意点としては上記の通り，抗菌薬を投与する前か同時に投与する必要があることである．これは知っておかないと行うことができないプラクティスなので覚えておこう．

本症例では…

- 発熱＋意識障害＋髄膜刺激徴候があり，細菌性髄膜炎を強く疑った．
- すみやかに血液培養を採取し，デカドロン® 10 mgを投与し，同時にセフトリアキソン（ロセフィン®）2 g＋バンコマイシン25 mg/kg（loading dose）を投与した．
- その後に頭部CTを撮影して出血性疾患や頭蓋内圧亢進所見がないことを確認し，腰椎穿刺を行った．
- 髄液は細胞数，生化学，培養，グラム染色用の検体を採取した．
- 髄液の外観は黄色混濁しており，グラム染色でグラム陽性双球菌が認められた．
- 肺炎球菌性髄膜炎の可能性が高いと考えられた．
- 後日，培養検査から肺炎球菌が検出され，ペニシリンの最小発育阻止濃度（minimum inhibitory concentration：MIC）が≦0.06であることが判明したため，アンピシリン単剤への治療へde-escalationした．

A 細菌性髄膜炎を疑ったら，髄膜炎対応としてギアを上げる！　すみやかに血液培養を採取してステロイド＋経験的抗菌薬を投与！

● 参考文献

1) Tunkel AR, et al. Practice guidelines for the management of bacterial meningitis. Clin Infect Dis 39：1267-1284, 2004［PMID：15494903］
   - 古いが米国感染症学会の細菌性髄膜炎ガイドライン．未だに有用である．
2) van de Beek D, et al. ESCMID Study Group for Infections of the Brain（ESGIB）. ESCMID guideline：diagnosis and treatment of acute bacterial meningitis. Clin Microbiol Infect Suppl 3：S37-62, 2016［PMID：27062097］
   - 欧州感染症学会のガイドラインであり，米国よりも新しい．

（藤野　貴久）

17 喘息発作・COPD 増悪
wheeze＝喘息発作とは限らない

1. wheeze をみたら，喘息発作，COPD 増悪，心不全が鑑別
2. COPD 増悪の治療は ABC アプローチ
3. 喘息発作をみたら，原因と重症度を確認
4. 重症喘息発作では，ICU 入室や人工呼吸器導入を躊躇しない

> **症例 ①** 74歳男性．呼吸困難で来院．
>
> 高血圧の既往歴があり重喫煙歴がある．近医で内服加療していたが，アドヒアランスが不良で怠薬をしていた．来院1週間前から下腿浮腫の自覚があり，下腿の浮腫がみられるようになっていた．来院当日排便をしたあとから呼吸困難の自覚があった．一時様子をみていたが，起坐呼吸がみられたため，家族が心配して救急搬送となった．来院時バイタルサインは意識レベル JCS Ⅰ-1，体温 36.2℃，血圧 184/78 mmHg，脈拍 110/分・整，呼吸数 24/分，SpO_2 84%（室内気）．両側肺野にⅡ度の wheeze を認めた．WBC 11,400/μL，Hb 11.2 g/dL，AST 24 IU/L，ALT 32 IU/L，Cr 1.2 mg/dL，BUN 24 mg/dL，Na 134 mEq/L，K 3.2 mEq/L，CRP 1.4 mg/dL．

Q 診断は喘息発作でよいだろうか？

wheeze をみたら，喘息発作，COPD 増悪，心不全が鑑別

- wheeze をきたす疾患は喘息発作のみではない．COPD 増悪，心不全でも wheeze を聴取する．その他にも物理的狭窄をきたす気道異物でも wheeze は聴取される．
- wheeze で来院し，呼吸困難や酸素化不全などがみられる際には，致死的疾患であることが多く，迅速な対応を行う．
- wheeze で鑑別など判断に迷ったとしても，まず大事なことはバイタルサイン維持と ABC（A：気道，B：呼吸，C：循環）の確保であることには変わりない．そのうえで随伴症状（起坐呼吸や胸痛の有無），既往歴（喘息，COPD，心疾患など），常用薬の変化（利尿薬，抗不整脈薬，降圧薬など）を確認し，各々の疾患に特徴的な身体所見を評価する．酸素療法が不十分であれば治療のデバイスのステップアップを検討し，同時に検査と特異的な治療を行う．鑑別が困難な疾患であるため，治療導入後も必ず再評価を繰り返すこと．

	喘息	COPD	心不全
病歴	・咳嗽，呼吸困難，喀痰 ・夜間，早朝に増悪する ・運動，アレルゲン，寒気，笑いなど環境要因に曝露されたときに増悪する	・労作時呼吸困難，喀痰の増加 ・喫煙歴	・夜間発作性呼吸困難，起坐呼吸，体重増加，胸部絞扼感，血圧高値，浮腫 ・喫煙歴
既往歴	・幼少期アレルギー性鼻炎，小児喘息 ・NSAIDs使用歴(アスピリン喘息の可能性)		・心不全，心筋梗塞の既往歴 ・糖尿病，高血圧，脂質異常症 ・肥満 ・心疾患の家族歴
身体所見	・wheeze ・呼気延長 ・wheezeは発作の強度が上がるにつれて吸気でも聴取できるようになる ・wheezeや呼吸音が聞こえなくなるとsilent chestといい，最重症	・口すぼめ呼吸・呼気延長(治療評価にも使う) ・るい痩 ・樽状胸郭 ・気管短縮：輪状軟骨と胸骨の間に2本指が入らなければ気管短縮 ・胸鎖乳突筋の使用，呼気延長 ・中斜角筋の肥大 ・Hoover徴候：胸郭は通常吸気時に拡張するが，胸郭下部がむしろ収縮する(横隔膜の平底化) ・early inspiratory crackles：高度の気道閉塞があると吸気早期に口元に放散する	・頸部：頸静脈怒張 ・hepato-jugular reflux ・頸部血管雑音 ・胸部：inspiratory crackle ・心尖拍動・心拡大 ・傍胸骨拍動(肺高血圧) ・Ⅲ音，Ⅳ音，心雑音，心膜摩擦音 ・腹部：肝腫大 ・四肢：下腿浮腫，冷感
検査	・ピークフローメーター ・肺機能検査 ・呼気一酸化窒素濃度測定検査 ・動脈血液ガス検査	・肺機能検査 ・動脈血液ガス検査	・血算 ・生化学(CK，CK-MB，TropT，D-dimer，NT-proBNP) ・動脈血液ガス検査
画像	・胸部単純X線写真(胸部CT)	・胸部単純X線写真(胸部CT)	・胸部単純X線写真(胸部CT) ・心電図 ・心エコー
その他	**喘息の発症リスク因子** ・アレルギー(ダニ，ペット，花粉など) ・アトピー遺伝子素因 ・喘息の家族歴 ・喫煙，受動喫煙(胎児期〜幼少期) ・大気汚染 ・過労，ストレス ・アルコール ・感情変化 ・強いにおい(香水) ・冷房，冷えた外気 ・運動 ・月経・妊娠 ・職業曝露 ・呼吸器感染	・普段の息切れの程度 ・HOT導入歴の有無 **COPD増悪のリスク因子** ・呼吸器感染 ・服薬コンプライアンス不良 ・大気汚染 ・アレルゲンへの曝露	**心不全の増悪因子**(FAILUREと覚える) F Forgot meds 　怠薬 A Arrhythmia, Anemia 　不整脈，貧血 I Infection, Ischemia 　感染，虚血 L Lifestyle change 　塩分過剰，ストレス U Upregulators 　甲状腺機能亢進 R Rheumatic valve or other valvular diseases 　弁膜症 E Embolism 　塞栓

wheeze に対する初療

Step1：ABC・バイタルサインの維持，自覚症状や既往歴の聴取，身体所見
Step2：以下を同時進行で進める
・挿管，NPPV（非侵襲的陽圧換気），HFNC（高流量鼻カニューレ）などの酸素療法の検討
・検査：動脈血液ガス検査，胸部単純X線検査，12誘導心電図，血液検査，心エコー，胸部CT
・治療：原疾患ごとの特異的な治療を開始する
Step3：呼吸状態を再度確認し，鑑別の見直しを行う

本症例では…

- 病歴を聞き直すと，最近ラーメンなどの外食の機会が多く塩分摂取過多になっていたとのことで，内服薬も2週間前から自己判断で中止していた．
- 低酸素がみられたため，まず酸素マスクで酸素療法を開始した．
- 体重が1か月でベースの54 kgから6 kg増加しており，身体所見では頸静脈の怒張，下肢にも著明な圧痕浮腫がみられた．追加で提出した血液検査でNT-proBNPの上昇，胸部単純X線写真で心拡大と肺水腫を認めた．心エコーで左室の拡張とIVC（下大静脈）の拡張を認め，体液量増加による心不全と診断された．
- 酸素マスク6 L/分でもSpO₂ 88％と改善に乏しいため，NPPVの導入を行い，利尿薬での治療を開始した．
- 集中治療室に入院後再度呼吸状態を評価したが，利尿は良好に得られており，翌日にはNPPVの離脱が可能となった．

A wheezeをみたら喘息，COPD増悪，心不全の鑑別を行う

症例❷ 重喫煙歴のある64歳男性．呼吸困難．

近医でCOPDの治療を受けていた．来院2日前から感冒症状があり，呼吸困難を自覚するようになった．来院当日からwheezeと呼吸困難の症状が強くなり，救急搬送された．来院時バイタルサインは意識清明，体温37.7℃，血圧156/84 mmHg，脈拍90/分・整，呼吸数26/分，SpO₂ 92％（鼻カニューレ2 L/分）．身体所見では両側肺野にwheezeを聴取した．下腿浮腫や頸静脈怒張はない．胸部単純X線写真では明らかな浸潤影はなく，心拡大もない．WBC 9,000/μL，CRP 2.4 mg/dL，動脈血液ガス（室内気）pH 7.275，PCO₂ 67.5 mmHg，PO₂ 62 mmHg，HCO₃ 29.8 mEq/L．

Q 診断と初期対応は？

COPD増悪の治療はABCアプローチ

- wheezeをきたす疾患で特に高齢者ではCOPDや心不全が有力な鑑別候補となる．
- COPDの増悪でも喘息と同様にwheezeを伴う．
- COPDでも感冒を契機として増悪する場合が多いので鑑別が難しいこともある．

- COPD 増悪の定義は，「呼吸困難，咳嗽，喀痰などの症状が日常の生理的な変化を超えて COPD が急激に悪化し，安定期の治療内容の変更が必要となる状態」である．

治療の基本は ABC アプローチ

A：Antibiotics 抗菌薬
B：Bronchodilators 気管支拡張薬
C：Corticosteroids ステロイド

COPD 患者へのアプローチ

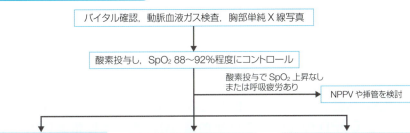

A：Antibiotics 抗菌薬
- 原則的には喀痰が膿性であるなど細菌感染を疑うときに投与する．
- COPD の起因菌として多いのはインフルエンザ桿菌，モラクセラ・カタラーリス，肺炎球菌であり，緑膿菌の関与も重要である．インフルエンザウイルスやパラインフルエンザウイルスなども関与する．
- COPD 増悪では過膨張および気腫肺の影響で胸部単純 X 線写真では肺炎像がみられずとも，肺野 CT では浸潤影を認めることがあるため，胸部単純 X 線写真のみでは肺炎を否定せず，総合的に判断する必要がある．
- 抗菌薬選択は以前の喀痰培養の結果を参考にしつつ，原則的には通常の肺炎治療に準じる（14 章「肺炎」172 頁を参照）．治療期間は 5～7 日が推奨される．

B：Bronchodilators 気管支拡張薬
- COPD 増悪時の第一選択は，短時間作用型β_2刺激薬（SABA）であり，効果発現がすみやかで確実である．サルブタモール（ベネトリン®）0.5 mL＋生理食塩水 5 mL ネブライザー吸入を 20 分程度あけて反復投与する．
- 短時間作用性抗コリン薬（SAMA）の吸入を併用することもある．
- 持参していればプロカテロール（メプチン®）やサルブタモール（サルタノール®）などを 2 吸入してもらってもよい．

C：Corticosteroids ステロイド
- 入院が必要な患者や安定期の病期がⅢ以上の症例では気管支拡張薬に加えてステロイドの全身投与を検討する．
- プレドニゾロン（プレドニン®）経口またはメチルプレドニゾロンコハク酸（ソル・メドロール®）点滴静注 40 mg/日を 5 日間が推奨されており，経口および経静脈投与での効果の差はないとされている．ステロイドの長期投与は肺炎や死亡率上昇をきたしうることから，5～7 日間を超えた投与期間は避けるべきとされている．

十分な薬物療法や酸素療法を行っているにもかかわらず，呼吸状態が改善しない場合は，換気補助療法の適応となる．
COPD の増悪時における換気補助療法の第一選択は NPPV である．喀痰が多く，気道確保が困難な場合や意識障害のため，換気が入らない場合などは挿管のうえ，IPPV（侵襲的陽圧換気）を行う．
- 呼吸補助筋の使用・呼吸数＞25/分・急性呼吸性アシドーシス（pH≦7.35 かつ $PaCO_2$＞45 mmHg）2 項目以上満たせば適応．
- 初期設定（例：S/T モード　FiO_2 0.4, IPAP 8〜10 mmHg, EPAP 4 mmHg）
〔2022 GOLD REPORTS, 2022 Global Strategy for Prevention, Diagnosis and Management of COPD〕

本症例では…

COPD 患者へのアプローチ

- 体重変化や下腿浮腫，頸静脈怒張はなく，NT-proBNP の上昇はみられなかった．胸

部単純X線写真では浸潤影はなく，心エコーでもEF＞60％で収縮良好でIVCは適正範囲であったため，心不全は否定的と考えられた．
- また喘息発作の既往歴もないことに加えて，胸部CTにて両側に肺気腫を認めたことからCOPD増悪と推測された．
- 酸素2L/分投与でSpO$_2$ 92％となり，入院加療となった．
- ベネトリン®をネブライザーで1日3回定期投与，セフトリアキソン（ロセフィン®）2gを投与，プレドニン® 40 mg 5日間内服で治療を開始した．
- 治療開始後2日目からwheezeは消失し，安定期治療としてチオトロピウム（スピリーバ®）定期吸入を開始し入院8日目に退院となった．

COPDの安定期治療
- 増悪が落ち着いたところでチオトロピウム〔スピリーバ®（長時間作用型抗コリン薬）〕やインダカテロール〔オンブレス®（長時間作用型β$_2$刺激薬）〕を開始する．詳細は参考文献に挙げたガイドラインを参照．

A 高齢者のwheezeをみたら，COPDは有力な鑑別候補となる．COPDの初期対応は抗菌薬(A)，気管支拡張薬(B)，ステロイド(C)と覚えておく

症例❸ 28歳の女性．喘息発作で来院．

喘息の既往歴がありコントロールが良好であったため，もともと発作時に吸入薬のサルタノール®インヘラー®の頓用をしていた．喫煙歴はないが，先月12月に新しい職場に異動となり，受動喫煙を受ける機会が度々あった．来院当日早朝に以前の喘息のときと同様の息苦しさが出現し，体動も困難で会話も難しい状態であった．サルタノール®吸入で改善が得られないため救急搬送された．来院時バイタルサインは意識清明だが，苦悶様表情，体温36.4℃，血圧138/65 mmHg，脈拍121/分，呼吸数22/分，SpO$_2$ 87％（室内気）．両側肺野でwheezeを聴取し，下腿浮腫や頸静脈怒張を認めなかった．胸部単純X線写真では異常所見はなく，動脈血液ガス検査ではpH 7.31，PCO$_2$ 46 mmHg，PO$_2$ 56 mmHg，HCO$_3$ 23.2 mEq/L．心エコーでは心不全を示唆する所見を認めなかった．

Q 今回の喘息発作の原因と重症度は？

鉄則3 喘息発作をみたら，原因と重症度を確認

- 喘息発作の急性期の症状は，wheezeのみで急がなければ苦しくない場合には「wheeze」，息苦しいが横になれる状況であれば「軽度（小発作）」，苦しくて横にもなれないのであれば「中等度（中発作）」，苦しくて動けずしゃべりにくいほどであれば「重度（大発作）」，さらにチアノーゼや呼吸減弱に至っている場合には「重篤な発作」と判断する．

- 中発作以上ではステロイド全身投与などのすみやかな対応が必要になる．
- 喘息治療ではステロイドが奏効することが多いため，ステロイドの効果がでるまでに適切な呼吸管理を行い，窒息を防ぐことが重要である．

喘息発作の対応

- 中等度発作や高度発作以上の患者では原則として，ただちに酸素投与と点滴ラインを確保する．
- 検査としては胸部単純X線写真，12誘導心電図を施行し，動脈血液ガス検査を行う．血液検査では心不全や肺血栓塞栓症との鑑別を意識して，血算・生化学・凝固はもちろん，D-dimerやBNP(NTproBNP)も提出する．
- 酸素飽和度のモニター管理を行い，SABA(短時間作用型β_2刺激薬)反復吸入と全身ステロイド点滴静注を開始する．
- 軽度発作や比較的軽症な中等度発作では，はじめにSABA吸入で対応し，改善が乏しければステロイドの全身投与をためらわない．

喘息発作の重症度

発作頻度	呼吸困難	動作	SpO$_2$	PaO$_2$	PaCO$_2$	治療	帰宅/入院
喘鳴 胸苦しい	急ぐと苦しい 動くと苦しい	ほぼ普通	≥96%	正常	<45 mmHg	β_2刺激薬吸入，頓用	自宅治療
軽度 (小発作)	苦しいが横になれる	やや困難		正常	<45 mmHg	β_2刺激薬吸入，頓用	自宅治療
中等度 (中発作)	苦しくて横になれない	かなり困難 かろうじて歩行可	91～95%	>60 mmHg	<45 mmHg	β_2刺激薬ネブライザー吸入反復 ステロイド薬全身投与 酸素投与 抗コリン薬吸入 (アミノフィリン点滴静注) 〔0.1％アドレナリン(ボスミン®)皮下注〕	救急外来 ・1時間で症状が改善すれば帰宅 ・2～4時間で反応不十分，1～2時間で反応なしで入院治療 →高度喘息症状治療へ
高度 (大発作)	苦しくて動けない	歩行不能 会話困難	≤90%	≤60 mmHg	≥45 mmHg	β_2刺激薬ネブライザー吸入反復 酸素投与 ステロイド薬全身投与 抗コリン薬吸入 (アミノフィリン持続点滴) 〔0.1％アドレナリン(ボスミン®)皮下注〕	救急外来 ・1時間以内に反応なければ入院治療 ・悪化すれば重篤症状の治療へ
重篤	呼吸減弱 チアノーゼ 呼吸停止	会話困難 体動不能 錯乱 意識障害 失禁	≤90%	≤60 mmHg	≥45 mmHg	上記治療継続 症状，呼吸機能悪化で挿管 人工呼吸 気管支洗浄 全身麻酔(イソフルラン，セボフルランなど)を考慮	ただちに入院，ICU管理

発作強度は主に呼吸困難の程度で判定する(ほかの項目は参考事項)．異なる発作強度の症状が混在する場合は強いほうで判断する．
〔日本アレルギー学会喘息ガイドライン専門部会(監)：喘息予防・管理ガイドライン2021．協和企画，2021より改変して作成〕

- 重症の喘息発作は対応（入院，人工呼吸器管理）が遅れると致死的になるため，的確な重症度評価が大切.

> 喘息の薬物治療

■ SABAの吸入
- プロカテロール（メプチン®）吸入液 0.01％ 0.3〜0.5 mL やサルブタモール（ベネトリン®）吸入液 0.5％ 0.3〜0.5 mL をネブライザーで吸入する．
- 数十分おきに反復可能．

■ ステロイド全身投与
- アスピリン喘息を疑うときのステロイド投与はデキサメタゾン（デカドロン®）では 6.6〜9.9 mg，ベタメタゾン（リンデロン®）は 4〜8 mg を生理食塩水で溶いて 0.5〜1 時間程度かけて投与する．
- アスピリン喘息が否定されている場合には，コハク酸エステル型ステロイドで治療可能であり，ヒドロコルチゾンコハク酸（ソル・コーテフ®）200〜500 mg あるいはメチルプレドニゾロンコハク酸（ソル・メドロール®）40〜125 mg などを生理食塩水に溶いて 0.5〜1 時間で投与する．

■ アドレナリン筋注
- 中等度以上の発作であればアドレナリン（ボスミン®）の筋注を考慮する．
- アドレナリン（ボスミン®）0.1〜0.3 mL（mL/mg）を筋注する．
- アドレナリン筋注の際には不整脈リスクを考慮して心電図モニターを装着しておく．

■ アミノフィリン点滴静注
- こちらも中等度以上の発作であれば考慮される．
アミノフィリン（ネオフィリン®）6 mg/kg を生理食塩水 250 mL に溶いたうえで 60 分かけて点滴静注する（最初の半量を 15 分で，残りの半量を 45 分で投与する）．

■ マグネシウム点滴静注
- 喘息に対してマグネシウムは気管支の平滑筋収縮を抑制することで喘息発作を軽減することが報告されている．一部の報告で有用とされており，リスクが少ないことから 1 つの選択肢として検討される．
- 硫酸マグネシウム 20 mL 1 A を生理食塩水で溶媒して 20 分程度かけて投与する．

> 本症例では…

- もともと喘息の既往歴があり，受動喫煙や時期的な冷気などの喘息発作のリスク因子に曝露後の喘息発作が考えられる．
- 呼吸困難の症状により体動困難となっており，会話もままならない状態であった．SpO_2 87％≦90％および動脈血液ガス検査で PaO_2 の低下と $PaCO_2$ の増加を認めていることから，高度（大発作）相当であると判断した．

- 心不全は鑑別となるが，身体所見および心エコー所見からは否定的だと考えられた．

> 喘息発作の発症リスク因子は冷気と受動喫煙が想定され，症状および酸素飽和度，動脈血液ガス検査から総合的に重症度を判断した

Q どのような対応を行うか？

> **鉄則 4** 重症喘息発作では，ICU 入室や人工呼吸器導入を躊躇しない

- 特に silent chest（気管支狭窄が進行して呼吸音が聴取できない）の例，動脈血液ガス検査で CO_2 貯留がみられる例や会話困難な例は，ICU 入室，気管挿管や場合によっては人工心肺などの使用も必要とされるような重症喘息に移行する可能性も十分に念頭に置いて治療にあたる必要がある．

入院適応
- 中等度症状では，2～4 時間の治療で反応不十分，または 1～2 時間の治療で反応なし．
- 重症喘息入院の既往歴．
- 受診するまで長期間（数日～1 週間）症状が持続していた．
- 肺炎・気胸・無気肺の合併．
- 精神障害，意思の疎通が困難．
- 帰宅後，交通などの問題で医療機関を受診するのが困難．

帰宅可能基準
- 初期治療後 1 時間安定．
- 身体所見正常．
- $SpO_2 > 90\%$．
- 救急外来から帰宅させるときの注意点として必ず専門医への紹介を行い，次回外来受診（数日間が目安）までの間はステロイド（プレドニゾロン 0.5 mg/kg）と SABA を処方すること．

ICU 入室の検討基準
- 初期治療（吸入，ステロイド，マグネシウム）を 2～3 時間続けても以下の状態なら，ICU 入室を検討する．
  ① 重篤な症状（浅く頻呼吸，臥位をとれない）
  ② 傾眠傾向，錯乱状態
  ③ $PaCO_2 > 45$ mmHg
  ④ $PaO_2 < 60$ mmHg
  ⑤ ピークフロー $< 30\%$

発作期治療の具体的なフロー

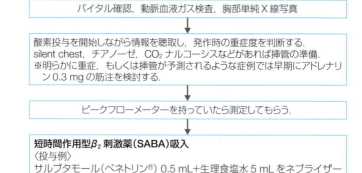

安定期治療

- 発作が落ち着いたところで安定期治療として吸入ステロイド，長時間作用型β_2刺激薬，ロイコトリエン拮抗薬などの導入を行う．詳細は参考文献に挙げたガイドラインを参照．

本症例では…

- ステロイドの全身投与としてリンデロン® 4 mg を静注し，SABA 吸入も行った．ボスミン®（アドレナリンとして 0.3 mg）筋注後も治療反応に乏しく，気管挿管を行い，人工呼吸管理で ICU に入室とした．

A 大発作に準じてステロイドの全身投与と SABA 吸入，アドレナリン筋注などの喘息治療と人工呼吸管理を行った

アスピリン喘息

- アスピリン喘息は慢性副鼻腔炎や鼻茸とならぶ病態であり，アスピリン内服後の数時間以内に気管支収縮や鼻粘膜の浮腫が生じ，wheeze や呼吸困難などの症状を呈することが知られている．
- 発作時の治療に際しては，原則的には気管支喘息と同様の管理であることが多く，wheeze や呼吸困難の症状は，$β_2$ 刺激薬吸入で改善することが多く，ロイコトリエン拮抗薬も有用である．
- 有名な注意点としては，アスピリン喘息ではコハク酸エステル型ステロイド（ソル・コーテフ®，水溶性プレドニン® など）では症状が増悪する可能性があるので，疑わしい場合には，リン酸エステル型ステロイド（デカドロン®，リンデロン®）を使用し，コハク酸エステル型ステロイドは避ける必要がある．投与量は，デキサメタゾン（デカドロン®）では 6.6〜9.9 mg，ベタメタゾン（リンデロン®）は 4〜8 mg を生理食塩水で溶いて 30〜60 分程度かけて投与する．

●参考文献

1) 日本アレルギー学会喘息ガイドライン専門部会（監）：喘息予防・管理ガイドライン 2021．協和企画，2021
   - 日本の喘息治療の最新ガイドライン．
2) Global initiative for Asthma：GLOBAL STRATEGY FOR ASTHMA MANEGEMENT AND PREVENTION. 2022（https://ginasthma.org/wp-content/uploads/2022/07/GINA-Main-Report-2022-FINAL-22-07-01-WMS.pdf）（2023 年 8 月閲覧）
   - 最新の喘息ガイドラインであり，毎年アップデートされている．
3) 2022 GOLD REPORTS, 2022 Global Strategy for Prevention, Diagnosis and Management of COPD（https://goldcopd.org/2022-gold-reports/）（2023 年 8 月閲覧）
   - Global initiative for COPD の最新ガイドライン．
4) MacLeod M, et al. Chronic obstructive pulmonary disease exacerbation fundamentals：Diagnosis, treatment, prevention and disease impact. Respirology 26：532-551, 2021［PMID：33893708］
   - COPD 増悪に関する最新のレビュー．

（鈴木　隆宏）

18 急性心不全
迅速に病態を把握し，すみやかに治療介入をする

1. 急性心不全の診断は問診と身体所見＝「Framingham criteria」で行い，病態把握と早期介入をする
2. 急性心不全の初期治療はクリニカルシナリオで開始
3. 急性心不全の病態把握には wet or dry?（うっ血）と cold or warm?（低灌流）を意識し，病態に応じた治療をする
4. 急性心不全の原因は「FAILURE」で鑑別

症例 ❶　65歳女性．数日前からの呼吸困難．

高血圧と糖尿病の既往歴がある．来院数日前から下腿浮腫を自覚していた．夜間に息苦しさを自覚するようになり，本日になり呼吸困難の症状が増悪したため救急要請し，救急外来を受診した．来院時バイタルサインは意識清明，体温36.4℃，血圧176/104 mmHg，脈拍130/分・整，呼吸数22/分，SpO₂ 84％（室内気）．身体所見上は両側肺野で wheeze と crackles を聴取する．頸静脈怒張と下腿浮腫を認める．

Q. 心不全を疑ったら？

急性心不全の診断は問診と身体所見＝「Framingham criteria」で行い，病態把握と早期介入をする

急性心不全の初期対応・診断

- 急性心不全の病態を把握するには，①血行動態（うっ血 or 組織低灌流，安定/不安定）の把握，②背景の心疾患の検索，③増悪因子同定が重要である．
- 特に急性冠症候群（ACS）が疑われる場合や血行動態が不安定な場合には，緊急カテーテルや機械的補助循環が必要になりうるため，迷わず循環器内科にコールする．
- 心不全の診断基準は問診と身体所見がベースとなっており，診断基準として「Framingham criteria」をおさえ，これに基づき，問診と身体所見から情報収集を行う．

■ Framingham criteria

大症状 2 つか，大症状 1 つおよび小症状 2 つ以上を心不全と診断する
[大症状]
・発作性夜間呼吸困難または起坐呼吸
・頸静脈怒張
・肺ラ音
・心拡大
・急性肺水腫
・拡張早期性ギャロップ（Ⅲ音）
・静脈圧上昇（16 cmH₂O 以上）
・循環時間延長（25 秒以上）
・肝頸静脈逆流
[小症状]
・下腿浮腫
・夜間咳嗽
・労作性呼吸困難
・肝腫大
・胸水貯留
・肺活量減少（最大量の 1/3 以下）
・頻脈（120/分以上）
[大症状あるいは小症状]
・5 日間の治療に反応して 4.5 kg 以上の体重減少があった場合，それが心不全治療による効果ならば大症状 1 つ，それ以外の治療ならば小症状 1 つとみなす．

- これらの問診，身体所見に加えて，血液検査，12 誘導心電図，心エコー，胸部単純 X 線写真 ± 胸部 CT で評価を進めながら，後述するクリニカルシナリオに沿った初期治療と病態に合わせた治療を検討していく．
- なお，急性心不全は呼吸困難，酸素化不良で来院することが多く，必ず他疾患との鑑別（特に肺炎や喘息との鑑別）が必要〔wheeze ≒ 喘息ではない！（17 章「喘息発作・COPD 増悪」202 頁を参照）〕．

■急性心不全の対応フローチャート

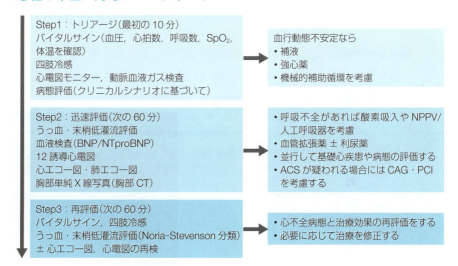

①血液検査

- BNP や NT-proBNP 上昇の感度は高く，除外には有用だが，特異度は低いため診断時には注意．
- 特に腎機能障害時には BNP の代謝障害により，高値になる傾向があり，さらに NT-proBNP はより上昇しやすいため注意が必要．その他，高齢者，女性，るい痩でも上昇しうる．

	BNP	NT-proBNP
カットオフ値 （心不全と診断）	>400 pg/mL	50歳未満：>450 pg/mL 70〜75歳：>900 pg/mL 75歳以上：>1,800 pg/mL
カットオフ値 （心不全を除外）	<100 pg/mL	<300 pg/mL

- 前述の通り ACS の関与は早期に鑑別したいため，心筋逸脱酵素の提出は必須．
  - CK には B(brain) と M(muscle) の2種類があり，結合様式から"BB"，"MB"，"MM"の3種類のアイソザイムに分かれる．CK-BB：脳や平滑筋，CK-MB：心筋細胞質，CK-MM：骨格筋に多く存在する．CK-MB は心筋梗塞の重要なマーカーとして測定され，CK-MB 割合が5%以上では心筋障害の可能性を疑う．
  - 心筋トロポニンは感度，特異度が高く，CK/CK-MB に変化がない微小心筋障害も検出できるため，心筋梗塞を診断するための心筋バイオマーカーとして推奨されている．
- 肺塞栓を疑う病歴や所見があれば D-dimer も提出する．
- その他，感染契機の心不全増悪もありうるため，血算と CRP，腎うっ血，肝うっ血の程度評価に腎機能，肝機能を確認する．

②胸部単純 X 線写真（±胸部 CT）

- 心胸郭比(CTR)拡大，肋骨横隔膜角(CPA)の鈍化，butterfly shadow などを評価する．
- 撮影条件が統一されていることを確認する．
  - 間質性肺水腫所見：Kerley's B line, Kerley's A line, peribronchial cuffing sign
  - 肺胞性肺水腫所見：air bronchogram, butterfly shadow

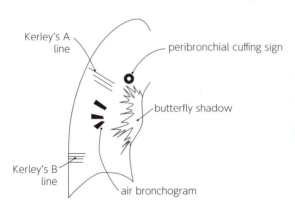
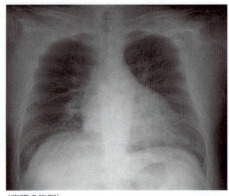

（実際の胸写）

- その他，心拡大や胸水もチェック．肺炎と鑑別困難な場合はCTを考慮する．

③12誘導心電図
- P波の有無，心拍数，RR間隔の整・不整，ST-T変化などを確認する．
- ACSや不整脈の有無の確認に必要なため必ず確認する．

④心エコー
- 心機能・基礎疾患の検索とうっ血・血行動態の評価に有用である．

心機能・基礎疾患の検索
左室サイズ，左室駆出率（LVEF），壁運動低下の有無，心嚢液貯留の有無，心肥大の有無，弁膜症の有無（狭窄，逆流の有無），右室圧推定，右室拡大，下大静脈を確認する．

> **本症例では…**
> - 肺音でcracklesを聴取，下腿浮腫と頸静脈怒張，頻脈を認め，体重も増加傾向であり，心不全の徴候がみられた．
> - 胸部単純X線写真でも両側肺野でびまん性肺水腫を認め，心エコーでIVC（下大静脈）径の呼吸性変動の消失を認めたため，急性心不全と診断した．

A 身体所見と問診が重要，その他の検査と組み合わせて迅速に診断につなげる

心不全の身体所見

①Ⅲ音，Ⅳ音
- Ⅲ音：急速流入による左室伸展時に聴取．

心房圧上昇 → 心室に急速に血液流入＝左房圧の上昇を示唆＝左室流入血流波形のE波に相当
- Ⅳ音：心房収縮による左室伸展時に聴取．

左室拡張が障害 → 心房収縮が増強＝左室流入血流波形のA波に相当
- 体位は左45度側臥位，位置は心尖部，ベル型で確認．

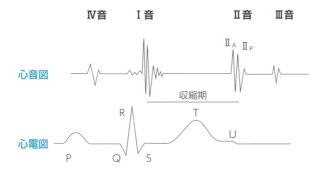

②頸静脈怒張
- 基本は右内頸静脈で所見を確認．認められないときは外頸静脈で代用可能．ペンライトを

使用して可視化（検者の視点で頸部に身体正面から接線方向にライトをあてて観察する）．頭部を30〜45度挙上．
- CVP上昇＝拍動上端－胸骨角＞3 cm
- 治療とともにうっ血が解除されてくると拍動上端は下がってくるため，日々の観察で注目．

③下腿浮腫
- pitting-edemaの浮腫をきたしている部分を，指2, 3本で約10秒間1〜2 cmの深さで圧迫し，同部位がもとに戻るまでの時間（pit recovery time）を計測．

40秒未満 → fast edema＝膠質浸透圧低下型の浮腫：低アルブミン（2.5 g/dL以下）
　　　　　　　　　　　　＝血管内低容量
40秒以上 → slow edema＝静脈圧上昇を伴う浮腫
　　　　　　　　　　　　＝血管内過剰容量

- 心不全の場合は後者となる．

心エコーでのうっ血の評価
①体うっ血（右心系）の指標
- IVC（下大静脈）の径と呼吸性変動の有無 → 右房圧と中心静脈圧を推定

IVC径 mm	呼吸性変動 %	推定右房圧 mmHg
≦21	≧50	0〜5
≦21	＜50	5〜10
＞21	≧50	5〜10
＞21	＜50	10〜20

- IVC の測定

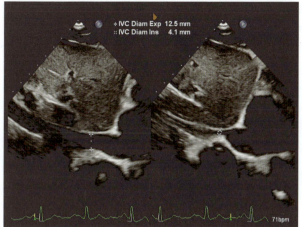

左：最大径
右：最小径（深呼吸時）

- TRPG（三尖弁逆流圧較差）の測定

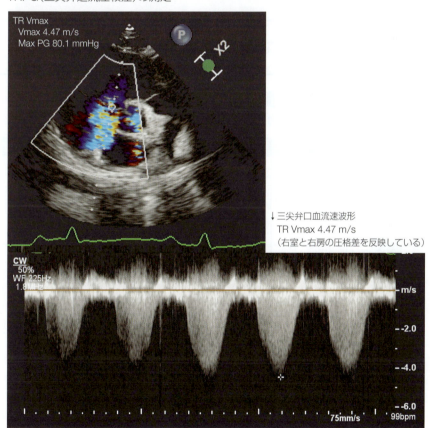

↓三尖弁口血流速波形
TR Vmax 4.47 m/s
（右室と右房の圧格差を反映している）

- TRPG → 間接的に肺動脈収縮期圧を推定（本当は圧較差＋右房圧＝肺動脈収縮期圧）．
- 論文やガイドラインによって諸説あるが，おおまかに TRPG ≧ 40 mmHg は肺高血圧と覚えておく．

②うっ血（左心系）の指標

- 左室拡張障害の結果として，左室拡張末期圧上昇をきたし，肺うっ血をきたすため，左室

拡張障害の有無をエコーで確認することが心不全の際のうっ血所見の参考となる．左室流入血流速波形の僧帽弁血流パターン〔E 波と A 波，E/A 比，DT（E 波の減速時間），組織ドプラを用いた E/e'〕から推定する．詳細は本書では割愛する．

> **症例 ❷** 60 歳男性．高血圧，糖尿病，慢性腎臓病の既往歴がある．
>
> ここ 2 か月で 10 kg の体重増加を認めた．来院 1 週間前から夜間就寝時に呼吸困難を自覚するようになり眠れなくなった．症状が増悪して改善が得られないため救急要請した．来院時バイタルサインは意識清明，体温 36.4℃，血圧 150/80 mmHg，脈拍 110/分・整，呼吸数 24/分，SpO_2 82%（室内気）．身体所見上は肺野で crackles 聴取，両側下腿浮腫著明．四肢冷感なし．

Q 行うべき初期治療と心不全の病態は？

鉄則 2　急性心不全の初期治療はクリニカルシナリオで開始

急性心不全の初期治療
■ 初期治療分類（クリニカルシナリオ）

分類		治療	予測される病態
CS1	収縮期血圧 ＞140 mmHg	NPPV 血管拡張薬（硝酸薬） 容量過負荷あれば利尿薬	急激な発症 主病態は**びまん性肺水腫** 全身浮腫は軽度 急性の左室充満圧上昇 HFpEF（→ 224 頁）多い 血管性
CS2	収縮期血圧 100〜140 mmHg	NPPV 血管拡張薬（硝酸薬） 利尿薬（慢性的体液貯留がベースのため）	緩徐に発症（体重増加） 主病態は**全身性浮腫** 肺水腫は軽度 慢性の左室充満圧上昇 右心系圧の上昇 他臓器障害（腎機能障害，肝機能障害）
CS3	収縮期血圧 ＜100 mmHg	volume 負荷 強心薬 血管収縮薬（末梢循環不全が介入後も持続の場合）	急激あるいは徐々に発症 主病態は**低灌流** 全身浮腫や肺水腫は軽度 心原性ショックも考慮
CS4	急性冠症候群（ACS）	ACS 対応（アスピリン，ヘパリン，血行再建） IABP	急性発症 急性心不全の症状・徴候を伴った**ACS** が病態
CS5	右心不全	volume 過剰 → 強心薬，血管収縮薬（末梢循環不全が介入後も持続の場合） volume 不足 → 補液が必要	急激あるいは徐々に発症 主病態は**右心機能不全** （肺塞栓や肺性心，原発性肺高血圧など） 肺水腫なし 全身浮腫あり

- 心不全では治療を開始するまでの時間が予後に影響するといわれており，このクリニカルシナリオは来院時の情報から早急に治療介入を行うための分類である．
- よって，これは病院到着前〜到着後数時間までを想定したもので，あくまで「初期治療のための分類」であり，入院後も病態や原因の再検討を継続的に行う必要がある．
- 急性心筋梗塞に合併する心不全や右心不全（重症肺血栓塞栓症など）では対応が異なるため，最初に評価をしておく．

①バイタルサインの安定化
- 心不全ではまず何よりもバイタル管理が重要．ABC（A：気道，B：呼吸，C：循環）の確認を行い，安定化を図る．
- 循環動態が不安定な場合には，病態に準じてノルアドレナリンやドブタミンなどのカテコラミンを使用しつつ，必要に応じて体外循環を考慮する．

②呼吸管理
- 肺うっ血によりSpO_2の低下まで生じている場合は基本的に酸素投与，ショックでなければ半坐位にする（起坐呼吸のため）．
- 酸素投与でも酸素化を保てない場合はNPPVをためらわない．すみやかに導入し，頻呼吸や努力性呼吸の改善を図る．
- それでも酸素化を保てない場合や意識レベル低下を伴う場合，NPPVが同調できない場合は気管挿管を考慮する．

■ NPPV（non-invasive positive pressure ventilation；非侵襲的陽圧換気）とは？
- NPPVはマスクを用いて気道に陽圧をかけるため，なるべくマスクを密着させてリークを減らすことが必要である．その際には急な陽圧を患者が受容できるように徐々に圧をかけていくことが重要である．
- 呼気終末持続陽圧（PEEP）をかけることで，換気改善，酸素化改善，呼吸仕事量減少，前負荷軽減（胸腔内圧上昇 → 静脈還流圧減少），後負荷減少効果あり．
- 心不全での初期設定のモード：
  - CPAP：5〜6 cmH_2O 程度で開始し，効果が不十分であれば 2 cmH_2O ずつ増量
  - FiO_2：100％から開始し，安定していれば順次下げていく

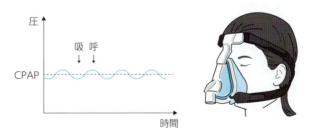

※ NPPVの禁忌に注意：呼吸停止または心停止（自発がないと使用不可）・上気道狭窄・閉塞（嘔吐など）・喀痰多量・顔面熱傷，外傷，手術または奇形，マスクがつけられない状況 → これらの場合は挿管の適応
- NPPVは装着時間が長引くと気道感染の併発リスクが上昇し，院内死亡率を高めることが報告されているため，早期離脱を心がけることが重要である．

③体液管理

- 過剰な前負荷の是正目的に利尿薬を使用する．
- 従来心不全における利尿薬はループ利尿薬の一強であったが，ここ数年で心不全における利尿薬の立ち位置は変動し，いかにループ利尿薬の使用を最小限に抑えられるかが重要である．

ループ利尿薬

- 急性心不全の体液是正のためには原則ループ利尿薬を主軸に使用する．
- 利尿効果が良好の場合には，血圧の低下や低K血症，腎機能の増悪がないかを適宜確認する．
- フロセミド（ラシックス®）1回10〜20 mgの静注から開始することが多く，利尿効果は約6時間維持されるので反応尿量に準じて調整する．
    ※心不全急性期では腸管浮腫により内服薬では効果が乏しいことがあるので，急性期は静注で開始することが多い
    ※ひとつの目安としてフロセミド10 mg静注はフロセミド20 mg内服に該当する

抗アルドステロン薬

- 単独での利尿効果は強くないが，ループ利尿薬と併用して低K血症を是正することができる．
- HFrEFの長期予後改善薬である．
    〈処方例〉カンレノ酸カリウム（ソルダクトン®）　1回100〜200 mg　1日1〜2回
    〈処方例〉スピロノラクトン（アルダクトンA®）　25 mg　1日1回1錠から開始

バソプレシン V_2 受容体拮抗薬

- 自由水利尿を促す．血管内脱水をきたしにくいが，予後改善を示したエビデンスには乏しい．
- 自由水利尿により高Na血症をきたしうるため，飲水制限は解除してこまめに血液検査で血清Na値をフォローする．
    〈処方例〉トルバプタン（サムスカ®）　7.5 mg　1回0.5〜1錠　1日1回から開始

④血圧管理

- 静脈血管を拡張した前負荷の軽減や動脈血管拡張による後負荷軽減の役割があり，冠動脈の拡張も得られるため，虚血性心疾患が背景にある症例にも有効である．
- 収縮期血圧140 mmHg以下などを目安に使用される．
    ※重症大動脈弁狭窄症や閉塞性肥大型心筋症では低血圧を惹起する可能性があるため原則は禁忌とされる
    〈処方例〉ニトログリセリン（ミオコール®）　1γから開始，血圧をみながら適宜調整
    ※数日以内に耐性が獲得されて効果が減少するため，内服薬へ移行していく

鉄則3 急性心不全の病態把握には wet or dry?（うっ血）と cold or warm?（低灌流）を意識し，病態に応じた治療をする

心不全の病態把握

- 心不全の病態は心ポンプの代償破綻である．
- ①静脈系からの血液の回収と，②動脈系への血液の供給が，心臓のポンプとしての主な役割であることから，これらが障害されると，①左心系，右心系圧上昇によるうっ血と，②心拍出量低下による末梢循環不全，臓器障害が生じる．よって，これらに伴う自覚症状や他覚所見を拾い上げることが診断と病態の把握には重要となる．

- 具体的には症状や所見を，うっ血所見と低灌流（低心拍出量）所見とに分けて考える．
- さらにうっ血所見は左心系（肺水腫）と右心系（全身浮腫）とに分けて考える．

　左心不全：肺水腫となるため，労作時呼吸困難，夜間発作性呼吸困難，起坐呼吸がキーワード．

　右心不全：浮腫や食欲不振などの消化器症状（腸管浮腫による）や倦怠感に注目．

急性心不全の初期対応から急性期病態に応じた治療の基本方針

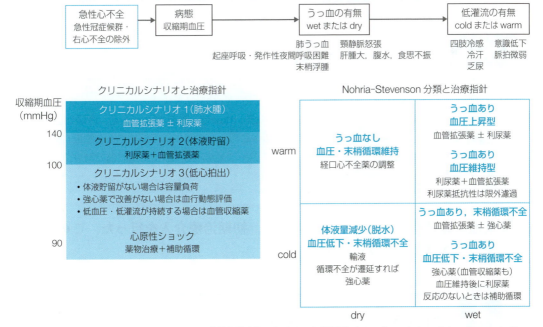

〔日本循環器学会/日本心不全学会．急性・慢性心不全診療ガイドライン（2017年改訂版）．https://www.j-circ.or.jp/cms/wp-content/uploads/2017/06/JCS2017_tsutsui_h.pdf．2023年8月閲覧〕

Nohria-Stevenson 分類

- 拾い上げた病歴と身体所見の情報から，①うっ血と②末梢低灌流の２つの軸の病態を把握し，Nohria-Stevenson 分類を用いて分類を行う．
- Nohria-Stevenson 分類は予後予測のみならず初期アセスメント，初期治療の指標となる．
- 2016 年の ESC の心不全ガイドラインでもこれに基づいて治療選択を推奨している．
- 短期間での死亡例はプロファイル B（wet-warm）とプロファイル C（wet-cold）に多い．
- プロファイル B（wet-warm）：うっ血あり＋末梢循環あり
    - 末梢血管収縮がメイン → 血管拡張のうえ，利尿薬を投与
    - 心機能低下がメイン → 利尿薬から開始し，その後血管拡張薬を考慮
- プロファイル C（wet-cold）：うっ血あり＋末梢循環不全
    - 収縮期血圧 90 mmHg が保たれない場合は，強心薬を併用のうえで利尿薬を投与

本症例では…

- 病歴と身体所見から急性心不全と診断した．
- 収縮期血圧が 150 mmHg であり，クリニカルシナリオ１に該当すると判断し，NPPV の装着を行い，硝酸薬を持続静注で開始して降圧を行った．
- また体液過剰を認めたため，利尿薬はラシックス®20 mg の静注とソルダクトン®100 mg から開始したところ，良好に利尿が得られた．

A 心不全の初期治療はクリニカルシナリオで開始し，うっ血所見があり末梢低灌流を認めないため wet-warm タイプと判断した

症例 ❸ 84 歳女性．呼吸困難で来院．

来院１か月前に歯科治療をされており，３週間前から 38℃台の発熱が継続した．来院前日から呼吸困難を自覚するようになり，その後も症状が改善しないため救急要請された．来院時バイタルサインは意識レベル JCS Ⅰ-2，体温 38.2℃，血圧 110/64 mmHg，脈拍 114/分・整，呼吸数 24/分，SpO_2 88%（O_2 2 L/分投与下）．両側肺野で crackles 聴取，心尖部に汎収縮期雑音を聴取した．胸部単純 X 線写真では両側肺野に浸潤陰影あり．心エコーは LVEF60%以上で過収縮であり，僧帽弁に疣贅の付着と重症僧帽弁閉鎖不全症を認めた．

Q 病歴と身体所見から心不全と判断し，初期治療介入を行った．この心不全の原因はどのように鑑別するか？

鉄則 4 急性心不全の原因は「FAILURE」で鑑別

急性心不全の原因

- 心不全の病態は心ポンプ機能の代償破綻であり，その原因は非常に多彩である．

■ 心不全の基礎疾患

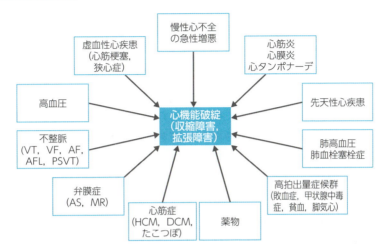

- 心不全の改善を目指すには，急性期治療はもちろんだが，そのベースの心ポンプ機能低下に関与したそもそもの基礎疾患や増悪因子を治療しなければ，根本解決とならないため，原因検索は必須である．

心不全の増悪因子「FAILURE」	
F：Forgot meds	怠薬
A：Arrhythmia, Anemia	不整脈，貧血
I：Infection, Ischemia, Infarction	感染症，狭心症，心筋梗塞など
L：Lifestyle	塩分摂取過剰，ストレス
U：Upregulators	甲状腺疾患，妊娠，脚気心
R：Rheumatic valve or valvular diseases	弁膜症
E：Embolism	肺血栓塞栓症

- 既往歴は必ず確認し，心機能低下を示唆する病歴には注意する．
- coronary risk factor〔年齢（男性≧55歳，女性≧65歳），糖尿病，高血圧，脂質異常症，喫煙，肥満，心疾患の家族歴〕も忘れずに聴取する．
- 急性心不全では虚血性心疾患の関与も忘れずに．
- その他，体重増加や薬歴も確認する．

本症例では…

- 経過からは抜歯後の感染性心内膜炎が疑われる経過であり，経胸壁心エコーでは重症僧帽弁閉鎖不全症を認めており，急性の弁膜症が心不全の原因と考えられた．
- 経胸壁心エコーでも疣贅の付着とprolapse像がみられており，心臓血管外科に依頼のうえで緊急で外科的手術を行うこととした．

A 急性心不全では「FAILURE」を用いて必ず原因検索を行い，それに応じた介入を行う

HFrEF と HFpEF

- 従来，心不全は心臓の収縮力が低下して生じると考えられていたが，心不全症状をきたした患者の収縮能を心エコーなどで評価すると，収縮能は保持されている心不全患者が半数近く存在することがわかってきた．
- 心収縮が低下している心不全（LVEF 40％未満）を HFrEF（ヘフレフ，heart failure with reduced EF）と呼ぶのに対して，心収縮が保たれている心不全（LVEF 50％以上）を HFpEF（ヘフペフ，heart failure with preserved EF）と呼ぶ．また LVEF が 40〜49％と軽度低下した心不全を HFmrEF（heart failure with midrange EF）と呼ぶ．
- HFpEF は主に拡張障害がメインといわれ，「心不全の症状あり」「LVEF が正常＞50％」，「左室拡張不全の所見あり」の 3 つすべてを満たすものと定義される．
- 高齢者，心房細動，貧血，腎機能障害などを背景に，高血圧や左室肥大，虚血性心疾患を合併．後負荷の増大が関与して心不全（いわゆる CS1 心不全）となることが多い．

The Fantastic Four

- 心不全治療，特に HFrEF に対する新薬が続々と出現しており，わが国のガイドラインでも推奨薬剤が数年で大きく変化している．
- 従来はβブロッカーに加えて，ACE（アンジオテンシン変換酵素）阻害薬/ARB（アンジオテンシン受容体拮抗薬），MRA（ミネラルコルチコイド受容体拮抗薬）が HFrEF 治療として使用されてきた．
- 一方で ACE 阻害薬/ARB の代わりに ARNI（アンジオテンシン受容体ネプリライシン阻害薬）への切り替えが推奨されており，その他に従来糖尿病薬として知られていた SGLT-2 阻害薬が心不全の予後改善薬として注目されている．
- 現在の HFrEF 治療の主軸を担う 4 種類の薬は，βブロッカー・MRA・ARNI・SGLT-2 阻害薬となり，生命予後を改善し，心不全治療に大きな進歩をもたらしていることからこの 4 剤を The Fantastic Four と呼ぶ．
- 現在エビデンスが日々蓄積されている分野であり，今後の研究にも期待が寄せられている．

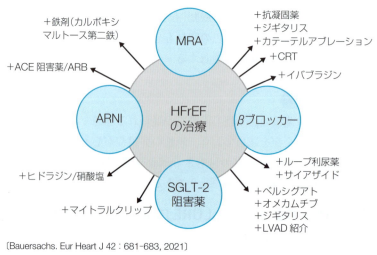

〔Bauersachs. Eur Heart J 42：681-683, 2021〕

● **参考文献**

1) McDonagh, et al. 2021 ESC Guidelines for the Diagnosis and Treatment of Acute and Chronic Heart Failure. Eur Heart J 42：3599-3726, 2021［PMID：34447992］
   ・ESC 心不全ガイドライン．HFrEF の新薬から急性心不全の分類と治療アルゴリズムをわかりやすく解説している．

2) Metra M, Teerlink JR. Heart failure. Lancet 390：1981-1995, 2017［PMID：28460827］
   ・Figure 3 が実際の流れをつかむのにわかりやすい．

3) Bauersachs, J. Heart failure drug treatment：the fantastic four. Eur Heart J 42：681-683, 2021［PMID：33447845］
   ・Figure 1 が HFrEF 診療の全体像をつかむのにわかりやすい．

4) 日本循環器学会ほか：急性・慢性心不全診療ガイドライン（2017 年改訂版）．2017
   （https://www.j-circ.or.jp/cms/wp-content/uploads/2017/06/JCS2017_tsutsui_h.pdf）（2023 年 8 月閲覧）
   ・心不全診療のエビデンスが日本語で非常にわかりやすく解説されている．

5) 日本循環器学会ほか：2021 年 JCS/JHFS ガイドラインフォーカスアップデート版　急性・慢性心不全診療．2021
   （https://www.j-circ.or.jp/cms/wp-content/uploads/2021/03/JCS2021_Tsutsui.pdf）（2023 年 8 月閲覧）
   ・心不全の分類から新薬まで含めた治療アルゴリズムを最新のガイドラインで提供している．

（鈴木　隆宏）

19 脳梗塞
多彩な治療でペナンブラを救え！

1. 本当に脳梗塞かをまずは見極める
2. TIA をみたら脳梗塞のリスク評価
3. 脳梗塞を疑ったら発症時間（4.5 時間以内か 6 時間以内か），発症前 mRS，NIHSS と頭部 CT を確認し，t-PA と血管内治療の適応を判断する
4. 脳梗塞は病型分類（心原性，アテローム血栓性，ラクナ，BAD）を意識
5. 治療目標はペナンブラを救うこと

> **症例 ❶**　高血圧，糖尿病で内服加療中の 74 歳女性．
> 来院 3 日前から感冒症状が出現し，食事摂取量が減少していた．来院当日の朝から下肢の脱力があり，歩行困難となったため当院を受診した．来院時バイタルサインは意識レベル JCS I-1，体温 36.5℃，血圧 120/82 mmHg，脈拍 90/分・整，呼吸数 12/分，SpO_2 98％（室内気）．身体所見では脳神経系には異常なし．運動神経については上肢 Barré 徴候は陰性で，下肢 Mingazzini 徴候は両側でやや下垂を認めるが左右差ははっきりしない．感覚神経障害ははっきりしない．頭部 CT では梗塞や出血の所見は認めなかった．

Q 診断は脳梗塞でよいか？

本当に脳梗塞かをまずは見極める

脳卒中と鑑別すべき疾患

- 脳卒中を原因として考えるべき疾患と，stroke chameleons とよばれる脳梗塞らしくないが，脳梗塞を疑うべき症状もある．階段状に進行する認知機能障害，経過に合わない急性発症のせん妄，幻覚，躁状態，重症高血圧，全身倦怠感など．これらは一見すると脳梗塞らしくないが，鑑別疾患に脳梗塞を入れておく必要がある〔Lancet Neurol 10：550-560, 2011/Neuropsychiatr Dis Treat 17：1469-1480, 2021〕．

外傷	頭蓋，脳/頸部損傷
	硬膜下/硬膜外血腫
感染症	髄膜炎/脳炎
脳卒中以外の頭蓋内病変	腫瘍
	持続する神経症状を伴うけいれん(Todd麻痺)
	持続する神経症状を伴う片頭痛
代謝障害	高血糖(非ケトン性高浸透圧性昏睡)
	低血糖
その他の脳症	高血圧性脳症
	心停止後の蘇生後脳症
	ショックと中枢神経への低灌流
	中毒
	内分泌障害(粘液水腫)
	尿毒症
	精神障害

〔「ISLS ガイドブック 2018」編集委員会(編)：ISLS ガイドブック 2018 脳卒中の初期診療の標準化，p.50．へるす出版，2018〕

本当に脳梗塞でよいか？（脳梗塞らしさ・脳梗塞らしくなさ）

脳梗塞でよく認める所見	脳梗塞らしくない所見
発症様式：突然〜急性発症 バイタルサイン：血圧上昇，徐脈 併存症：心房細動，血管リスク(喫煙，高血圧，糖尿病，脂質異常症，家族歴など) 前方循環系(内頸動脈系)の症状：片麻痺(顔面含む)，半側の感覚障害，皮質症状(失語，半側空間無視，消去現象) 後方循環系(椎骨脳底動脈系)の症状：半側または両側の感覚障害，半側の顔面神経麻痺(口角下垂)，構音障害，嚥下障害，同名半盲，運動失調，めまい	発症様式亜急性〜慢性経過発症 バイタルサイン：血圧正常 併存症：血管リスクがない 症状：対麻痺(脊髄疾患で多い)，意識障害，頭痛，失神

- 低血糖では脳梗塞のような症状を呈することがあり，必ず最初に除外が必要である．簡易血糖測定器や血液ガス分析ですぐに評価する．
- 低血糖で片麻痺を生じることがある〔Diabet Med 21：623-624, 2004/BMC Neurol 12：139, 2012〕．
- 糖尿病患者では感冒などを契機として食事摂取量が減少し，低血糖となることがあるため注意が必要である．
- また高齢者では訴えもはっきりせず，普段の神経所見もあいまいなことが多い．

本症例では…

- 下肢に脱力を認めているが，あまり左右差ははっきりしていなかった．
- 歩行困難が片麻痺やめまいによるものなら脳梗塞の可能性はあるが，対麻痺や脱力感だけならほかの疾患と鑑別が必要である．
- 血糖測定を行うと，血糖値 42 mg/dL と低血糖を認めた．
- 10 g ブドウ糖経口摂取にて症状は改善した．

- 常用薬としてメトホルミン，シタグリプチンを内服しており，食事摂取量は低下していたものの薬はすべて内服継続していた．

A 脳梗塞らしくないため，脳梗塞以外の鑑別疾患を検討する必要がある

> **症例 ②** 高血圧，糖尿病，脂質異常症の既往歴のある構音障害の 62 歳男性．
>
> 来院当日の朝 9 時，職場での会議中に突然しゃべりにくさを自覚，その後しばらく様子をみたが症状が改善しないため，当院を 11 時に受診．来院時バイタルサインは意識清明，体温 36.8℃，血圧 164/98 mmHg，脈拍 90/分・整，呼吸数 18/分，SpO₂ 96%（室内気）．身体所見では明らかな神経学的所見なく，来院時点では構音障害も認めなかった．

Q 当初認めた所見は改善している．何を考えるか？

鉄則 2　TIA をみたら脳梗塞のリスク評価

TIA（transient ischemic attack；一過性脳虚血発作）

- 定義は，局所脳または網膜の虚血に起因する神経機能障害の一過性のエピソードであり，急性梗塞の所見がないもの．神経機能障害のエピソードは，長くとも 24 時間以内に消失すること〔日本脳卒中学会 2019 年 10 月 12 日〕．
- 欧米に続く形で，「TIA の診断は画像検査で梗塞巣を有してはならない」という tissue-based definition に変更となった．つまり症状が消失していても，MRI で梗塞巣があれば TIA ではなく脳梗塞と診断することになり，「DWI 陽性 TIA → 軽症脳梗塞」と変更される．
- TIA が重要な理由は **90 日以内の脳梗塞発症リスクが高いため**である．
- 特に TIA 発症から **48 時間以内の発症率が高い**ため，早期の治療が必要である．
- アテローム血栓性の前段階．来院時には症状が改善傾向であったり，ほぼ消失していたりするため，病歴聴取が大事である．
- TIA 後の脳梗塞発症リスクを評価する方法として「ABCD2 スコア」が利用される．

2 日以内の脳卒中発症リスク

　　low：3 点以下 → 1.0%　　moderate：4〜5 点 → 4.1%　　high：6〜7 点 → 8.1%

- 入院適応は，発症 72 時間以内の TIA で，
  - ・ABCD2 スコアが 3 点以上
  - ・ABCD2 スコアが 2 点以下で外来での精査が 2 日以内に可能か不明
  - ・ABCD2 スコアが 2 点以下で発作の原因が局在性の虚血である証拠あり

- さらに近年,「ABCD3スコア」,「ABCD3-Iスコア」などが開発されている.
- 前述の通り,画像で梗塞巣がある場合は脳梗塞として扱うようになったためABCD3-Iスコアの扱いは難しい.しかしTIAでも軽症脳梗塞であっても,ABCD3-Iスコアが3か月以内の再発リスクを予測することができるとする論文もあるので知っておく必要はあるだろう〔J Neurol 265:530-534, 2018〕.

■ ABCD2, ABCD3, ABCD3-I スコアによる脳梗塞リスクの評価

		ABCD2	ABCD3	ABCD3-I
年齢(age)	60歳以上=1点	○	○	○
血圧(blood pressure)	収縮期血圧140 mmHg以上または拡張期血圧90 mmHg以上=1点	○	○	○
臨床症状(clinical features)	片側の運動麻痺=2点 麻痺を伴わない言語障害=1点	○	○	○
持続時間(duration)	60分以上=2点 10〜59分=1点	○	○	○
糖尿病(diabetes)	糖尿病=1点	○	○	○
再発性TIA(dual TIA)	7日以内のTIA既往歴=2点		○	○
画像所見(imaging)	同側内頸動脈の50%以上狭窄=2点			○
	DWIでの急性期病変=2点			○
合計スコア		7	9	13

- 治療は,脳梗塞に準じた抗血小板薬,抗凝固薬を検討する.
- アテローム硬化性病変が疑われる場合は抗血小板薬,心原性が疑われる場合は抗凝固薬を考慮する.
- 抗血小板薬:アスピリン(バイアスピリン®)160〜300 mg/日,あるいはアスピリン(160〜325 mgでloading→50〜100 mg/日)+クロピドグレル(プラビックス®)(300〜600 mgでloading→75 mg/日)併用療法(いわゆるDAPT:dual anti-platelet therapy)が有効.DAPTはABCD2スコア≧4点以上の高リスクTIAにおいて急性期21日間に限った使用で90日間の脳卒中発症抑制がアスピリン単剤よりも有意差をもって少なく,出血性脳卒中に差がないという結果が示されている〔N Engl J Med 369:11-19, 2013〕.
- 非弁膜症性心房細動を合併したTIAではワルファリンまたは直接経口抗凝固薬(DOAC)を使用する.禁忌がなければDOACがワルファリンと比較して脳卒中全体,出血性脳卒中を有意に抑制するため推奨されている〔Stroke 43:3298-3304, 2012〕.

本症例では…

- 発症から2時間で症状は消失しており,TIAが疑われた.
- 頭部MRI検査を施行するも急性期脳梗塞の所見はなかった.
- ABCD2スコアは「A:高齢」「B:血圧高値」「C:構音障害」「D:60分以上」「D:糖尿病あり」から6点となり,highリスクであったため,バイアスピリン®(160〜325 mgでloading→100 mg/日)+プラビックス®(300 mgでloading→75 mg/日)のDAPTを開始し,入院のうえ精査を行うこととした.

A TIAが疑われる．脳梗塞へ移行するリスク評価をして抗血栓療法を導入する

> **症例❸** 左上下肢麻痺の65歳男性．
>
> 高血圧，糖尿病，脂質異常症，重喫煙歴(40本/日×40年)あり．来院当日の12時30分に昼食を食べていた最中に，まず左上肢に力が入らなくなり，その後左下肢の麻痺も出現したため救急要請となった．搬送中に右共同偏視が出現し，口角下垂も生じた．来院時バイタルサインは意識レベルJCS Ⅰ-2，体温36.8℃，血圧180/92 mmHg，脈拍82/分・整，呼吸数18/分，SpO_2 96%(室内気)．右共同偏視，左口角下垂，左舌偏位あり．左上肢Barré徴候陽性，左下肢Mingazzini徴候陽性．感覚障害なし，小脳症状なし．失語はないが構音障害あり．消去現象なし．簡易血糖測定で低血糖なし．頭部CTでは明らかな出血やearly CT signは所見なし．CT撮影時点で発症から50分が経過していた．

Q 片側性の症状が出現しており，脳梗塞が疑われる．脳梗塞を疑ったら次に確認すべきことは？

鉄則3 脳梗塞を疑ったら発症時間(4.5時間以内か6時間以内か)，発症前mRS，NIHSSと頭部CTを確認し，t-PAと血管内治療の適応を判断する

- 脳梗塞を疑ったら，発症時刻の確認とNIHSS(National Institutes of Health Stroke Scale)で重症度を点数化する．
- 出血性脳卒中の否定目的に頭部CTをすみやかに撮影する．MRIへのアクセスがよい施設はMRI 1stとすることもある．
- その後の治療(特にt-PA療法と血栓回収治療)に関わるため，早急に評価を行う．
- 特に発症後4.5時間以内はt-PA，発症後6時間以内は血管内治療の適応となる．

NIHSS
- 脳卒中の症状・重症度を客観的に評価するための国際指標である．
- 急性期での変化を鋭敏に捉えることができ，治療法の決定に重要な意味をもつ．
- 日々の症状変化の指標にもなる．
- 合計点で重症度を評価．全項目を最重症とすると42点であるが，四肢失調は存在が確認された場合のみ加点するため(昏睡例では評価不能)，最重症でも40点満点．
- 順番どおりにスコアをつけ，その場で採点が原則．

NIHSS	患者名　　　　　　評価日時　　　　　　評価者
1a. 意識水準	□0：完全覚醒　□1：簡単な刺激で覚醒 □2：繰り返し刺激，強い刺激で覚醒　□3：完全に無反応
1b. 意識障害―質問 （今月の月名および年齢）	□0：両方正解　□1：片方正解　□2：両方不正解
1c. 意識障害―従命 （開閉眼，「手を握る・開く」）	□0：両方正解　□1：片方正解　□2：両方不可能
2. 最良の注視	□0：正常　□1：部分的注視視野　□2：完全注視麻痺
3. 視野	□0：視野欠損なし　□1：部分的半盲 □2：完全半盲　□3：両側性半盲
4. 顔面麻痺	□0：正常　□1：軽度の麻痺 □2：部分的麻痺　□3：完全麻痺
5. 上肢の運動（右） *仰臥位のときは45度右上肢 □9：切断，関節癒合	□0：90度*を10秒保持可能（下垂なし） □1：90度*を保持できるが，10秒以内に下垂 □2：90度*の挙上または保持ができない □3：重力に抗して動かない □4：全く動きがみられない
上肢の運動（左） *仰臥位のときは45度左上肢 □9：切断，関節癒合	□0：90度*を10秒間保持可能（下垂なし） □1：90度*を保持できるが，10秒以内に下垂 □2：90度*の挙上または保持ができない □3：重力に抗して動かない □4：全く動きがみられない
6. 下肢の運動（右） □9：切断，関節癒合	□0：30度を5秒間保持できる（下垂なし） □1：30度を保持できるが，5秒以内に下垂 □2：重力に抗して動きがみられる □3：重力に抗して動かない □4：全く動きがみられない
下肢の運動（左） □9：切断，関節癒合	□0：30度を5秒間保持できる（下垂なし） □1：30度を保持できるが，5秒以内に下垂 □2：重力に抗して動きがみられる □3：重力に抗して動かない □4：全く動きがみられない
7. 運動失調 □9：切断，関節癒合	□0：なし　□1：1肢　□2：2肢
8. 感覚	□0：障害なし　□1：軽度から中等度　□2：重度から完全
9. 最良の言語	□0：失語なし　□1：軽度から中等度 □2：重度の失語　□3：無言，全失語
10. 構音障害 □9：挿管または身体的障壁	□0：正常　□1：軽度から中等度　□2：重度
11. 消去現象と注意障害	□0：異常なし □1：視覚，触覚，聴覚，視空間，または自己身体に対する不注意，あるいは1つの感覚様式で2点同時刺激に対する消去現象 □2：重度の半側不注意あるいは2つ以上の感覚様式に対する半側不注意

血管内治療の適応

- 以下のすべてを満たす症例では，t-PA静注療法を含む内科的治療に加えて，発症から6時間以内にステントリトリーバーまたは血栓吸引カテーテルを用いた機械的血栓回収療法を行うことが推奨されている．近年の脳梗塞診療の最大の進歩である．
  - ・内頸動脈または中大脳動脈M1部の急性閉塞
  - ・発症前のmRSが0または1
  - ・頭部CTまたはMRIでASPECTS（Alberta Stroke Program Early CT score）が6

点以上
・年齢18歳以上
- 上記の6時間以内はあくまで原則である．最終健常確認時刻から16〜24時間以内であれば，神経徴候と画像診断に基づいて機械的血栓回収療法を行うことは妥当であるとガイドラインに明記されている．つまり6時間を超えているから，という理由で機械的血栓回収療法を諦めることはしてはならない．脳神経外科や脳卒中科との密な連携が必要である．
- mRS(modified Rankin Scale)は神経疾患の重症度を評価するための指標である．詳細な神経所見や検査所見ではなく介助量や発症前との比較で評価する簡便な指標である．

■脳梗塞の初期対応

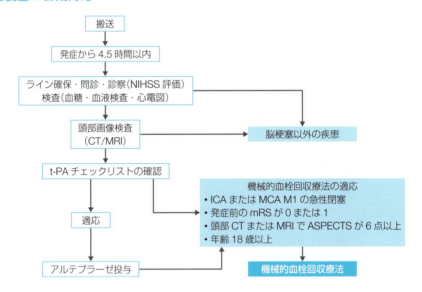

本症例では…
- NIHSSは8点(顔面部分的麻痺2点＋左上肢運動低下3点＋左下肢運動低下3点)であり，発症前のmRSは0点であった．発症から1時間程度であり禁忌項目がないため，t-PA静注療法(アルテプラーゼ0.6 mg/kg)を施行した．
- また頭部CTにおいてASPECTSは6点，CT血管造影で中大脳動脈のM1閉塞が判明したため，脳神経外科へコンサルテーション，血管内治療を行う方針とした．

A t-PAと血管内治療の適応を判定するため，発症時刻とNIHSS，頭部CT，発症前のmRSを確認

t-PA（血栓溶解療法）

- t-PA投与によって3か月後の転帰良好例は有意に増加する．
- t-PA適応は4.5時間以内である．早ければ早いほどよい．
- 「発症時刻＝正常と確認できた最終時間」である．睡眠中であれば前日の就寝時刻．発見時刻ではない．
- 除外項目や慎重投与の検討が重要．基本的には症状の急激な改善（NIHSSで4点以上の変化）がない症例，軽症（NIHSSが4点以下）ではない症例が対象．
- 禁忌項目の確認として全身の出血病変や出血傾向がないこと，血圧高値でないこと，血糖異常や血小板低下，凝固障害がないこと，CT画像ですでにearly CT sign（早期虚血性変化）やmid-line shift（正中構造偏位）がないこと，をみる．

静注血栓溶解療法のチェックリスト①

適応外（禁忌）	あり	なし
発症ないし発見から治療開始までの時間経過		
発症（時刻確定）または発見から4.5時間超	☐	☐
発見から4.5時間以内でDWI/FLAIRミスマッチなし，または未評価	☐	☐
既往歴		
非外傷性頭蓋内出血	☐	☐
1か月以内の脳梗塞（症状が短時間に消失している場合を含まない）	☐	☐
3か月以内の重篤な頭部脊髄の外傷あるいは手術	☐	☐
21日以内の消化管あるいは尿路出血	☐	☐
14日以内の大手術あるいは頭部以外の重篤な外傷	☐	☐
治療薬の過敏症	☐	☐
臨床所見		
くも膜下出血（疑）	☐	☐
急性大動脈解離の合併	☐	☐
出血の合併（頭蓋内，消化管，尿路，後腹膜，喀血）	☐	☐
収縮期血圧（降圧療法後も185 mmHg以上）	☐	☐
拡張期血圧（降圧療法後も110 mmHg以上）	☐	☐
重篤な肝障害	☐	☐
急性膵炎	☐	☐
感染性心内膜炎（診断が確定した患者）	☐	☐
血液所見（治療開始前に必ず血糖・血小板数を測定する）		
血糖異常（血糖補正後も＜50 mg/dL，または＞400 mg/dL）	☐	☐
血小板数100,000/mm³以下（肝硬変，血液疾患の病歴がある患者）	☐	☐
※肝硬変，血液疾患の病歴がない患者では，血液検査結果の確認前に治療開始可能だが，100,000/mm³以下が判明した場合にすみやかに中止する		
血液所見：抗凝固療法中ないし凝固異常症において		
PT-INR＞1.7	☐	☐
aPTTの延長（前値の1.5倍[目安として約40秒]を超える）	☐	☐
直接作用型経口抗凝固薬の最終服用後4時間以内	☐	☐
※ダビガトランの服用患者にイダルシズマブを用いたあとに本療法を検討する場合は，上記所見は適応外項目とならない		
CT/MR所見		
広汎な早期虚血性変化	☐	☐
圧排所見（正中構造偏位）	☐	☐

- 慎重投与の確認：高齢（81歳以上）でないこと，脳梗塞の範囲が広範囲（NIHSS 26点以上）でないことなど．

静注血栓溶解療法のチェックリスト②

慎重投与（適応の可否を慎重に検討する）	あり	なし
年齢81歳以上	□	□
最終健常確認から4.5時間超かつ発見から4.5時間以内に治療開始可能でDWI/FLAIRミスマッチあり	□	□
既往歴		
10日以内の生検・外傷	□	□
10日以内の分娩・流早産	□	□
1か月以上経過した脳梗塞（特に糖尿病合併例）	□	□
蛋白製剤アレルギー	□	□
神経症候		
NIHSS値26以上	□	□
軽症	□	□
症候の急速な軽症化	□	□
けいれん（既往歴などからてんかんの可能性が高ければ適応外）	□	□
臨床所見		
脳動脈瘤・頭蓋内腫瘍・脳動静脈奇形・もやもや病	□	□
胸部大動脈瘤	□	□
消化管潰瘍・憩室炎, 大腸炎	□	□
活動性結核	□	□
糖尿病性出血性網膜症・出血性眼症	□	□
血栓溶解薬, 抗血栓薬投与中（特に経口抗凝固薬投与中）	□	□
月経期間中	□	□
重篤な腎障害	□	□
コントロール不良の糖尿病	□	□

- 投与後注意点：神経学的評価を投与開始から1時間後までは15分ごとに評価，その後1～7時間後は30分ごと，7～24時間後は1時間ごとに評価する．途中で頭痛や嘔気・嘔吐，急激な血圧上昇を認めた場合は，緊急で頭部CTを撮影．
- 血圧測定も頻回に行い，目標は収縮期血圧180 mmHg未満，拡張期血圧105 mmHg未満とする．血圧高値の場合はニカルジピンで降圧する．
- t-PA静注療法を行うには，しかるべき医療施設，脳卒中専門医，スタッフが必要．
- 自身の研修病院でt-PA静注療法が可能かどうかを確認し，迅速なマネジメントを行う．
- 受診前に家族や救急隊から連絡があれば，適切な施設に誘導することも大切．

Q. 脳梗塞の病型はどう判断するか？

鉄則4 脳梗塞は病型分類（心原性，アテローム血栓性，ラクナ，BAD）を意識

脳梗塞の病型

- 脳梗塞の4つの臨床病型を次頁に示す．
- 脳梗塞をみたら，心疾患の有無を確認して必ず心電図をチェックする．また，頸動脈エコー，心エコーにて血栓の原因となる所見がないかもチェックする．

心原性脳塞栓
心房細動(AF)による心房内血栓(フィブリン主体)や深部静脈血栓(DVT)が脳血管へ塞栓(後者を「奇異性塞栓」)．AFや卵円孔開存(PFO)の有無の確認必要．突然発症．

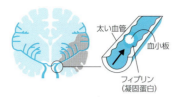

アテローム血栓性脳梗塞
動脈硬化病変をベースとした粥腫斑(atheromatous plaque)に，血小板主体の血栓形成が進行，完全閉塞．高血圧や糖尿病，脂質異常症，喫煙，肥満がリスクファクター．症状動揺．artery-to-artery embolism (A to A embolism)の塞栓子も粥腫斑が発生母地．機序としては血栓性，塞栓性，血行力学性が関与．

ラクナ梗塞
高血圧による穿通枝の細動脈硬化に起因する脂肪硝子変性．病巣<1.5 cm．

BAD (branch atheromatous disease)
穿通枝入口部付近のアテローム硬化性病変によって，1本の穿通枝全域に狭窄・閉塞を生じる脳梗塞のタイプ．

	心原性脳塞栓	アテローム血栓性脳梗塞	ラクナ梗塞	BAD
病理	フィブリン塞栓子	粥状硬化	リポヒアリン変性	粥状硬化
危険因子	CHA2DS2-VAScスコア参照(→63頁)	高血圧，DM，脂質異常症，喫煙	高血圧，DM	アテロームと同じ
閉塞機序	塞栓	血栓，塞栓	血栓	血栓
発症様式	突発完成	緩徐発症，階段状増悪	急性完成	急性発症，増悪傾向
発症状況	日中活動時	睡眠中，起床時，脱水時など	特徴なし	特徴なし
症状	局所神経症状 皮質症状 意識障害*	局所神経症状 皮質症状 意識障害*	ラクナ症候群	ラクナ症候群から始まり増悪
画像	境界明瞭 閉塞血管の支配に一致 出血多い 浮腫強い	境界明瞭 皮質領域は境界不明瞭なことが多い	穿通枝領域 ＝基底核領域 直径15 mm以下 血管閉塞なし	ラクナと似る 15 mm以上 血管閉塞なし

*脳梗塞では通常は意識障害は起こらない．むしろ意識障害があれば，梗塞よりも出血を疑う．脳梗塞で意識障害を生ずる特殊なケースがあるとすれば，広範な両側大脳半球梗塞，脳幹(両側網様体)梗塞(中脳が多い)，両側視床内側部梗塞のみ．

本症例では…

- 危険因子(高血圧，糖尿病，脂質異常症，喫煙)が多く，急性発症で階段状に増悪しておりアテローム血栓性脳梗塞が考えられた．
- 頸動脈エコーにて右内頸動脈にプラークが認められた．
- 心電図モニタリングで心房細動は指摘できず，経胸壁心エコーを行ったところ，心腔

内血栓はなく，左房拡大もなし．心機能は正常であったためアテローム血栓性脳梗塞と考えられた．
- 抗血栓療法として抗血小板薬が開始された．

A 脳梗塞病型は症状・神経所見，発症様式，患者背景，検査所見から総合的に判断

 脳梗塞で行う検査

①血液検査
- 血算，生化学（肝機能，腎機能，電解質，血糖），凝固（TAT，D-dimer含む）に加えて，抗リン脂質抗体（ループスアンチコアグラント，抗カルジオリピン抗体，抗β_2GPI抗体），凝固阻止因子（ATⅢ，プロテインC，プロテインS）の欠乏の有無も確認．特にTATとD-dimerでアテロームとラクナを鑑別．

病型	心原性脳塞栓		アテローム血栓性脳梗塞		ラクナ梗塞
経過	急性期	亜急性期	急性期	亜急性期	
TAT	↑↑	↑	↑	→	→
D-dimer	↑	↑（前回より増加）	↑	→（前回より減少）	→

- 動脈血液ガス検査も有用で，脳梗塞急性期には換気障害や肺血流分布障害による低酸素血症や誤嚥による肺炎を生じやすい．また奇異性塞栓ではしばしば肺塞栓を合併していることもあるため注意．

②頭部CT
- 脳出血など器質的異常の精査．
- 急性期（2～7日）はCTでも梗塞巣が診断可能．脳浮腫や出血性梗塞も評価．

〈early CT sign〉
細胞性浮腫による灰白質のCT値の低下が主原因．発症1～3時間で下記所見が陽性となる．
- hyperdense MCA sign（中大脳動脈水平部の高吸収）
- レンズ核の不鮮明化
- 島皮質の不明瞭化・直線化
- 皮髄境界の不明瞭化
- 脳溝の消失

- 血栓回収療法の適応においてはASPECTSが重要である．詳細な内容は成書に譲る．

③頭部MRI
- 拡散強調画像（DWI）で高信号，ADC mapで低信号（低血糖でも異常信号を生じうるが48時間後には消失）．
- MRAも確認し，血管途絶や狭小化の有無も評価する．
- 発症時間が不明の場合は，DWIで高信号となっている領域の，FLAIR画像を確認する．
- もしFLAIR画像での信号変化が明瞭ではないならば，発症4.5時間以内である可能性が高いため，t-PA静注療法を検討してもよいことになっている．

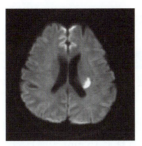
DWI

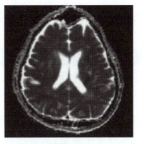
ADC map

病期	CT	MRI			病態
		DWI	ADC map	T2WI	
発症直後 (0～1時間)	所見なし	所見なし	所見なし	所見なし	閉塞直後灌流障害
超急性期 (1～24時間)	early CT sign	高信号	低信号	所見なし	細胞性浮腫
急性期 (1～7日)	低吸収	高信号	低信号	高信号	細胞性浮腫＋血管性浮腫
亜急性期 (1～3週間)	低吸収	高信号から徐々に低信号へ	低信号から徐々に高信号へ	高信号	細胞壊死の状態から徐々に浮腫軽減
慢性期 (1か月以上)	髄液濃度	低信号	高信号	高信号	壊死, 吸収, 瘢痕化

④頸動脈エコー
- 頸部内頸動脈でのアテローム血栓による狭窄と閉塞病変の評価.
- プラークの性状確認, 血管の性状予測. CEA (carotid end arterectomy), 頸動脈内膜剥離術や CAS (carotid artery stenting), 頸動脈ステント留置術の判断.

⑤経胸壁・経食道心エコー
- 左房内血栓, 卵円孔開存, 大動脈弓の血管性状 (プラーク) 評価.
- 時に感染性心内膜炎による肺血症性肺塞栓症や深部静脈血栓症＋卵円孔開存症による奇異性塞栓も念頭に置く.

症例 ❹　左片麻痺と構音障害の 78 歳男性.

高血圧はあるが不整脈や心疾患の既往歴なし. 来院当日の起床時から左片麻痺があり, 症状が改善しないため当院を受診した. 来院後も症状の増悪があり, 当初認めていなかった構音障害も出現し始めた. 来院時バイタルサインは意識清明, 体温 36.5℃, 血圧 162/94 mmHg, 脈拍 64/分・整, 呼吸数 16/分, SpO$_2$ 96%(室内気). 身体所見上, 左上肢 Barré 徴候陽性, 左下肢 Mingazzini 徴候陽性. 頭部 CT では明らかな出血なく, 頭部 MRI で基底核に 20 mm 大のラクナ梗塞あり.

Q 症状が増悪しているが，これはただのラクナ梗塞か？

> **BAD（branch atheromatous disease；分枝粥腫型脳梗塞）**

- 穿通枝入口部付近のアテローム硬化性病変によって，1本の穿通枝全域に狭窄・閉塞を生じる脳梗塞のタイプ．
- 神経症状が日ごとに増悪する「進行性」のものが多いのが特徴．
- 梗塞巣もラクナ梗塞（通常は画像所見上 15 mm 未満）にしては広範囲（MRI 画像の水平断で 3 スライス以上，頭尾方向で 20 mm 以上）にわたることが多い．
- BAD をきたす穿通枝群として前方循環系では外側レンズ核線条体動脈，後方循環系では傍正中橋動脈が多く，これらは錐体路に近いため，梗塞巣の拡大とともに錐体路を巻き込むことで，治療抵抗性の運動障害を生じることが多い．
- 最初に症状が軽くても症状が進行性であるため，入院しても悪化する可能性があり，患者対応には注意が必要．
- 治療はアテローム性に準ずる．

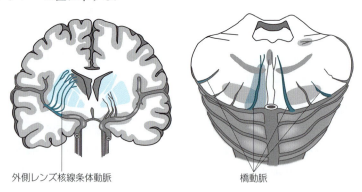

外側レンズ核線条体動脈 　　　橋動脈

> **本症例では…**

- 症状が増悪しており梗塞巣の大きさも 20 mm であるため BAD の可能性が高い．

A ラクナ梗塞ではなく BAD の可能性が高い！ ラクナ梗塞の場合は症状の進行と梗塞巣の大きさから BAD ではないか常にチェックする！

Q t-PA 非適応例の脳梗塞の治療の基本は？

治療目標はペナンブラを救うこと

- 一度死んだ脳神経細胞は復活しない．そのため，脳梗塞急性期の治療目標は，これ以上悪化させない，つまり梗塞巣の周辺のペナンブラという領域を最小限に抑えること

である.
- そのためには，適切な脳血流を保つことが重要となってくる.
- すでに紹介したt-PA静注療法や血管内治療も，ペナンブラ領域を救う治療である.

正常脳組織（血流：50〜60 mL/100 g/分）
ペナンブラ（血流＜18 mL/100 g/分）
　周辺の虚血のみで，まだ死んでいない状態
コア（血流＜12 mL/100 g/分）
　神経細胞がすでに死んでいる状態

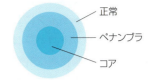

脳梗塞の治療

脳梗塞の治療薬

治療	心原性脳塞栓	アテローム血栓性脳梗塞	ラクナ梗塞	BAD
抗血小板薬（アスピリン 160〜300 mg/日，シロスタゾール 200 mg/日）	×	○	○	○
DAPT（アスピリン 75〜300 mg/日＋クロピドグレル 初回 300 mg，以降 75 mg/日）	×	△*3 *4	○*4	×
抗血小板薬（オザグレル）	×	○	○	○
抗凝固薬（アルガトロバン）	×	○*1	△*2	△*2
抗凝固薬（ヘパリン）	△*2	△*2	×	×
活性酸素除去薬（エダラボン）	○	○	○	○
抗浮腫薬（グリセリン）	○	○	△	△

*1 発症 48 時間以内．　*2 進行性の場合考慮．　*3 NIHSS≦3 点の軽症脳梗塞のみ．　*4 21 日間の使用に限る．

①抗血小板薬

- 脳梗塞の再発予防は，抗血小板薬が基本である.
- 急性期はアスピリン 160〜300 mg/日もしくはシロスタゾール 200 mg/日が有効〔Stroke 31：1240-1249, 2000/Cerebrovasc Dis 32：65-71, 2011〕.
- 慢性期は，アスピリン，クロピドグレル，シロスタゾールはいずれも同等の有効性がある.

② DAPT（dual anti-platelet therapy）

- 前述の TIA と NIHSS≦3 点の軽症脳梗塞において，21 日間の期間限定で投与することで再発予防効果が上がり，出血性合併症を増やさないという結果が得られた〔JAMA Neurol 76：1466-1473, 2019〕.

③抗凝固薬

- ヘパリンは未分画ヘパリンも低分子ヘパリンも，急性期の投与によって再発は予防するが，症候性頭蓋内出血が増えるため，海外のガイドラインでは推奨されていない．
- 日本では，アルガトロバンや未分画ヘパリンによる抗凝固療法が多く行われており，ガイドラインにおいても急性期の抗凝固療法は弱い推奨がなされている．
- アルガトロバンは日本で開発された選択的トロンビン阻害薬であり，発症48時間以内の脳梗塞に有効で，出血性合併症が少ないとされている．進行性の脳梗塞において単独または抗血小板薬との併用で用いられることがある．
- 慢性期の再発予防は直接経口抗凝固薬（DOAC：direct oral anticoagulant）の使用が増えている．非弁膜症性心房細動を伴う脳梗塞の急性期からの使用は，出血リスクを勘案して検討してもよいとされている．
- DOACをいつ頃から開始すべきかどうかは，さらなるエビデンスの蓄積が待たれる．

④活性酸素除去薬（フリーラジカルスカベンジャー）

〈処方例〉エダラボン（ラジカット®）　1回30 mg　静注　12時間ごと

- すべての病型に適応．発症24時間以内に開始．
- 腎機能障害時は禁忌のため，必ずチェック．
- 近年，血管内治療にエダラボンを併用することで退院時の日常生活動作が改善し，死亡率低下や出血性梗塞抑制効果があることがわが国からの後ろ向き研究で示されている〔Stroke 50：652-658, 2019〕．

⑤抗浮腫薬

〈処方例〉グリセリン（グリセオール®）　200 mL　1日2〜6本

- 浸透圧利尿薬である高張グリセオール®は脳浮腫の状態に合わせて投与できる．
- 心原性脳塞栓症やアテローム血栓性脳梗塞のように梗塞範囲が広く頭蓋内圧亢進が示唆される状況で使用する．
- 梗塞による脳浮腫の極期を過ぎれば減量中止する．
- 心負荷，脱水，高血糖 → HHS，Na負荷に注意が必要．
- また，Kを含んでいないため，補充が必要．

⑥潰瘍予防薬

〈処方例〉オメプラゾール（オメプラール®）　1回20 mg　静注　12時間ごと

- 脳梗塞自体のストレスと，抗血栓薬の双方が消化管出血のリスクを上げる．アジア人では特にリスクが高いので予防は必要である〔Eur Neurol 62：212-218, 2009〕．
- プロトンポンプ阻害薬（PPI）またはH₂受容体ブロッカーを使用．

⑦全身管理

- 血圧管理：
急性期ではもともと降圧薬を内服している場合，脳血流を保つ自動能が破綻しているためいったん中止する．ただし，収縮期血圧≧220 mmHg，または拡張期血圧≧

120 mmHg の高血圧が持続する場合や，大動脈解離，AMI，心不全，腎不全が合併している場合は急性期であっても降圧を検討する．
- t-PA 静注療法を予定する患者で収縮期血圧 185 mmHg，拡張期血圧 110 mmHg 以上，または施行後で収縮期血圧 180 mmHg，拡張期血圧 105 mmHg 以上の場合は降圧を検討する．
- 機械的血栓回収療法を施行する場合は，血栓回収後に降圧療法を検討する．
- 自動能が回復するまで約 1 か月かかるため，退院後に外来で再開することが多い．
- 慢性期は再発予防に十分な降圧が必要で，第一選択は ACE 阻害薬/ARB．目標は 140/90 mmHg 以下．
- 血糖値管理・脂質管理：
  - 耐糖能異常がある場合は血糖管理も重要である．
  - ICU 領域のエビデンスに基づき，140〜180 mg/dL の範囲で保つ．
  - 低血糖は避ける．
  - LDL-コレステロール 120 mg/dL 以上であればスタチン〔アトルバスタチン（リピトール®）10 mg/日〕を開始する．またもともとスタチンを内服している患者では，可能な限り継続することが望ましい．
- リハビリテーション：
  - 発症数日のリハビリが半年後の ADL に影響するため，早期に介入開始する．
  - 初日より床上リハビリオーダー．
- ヘッドアップ：
  - 自動能調節を失った脳血管への血流減少を防ぐため，超急性期は急激な頭部挙上は避け，ベッド上安静で 0 度を保つ．特にアテローム血栓性脳梗塞で注意が必要．
  - ただし 0 度に保つことによる臨床的有用性は示されていない．
  - 誤嚥や頭蓋内圧亢進のリスクが高い症例では 15〜30 度程度のヘッドアップは許容される．
  - 当院では主幹動脈閉塞または狭窄，脳底動脈血栓症，出血性梗塞例など症状悪化のリスクが高いと思われる場合は，段階を踏んで徐々にヘッドアップしている．
- 生活習慣改善：
  - 禁煙，禁酒ももちろん大事．

本症例では…

- 発症時刻が不明であり，t-PA の適応とはならなかった．
- 抗血小板薬としてオザグレルナトリウム（嚥下障害があるため），抗凝固薬としてアルガトロバンの静注を開始するとともに，ラジカット®，オメプラール®の静注を開始した．

A ペナンブラを救うこと．そのための治療を総合的に知っておく！

若年性脳梗塞

- 特に動脈硬化リスクのない若年者で脳梗塞を生じた場合，以下のような鑑別も考慮する．①リン脂質抗体症候群，②悪性疾患の過凝固状態，③奇異性脳塞栓症（卵円孔開存や肺動静脈瘻など），④心疾患（僧帽弁狭窄症＋心房細動，左房粘液腫，感染性心内膜炎による敗血症性塞栓症など），⑤もやもや病，⑥脳動脈解離，⑦血管炎（大動脈炎症候群，ANCA関連血管炎，膠原病など），⑧遺伝性脳小血管病，⑨ホモシステイン血症，Fabry病
- 原因不明の脳梗塞の実に40％に卵円孔開存があるといわれているため，経胸壁心エコーでも評価が難しい場合は，経食道心エコーも検討する．

● 参考文献

1) Powers WJ, et al. Guidelines for the Early Management of Patients With Acute Ischemic Stroke：2019 Update to the 2018 Guidelines for the Early Management of Acute Ischemic Stroke：A Guideline for Healthcare Professionals From the American Heart Association/American Stroke Association. Stroke 50：e344-e418, 2019［PMID：31662037］
   - AHAの脳梗塞治療ガイドラインの最新版．日本との違いを学ぼう！
2) Kleindorfer DO, et al. 2021 Guideline for the Prevention of Stroke in Patients With Stroke and Transient Ischemic Attack：A Guideline From the American Heart Association/American Stroke Association. Stroke 52：e364-e467, 2021［PMID：34024117］
   - 脳卒中の予防に特化したAHAのガイドライン．TIAのことも含んでいる．
3) Pohl M, et al. Ischemic stroke mimics：A comprehensive review. J Clin Neurosci 93：174-182, 2021［PMID：34656244］
   - 脳梗塞に似た疾患たちをまとめたレビュー論文．
4) 日本脳卒中学会脳卒中ガイドライン委員会（編）：脳卒中治療ガイドライン2021〔改訂2023〕．協和企画，2023
   - 改訂された待望の日本製ガイドライン．日本の実情に即した推奨がなされている．
5) 荒木信夫ほか：脳卒中ビジュアルテキスト　第4版．医学書院，2015
   - 脳卒中の理解におすすめなイラストが多数あり，辞書的に用いるのがよい．

（藤野　貴久）

20 けいれん
あせらずまずは ABC 確保

1. けいれんをみたらまずは ABC 確保
2. とにかくけいれんを「止める」
3. 止めたらけいれん再発を「予防する」
4. 失神と心因性非てんかん性発作（PNES）との鑑別をしよう
5. けいれんの原因検索をしよう

症例❶ 原発性肺癌 Stage Ⅳで入院加療中の 70 歳男性．突然のけいれん．

ある日の夜間当直．23 時頃，看護師からコールあり．原発性肺癌 Stage Ⅳで入院加療中の 70 歳男性患者がけいれんしているとのこと．

Q 初期対応はどうするか？

けいれんをみたらまずは ABC 確保

- けいれんは緊急事態のため，一刻を争う．電話口で指示したあとは，すぐにベッドサイドに駆けつける．

①電話の段階で以下の指示を出す

- 救急カートとベッドサイドモニターの装着を指示するとともに，酸素をジャクソンリース回路またはバッグバルブマスク（BVM）で投与できるよう準備を依頼する．
- 意識の確認とバイタルサインの測定も同時に指示しておく．
- ジアゼパム（ホリゾン®）1/2 A（5 mg）もすぐに使用する（後述）ため，注射器に吸って準備しておくよう，電話口で指示する．

②病室へ到着したら

- まずはあわてないことが重要．けいれん患者を目の前にすると，そのダイナミックな動きに動揺するかもしれないが，とにかく ABC の確保に専念する．

- **A**：airway（気道）：まず頭部後屈顎先挙上や下顎挙上法で気道確保を行う．咬舌による窒息にも注意し，場合によっては口腔エアウェイ，鼻腔エアウェイを挿入
- **B**：breathing（呼吸）：マスク（ジャクソンリース回路またはBVM）で酸素投与し，呼吸を補助．SpO_2 をモニター
- **C**：circulation（循環）：心電図と血圧をモニター
- 医療者が外傷を受けないようにベッド周囲の環境にも十分注意する．
- 点滴ラインの有無も確認する．なければ今後必要になるため，落ち着いて確保する．ただジアゼパム（ホリゾン®）は筋注や注腸も使用可能なため，点滴ラインの確保に固執しない．一番重要なことはけいれんを止めることである．

 救急カート，モニター（心電図，SpO_2，血圧），酸素，ジアゼパム（ホリゾン®）を用意するよう電話口で指示する．あせらず，まずABCを確保する

Q ABC確保しながら次にどうする？

> **鉄則 2** とにかくけいれんを「止める」

- ABCを確保したら可及的すみやかにけいれんを止める．
- なぜなら，継続時間が長くなれば長くなるほど，呼吸循環の異常，高体温，代謝異常をきたし，不可逆的な脳障害を生じるためである．
- ジアゼパム（ホリゾン®）5 mgを静注する．ジアゼパムは，けいれんを停止させるための第一選択薬．ラインがなければ筋注または注腸．
- 注腸は静注と同じく原液をシリンジで肛門から緩徐に投与する（保険適用外使用）．
- 通常1分程度で効果が出現し，20分程度で消失する．5〜10分間隔で追加投与可能で，極量は20 mgである（20 mg投与しても止まらない場合は次の手を考える）．
- ラインが確保できそうであれば，ライン採血で動脈血液ガス検査，血液検査（電解質，血糖，肝機能，腎機能，血算，CK，NH_3）を採取する．
- 血液ガスにおいてはけいれんの原因として血糖や電解質異常が評価できる．また乳酸値はけいれんかどうかを判断するヒントとなる〔Intern Emerg Med 13：749-755, 2018〕．
- 代謝性の疾患が原因でけいれんをきたすことがあり，この時点で低血糖の除外が必要となる．
- 血糖に関しては簡易血糖測定器で測定しておくとよい．低血糖がけいれんの誘因となることも多いので低血糖があれば補正する．50％ブドウ糖50 mL，ビタミンB_1 100 mgを静注する．
- その後，けいれんが頓挫しても，15〜20分はバイタルサインをモニターする．再けいれんの可能性やジアゼパムによる呼吸抑制・血圧低下の危険があるためである．

本症例では…
- まず患者の頭側に立ち，気道確保しながら，ジャクソンリース付きマスクで換気を開始した．
- 心電図とモニターの装着を指示し，すでにラインは確保されていたため，ホリゾン® 5 mgを投与した．
- その後けいれんは1分程度で頓挫した．

A ジアゼパム（ホリゾン®）でけいれんを止める

症例❷　85歳男性．けいれん重積．

Alzheimer型認知症の既往歴がある80歳男性．来院当日，夕食後に突然けいれんし，2分程度で自然頓挫した．同居の家族が救急要請し，当院へ搬送となった．ホールディングベッドに移動後にけいれんが再発した．ホリゾン® 5 mgにて頓挫した．その後，採血結果を待っている最中に再度，全身性強直性間代性けいれんをきたした．患者の頭側に立ってジャクソンリース回路にて気道と呼吸を確保した．再びホリゾン® 5 mgを静注したところ，けいれんは頓挫した．

Q けいれんが止まったらどうする？

鉄則3　止めたらけいれん再発を「予防する」

- 一度けいれんを生じるとけいれんの閾値が低くなるため，再けいれんのリスクが高くなる．
- そのため，けいれんが止まったら（止まらなくても），けいれんの再発を予防する意識をもつことが重要である．
- 原則として初回の明らかな原因がないけいれん発作（非誘発性発作）には抗てんかん薬は開始しない．しかし，けいれん重積状態，2回目以上の発作，初回発作でも65歳以上の高齢者，神経学的異常，脳波異常，てんかんの家族歴，頭部画像において病変がある場合には再発率が高いので抗てんかん薬治療を開始することが多い．
- 明らかな原因があるけいれん（誘発性発作）で，原因が治療可能な病態ならば再発予防の抗てんかん薬は中止することができる．（例：低血糖，電解質異常など）
- 抗てんかん薬の開始は副作用の問題のみならず，社会復帰の面でも重要な判断でもあるので神経内科またはてんかん専門医との連携が重要である．
- けいれん重積状態（status epilepticus）では，けいれん予防は必須である．
- けいれん再発予防薬として，①ホスフェニトイン（ホストイン®），②レベチラセタム（イーケプラ®），③フェノバルビタール（フェノバール®），④ミダゾラム（ドルミカム®），⑤フェニトイン（アレビアチン®），のいずれかを投与する．

①ホスフェニトイン(ホストイン®)

- 分子量がフェニトイン(アレビアチン®)の1.5倍.
- フェニトインのプロドラッグ.

  〈処方例〉初回投与量:ホストイン® 22.5 mg/kg 静脈内投与. 投与速度は3 mg/kg/分または150 mg/分のいずれか低いほうを超えないこと

  〈処方例〉維持投与量:翌日からホストイン® 5〜7.5 mg/kg/日 静脈内投与. 投与速度は1 mg/kg/分または75 mg/分のいずれか低いほうを超えないこと

- 水に溶けやすいプロドラッグのため,アレビアチン®に比べて,静注時の局所刺激・血管痛は大幅に改善する.
- 溶解は生理食塩水でも5%ブドウ糖液でも可能である.
- 組織障害も少ない.

②レベチラセタム(イーケプラ®)

〈処方例〉イーケプラ® 1回500 mg 1日2回 1回2〜5 mg/kg/分で静脈内投与

- 内服可能なら経口投与へ切り替える(内服へ移行しやすい).
- 相互作用が少ないのが利点とされ,また血圧低下や呼吸抑制が少ないのも特徴である.

③フェノバルビタール(フェノバール®)

〈処方例〉フェノバール® 1/2 A(50 mg) 1日1〜2回 筋注または皮下注

- 呼吸抑制が強いため,投与後のバイタルサインに注意する.

④ミダゾラム(ドルミカム®)

〈処方例〉ドルミカム® 0.1〜0.3 mg/kg 1 mg/分で静注,その後,0.05〜0.4 mg/kg/時で持続静注

- ジアゼパムに比べて呼吸抑制は軽度だが生じうるので,気道と呼吸はモニタリングが必要である.
- 循環動態には影響しにくい.

⑤フェニトイン(アレビアチン®)

〈処方例〉初回投与量:アレビアチン® 750 mg(15〜20 mg/kg) + 生理食塩水(250 mL)を30分〜2時間で静脈内投与. 投与速度は50 mg/分を超えないこと. 作用発現に20分程度かかる

〈処方例〉維持投与量:翌日からアレビアチン® 250 mg(5〜7.5 mg/kg/日) + 生理食塩水(100 mL)を静脈内投与

- 必ずもともとのてんかんの既往歴の有無や内服歴を確認すること. バルプロ酸ナトリウム(デパケン®)の血中濃度を下げ,逆にけいれんを悪化させる可能性あり. 内服歴あればバルプロ酸ナトリウム1回分内服追加も検討する.
- 必ず生理食塩水で溶解すること(ブドウ糖液で溶解すると結晶化してしまう). また,単独投与が原則である.
- 血管痛が強く,また血管外漏出で壊死を生じるため要注意.

- 呼吸抑制と急速静注で心抑制（血圧低下とブロック）を生じるため注意が必要で，特に洞不全症候群には禁忌である．
- 上記のように注意点が多く，ほかの4剤のような安全かつ使用しやすい薬剤があるのでフェニトインが選択されることは少ない．

- バルプロ酸ナトリウム，ホスフェニトイン，レベチラセタムのランダム化比較試験において，いずれも同等の効果（薬剤投与開始後60分時点でけいれん再発がない）が示されている．日本では残念ながらバルプロ酸ナトリウムの点滴製剤はないがホスフェニトインやレベチラセタムが同等の効果をもつことは知っておく〔New Engl J Med 381：2103-2113, 2019〕．

本症例では…
- 短時間でけいれん発作を繰り返しており，けいれん重積状態と考える．
- 再発予防のため，ホストイン® 22.5 mg/kg を生理食塩水 100 mL に溶き，投与を開始した．

A けいれんを止めたら再発予防を検討する

けいれん重積の定義と対応

- けいれん重積の定義は「5分以上続くけいれん，もしくは意識障害が完全に回復せず，2回以上反復するけいれん」とされる．従来は持続時間は30分とされていたが，適切な介入が遅くなるため臨床的には5分以上継続した場合は重積扱いとして早急に対応することが推奨される．前述したように持続時間が長くなればなるほど不可逆的な障害を脳に生じることになる．
- 通常はジアゼパム（ホリゾン®）5 mg 投与で90％のけいれんは止まるとされるが，それでも継続している場合には，けいれん重積と判断してよい．
- ホリゾン® を追加投与〔合計2A（20 mg）まで使用可〕しながら，けいれん重積の治療の準備をする．
- てんかん診療ガイドラインにおけるけいれん（てんかん）重積状態の治療フローチャートを記載する．

けいれんの治療 Step

Step1	ジアゼパム（ホリゾン®，セルシン®）
Step2	ホスフェニトイン（ホストイン®），フェノバルビタール（フェノバール®），ミダゾラム（ドルミカム®），レベチラセタム（イーケプラ®）
Step3	ミダゾラム（ドルミカム®），プロポフォール（ディプリバン®），チオペンタール（ラボナール®）などの全身麻酔薬
Step4	けいれん重積による脳の低酸素や浮腫などの二次性脳障害を防ぐために，酸素やグリセリン（グリセオール®）の使用を考慮する

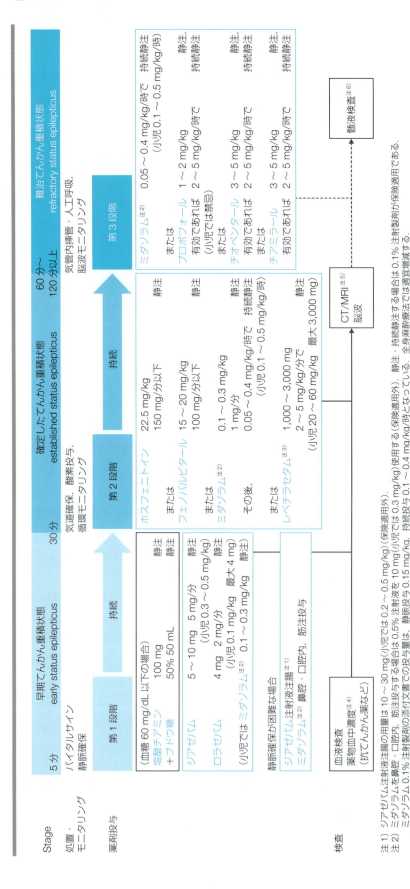

- Step2 までの治療でけいれんが止まらない，あるいは一度止まってもすぐに再発する場合は，Step3 に移行する．Step3 の薬剤は鎮静薬でもあるため，補助換気や人工呼吸器によるサポートが必要となる．けいれんが継続することで脳に不可逆的なダメージが及ぶため，けいれんが頓挫しなければバイタルサインサポート下（ICU など）で鎮静することを躊躇しないこと．
- 具体的には以下である．
  〈処方例〉①ミダゾラム（ドルミカム®）　10 mg（2 mL）　0.1〜0.4 mg/kg/時で持続点滴
  　　　　②プロポフォール（ディプリバン®）　200 mg（20 mL）　0.3〜3.0 mg/kg/時で持続点滴
  　　　　③チオペンタール（ラボナール®）　1A（500 mg）を 20 mL（25 mg/mL）に溶かして，3〜5 mg/kg/時で持続点滴
- 「もしもけいれんが止まらなかったら…」と常に想定し，その際の第二選択薬，第三選択薬を知っておくことが重要．

症例 ❸　27 歳の男性．仕事中にけいれん．

既往歴が不明の 27 歳男性．夏場の警備員の仕事中に，大きな物音がして同僚が駆け付けたところ，うつ伏せで倒れていたため救急要請となった．

Q 実際にけいれんを目撃していない場合はどうするか？

鉄則 4　失神と心因性非てんかん性発作（PNES）との鑑別をしよう

- 実際にけいれんを目撃していない場合，本当にけいれんであったかの鑑別が必要となる．その際に目撃者からの情報が最も重要となるため，必ず確認する．

けいれんか否か？

- けいれんと鑑別となる疾患は，失神と心因性非てんかん性発作（PNES：psychologic nonepileptic seizure）である．目撃者がいない場合には，以下の項目に沿って鑑別していけば難しくはない．
- PNES とは，突発的にてんかん発作に類似するさまざまな精神および身体症状を生じるが，身体的生理学的発症機序をもたないものをいう．てんかんではないので抗てんかん薬の適応もないが，症状が似ているので鑑別が必要である．

■問診・病歴聴取
- 発作の頻度・持続時間，発作型の変化・推移．
- 発作の状況と誘因（光過敏，過換気，睡眠など）．
- 目撃者がいる場合は，詳細に問診する．

- 発作の前および発作中に観察された詳細な状態〔患者の反応，手足の動き（けいれんの起始部や左右差），開閉眼，眼球偏位や上転の有無，発声，顔色，呼吸，脈拍〕.
- 発作後の行動，意識状態の詳細，外傷，舌咬傷，尿失禁，発作後の頭痛と筋肉痛の有無などに焦点を当てて問診する．その他，最終発作や覚醒・睡眠との関係も聞き出すとよい．

■ 身体所見
- 突然発症の意識消失で救急外来受診した患者のうち，てんかんが29％，心原性失神が7％程度.
- 特に舌咬傷，異常行動，発作後意識障害，発作時の頸部回旋，失禁，前駆症状（幻覚など），心理的ストレスによる誘発は鑑別に有用である〔J Am Coll Cardiol 40：142-148, 2002〕.
- 神経学的異常の有無も確認する．

	てんかん	失神	PNES
誘因	睡眠不足，飲酒，音楽，音，ゲーム，ストレス	感情的ストレス，起立動作，Valsalva手技，排便排尿	精神的ストレス
発作開始	前兆があることが多い（振戦，幻覚，既視感，気分変化など）睡眠中も生じうる	前兆はあってもなくても（胸痛，動悸，呼吸困難，発汗，嘔気，めまい）	前兆なし 徐々に始まる 睡眠中はなし
開始時の徴候	瞳孔対光反射±	瞳孔対光反射＋	瞳孔対光反射＋
運動症状	通常両側同期性	脱力，体位の喪失	腰・首を横に振るような動き，身体跳ね上げ，非同期性
発声	強直間代性発作開始時，間代相時	なし	叫ぶ，金切り声
表情	開口・開眼	閉眼	閉口・閉眼
咬傷	舌咬傷（特に片側性）	なし	唇咬傷
尿失禁	あり	なし	あり
発作後頭痛・筋痛	あり	なし	なし
発作後意識障害	5分以上の意識障害，発作後もうろう状態（＝postictal state）	意識回復後は完全に意識清明，後遺症なし 疲労や倦怠感なし	評価困難 hand drop test 陽性
持続時間	1～2分以内	数秒	2分以上

■ けいれん鑑別のための血液検査
- NH_3，乳酸値，CK などが鑑別のヒントになる．これらはいずれもけいれんという筋肉の激しい収縮と弛緩によって産生される．
- NH_3：特に一過性の NH_3 上昇はけいれんによる高 NH_3 血症を示唆する〔Eur Neurol 64：46-50, 2010/Epilepsia 52：2043-2049, 2011〕．肝不全などでも上昇しうること，高 NH_3 血症自体がけいれんの誘発因子であることには注意する．
- 乳酸値：**症例1**の解説も参照する．けいれん後早期に上昇する．特にけいれん後2

時間以内の乳酸値上昇は失神やPNESとの鑑別に有用である〔Intern Emerg Med 13：749-755, 2018/Epilepsia 62：408-415, 2021〕.
- CK：けいれんによる横紋筋融解症によって上昇する．上昇してくるのは3時間後などで，上がっていなくても当然けいれんは否定できない．
- プロラクチンもけいれん発作（てんかん発作）の診断で有用で，systematic reviewでは感度は全般性強直間代発作（60.0％）のほうが複雑部分発作（46.1％）よりも高かったが，特異度は両者ともほぼ同じであった（約96％）〔Neurology 65：668-675, 2005〕.
- つまり上昇があればてんかん発作があったヒントなる．しかし迅速測定できる施設は限られているため，CKやNH$_3$よりも使用頻度は少ない．
- 目の前でけいれんが起こっている場合には，その事象自体が最も重要であるためNH$_3$，乳酸値，CKの3項目の意義は少ない．状況証拠として採取することもある．
- 失神の鑑別に心電図は必須である．追加でホルター心電図や心エコー検査も入院で施行する．

鉄則5 けいれんの原因検索をしよう

■けいれんの原因は「MIT」

- けいれんは「MIT」の語呂合わせに沿って必ず原因検索をする．

> **M**：**M**etabolic
> 尿毒症，低血糖，高血糖，肝不全，電解質異常（低K血症，低Ca血症，低Mg血症），低酸素血症，Addison病，ポルフィリン症
> **I**：**I**nfection, **I**nfarction
> 髄膜炎，脳炎，脳梗塞，脳出血，TIA
> **T**：**T**aiyaku, **T**oxic, **T**rauma, **T**umor
> 怠薬，薬物中毒，薬物離脱，アルコール離脱，細菌毒素（破傷風，ボツリヌス），外傷，脳腫瘍

■けいれんの原因検索のための検査

①血液検査・動脈血液ガス検査

- 血糖値，電解質（Na，K，Ca，Mg），動脈血液ガス（pH，PaO$_2$，PaCO$_2$，電解質，乳酸値），血算，BUN，Cr，NH$_3$，CK．
- 抗てんかん薬血中濃度（すでに抗てんかん薬の内服歴がある場合→怠薬の可能性や血中濃度の低下している場合もあるため）．
- 血中エタノール（アルコール関連が疑われる場合）．
- 髄膜炎が否定できないような場合は髄液検査も追加．ただし，てんかん発作だけでも髄液細胞数増加，髄液蛋白上昇がありうるため評価には注意．

②尿検査（インスタントビュー®）

- 本人から病歴聴取が困難な場合，薬剤使用歴の有無を確認．血清と尿の検体も一部保存検体にしておくとよい（薬物中毒が疑われる場合）．

③画像検査（頭部CT，頭部MRI，MRA）
- 明らかな巣病変（脳出血や脳腫瘍など）が頭蓋内に存在しないかを確認．
- CTよりもMRIのほうが診断能が高く，特にてんかん重積例ではてんかん焦点とその周辺領域がMRI拡散強調画像で高信号を示す．

④胸部単純X線写真
- けいれんの際に誤嚥のエピソードがあり，誤嚥性肺炎が疑われる場合は胸部単純X線写真の撮影を検討．

⑤生理検査（脳波）
- 狭義のてんかん原性を診断できるのは脳波検査のみ．ただし，臨床的にてんかんの診断が確実な場合は，てんかん波がなくても治療開始可能．

■入院適応
- 「初発けいれん」，「原因不明」，「神経学的異常あり」．ただし，もともとてんかん加療歴があり，怠薬などの再発理由がはっきりしている場合は必ずしも入院適応とはならない．

本症例では…
- 舌咬傷がありER搬送時も意識障害があったこと，血液検査にてNH_3と乳酸値，CKの上昇もみられた．以上からけいれんの可能性が高いと判断した．
- 病歴聴取を進めると，もともとてんかんの診断を受けており，デパケン®を内服していた．最近は仕事が忙しく，薬を内服できていなかったとのこと．服薬順守を約束し，かかりつけ医の受診を推奨した．

A まずはけいれんと失神とPNESを鑑別する．そのうえで原因を検索する

抗てんかん薬（AED：anti-epileptic drug）

治療適応
- 1回目の発作であれば，原則，抗てんかん薬の治療は開始しない（発作再出現率35%程度）．
- ただし，神経学的異常，脳波異常（83%で再発），てんかんの家族歴，脳腫瘍や感染，外傷による明らかな器質的所見がある場合は，再発率が高くなるため，適応となる．また65歳以上の高齢者も再発率が66〜90%と高いため，導入を検討する．
- 2回目以降の発作は，1年以内の再発作率が73%と高く，抗てんかん薬の適応となる．

部分発作，焦点発作	全般発作
第一選択 　カルバマゼピン(CBZ)：テグレトール® 　ラモトリギン(LTG)：ラミクタール® 　レベチラセタム(LEV)：イーケプラ® 　ゾニサミド(ZNS)：エクセグラン® 　トピラマート(TPM)：トピナ® 　フェニトイン(PHT)：アレビアチン® 　ゾニサミド(ZNS)：エクセグラン®	第一選択(すべての型に共通) 　バルプロ酸ナトリウム(VPA)：デパケン® 欠神発作 　第一選択：**エトスクシミド(EEM)：ザロンチン®** 　第二選択：ラモトリギン(LTG)：ラミクタール®， 　　　　　　ゾニサミド(ZNS)：エクセグラン® 　　　　　　クロバザム(CLB)：マイスタン® ミオクロニー発作 　第一選択：レベチラセタム(LEV)：イーケプラ®， 　　　　　　クロナゼパム(CZP)：リボトリール®， 　　　　　　トピラマート(TPM)：トピナ®
第二選択 　フェニトイン(PHT)：アレビアチン® 　バルプロ酸ナトリウム(VPA)：デパケン® 　クロナゼパム(CZP)：リボトリール® 　フェノバルビタール(PB)：フェノバール® 　ガバペンチン(GBP)：ガバペン® 　ラコサミド(LAC)：ビムパット® 　ペランパネル(PER)：フィコンパ®	強直性間代性発作 　第二選択： 　　ラモトリギン(LTG)：ラミクタール® 　　レベチラセタム(LEV)：イーケプラ® 　　ゾニサミド(ZNS)：エクセグラン® 　　トピラマート(TPM)：トピナ® 　　フェニトイン(PHT)：アレビアチン® 　　フェノバルビタール(PB)：フェノバール®

新規抗てんかん薬	適応となる発作様式
ガバペンチン(GBP)：ガバペン®	**部分**
ラモトリギン(LTG)：ラミクタール®	**部分**，**強直間代性**，欠神，ミオクロニー
レベチラセタム(LEV)：イーケプラ®	**部分**，**強直間代性**，ミオクロニー
トピラマート(TPM)：トピナ®	**部分**，**強直間代性**，ミオクロニー
ラコサミド(LAC)：ビムパット®	**部分**，**強直間代**(併用療法のみ)
ペランパネル(PER)：フィコンパ®	**部分**，**強直間代**(併用療法のみ)

- 単剤で治療開始するのが原則．
- 単剤で奏効しない場合は診断の再検討，アドヒアランスの確認を行い，他剤を追加，有効であればもとの薬剤を減量する．
- 2剤の抗てんかん薬で効果不十分の場合，難治性に移行する可能性があり，注意が必要．
- 治療期間は最低2年．その間に発作がなければ減量，中止も検討．
- 新規抗てんかん薬は最近までは先発医薬品との併用でのみ保険適用であったが，2014年にラモトリギンとレベチラセタムは単剤での使用が保険適用となった(さらに新規抗てんかん薬は血中濃度測定は不要)．

注意点
- 感染症など全身疾患が生じた際の抗てんかん薬の中止は，離脱によるけいれん重積を生じるため，禁忌である．
- 静注薬への切り替えや，シロップ，粉末に代えてNGチューブからの投与に切り替えるなど，投薬経路を変えてでも投与を必ず継続する．
- 共通して眠気，めまい，運動失調があるため，これらの症状には注意する．副作用，相互作用が多いことも，抗てんかん薬の難点である．
- 抗てんかん薬同士でも相互作用があるため，併用する場合には必ず確認する癖をつける．
- フェニトインは強直間代発作の増悪，カルバマゼピンはミオクロニー発作や欠神発作の増

悪，ガバペンチンはミオクロニー発作の増悪がみられるので使用しない．
- 重症な副作用として，皮疹（Stevens-Johnson 症候群，中毒性表皮壊死症，薬剤性過敏症症候群），汎血球減少などは覚えておく．

抗てんかん薬の血中濃度の考え方
- 抗てんかん薬の血中濃度を測定するタイミングは，①投与量決定時，②副作用出現時，③服薬状況確認時．
- 抗てんかん薬は原則，てんかん発作さえ抑制されていれば，血中濃度が低くても薬剤の用量増量は不要．
- 逆に治療域を超えていても，副作用がなければ，そのときの服用量を維持することもありうる．
- 測定する場合は，定常状態に達するそれぞれの抗てんかん薬の半減期の5倍の時間が経過してから．
- 実際に薬理作用を呈するのは遊離型であり，血中濃度は蛋白結合型との総和であるため，低蛋白血症の際には血中濃度が正常でも効果と副作用が増強するため注意が必要．必ずアルブミンを一緒に測定する．

● 参考文献

1) Angus-Leppan H. First seizures in adult. BMJ 348：g2470, 2014［PMID：24736280］
    - けいれんのレビュー．初回けいれんでの考え方について．
2) Fields MC, et al. Hospital-onset seizures：an inpatient study. JAMA Neurol 70：360-364, 2013［PMID：23319087］
    - 病院発症のけいれんの特徴について検討されている．
3) Gavvala JR, Schuele SU. New-Onset Seizure in Adults and Adolescents：A Review. JAMA 316：2657-2668, 2016［PMID：28027373］
    - Table1 の患者本人と目撃者からの病歴を問診にとり入れたい．
4) Webb J, et al. An Emergency Medicine-Focused Review of Seizure Mimics. J Emerg Med 52：645-653, 2017［PMID：28007363］
    - seizure mimics のことも常に忘れずに．
5) 日本神経学会（監），「てんかん診療ガイドライン」作成委員会（編）：てんかん診療ガイドライン2018．医学書院，2018
    - てんかんの治療法についてのエビデンスが検討されている．
6) International League Against Epilepsy guidelines：ILAE
    (https://www.ilae.org/guidelines/guidelines-and-reports)（2023年8月閲覧）
    - てんかんに関する世界最大の学会であり，各種のガイドラインを出している．さらに深く世界の情勢も踏まえて学びたい方はぜひアクセスをしましょう．

（藤野　貴久）

21 急性腎障害（AKI）
常に同じステップで考えられるようになろう！

1. 腎機能障害（Crの上昇）をみたら，AKI（急性腎障害）？ CKD（慢性腎臓病）？ AKI on CKD？ か判断
2. AKIがあれば①腎後性 → ②腎前性 → ③腎性の順で鑑別
3. 緊急透析の適応は"AIUEO"
4. AKIでは，薬剤とその用量を必ずチェック

症例① 82歳男性，感冒後の腎障害．

82歳男性，来院1週間前より38℃の発熱と上気道症状が出現した．その後，下腹部痛と腹部膨満感が出現し，倦怠感，労作時の呼吸困難を自覚するようになり，救急外来を受診した．来院時バイタルサインは意識清明，体温36.8℃，血圧170/110 mmHg，脈拍120/分・整，呼吸数18/分，SpO_2 96%（室内気）であった．身体所見上，下腹部膨満と圧痛，下腿の浮腫を認めた．血液検査ではBUN 58.5 mg/dL，Cr 4.2 mg/dLであった．

Q 腎機能障害をみたら，まず評価することは？

腎機能障害（Crの上昇）をみたら，AKI（急性腎障害）？ CKD（慢性腎臓病）？ AKI on CKD？ か判断

- 1週間前のCr 4.1 mg/dLなのか，Cr 0.9 mg/dLなのかでは，評価や対応が異なるのは明らかだろう．
- そのためCrの上昇をみたら，それが急（AKI，AKI on CKD）なのか？ 変化がない（CKD）のか？ を評価しよう．
- AKIであれば，腎機能の大きな改善を見込めるため，適切かつ迅速な対応が求められる．

AKIの定義

- 急激な腎機能低下を呈する病態をかつてARF（acute renal failure）と呼んでいたが，より早期に異常を認識し介入できるよう，AKI（acute kidney injury）という概念が提唱された．2012年のKDIGOガイドラインの定義が長らく用いられている．

- ここにある通り，尿量＜0.5 mL/kg/時が持続しているときは尿量が少ないという感覚をもつことが必要である．

AKI の定義
1. ΔCr≧0.3 mg/dL（48 時間以内）
2. Cr≧1.5 倍×基礎値（7 日以内の測定値あるいは推測値）
3. 尿量＜0.5 mL/kg/時が 6 時間以上持続

病期	Cr（血清クレアチニン）	尿量
Stage I	ΔCr≧0.3 mg/dL or Cr 1.5～1.9 倍	＜0.5 mL/kg/時（≧6 時間持続）
Stage II	Cr 2.0～2.9 倍	＜0.5 mL/kg/時（≧12 時間持続）
Stage III	Cr 3.0～倍 or Cr≧4.0 mg/dL or 腎代替療法開始	＜0.3 mL/kg/時（≧24 時間持続） or 無尿≧12 時間

〔Kidney Int Suppl 2：1-138, 2012〕

AKI か CKD かを判断するヒント

- 以前の腎機能：以前の採血結果があればよいが，かかりつけでないとすぐにはわからないことも多い．また必ず，前医から診療情報を取り寄せるようにする．
- 過去の腎機能がわからない場合に，下表がヒントとなるが，AKI on CKD では有用性が下がるため，不明な場合は AKI があると考えて対応したほうが無難である．

薬剤歴	CKD 管理の薬剤を用いているかどうか？（詳細は 35 章「慢性腎臓病」420 頁を参照）赤血球造血刺激因子製剤を用いていれば，ほとんどは CKD G4 以上である
血液検査	腎性貧血（ほかに原因のはっきりしない正球性貧血）や CKD-MBD（mineral and bone disorder）の所見（高リン血症など）がある場合は CKD の可能性が上がる
腹部エコー	AKI では腎臓が腫大する病態が多い 一方，CKD では腎は萎縮（10～11 cm 大）し，皮質は菲薄化，輝度は上昇する（ただし CKD でも糖尿病性腎症，多嚢胞性嚢胞腎，アミロイドーシス，HIV 腎症では腫大することも多い） エコーはさらに腎後性腎不全の評価に使え，非常に有用である（後述）

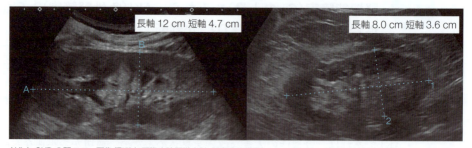

AKI と CKD の腎エコー画像〔聖路加国際病院腎臓内科 門多先生提供〕
（左）初発血管炎による AKI 患者，皮質の厚みは保たれ腫大している．
（右）CKD 患者，腎萎縮があり，皮質は菲薄化しやや高輝度となっている．中心域も不明瞭化している．

本症例では…
- 一週間前にかかりつけ医を受診しており，その際の採血で Cr 0.7 mg/dL であった．0.3 mg/dL 以上の増加があるため，AKI と判断した．

腎障害をみたら，まずは AKI かどうかを評価する

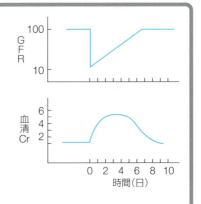

AKI と Cr の時間的関係
- 一般に CKD は Cr の上昇があっても尿量が保たれる．一方，AKI では腎障害の程度に伴い尿量が低下する．
- 糸球体濾過量（GFR）が急激に低下しても血清 Cr 値は徐々にしか上昇せず，一方で GFR が改善傾向になっても血清 Cr は上昇し続けて，しばらく経過してから低下し始める．GFR と Cr 値にタイムラグがあることは臨床的に重要である．
- Cr 値だけでなく，尿量などもみて総合的に腎機能の増悪や改善を評価する．
〔Kidney Int 27：928-937, 1985〕

Q AKI と判断したら，まずは何を疑い，何を行うとよいか？

鉄則 2 AKI があれば①腎後性 → ②腎前性 → ③腎性の順で鑑別 Part 1

- AKI では①腎後性 → ②腎前性 → ③腎性の順で鑑別する．
- 腎後性 AKI は忘れがちであるだけでなく，容易に早期診断，早期介入を行うことができるため，最初に考える．
- 腎後性を除外したあとは，腎前性か腎性かを考えるが，合併例や区別の難しい症例も経験される．

急性腎障害のワークアップ
- 次頁に腎障害に対するワークアップをまとめる．慣れてくるとより感覚的に病態を把握できるようになるが，レジデントはまず常にこのステップでワークアップするようにする．そうすることで，将来より複雑な症例でも系統だったマネジメントができるようになる．

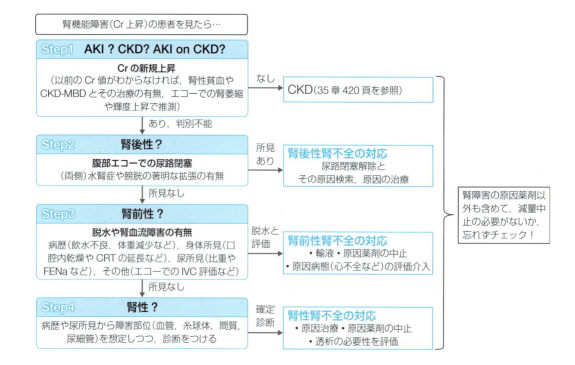

急性腎障害の鑑別

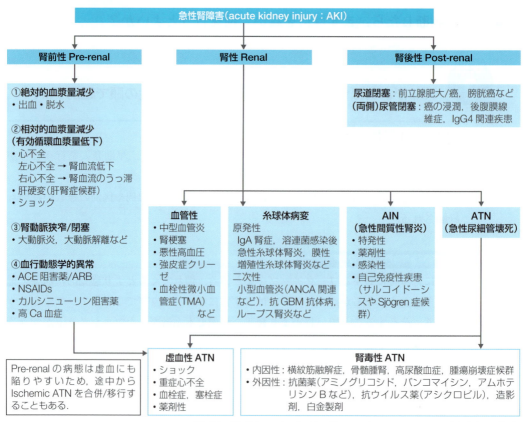

〔Nat Rev Dis Primers 7：52, 2021/ Lancet 365：417-430, 2005 より改変して作成〕

腎後性 AKI

- AKI の鑑別はまずは「腎後性」の否定のため，腹部エコーで水腎症や膀胱内残尿，前立腺肥大の有無を確認する．
- 片側性の尿管閉塞では AKI は起こらないことが多く，両側性の尿管閉塞や尿閉が存在する．
- 排尿障害の有無，前立腺肥大の既往歴，尿路系や婦人科系の悪性腫瘍の既往歴，脊椎疾患の確認を行う．前立腺肥大のある患者で抗コリン薬や抗ヒスタミン薬の内服（PL 顆粒も含む）を使用することで，病状が増悪し尿閉になることはよく経験するため，必ず内服薬もチェックする．
- 尿道カテーテルを留置していても，浮遊物や凝血塊により閉塞をきたすと腎後性 AKI が生じうるため注意が必要．
- 治療の原則は閉塞解除であり，閉塞部位に応じて，尿道カテーテル挿入，尿管ステント留置，腎瘻造設などを行う．
- 閉塞解除後は急激な利尿により大量の希釈尿を生じ，結果的に脱水，高 Na 血症，その他の電解質異常（多尿に伴う低 K，低 Mg 血症など）をきたす．尿量や血中，尿中 Na，電解質を測定しつつ，特に自由水欠乏に気をつけて輸液を行う．

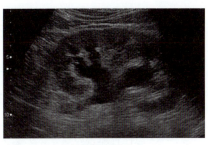

腹部エコーでの水腎症の所見
著明な腎盂の拡張を認める

本症例では…

- 腹部エコーで両側水腎症と膀胱の著明な拡張を認めた．「腎後性」の AKI と判断し，尿道カテーテルを挿入したところ，多量の尿が得られ，その後も尿量は保たれた．フォローの採血で腎機能の改善を認めた．
- もともと，患者は前立腺肥大で加療中であった．上気道炎に対して自身で総合感冒薬を購入内服し，前立腺肥大が増悪したと考えられた．

A AKI では，まず「腎後性」を疑って，腹部エコーを行う

症例❷ 高血圧，心不全の既往歴がある 84 歳女性．

もともと慢性心不全で近医通院中．来院 2 週間前の外来で，下腿浮腫が増悪しており，利尿薬を増量されていた．来院数日前から倦怠感が増悪したため救急外来を受診した．来院時バイタルサインは意識清明，体温 36.7℃，血圧 98/60 mmHg，脈拍 108/分・整，呼吸数 14/分，SpO_2 95%（室内気）であった．身体所見上，口腔内・腋窩の乾燥著明，皮膚ツルゴールの低下を認めた．血液検査では BUN 60.6 mg/dL，Cr 2.8 mg/dL であった．

➡以前の Cr は 1.6 mg/dL であり，今回は AKI であった．
➡腹部エコーにて水腎症や著明な膀胱拡張はなく，腎後性腎不全は否定的であった．

腎後性腎不全を否定したら，次はどうする？

> **鉄則 2** AKI があれば ①腎後性 → ②腎前性 → ③腎性の順で鑑別 Part 2

- 急性腎障害のワークアップ(→ 258 頁)に従い，腹部エコーで「腎後性」を除外したら，次に Step3 へ移り，「腎前性」と「腎性」の鑑別を行う．
- 「腎前性」は主に体液量の減少に伴う腎血流低下によって GFR の低下を生じたものであり，腎組織自体には器質的な障害は及んでいない．一方，「腎性」は腎組織に器質的な障害が実際に生じたものをいう．
- よって鑑別の手がかりは体液量評価である．病歴やバイタルサイン，身体所見，検査から総合的に評価・鑑別を行う．決して 1 つだけの指標で判断しないことがポイントである．

体液量評価の項目

- 体液量を評価する項目は非常に多い．このなかでも，腎前性腎不全につながる体液量減少の評価で特に大切なのは，体重減少やそれにつながる病歴，頻脈と血圧(脈圧)低下，口腔内や腋窩の乾燥，濃縮尿や IVC(下大静脈)の虚脱である．
- 明らかな血圧低下をきたすほどの体液量減少があればわかりやすいが，血圧が低下する前に起こる頻脈や脈圧(収縮期−拡張期血圧)の低下に注目することで，より早期に体液量減少を捉えられる．
- また一時点での評価ではなく，輸液などの介入により各所見に変化があるか評価することで，最初の所見が異常であったのかを判断できることがある．毎日の回診で所見の変化を観察する癖をつけるとよいだろう．

	体液量減少	体液量増加
体重変化 体液バランス(In/Out)	減少 マイナスバランス	増加 プラスバランス
病歴	・経口摂取不良 ・下痢や嘔吐，発熱の有無 ・利尿薬の増量など	・心不全や肝不全 ・塩分摂取の増加 ・利尿薬の減量，怠薬
バイタルサイン	心拍数増加，血圧(脈圧)低下	血圧上昇
身体所見	口腔内や腋窩乾燥 皮膚ツルゴール低下 CRT 延長(2 秒以上)	頸静脈怒張，hepato-jugular reflux，両肺 coarse crackles，心音(Ⅲ音)，下腿浮腫
IVC	5 mm 以下， 呼吸性変動あり	20 mm 以上， 呼吸性変動なし
胸部画像検査	心陰影の縮小，IVC の虚脱	心拡大，肺水腫所見，胸水貯留
CVP	5 cmH$_2$O 未満	10 cmH$_2$O 以上

CRT : capillary refilling time

尿所見による腎前性/腎性 AKI の鑑別

- 腎前性，腎性腎不全の鑑別に尿所見は有用であり，さらに腎性腎不全の原因疾患の診

- 断にも役立つ.
- 体液量の低下があれば,ADH(抗利尿ホルモン)分泌が増加して濃縮尿となり,色は濃くなり,尿比重が増加する.
- ほかによく使われる指標に FENa がある.

$$FENa = [(尿中 Na/血清 Na)/(尿中 Cr/血清 Cr)] \times 100(\%)$$

- これは糸球体から濾過された Na のうち,尿中排泄となる Na の程度を表す指標である.「腎前性」であれば,交感神経とレニン・アンジオテンシン・アルドステロン系(RAS 系)が亢進して Na 再吸収は亢進するため FENa は低くなる.逆に「腎性」では Na 再吸収されず,尿中 Na 排泄が増加するため FENa は高くなる(注意点は下記の「もっと知りたい!」を参照).

	腎前性腎不全 Pre-renal AKI	腎性腎不全 Renal AKI
尿比重	>1.020	<1.010
浸透圧	>500 mOsm	<450 mOsm
FENa	<0.1〜1%	>1%
FEUN	<35%	≧50〜65%
U-Na	<20 mEq/L	>20 mEq/L
U-Cl	<20 mEq/L	>50 mEq/L
FEUA	<12%	>20%
尿蛋白	0 or 少量	少〜多量
尿沈渣	尿細管上皮や顆粒円柱などは認めない	尿細管上皮や顆粒円柱,赤血球円柱などを認める

本症例では…

- 再度問診を行うと,利尿薬を増やしたあとから著明に尿量が増え,体重が 3 kg 減っていた.また口腔内や腋窩は乾燥しており,エコーで IVC は 6/2 mm と虚脱していた.また尿検査では,FENa は約 2% と増加していたが,FEUN は 20% で,赤血球円柱や顆粒円柱は認めなかった.
- FENa は腎性腎障害のパターンだが利尿薬により増加していたと考えられ,総合的に体液量は低下していると判断し,腎前性腎不全と診断した.原因は利尿薬の増量だと考えた.輸液による体液量の適正化により,腎機能は改善した.利尿薬の調整を行い,退院となった.

A 腎後性を除外したら,「腎前性」と「腎性」の鑑別のため,体液量評価を行う!

FENa の注意点と FEUN

- FENa には多くの例外があることを知っておく必要がある.まず FENa の 1% というカットオフは乏尿患者で検討されたものであり,尿量が十分保たれる場合には有用性は保証さ

れず，より低いカットオフ値にする必要があると考えられる．
- また有効循環血漿量がもともと低下しているような場合，つまり心不全や肝硬変などがある場合は，腎性腎障害があってもFENaは低値を示すことがあり，反対にもともとCKDの患者や利尿薬を用いている場合は，腎前性腎不全でもFENaは高値となる．
  - ・腎性腎障害があってもFENaが低値となりうるもの
    → 心不全や肝硬変の併存，造影剤腎症，初期の尿細管壊死など
  - ・腎性腎障害でなくともFENaが高値となるもの
    → 利尿薬使用，CKDの併存
- 議論はあるが，FEUNは利尿薬の影響を受けないとされ，利尿薬使用時には有用である．

$$FEUN = [(尿中 UN/血清 UN)/(尿中 Cr/血清 Cr)] \times 100 (\%)$$

腎前性AKIの治療

- 体液量と血圧の最適化を行うことで腎血流を適切に保つことが治療の基本である．
- 腎血流の低下に対して脱水や出血が原因であれば補液や輸血を行う．
- 逆に心不全によるうっ血腎であれば利尿薬が治療となることもあるため，慎重に判断する．
- 腎前性AKIに対する適切な体液量補正が行われないと，腎前性AKIから腎性AKIへ移行することがある．この場合，腎血流低下から尿細管壊死となるパターンが多い．この鑑別には後述する顆粒円柱の有無を確認するのが有用である．
- 腎前性と腎性AKIが合併していたり，判断が難しい場合も存在する．その場合は体液過剰がなければ，十分な輸液を行って体液量を保ち，腎前性の要素を解消しておくことが望ましい．

症例 ❸ 77歳女性，糖尿病性腎症患者の発熱，腎機能障害．

77歳女性，糖尿病性腎症によるCKD G4 A3があり外来加療中．来院3週間前から微熱，1週間前からは38℃の発熱が継続した．数日前からは，左上肢と右下肢遠位のしびれと運動障害が出現した．尿量も低下し，徐々に体動時の呼吸困難が出現したため来院した．来院時バイタルサインは意識レベルJCS I-1，体温38.3℃，血圧160/100 mmHg，脈拍110/分・整，呼吸数20/分，SpO_2 94%（鼻カニューレ2 L/分）．身体所見上は頸静脈怒張，下腿浮腫を認め，聴診では両側肺野でcracklesを聴取した．Cr 5.7 mg/dL，BUN 84 mg/dL，K 4.9 mEq/L．尿検査で血尿3+，蛋白尿3+，赤血球円柱あり．

➡ 直近の外来でのCrは2.4 mg/dLであり，AKI on CKDと判断した．
➡ 腹部エコーで水腎は認めず，腎後性は否定的であった．体重はこの1週間で3 kg増加しており，両下腿浮腫を認めた．IVCは20 mmで呼吸性変動が消失していた．胸部CTで肺水腫に合致する所見を認めた．腎性腎不全が最も疑われた．

Q 本患者での腎障害，体液貯留に対する対応は？

鉄則 2　AKIがあれば ①腎後性 → ②腎前性 → ③腎性の順で鑑別 Part 3

- 急性腎障害のワークアップ(→ 258 頁)に従い，腎後性，腎前性腎不全が否定的であれば，Step4 において腎性腎不全を疑う．
- 原因の鑑別において尿所見，特に円柱の有無は重要である．円柱は尿細管上皮から分泌される Tamm-Horsfall 蛋白が尿細管を鋳型として凝固沈殿したものであり，この存在は腎性の病変があることを示唆する．
- 円柱は病変部位の同定にも役立つ．上皮円柱や顆粒円柱は尿細管障害，白血球円柱は間質性病変，赤血球円柱(や変形赤血球)は糸球体病変を示唆することが多い．
- 腎性腎不全では，原因疾患の治療や原因薬剤の中止を行うことが治療の中心である．糸球体腎炎や急性間質性腎炎は，免疫疾患やアレルギーなどの免疫反応も原因として多いため，ステロイドもよく用いられる．

腎性腎不全のワークアップと治療

	血管性	糸球体病変	AIN(急性間質性腎炎)	ATN(急性尿細管壊死)
病変部位	・中型血管炎・腎梗塞 ・悪性高血圧・血栓性微小血管症(TMA)など	・原発性 ・二次性	・特発性・薬剤性 ・感染性・自己免疫性	・虚血性 ATN ・腎毒性 ATN
尿検査	血尿 蛋白尿は少ない	血尿(特に**変形赤血球や赤血球円柱**) 蛋白尿も多い	白血球尿，白血球円柱 (尿中好酸球の有用性は議論あり)，蛋白尿は少ない	尿中β₂MG, NAG↑ 腎上皮／顆粒円柱 ヘモグロビン尿，ミオグロビン尿
血液検査	破砕赤血球，溶血性貧血や血小板減少 抗核抗体，抗リン脂質抗体，SLE や強皮症関連抗体など 腎梗塞では LDH 高値	免疫グロブリン(IgG, A)増加，補体低下，CRP 上昇など 原発性：ASO など 続発性：抗核抗体，自己抗体(抗 DNA 抗体，ANCA, 抗 GBM 抗体など)	血中好酸球↑，IgE 高値 薬剤性：DLST 感染症：培養やレジオネラなど サルコイドーシス：Ca, ACE など Sjögren 症候群：IgG, 抗 SS-A/B 抗体など	骨髄腫腎：蛋白電気泳動 横紋筋融解：CK 上昇 高尿酸血症など
その他所見	発熱，中枢神経異常 頭痛や眼など高血圧関連所見 腎梗塞：心房細動や側腹部痛がでることが多い	**腎生検が鑑別に有用** 発熱，肺病変，神経障害，紫斑など血管炎所見に注意	腎生検を行うこともある 眼科診察(ぶどう膜炎) 発熱，皮疹，関節痛などが出ることもあり	原因薬剤の精査
治療	原因疾患の治療 降圧，ACE 阻害薬 血漿交換など	原因疾患の治療 ステロイドなどによる免疫抑制	原因疾患の治療 原因薬剤の中止 ステロイド	原因疾患の治療 原因薬剤の中止 体液量の是正をして経過観察

鉄則 3　緊急透析の適応は"AIUEO"

- 腎後性や腎前性の場合は閉塞解除や輸液で尿が得られることが多く，もともとの腎機能障害がなければ緊急透析となることはまれである．
- したがって，もともと高度の CKD がある患者での AKI や，重度の腎性腎不全の際に緊急透析となりうる．
- また，すでに透析導入されている患者で問題が起こった場合も，透析以外で原因を改善できないことが多く，緊急透析の適応となる．
- 緊急透析の主な適応は下に示す通り "AIUEO" であり，なかでもよく経験するのは高 K 血症と体液過剰(肺水腫)である．
- これらがあるからといってすべて緊急透析となるわけではない．原因の改善や利尿薬などの保存的治療で尿量が得られずコントロールができないとき，またはそのような状況になると想定されるときに導入となる．高 K 血症や肺水腫のある患者で利尿薬を始める際には，効果が乏しければ透析になることをあらかじめ想定しておくことが重要である．
- 腎臓内科医に透析を依頼してから実際に透析を行うまでは，説明や準備に最低でも 2～3 時間を要するため，早めに連絡を行う．

■ 緊急透析の AIUEO

A：Acidosis, Acidemia(アシドーシス)	血清 pH≦7.15，HCO_3^-≦15
I：Intoxication(薬物中毒)	薬物中毒
U：Uremia(尿毒症)	血清 BUN≧100 mg/dL 脳症(意識障害，けいれんなど) 心膜炎や出血傾向など
E：Electrolyte(電解質異常)	高 K 血症：K≧6 mEq/L±心電図変化 高 Mg 血症：Mg≧8 mEq/L(特に深部腱反射消失があるとき)
O：Overload(溢水)	利尿薬抵抗性の体液過剰(心不全，肺水腫，胸水，全身浮腫)

本症例では…

- 急速な腎障害に加え，赤血球円柱を認め，3 週間の発熱，神経障害(多発単神経障害)があり，検査では MPO-ANCA が高値であった．ANCA 関連血管炎の診断でステロイドとリツキシマブによる治療が開始された．
- 肺水腫も合併しており，体液量は増加していたため，利尿薬投与が必要と判断した．また利尿薬で効果がなかった場合を想定し，腎臓内科医に透析導入についてあらかじめ相談をしておいた．
- 入院後，フロセミド(ラシックス®)100 mg 静注を行い，ラシックス® 10 mg/時で持続投与を開始後も利尿が得られなかったため，バスキュラーカテーテル挿入後，透析が開始された．

A 腎性腎不全の原因同定と治療を行い，体液貯留に対して利尿薬の投与も開始した．治療抵抗性であることが予想されたため，透析の相談を早期に行った

AKI での利尿薬

- AKI で利尿薬を用いるのは体液量や電解質異常のコントロールが必要な場合で，基本的には体液過剰のときである．または栄養輸液や治療薬を投与するスペースを確保するために用いることもある．循環血漿量の減少がある場合は，腎障害の増悪をもたらすため用いてはならない．
- 以前は利尿薬で尿量を増やしたりチャネルの抑制を行ったりすることが腎性 AKI 自体の治療になると考えられたが，それらに明らかな効果はないとわかり，前述の KDIGO ガイドラインでも一律の使用は推奨されていない〔PLoS One 13：e0196088, 2018〕．

フロセミドの具体的な使用方法

①フロセミド(ラシックス®)注の静注：

20〜40 mg を静脈内投与し，反応がなければ 100 mg を静脈内投与する．投与後 2 時間以内に 40 mL/時の尿量が得られない場合は増量する．1 回投与量は添付文書上は最大で 500 mg だが，実際には 100〜200 mg 静注でも反応がなければ無効と判断することが多い．1 日量は最大 1,000 mg，投与速度は≦4 mg/分(240 mg/時)とする(添付文書より)．

※ AKI で乏尿時にフロセミドを用いる場合は，多めの量を用いることが多い．経験的に，Cr×20 mg を静注の初期用量として用い，反応がなければ倍量に増やすことが多い．また尿が得られるかの判断のため早期に 100〜200 mg の静注を行うこともある．

②フロセミド(ラシックス®)注の持続点滴：

5〜40 mg/時で持続投与を行う．1 日量として合計 1,000 mg まで．主に低用量の静注では尿量が得られない場合に用いる．

※経験的には，フロセミド原液 1 mL(10 mg)/時で投与を開始して，適宜増減することが多い．添付文書の最大量は 40 mg/時だが，実際は 10〜20 mg/時で反応がなければ無効と判断し，早期に透析を行うことが多い．

症例 ❹ 65 歳女性，2 型糖尿病，慢性心不全と気管支拡張症があり通院中．

来院 5 日前から，発熱と咳嗽が出現し，手持ちのロキソプロフェンナトリウム(ロキソニン®)を内服していた．発熱が継続し，食欲不振となり，喀痰が徐々に増加したため来院した．来院時バイタルサインは意識清明，体温 37.6℃，血圧 108/50 mmHg，脈拍 118/分・整，呼吸数 18/分，SpO₂ 90%(室内気)．BUN 51.1 mg/dL，Cr 2.4 mg/dL．右下肺背側に coarse crackles を聴取，胸部 CT で右下葉に気管支拡張と浸潤影を認め，肺炎と診断した．

→ 外来での採血では Cr 1.0 mg/dL(eGFR 43 mL/分/1.73 m²)であった．AKI on CKD が考えられた．
→ 腹部エコーでは両側水腎症の所見はなかった．

➡発熱と食欲不振があり，体重も 1.5 kg 減少していた．IVC は 13/4 mm であった．総合的に体液量減少はあり，腎前性腎不全を考え輸液を行うこととした．新規の尿円柱はなかった．入院でピペラシリン・タゾバクタム（ゾシン®）による抗菌薬治療を予定した．

Q 本患者で忘れずにチェックすべきことはなんだろうか？

AKI では，薬剤とその用量を必ずチェック

- AKI 患者では次の 3 つの理由から，必ず薬剤をチェックする癖をつける．
    ① AKI? CKD? の判断の際に，CKD に対する薬剤の有無と内容から，CKD の有無と程度を推測することができる．
    ② 薬剤は腎後性，腎前性，腎性腎障害のすべての原因になりうる．
    ③ 腎機能障害に伴い減量や中止が必要な薬剤がある．腎障害改善後は，増量や再開することにも注意する．
- 下記に薬剤性腎障害の原因薬剤を示す．1 つの薬剤が複数の機序で腎障害を起こしていることもある．
- 治療は可能な限り薬剤を変更，中止することである．免疫学的な機序による障害ではステロイドも用いられる．
- NSAIDs や抗菌薬，抗ウイルス薬，カルシニューリン阻害薬などによる腎障害はよく経験するため，必ずチェックしよう．

AKI の原因となる薬剤性腎障害

腎前性 Pre-renal		NSAIDs，RAS 系阻害薬，利尿薬，ヨード造影剤，カルシニューリン阻害薬（タクロリムスやシクロスポリン）
腎性 Renal	血管性（TMA）	カルシニューリン阻害薬，ゲムシタビン，ベバシズマブなど
	糸球体性	薬剤性 ANCA 関連血管炎（プロピルチオウラシル，ヒドララジン） 膜性腎症（NSAIDs，金製剤など） 足細胞障害（インターフェロン製剤，NSAIDs，アドリアマイシンなど）
	急性間質性腎炎	抗菌薬（ペニシリン，セフェム，ニューキノロン，リファンピシン），NSAIDs，プロトンポンプ阻害薬，アロプリノール，シメチジン，利尿薬（フロセミド，サイアザイド），サルファ剤
	急性尿細管壊死	抗菌薬（特にアミノグリコシド，バンコマイシン，コリスチン），抗ウイルス薬（ホスカルネット），抗真菌薬（アムホテリシン B），NSAIDs，シスプラチン，カルシニューリン阻害薬など
	その他の尿細管障害（結晶による閉塞性障害など）	アシクロビル，ガンシクロビル，テノホビル，メトトレキサート，サルファ剤
腎後性 Post-renal		抗コリン薬，抗ヒスタミン薬， オピオイド（→ 前立腺肥大を増悪させる）

〔Am Fam Physician 78：743-750, 2008 より改変して作成〕

> **本症例では…**
- ロキソニン®が腎機能障害に関与したと考えられたため中止した．
- eGFR 16 mL/分/1.73 m² であり，ゾシン®は 2.25 mg を 1 日 3 回投与に減量した．
- また 2 型糖尿病に対してメトホルミン（メトグルコ®）が使用されていたが，eGFR 30 mL/分/1.73 m² 未満では乳酸アシドーシスのリスクがあり禁忌とされているので中止した．
- 心不全に対して，アンジオテンシン受容体拮抗薬（ARB）が投与されていたが，腎障害があり，K も 5.9 mEq/L と高値であったため，いったん中止した．
- 肺炎の治療と輸液により腎機能は改善したため，中止していたメトグルコ®と ARB を再開して退院とした．

 本患者も含め，腎障害のある患者では必ず薬剤とその投与量をチェックする

造影剤腎症（CIN：contrast induced nephropathy）

- 「造影剤投与後，72 時間以内に血清クレアチニン（Cr）値が前値より 0.5 mg/dL 以上または 25％以上増加した場合」に造影剤腎症（CIN）と定義される〔日腎会誌 61：933-1081, 2019〕．
- 造影剤の直接毒性，高浸透圧による影響，血管収縮による血流低下などが病態として考えられている．
- Cr は造影剤投与後 3～5 日にピークに達し，7～14 日後に前値に戻る．**一般的には可逆的な変化であるが**，腎機能低下が進行して透析となったケースの報告もある．また造影剤腎症は，その後の院内，院外死亡の増加とも関連があるため注意する〔J Am Coll Cardiol 36：1542-1548, 2000〕．
- 重要なことは　①**リスク評価**，②**予防処置**，③**腎機能のフォロー**である．

①リスク評価
CKD，加齢，糖尿病（主に CKD を伴うもの），NSAIDs 使用がある．特に CKD 患者では注意が必要であり，造影剤を用いない検査で代用可能か，メリットとデメリットを検討する．一般に造影 CT では eGFR 45 mL/分/1.73 m²，カテーテルによる造影などでは eGFR 60 mL/分/1.73 m² でリスクが高い．

②予防処置
造影 CT 検査であれば eGFR＜45 の場合に造影剤使用前後の輸液を行う．「造影剤投与前 3～12 時間，投与後 6～12 時間にわたって 1～1.5 mL/kg/時で生理食塩水を投与」または，「造影剤投与前 1 時間に 3 mg/kg の生理食塩水を投与し，検査後 1 mL/kg/時で 6 時間投与」する方法がある．また造影剤の減量や腎毒性のある薬剤（NSAIDs）は可能な限り中止が望ましい．

③腎機能のフォロー

リスクのある患者では，造影剤検査後 48 時間頃に腎機能や電解質などをフォローし，適切な対応がなされることが望ましい．当院では eGFR＜30 の場合，腎臓内科医に相談し，検査当日の輸液指示，2 日後の外来と腎機能フォローが行われるプロトコールができている．

● **参考文献**

1) Kidney Disease：Improving Global Outcomes（KDIGO）Acute Kidney Injury Work Group. KDIGO Clinical Practice Guideline for Acute Kidney Injury. Kidney Int Suppl 2：1-138, 2012
   - AKI といえばこれである．138 頁と長いが AKI の定義から対応まで含めて網羅されている．推奨文のみ日本語訳が Web 上でも公開されている．こちらだけでも全体的な感覚は理解できるため一読してもよいだろう．
2) Kellum JA, et al. Acute kidney injury. Nat Rev Dis Primers 7：52, 2021［PMID：34267223］
   - AKI の立ち位置から，多臓器との関連，体液量バランスのイメージ，マネジメントなど詳しく網羅されている．AKI 全体の概念を学ぶのに最もよいだろう．
3) AKI（急性腎障害）診療ガイドライン作成委員会（編）：急性腎障害（AKI）診療ガイドライン 2016．日腎会誌 59：419-533, 2017
   - CQ 方式で日常診療の疑問も含めて幅広くカバーしている．日本語なので理解もしやすい．
4) 薬剤性腎障害の診療ガイドライン作成委員会（編）：薬剤性腎障害診療ガイドライン 2016．日腎会誌 58：477-555, 2016
   - さまざまな薬剤性腎障害について機序も含めて詳しく説明されている．

（福井　翔）

22 低ナトリウム血症
Na は体内最大の浸透圧物質

1. 低ナトリウム（Na）血症をみたらまず血漿浸透圧を測定
2. 低張性低 Na 血症では，尿浸透圧で水中毒と溶質摂取不足をまず除外
3. 尿浸透圧のチェック後は，尿中 Na 濃度を評価
4. 低 Na 血症の治療では時間経過，症状，細胞外液量が重要
5. Na 補正は 24 時間で 10 mEq/L，その後は 24 時間ごとに 8 mEq/L まで

症例 ① コントロール不良の 2 型糖尿病の既往歴がある 70 歳女性．

来院 1 週間前に上気道症状と発熱が出現した．食欲不振があり，徐々に飲水もできなくなって意識レベルが低下したため搬送となった．来院時バイタルサインは意識レベル JCS Ⅲ-100，体温 37.5℃，血圧 90/60 mmHg，脈拍 110/分・整，呼吸数 30/分，SpO_2 95％（室内気）．Na 123 mEq/L の低 Na 血症を認めた．

Q この患者の低 Na 血症でまず注目するのは？

鉄則 1　低 Na 血症をみたらまず血漿浸透圧を測定

低 Na 血症

- 低 Na 血症とは血清 Na≦135 mEq/L を指す．入院患者に最も多くみられる電解質異常であり，無症候性のものから，意識障害やけいれんをきたす例まで幅が広い．原因により治療法も大きく異なるため，適切に評価，対応ができるようにしておきたい．
- 低 Na 血症は細胞外液中の自由水が（細胞外液中の Na に対して）過剰な状態である．体内の Na 総量の過不足は，一般に細胞外液量の増加（浮腫など）や低下として現れる．それに対して血中 Na 濃度の異常は，自由水の多寡が病態を形成しているため，水のバランス異常と考えるほうが病態の理解がしやすい．

	増加	減少
体内 Na 総量	細胞外液増加/浮腫	細胞外液減少
体内自由水	低 Na 血症	高 Na 血症

低 Na 血症の鑑別フローチャート

- 低 Na 血症では 2014 年に発表された欧州 3 学会の合同ガイドライン〔Nephrol Dial Transplant 29：i 1-i 39, 2014〕が最も参照される．
- 原則このアルゴリズムに沿ってこれからの説明を行う．アルゴリズムのどこに位置しているかを意識しながら読み進めてほしい．

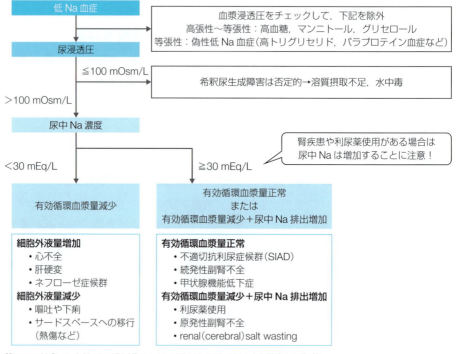

〔Spasovski G, et al. Nephrol Dial Transplant 29：i 1-i 39, 2014 より改変して作成〕

低 Na と浸透圧

- Na は体内の主な浸透圧物質として働くことで恒常性の維持に寄与している．そのためほかの電解質と異なり，Na はそれ自体の濃度よりも，Na 濃度の変化によって血液の浸透圧に変化があるかが重要である．
- 低 Na 血症では，その結果として血漿浸透圧が低くなることで細胞内に水が入り込み，脳浮腫に至ることが一番の問題となる．
- そのため低 Na 血症は，血漿浸透圧から低張性，等張性，高張性低 Na 血症の 3 つに分類される．低張性低 Na 血症以外では浸透圧を補正する必要がないため Na 値の補正は不要となる．

■高張性・等張性・低張性低 Na 血症

①高張性＝有効血漿浸透圧↑（＞295 mOsm/L）：高血糖，D-マンニトール，高浸透圧

性造影剤
②等張性＝有効血漿浸透圧→（280〜295 mOsm/L）：脂質異常症，M 蛋白増加（多発性骨髄腫など）
③低張性＝有効血漿浸透圧↓（＜280 mOsm/L）※この低張性低 Na 血症のみが治療対象

> **上記を踏まえた対応**

- 低 Na 血症をみたら，まずは治療が必要な低 Na 血症かどうかを判断するために血漿浸透圧を測定する．
- また輸液の下流での採血でも低 Na 血症となることがあるため，手技に問題がないこともあわせて確認する．

> **本症例では…**

- 血液ガス検査で pH 7.36，血糖 900 mg/dL であり，感冒を契機とした高浸透圧高血糖症候群であった．
- 血漿浸透圧を測定すると，296 mOsm/L（基準 280〜290 mOsm/L）であり，Na 補正を要する低張性低 Na 血症ではなかった．
- 著明な高血糖による高張性低 Na 血症と考えられた．
- インスリン持続投与・補液を開始したところ血糖は低下し，それとともに Na は 135 mEq/L まで改善した．

A 低 Na 血症をみたときは，まず最初に血漿浸透圧に注目する

BUN と浸透圧，張度

- BUN（尿素窒素）でも浸透圧が上昇することに注意する．BUN は浸透圧物質であるが，細胞内外を自由に行き来するために有効浸透圧（張度）は形成しない．重要なのは有効浸透圧（張度）である．

> 有効浸透圧（張度）＝2×血清 Na 濃度＋GLU/18＝測定した血漿浸透圧－BUN/2.8

- このように表せるため，高 BUN 血症患者ではこれらを用いて有効浸透圧を計算することで，BUN の影響を取り除くことができる．

高張性，等張性低 Na 血症

高張性低 Na 血症

- 高血糖や高浸透圧物質（マンニトール，造影剤など）が細胞外液に存在すると，これらは半透膜である細胞膜を通じて，細胞内から細胞外に水を引き込むことにより希釈性低 Na 血症をきたす．浸透圧物質が少量であれば，水の移動により等張性の低 Na 血症となるが，水の移動による代償範囲を超えてしまうと高浸透圧血症となる．
- 低 Na をみたときには高血糖やマンニトール，グリセロール，造影剤使用がないかチェックが必要である．

- 血糖が上昇した際にどの程度 Na が低下するかは諸説あるが，欧州の低 Na 血症のガイドラインでは血糖 100 mg/dL の上昇あたり，2.4 mEq/L 低下するとされている．

  補正 Na＝実測 Na＋2.4×(血糖値－100 mg/dL)/100 mg/dL

- 例えば**症例 1** では係数 2.4 を用いると血糖値 900 mg/dL であるため，補正 Na は 142.2 mEq/L となり，正常範囲内である．

等張性低 Na 血症

- 一般にいわれる"等張性低 Na 血症"には 2 つの種類がある．1 つ目は前述の通り，高浸透圧物質の影響で自由水が細胞外に移動して希釈性の Na 血症が起こるものである．これは浸透圧物質の程度により等張性にも高張性にもなりうるため，translocational(水の移動による) hyponatremia としてまとめられることも多い．
- 2 つ目は偽性低 Na 血症である．血漿中の脂質や蛋白の濃度(図の固形成分)が増加すると，血漿中の Na 濃度が正常であっても測定値は低 Na 血症を示す．極度の脂質異常症や多発性骨髄腫によるパラプロテイン血症などが原因となる．
- 血液ガス検査では検体を希釈しないで直接測定するので，血漿蛋白や脂質の影響を受けない電解質濃度が測定できる．
- したがって血漿浸透圧をチェックするか，血液ガス装置で測定すれば，等張性低 Na 血症を見抜くことが可能である．

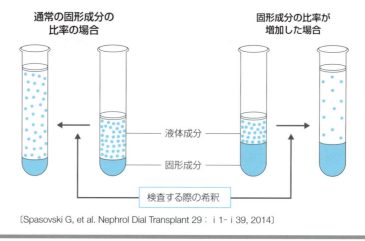

〔Spasovski G, et al. Nephrol Dial Transplant 29：i 1- i 39, 2014〕

症例 ❷ 認知症の既往歴がある 70 歳女性．

来院 2〜3 日前から意識レベルが低下し始め，増悪傾向であるため救急外来を受診した．家族に話を聞くと，夏になり気温が上がったためか，来院 2 週間ほど前より食欲不振が出現した．おかゆであれば食べられたので，この 1 週間はほぼおかゆだけを摂取し，また脱水にならないようにお茶などの水分補給は行っていたとのことであった．来院時バイタルサインは意識レベル JCS Ⅱ-20，体温 36.5℃，血圧 110/62 mmHg，脈拍 94/分・整，呼吸数 16/分，SpO_2 95%(室内気)．血液検査で Na 122 mEq/L であり，ほかに意識障害をきたす所見はなかった．

➡血漿浸透圧を確認すると 250 mOsm/L であり，低張性低 Na 血症であると判明した．

Q 低張性低 Na 血症とわかったら，まず何に注目して，何を除外する？

> **鉄則 2** 低張性低 Na 血症では，尿浸透圧で水中毒と溶質摂取不足をまず除外

低 Na 血症の原因となる病態

- 低張性低 Na 血症は常に"自由水過剰"が中心の病態であり，この原因には 2 つのパターンがある．
- 1 つ目は外部から摂取する Na，水のバランス異常が顕著であるために低 Na 血症となるパターン，2 つ目は自由水排出異常（ADH 分泌過多による希釈尿の排出障害）が原因となるパターンである．実際にはこれらが組み合わさっていることも多い．
- 後者はさまざまな疾患などが原因となるのに対し，前者は体内に異常があって低 Na となっているわけではないため，まず除外する．
- 外部からの Na，水のバランス異常が顕著であるために起こる低 Na 血症として，溶質摂取不足，水中毒が挙げられる．

上記を踏まえた対応

- 低張性低 Na 血症では問診で飲水量・食事量と内容を確認する．精神疾患や認知症，アルコール多飲の有無も重要である．
- 尿浸透圧を測定することで自由水排出機構が正常か（希釈尿が生成排出できているか）を評価する．
- 尿浸透圧＜100 mOsm/L であれば，希釈尿が作れているのに低 Na 血症になっているということなので，水中毒や溶質摂取不足が疑わしいと判断できる．
- また夜間で尿浸透圧が測定できない場合は尿比重から尿浸透圧を推測できる．

> 尿浸透圧（概算）＝（尿比重の下 2 桁）×25〜40
> 例：尿比重 1.010 →尿浸透圧＝10×（25〜40）＝250〜400 mOsm/L

本症例では…

- 尿浸透圧は 80 mOsm/L と低値であり，希釈尿排出能は保たれていると考えられた．おかゆや水分といった食事を摂っていたことから，溶質摂取不足＋水の相対的な摂取過多が原因（いわゆる tea and toast 症候群）だと考えた．
- 入院後，最初は生理食塩水の投与を行い，意識改善後は塩分の入った食事を摂取してもらい，Na は改善傾向となった．

A 低張性低 Na 血症では，まず溶質摂取不足と水中毒を除外するため，尿浸透圧に注目する

水中毒？ どれだけ水を飲めば低Na血症になるの？

- 水中毒は，飲水過剰の習慣や口渇中枢の異常のために，腎臓が正常に機能して最大限に希釈した尿を排泄しても追いつかないほどの大量の水を摂取したことにより生じる．
- どれくらいの飲水で低Naとなるだろうか？ 一般に溶質摂取は600～1,000 mOsm/日程度である．600 mOsm/日と仮定すると，腎臓の最大希釈尿の濃度は50 mOsm/L程度であるため，12 L/日を超える飲水があるとNaは低下すると計算できる．
- しかしCKD患者や腎機能の低下している高齢者では，尿希釈能は低下するためより容易に水中毒に至る可能性がある．溶質摂取不足が伴うと更になりやすい．例えば，溶質摂取が300 mOsm/日で，腎機能障害のため尿が最大でも150 mOsm/Lまでしか希釈できなければ，2 Lの飲水でも低Na血症となってしまうわけである．

beer potomaniaとtea and toastって何？

- これらは典型的な溶質摂取不足＋飲水過剰となる症例を示している．
- beer potomania症候群：主にアルコール中毒患者では，ビール（水分）だけ飲んでほとんど食事をとらないことがあり，溶質摂取不足＋水分摂取過剰で低Na血症になってしまう．
- tea and toast症候群：主に腎機能の低下した高齢者などで，海外では紅茶とパンのみ，日本ではお茶とご飯のみといった食事をしていると，上記と同様の理由で低Na血症となる．
- これら2つはともに溶質摂取不足になるのが特徴である．溶質(Na)摂取量，飲水量，腎機能（尿希釈能）が重要である．

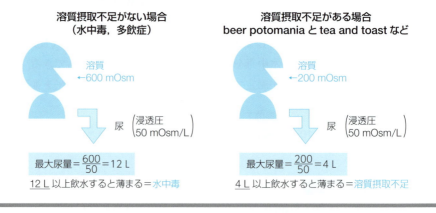

症例❸ 特記すべき既往歴のない69歳男性．

3日前から嘔気がみられ，自宅で転倒したため救急外来に搬送された．来院時バイタルサインは意識レベルJCS I-2，体温35.8℃，血圧130/80 mmHg，脈拍80/分・整，呼吸数18/分，SpO_2 94%（室内気）．Na 112 mEq/Lであった．

➡ 血漿浸透圧240 mOsm/Lであり，低張性低Na血症であった．
➡ 尿浸透圧480 mOsm/Lであり，自由水排出に問題があると考えられた．

Q 次に鑑別のために行う検査は？

> **鉄則 3** 尿浸透圧のチェック後は，尿中 Na 濃度を評価

- 低 Na 血症では，尿浸透圧の評価後に細胞外液量で鑑別するのが主流だったが，しばしば体液量評価が困難であることから，尿中 Na 濃度に注目して鑑別が行われるようになった．前述のアルゴリズムを確認しよう．
- 尿中 Na が減少しているのは，レニン・アンジオテンシン・アルドステロン系が亢進して尿細管での Na 再吸収が亢進しているときであり，有効循環血漿量が少ないときだと考えることができる．
- 尿中 Na が高いときは，有効循環血漿量の低下がないとき〔SIADH（不適切 ADH 分泌症候群）など〕，または尿中 Na 排出を増やす病態（利尿薬など）のときである．利尿薬ではサイアザイド系が原因として多い．
- 特に高齢者では低 Na 血症となる複数の因子が併存し，アルゴリズム通りにならないことが多いことも知っておく必要がある．また，もともと腎疾患のある患者や利尿薬を用いている患者では原因によらず尿中 Na は高値となる．
- 特に注意すべきは細胞外液量が増加している病態，特に心不全である．低 Na 血症の治療でよく細胞外液の投与を行うが，心不全の際には病態を増悪させてしまう．
- 一般的に低 Na 血症の入院時には下記のようなオーダーを行っておくことが多い．

低 Na 血症での初期検査やオーダー

- 血液検査：血算，生化学（BUN, Cr, Na, K, Cl, Ca, P, Mg, HCO$_3$, CK, GLU, TP, Alb, Cho, TG），内分泌検査（TSH, Free T3, Free T4, コルチゾール，レニン活性，アルドステロン，ADH, BNP, HbA1c）
- 動脈血液ガス検査：治療後のフォローアップはガスで行うことが多いため，必ず最初にも行って比較できるようにする．
- 尿検査：尿定性検査，尿蛋白，尿 Cr，尿 BUN，尿 UA，尿中電解質（Na, K, Cl, IP），蓄尿
- エコー検査：心臓＋腹部（IVC）→ 体液量の評価と心機能のスクリーニング
- その他：体重検査（基本的に連日），尿道カテーテル挿入（尿量測定）

本症例では…

- 尿中 Na 濃度は 120 mEq/L であった．経口摂取量は保たれており，細胞外液量は正常と考えられた．有効循環血漿量が減少する病態ではないと考えた．
- 利尿薬の使用や副腎不全を示唆する検査所見は認めなかった．
- 胸部単純 X 線写真で左肺に結節陰影を認め，肺小細胞癌に伴う SIADH が疑われた．飲水制限と食事摂取により，2 日後には Na 128 mEq/L まで改善した．

A 尿浸透圧のあとは，尿中 Na 濃度を用いて低張性低 Na 血症の鑑別を進める

SIADH

- 浸透圧上昇がないのにもかかわらず，ADH 分泌が起こり自由水貯留をきたすことを SIADH(syndrome of inappropriate secretion of antidiuretic hormone；不適切 ADH 分泌症候群)と呼ぶ．
- ADH が分泌されていないもかかわらず，SIADH 様の病態を形成することもあり，より広義に SIAD(syndrome of inappropriate antidiuresis；不適切抗利尿症候群)とも呼ばれる．
- SIADH 診断基準は下記の通りである．ⅠとⅡのすべてを満たすものが診断とされる．

Ⅰ：主症候
脱水の所見を認めない
Ⅱ：検査所見
1. 血清 Na 濃度は 135 mEq/L を下回る
2. 血漿浸透圧は 280 mOsm/kg を下回る
3. 低 Na 血症，低浸透圧血症にもかかわらず，血漿バソプレシン濃度が抑制されていない
4. 尿浸透圧は 100 mOsm/kg を上回る
5. 尿中 Na 濃度は 20 mEq/L 以上である
6. 腎機能正常
7. 副腎皮質機能正常
Ⅲ：参考所見
1. 倦怠感，食欲低下，意識障害などの低 Na 血症の症状を呈することがある
2. 原疾患の診断が確定していることが診断上の参考となる
3. 血漿レニン活性は 5 ng/mL/時以下であることが多い
4. 血清尿酸値は 5 mg/dL 以下であることが多い
5. 水分摂取を制限すると脱水が進行することなく低 Na 血症が改善する
Ⅳ：鑑別診断(次のものを除外する)
1. 細胞外液量の過剰な低 Na 血症：   心不全，肝硬変の腹水貯留時，ネフローゼ症候群
2. Na 漏出が著明な細胞外液量の減少する低 Na 血症：   原発性副腎皮質機能低下症，塩類喪失性腎症，中枢性塩類喪失症候群，下痢，嘔吐，利尿薬の使用
3. 細胞外液量のほぼ正常な低 Na 血症：   続発性副腎皮質機能低下症(下垂体前葉機能低下症)

〔厚生労働科学研究費補助金難治性疾患等政策研究事業「間脳下垂体機能障害に関する調査研究」班(編)．日本内分泌学会雑誌 95(Suppl)：pp.18-20, 2019 より改変して作成〕

SIADH の原因疾患

中枢神経系疾患	髄膜炎・脳炎・頭部外傷・くも膜下出血・脳梗塞・脳出血・脳腫瘍・Guillain-Barré 症候群
肺疾患	肺腫瘍・肺炎・肺結核・肺アスペルギルス症・気管支喘息・陽圧呼吸
異所性バソプレシン産生腫瘍	肺小細胞癌　膵癌
薬剤	ビンクリスチン・クロフィブラート・カルバマゼピン・アミトリプチン・イミプラミン・SSRI(選択的セロトニン再取り込み阻害薬)

〔厚生労働科学研究費補助金難治性疾患等政策研究事業「間脳下垂体機能障害に関する調査研究」班(編)．日本内分泌学会雑誌 95(Suppl)：pp.18-20, 2019 より改変して作成〕

cerebral/renal salt wasting syndrome

- もともとはくも膜下出血や頭部外傷などの中枢神経疾患のある患者で，腎臓からの Na 排泄が増加する低 Na 血症がみられたことから cerebral salt wasting syndrome（CSWS；中枢性塩喪失症候群）と名付けられた．しかしその後，中枢神経病変がなくとも同様の病態がみられることがわかり，renal salt wasting syndrome（RSWS；塩類喪失性腎症）と呼ばれることが多くなった．
- 原因疾患としては下記が挙げられる．
  神経疾患：くも膜下出血，頭部外傷，脳梗塞，脳腫瘍，中枢神経感染，Guillain-Barre 症候群　など

  腎疾患：化学療法（シスプラチンなど），消炎鎮痛薬，髄質嚢胞性腎疾患　など
- メカニズムは未だ解明されていない．神経疾患によるものでは，腎臓における交感神経刺激障害による尿細管での Na 再吸収障害や BNP（脳性ナトリウム利尿ペプチド）の関与が考えられている．また腎疾患によるものでは薬剤などによる尿細管機能障害が主な病態とされる．

CSWS/RSWS と SIADH の鑑別

- CSWS/RSWS では塩分摂取や細胞外液補充が治療であり，水制限を行う SIADH との鑑別が治療上重要となる．
- 鑑別で最も大切なのは細胞外液量である．SIADH では正常であるのに対し，CSWS/RSWS では尿から Na が喪失していくため細胞外液量が低下する．また尿中 Na 濃度も 30 mEq/L を大きく超えることが多い．
- また CSWS/RSWS ではリン酸排出率が増加する（>20%）こと，SIADH，CSWS/RSWS ともに低 Na では尿酸排出率が上昇する（>11%）が，SIADH 患者では低 Na 血症改善後に尿酸排出率が正常化するのに対して CSWS/RSWS では上昇し続けることなどが鑑別に有用とされる．
- しかしながら原因疾患が共通であり，体液量の評価も含めて鑑別が難しいことも多い．くも膜下出血患者で SIADH だと考えて水制限をしたが治療が上手くいかず，CSWS/RSWS と考え対応を変えたら治療が上手くいくなど，経過をみて判断することも求められる．

症例 ❹　**もともとアルコール多飲のある 74 歳男性．**

来院 1 週間前より，同居の家族が胃腸炎になり，患者本人も嘔吐・下痢を認めていた．来院当日より，嘔気・嘔吐が増悪し，意識レベル低下があり救急搬送となった．来院時バイタルサインは意識レベル JCS Ⅱ-10，体温 36.4℃，血圧 90/50 mmHg，脈拍 100/分・整，呼吸数 16/分，SpO_2 98%（室内気）．血液検査で Na 110 mEq/L であった．

➡血漿浸透圧 235 mOsm/L で，低張性低 Na 血症であった．
➡尿検査で尿浸透圧 250 mOsm/L であり，ADH 分泌過剰，希釈尿生成障害があると考えられた．
➡尿中 Na 濃度 10 mEq/L であり，有効循環血漿量の低下が示唆された．

低 Na 血症の補正はどのように行う？

> **鉄則 4** 低 Na 血症の治療では時間経過，症状，細胞外液量が重要

- 低 Na 血症の治療では「時間経過」，「症状による重症度」，「細胞外液量」が重要であり，これらにより補正方法が異なる．

Na の値による分類		症状による分類		時間による分類	
軽度	130≦Na＜135 mEq/L	中等度 (moderately severe)	嘔気，錯乱，頭痛	急性	経過が 48 時間以内
中等度	125≦Na＜130 mEq/L			慢性	経過が 48 時間以上（あるいは経過が不明）
重度	＜125 mEq/L	重度 (severe)	嘔吐，呼吸循環障害，けいれん，傾眠，昏睡（GCS≦8）		

- たとえ Na 値として重度の低 Na 血症だとしても，症状がない場合は急いで補正を行う必要はない．ただし，ふらつきや認知機能障害など，特に高齢者では症状がわかりにくい場合もあるので注意する．
- 症状がある場合は迅速に治療を開始する．特に急性の低 Na 血症では脳細胞の張度に対する防御機構が働いておらず，重篤な症状をきたしやすい．
- 一方，慢性の低 Na 血症では，脳細胞ではすでに防御機構が働いて内部の張度は低くなっている．そのため Na を過補正してしまうと，反対に細胞外の張度が高くなり，後述する浸透圧性脱髄症候群（ODS：osmotic demyelination syndrome）のリスクが上がる．そのため，経過が不明な場合は慢性に準じて治療を行う．

低 Na 血症の治療フローチャート

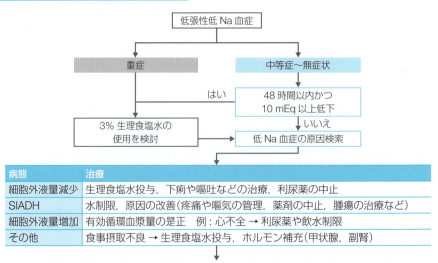

①重篤な症状がある場合，または≧10 mEq/L の Na 低下を伴う急性発症の場合，または難治性の場合
- 3％生理食塩水の使用を検討する．厳密なモニターが必要なため，原則集中治療域で使用する．
- 3％生理食塩水：

  投与方法：2 mL/kg を 20 分かけて静注

  → 投与終了後，Na 濃度を再検し，症状の消失または Na 5 mEq/L 上昇まで繰り返す

  作り方：0.9％生理食塩水 400 mL + 10％ NaCl 120 mL（6A）
- 計算上 3％生理食塩水を 1 mL/kg 投与すると，Na は約 1 mEq/L 増加すると覚えておく．

②上記に当てはまらない場合
- 循環血漿量減少がある場合，
  - 食事不可能：生理食塩水 2 mL/kg/時で投与．
  - 食事可能：生理食塩水 1 mL/kg/時で投与．
  - 上記を目安に，心機能や循環血漿量減少の程度に応じて調整する．
  - 体液量が是正されたとき（主に尿量が改善した場合）は減量中止する．
- 循環血漿量減少がない場合，
  - 希釈尿が十分得られていれば，生理食塩水による補正は不要である．
  - 塩分の含まれた食事摂取と飲水制限を行い，輸液での自由水投与を避ける．
  - 食事摂取不可能の場合は生理食塩水 1 mL/kg/時を投与する．

③原因病態の改善
- 上記の Na 補正とともに，原因となる病態の治療を並行して行う．
- 特に無症候性場合は急いで治療する必要はないため，原因検索を十分に行い，それを改善する形で緩徐に調整する．
- 嘔気や疼痛といった生理的な ADH 分泌も低 Na を増悪させるため，これらの症状コントロールも大切である．

本症例では…
- 身体所見や IVC などの評価で細胞外液量減少があり，嘔吐・下痢に伴う低 Na 血症と考えられた．
- 症状からは重度の低 Na 血症であり，経過は不明であるため慢性経過に準じることとした．
- 3％生理食塩水の使用も検討したが，来院時には嘔吐は落ち着いており，またアルコール多飲や高齢など ODS のリスクも高いと考えられたため，すぐには使用せずに治療を行う方針とした．
- 細胞外液量減少＋食事摂取不可であったため，2 mL/kg/時となるように生理食塩水 100 mL/時で投与を開始した．
- また嘔気も低 Na 血症を増悪させると考え，制吐薬を使用した．
- その後，体液量の改善とともに多量の希釈尿が排出された．治療開始 12 時間後に Na 118 mEq/L となった．

A 低Na血症の治療は，経過，重症度，体液量に準じて行う

Q この治療経過で注意すべきことは!?

> **鉄則5** Na補正は24時間で10 mEq/L，その後は24時間ごとに8 mEq/Lまで

- 低Na血症の治療によって細胞外の張度が急激に高くなると，脳細胞内の水が急に細胞外に出ることで，致命的な細胞萎縮を起こす可能性がある（浸透圧性脱髄症候群）．
- そのため治療を開始したら必ず最低でも6時間ごとにNa値をフォローしよう．
- 基本的に24時間ごとにNa 5 mEq/Lの上昇を目指す．
- Na補正の上限は24時間以内は10 mEq/L，その後は24時間ごとに8 mEq/Lとする．前述のガイドライン上，Naが130 mEq/Lを超えたあとは強い制限はない．
- 安全域を考え，最初の24時間以内は8 mEq/L，その後は24時間ごとに6 mEq/L上昇したら，過補正予防を行う．
- また溶質摂取不足やアルコール多飲などのリスクが高い患者では，6 mEq/L上昇した時点で過補正予防の介入を行うほうが安全である．

過補正への対応
- 低Na血症の治療中には，脱水の補正→ADH分泌の急激な低下→大量の希釈尿の排出→Naの急激な上昇をきたし，過補正となることがある．
- Naの過補正が危惧される場合は，5%ブドウ糖液の投与により体液を希釈するか，デスモプレシンにより尿量を低下させる．
  〈処方例〉
  ①5%ブドウ糖液：直近の時間尿量を1時間で投与
  ②デスモプレシン点鼻スプレー：2噴霧（5 μg）
  　　　　　効果不十分であれば，5→10→15 μgと増量する
- 5%ブドウ糖液の投与は，尿量によっては大量の輸液となることがあり，高血糖も引き起こす．そのため一般的には時間尿量＞200 mLが続く際にはデスモプレシンを投与する．
- 明らかに過補正となった場合は，デスモプレシンで希釈尿を止めつつ，5%ブドウ糖液で補正を行うこともある．尿による自由水排泄を無視した場合，およそ4 mL/kgの5%ブドウ糖液の投与でNaが1 mEq/L低下することを覚えておく．

本症例では…
- 治療開始12時間でNaが8 mEq/L上昇しており，過補正気味であるため，過補正予防を行うこととした．
- 直近の時間尿量が150 mLであったため，生理食塩水を終了して5%ブドウ糖液

150 mL/時の投与を開始し，尿量の減少に合わせて減量した．
- 治療開始後 18 時間後（過補正予防開始 6 時間後）には Na 114 mEq/L となったため，5％ブドウ糖液を終了した．細胞外液量は改善したものの食事摂取は不可能であったため，生理食塩水を 50 mL/時（1 mL/kg/時）で再開した．
- 治療開始後 24 時間の時点で，Na 117 mEq/L となったため，次の 24 時間では Na 125 mEq/L を超えないように管理する方針とした．意識が改善し，食事摂取が可能となったため，生理食塩水は中止した．

A 本症例では過補正が起こりかけている．すぐに過補正予防が必要である

 低 Na 血症が進行するか予想できる？

- 病棟でよく見かけるのは Na 130 mEq/L 前後の軽度な低 Na 血症である．わずかな Na 低下でも死亡率上昇に関与するため，プロブレムとして挙げるべきである〔Kidney Int 83：700-706, 2013〕．
- ただし現実にはすべての低 Na 血症に対して即座に治療を開始するわけではない．
- 自然に改善する低 Na 血症か判断するのに，尿中 Na＋K を目安にすることができる．

> 尿中 Na＋K＞血清 Na → 血中 Na に対して濃い尿が排泄（＝自由水の排出不良）
> 　　　　　　　　　　　　　　　　　　　　　　　　　→ 低 Na 血症は進行
> 尿中 Na＋K＜血清 Na → 血中 Na に対して薄い尿が排泄（＝自由水の排出良好）
> 　　　　　　　　　　　　　　　　　　　　　　　　　→ 低 Na 血症は改善

- 本来なら血清 Na＋K と尿中 Na＋K を比較するが，血清 K の影響は小さいので無視している．
- 自尿で自由水の排泄が十分であれば，血清 Na をフォローするだけでよい．もちろん輸液や食事のチェックを行い，過剰な自由水投与がないか評価が必要である．

浸透圧性脱髄症候群（ODS）

- ODS は，低 Na 血症の急激な補正により脳細胞外が相対的に高張となるため，細胞内水分の細胞外への移行が起こり，脳細胞容積の虚脱が起こるために生じる．
- 橋が最も鋭敏であり，以前は橋中心髄鞘崩壊症（CPM：central pontine myelinolysis）と呼ばれていたが，最近では橋以外の脱髄病変の報告もあるため，ODS に名称が変わっている．
- 急激な補正の 2〜6 日後に発症することが多く，症状は無言症，構音障害から始まり，最終的には昏睡となる．最も有名なのは痙直性四肢麻痺と仮性球麻痺である．

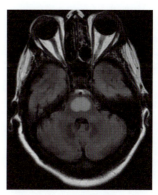

典型的な ODS の脳 MRI 像

- リスクとしては高度低 Na 血症（≦105 mEq/L），低 K 血症，アルコール中毒，肝障害，低栄養，高齢が知られている．
- 治療法はないため予防が大事であり，特に上記リスクのある患者では過補正を起こさないように注意する．

● 参考文献

1) Adrogué HJ, et al. Diagnosis and Management of Hyponatremia：A Review. JAMA 328：280-291, 2022［PMID：35852524］
   - 低 Na に関する最新のレビュー．評価から治療法までよくまとまっている．今回主にとりあげた欧州のガイドラインを米国のガイドラインと比較しており，非常にわかりやすい．
2) Lindner G, et al. Hyponatremia in the emergency department. Am J Emerg Med 60：1-8, 2022［PMID：35870366］
   - 最新レビューその2．こちらのほうが初療についてより端的にまとめてある．
3) Spasovski G, et al. Clinical practice guideline on diagnosis and treatment of hyponatraemia. Nephrol Dial Transplant 29：i1-i39, 2014［PMID：24569496］
   - 今回主に参照した欧州発の低 Na 血症の治療ガイドライン．少なくとも手元には置いておき，患者を見る際には参照しよう．

（福井　翔）

23 高カリウム血症
疑うが,信じて対応,高カリウム

1. 高カリウム(K)血症をみたら,まずは偽性高K血症を考え,Kを再検
2. 偽性高K血症とわかるまでは,12誘導心電図を施行して真の高K血症として対応
3. K＞6.0 mEq/L もしくは心電図変化を伴う高K血症では,緊急治療を開始
4. 高K血症の初期治療は効果発現までの時間を意識
5. 高K血症の原因は"過剰負荷","細胞内外シフト","排出障害"の3つ

症例❶ 肺炎で入院中の70歳男性,突然の高K血症.

特に既往歴なし.肺炎球菌性肺炎で入院し,セフトリアキソン(ロセフィン®)1 g/日で投与中.症状改善傾向であった.入院6日目の採血で検査室からK 6.2 mEq/Lと電話で緊急報告があった.バイタルサインは意識清明,体温36.5℃,血圧110/70 mmHg,脈拍80/分・整,呼吸数14/分,SpO_2 97%(室内気).WBC 4,000/μL,CRP 1.4 mg/dL,Cr 0.68 mg/dL,Na 141 mEq/L,Cl 105 mEq/L,AST 55 U/L,ALT 40 U/L,LDH 350 IU/L,Glu 87 mg/dL.本人の全身状態は良好.

Q. 高K血症に対して,どのように対応する?

高K血症への対応のまとめ

- 高K血症のマネジメントについて明確なガイドラインは存在しないが,2020年にKDIGOからエキスパートオピニオンではあるものの管理指針が示された〔Kidney Int 97:42-61, 2020〕.一般に次頁のフローで対応する.

■ 高 K 血症の対応フロー

```
Step1：偽性高 K 血症の確認    動脈血液ガス検査を含めた K 再検で偽性高 K 血症を除外
                              12 誘導心電図を施行
        ↓
Step2：緊急性評価と初期治療    K≧6.0 mEq/L または心電図変化
                               →あり：緊急的対応として治療①②をまず施行し，
                                      その後，治療③④を開始
                                     （高度腎機能障害のある患者では透析も検討）
                               →なし：体内 K を減少させる治療③④を開始
        ↓                              治療
Step3：原因の同定              ①不整脈予防：グルコン酸カルシウム（カルチコール®）
                              ②K の細胞内シフト：グルコースインスリン療法
  1．過剰負荷（摂取）？         ③K の体外への排出：輸液，利尿薬，K 吸着薬
  2．細胞内外シフト？           ④その他：原因となる薬剤の中止，低 K 食
  3．排出障害？
```

鉄則 1　高 K 血症をみたら，まずは偽性高 K 血症を考え，K を再検

- 特に，高 K 血症が起こりにくいと考えられる患者に突然の高 K 血症がある場合は，偽性高 K 血症を疑う．
- 偽性高 K 血症は，採血時の手技（過度の陰圧による溶血）のほかに，長時間の駆血，採血後検体の長時間の留置，著明な白血球や血小板増加を伴う血液疾患で引き起こされる．いずれも細胞内からの K 流出が原因である．
- 輸液の下流での採血でも起こりうるが，ほかの電解質異常も伴うためすぐにわかることが多い．
- 採血者に採血手技の確認をすることや，検査室に問い合わせて検体血清に溶血がないか（赤みがかっていないか）確認する．また溶血時には，LDH や AST の上昇も伴うことが多いため参考となる．
- 再検査をする際には，必ず動脈血液ガス検査も提出する．動脈血液ガス検査では迅速に結果が得られるだけでなく，アシドーシスといった K に影響する因子の評価も可能である．一方，高 K 血症患者において，動脈血液ガス検査結果は，中央での血液検査結果と比べて，K は平均で 0.6 mEq/L 低くなることには注意しておくとよい〔Am J Emerg Med 34：794-797, 2016〕．

鉄則 2　偽性高 K 血症とわかるまでは，12 誘導心電図を施行して真の高 K 血症として対応

- 仮に偽性高 K 血症を疑ったとしても，再検査の結果が出るまでは真の高 K 血症が否定できるわけではない．
- 最低限 12 誘導心電図は施行し，高 K 性の変化がないかは確認する．
- 心電図変化がある場合はもちろん，K が異常高値（≧6.0 mEq/L）の場合は，再検の結果が出る前に高 K 血症として対応することもある．

> **本症例では…**
> - ただちに動脈血液ガス検査とともにKの再検査を提出し，12誘導心電図を施行した．血液の採取時には陰圧をかけすぎないように注意した．心電図でも高K血症性の変化は認めなかったため，モニターを付けて経過観察した．
> - LDHやASTが上昇しており，偽性高K血症が疑われた．再度，検査室に問い合わせると，血清はやや赤みがかっていたとのだった．採血をした研修医に聞くと，採血が難しかったためシリンジで強い陰圧をかけていたことが判明した．
> - 動脈血液ガス検査ではKが4.0 mEq/Lとすぐに判明し，その後，生化学検査での再検もKは4.4 mEq/Lと正常値であった．

A 高K血症では，まずは偽性高K血症を考え，Kを再検しつつ心電図をチェックする！

> **症例❷ 慢性腎臓病（CKD）の85歳女性．高K血症．**
>
> CKD G3A3（原疾患：糖尿病性腎症）（eGFR 38 mL/分/1.73 m^2）で腎臓内科に通院中．数日前より，37〜38℃の発熱と鼻汁，咽頭痛が出現したため，家族のロキソプロフェンナトリウム（ロキソニン®）を内服していたが，倦怠感や脱力感があり，食事摂取も不良となったため来院した．来院時バイタルサインは意識レベルJCS I-2，体温37.2℃，血圧130/60 mmHg，脈拍90/分・不整，呼吸数16/分，SpO$_2$ 96％（室内気），WBC 9,000/μL，CRP 1.1 mg/dL，Na 138 mEq/L，K 7.0 mEq/L，Cl 104 mEq/L，BUN 75.5 mg/dL，Cr 5.8 mg/dL，Glu 120 mg/dL．

→ ただちにKを再検査したところ，動脈血液ガス検査でK 6.8 mEq/Lであった．12誘導心電図はテント状T波・P波の消失・wide QRSを認めた．

Q 高K血症に対してどのように対応する？

鉄則3 K>6.0 mEq/Lもしくは心電図変化を伴う高K血症では，緊急治療を開始

- 高度の高K血症や心電図変化を伴う高K血症は不整脈や心停止を引き起こす緊急病態である．
- 心臓以外では上行性の四肢，体幹部の筋力低下もきたしうる．
- 高度の高K血症とは，一般に6〜6.5 mEq/Lであるが，慢性的にKが高い患者と，急激に上昇した患者ではリスクが異なるため，総合的な判断が求められる．
- 心電図は，K値の上昇とともに次頁の図のように変化し，最も初期にみられる心電図変化はテント状T波である．
- 以前の心電図がある場合は必ず比較して変化の有無を判断しよう．

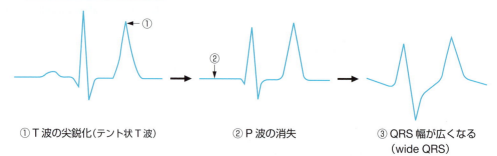

血清K値と心電図変化

①T波の尖鋭化（テント状T波）　②P波の消失　③QRS幅が広くなる（wide QRS）

〔Hollander-Rodriguez JC, et al. Am Fam Physician 73：283-290, 2006 より改変して作成〕

- 心電図変化は必ずしもあるわけでなく，一般に高K血症患者のおよそ半分程度にしか認められない．Kが7.0 mEq/L以上で70％，8.0 mEq/L以上で100％に何らかの変化があったという報告もある〔West J Emerg Med 18：963-971, 2017〕．
- 特にP波の消失がある場合は不整脈のリスクが高いので，より迅速な対応が求められる．

鉄則4　高K血症の初期治療は効果発現までの時間を意識

- 高K血症の治療は効果発現までの時間を考えて施行する．利尿薬や吸着薬でKを体外に排出する治療は時間がかかるため，緊急時には効果発現が早いグルコン酸カルシウムやグルコースインスリン療法（GI療法）を優先して行う．
- まず秒〜分の単位で効果を発揮するグルコン酸カルシウムを投与して心筋の興奮性を抑制し，致死的な不整脈を予防する．その後，およそ30分で効果のあるGI療法を行い一時的に血清K濃度を下げておく．
- その間に利尿薬や輸液，K吸着薬でKを体外に排泄させる．利尿薬は1時間程度で効果を発揮するが，K吸着薬による腸管からのK排出には時間〜日単位の時間が必要となる．
- 治療を開始したら1時間程度で効果判定のKのフォローを行う．GI療法では，細胞内にシフトしたKが4時間程度で細胞外に出てきてしまい，血中Kが再上昇するリスクがあるため，忘れずにフォローする．
- 治療によりどのくらい血清K値が低下するかを予測することは困難なため，Kが安定して低下するまでは数時間ごとに動脈血液ガス検査をフォローする．

■高K血症の治療のまとめ

① 超緊急的処置（効果発現：秒〜分）：不整脈予防薬

- グルコン酸カルシウム（カルチコール®）10 mL/1 A，2〜5分かけてゆっくり静注する
    - 急速静注してしまうと不整脈や心停止の危険があるため，必ずモニターを装着する
    - 高Ca血症はジゴキシンの作用を増強させるため，ジゴキシン内服患者では添付文書上禁忌
- 静止膜電位を安定させ，不整脈の予防効果があるが，体内からのK除去効果はない
- 3〜5分後に心電図を再検し，改善がなければ，再度グルコン酸Ca投与を検討する
- 30分から1時間で効果が消失するため，その時点でKや心電図の改善がなければ，再投与を行う

② 緊急的処置（効果発現：分〜時間）：Kを細胞内にシフトさせる治療

1）GI療法
- 速効型インスリン（ヒューマリン®）5単位＋50％ブドウ糖液2A 40 mLを1〜2分かけてゆっくりと静注する（浸透圧が高く血管痛が起こるため）
- 一時的に細胞内にKを押し込んで，血清K値を低下させる
- 30分〜1時間後にK値の推移と低血糖の有無をみるために再検する
- Kを体外に排泄するわけではなく，4〜6時間するとKが細胞外に出てきて再度K値が上昇するため，一度K値が低下しても4時間後を目安にK値を再検する
- 投与前に低血糖がないか確認する．反対に血糖300 mg/dL以上の場合でインスリン欠乏のある患者では，ブドウ糖の併用で高K血症が悪化する場合があるので，インスリンを単独投与することもある

2）β刺激薬の吸入
- サルブタモール（ベネトリン®）10 mg（2 mL）を適宜生理食塩水で希釈して吸入する
- 上記は喘息用量の約4倍であり，実際には喘息に準じた用量を用いることも多い
- 一般にGI療法を行うことが多くこちらを使用することが少ないが，点滴が取れない患者では有効
- 頻脈となる可能性があり，もともと頻脈の患者や，心不全のある患者には注意する
- GI療法と同じく，数時間でKが再上昇しうるので，再検査が必要である

③ 準緊急的処置（効果発現：時間〜日）：体外へのK排泄

1）腎からの排泄
- フロセミド（ラシックス®）20〜100 mg静注 and/or 生理食塩水や重炭酸ナトリウム投与
- 血管内volumeがない状態では，利尿薬の単独投与は行わない
- 反対に，溢水の患者では輸液を入れすぎないように注意する

2）腸管からの排泄
- 陽イオン交換樹脂：ポリスチレンスルホン酸カルシウム（カリメート®），
  ポリスチレンスルホン酸ナトリウム（ケイキサレート®）など
- 経口15〜30 g/日を1日1〜3回に分割する
- 50 gを100 mL程度の微温湯で溶かして注腸することも可能である
- 近年は新しいK吸着薬も用いられるようになった（次頁の「もっと知りたい！」を参照）

④ 血液透析：体内Kの除去

- 高度のCKDがある患者などでは透析を要することがある
- 血液透析後はすみやかに血清K値は改善し，除去効果およびコントロールに最も優れるが，緊急透析のできる施設は限られる
- 主に，ほかの治療に抵抗性の場合に考慮されるが，説明や同意，バスキュラーカテーテルの挿入などで最低でも2〜3時間を要するので，必要時は腎臓内科医に早めに声をかけておく

⑤ その他

- 内服K薬やRAS阻害薬などの中止
- Kの食事からの摂取や点滴からの投与の減量，中止

本症例では…

- 心電図変化を伴う高度の高K血症であり，モニター装着後ただちにカルチコール® 1A（10 mL）を2〜5分かけてゆっくりと静注した．その後ただちにGI療法（ヒューマリン® 5単位＋50％ブドウ糖液40 mL）を行った．
- アシデミアがあり，溢水所見はなかったため，炭酸水素ナトリウム（炭酸水素Na静

注1.26%バッグ「フソー」)を200 mL/時で投与し,ラシックス®を100 mgで投与した.
- 並行してケイキサレート®の内服も開始した.
- 治療を開始して1時間の時点でKは5.5 mEq/Lまで低下し,心電図変化も消失した.
- GI療法の効果が消失してK値が再上昇することがあるため,4時間後に再検したがK 5.3 mEq/Lと低下傾向であった.尿量が200 mL/時程度得られており,利尿薬の効果があったためと考えられた.
- その後は利尿薬を減量し,K吸着薬を調整した.ロキソニン®による腎機能障害が原因として考えられたため,同薬剤を中止し,今後内服しないように伝えた.

 K＞6.5 mEq/Lで心電図変化もあり,緊急対応が必要と考えた.効果発現が早い治療から優先して行った

新しいK吸着薬について

- ロケルマ®（ジルコニウムシクロケイ酸ナトリウム水和物）は2015年に第三相試験で有効性が報告され〔N Engl J Med 372：222-231, 2015〕,2020年に日本で承認された新しいK吸着薬である.
- 従来の吸着薬より効果が高いだけでなく,これまでの吸着薬は基本的に食事に合わせて投与することが必要であったが,ロケルマ®は薬剤が排泄されるまで効果が持続するため,1日1回の投与が可能となった.さらに消化管穿孔や便秘などの副作用が少ないと報告されている.

具体的な使用方法

〈初期用量〉：開始〜2日（最長3日）

〈処方例〉1回10 g 1日3回（3日間使う場合は,3日目にKの値を確認したうえで投与）

維持用量：初期用量終了後

〈処方例〉1回5 g 1日1回（Kの値により適宜増減するが,最大量は1日15 gまで）

透析患者は,非透析日に1回5 mgを1日1回（Kの値により適宜増減するが,最大量は1日15 gまで）

- 臨床試験では,投与開始後1時間から血清K値の低下を認め,4時間で0.4〜0.5 mEq/L,24時間で0.6〜0.8 mEq/L,48時間で0.7〜1.3 mEq/LもK値を低下させ,効果発現も早かった〔N Engl J Med 372：222-231, 2015/ESC Heart Fail 7：54-64, 2020〕.添付文書には「効果発現は緩徐であり緊急の治療を要する高K血症には使用しない」との記載があり,高K血症の緊急時では従来通り,ほかの治療と組み合わせて使うこととなる.
- 高Kの管理が良好となり,RAS阻害薬の継続がより可能となることで心不全や腎不全の予後向上が期待されている.またロケルマ®により,透析までの時間をかせぐことができる患者や果物などの食事制限を緩和できる患者も経験される.一方,維持療法でも従来のK吸着薬に比べて1日あたりの薬価は数倍にはなる（2023年8月現在）ため,Kが安定していればほかの治療に変更することなども検討されるだろう.

> **症例 ❸**　急性骨髄性白血病の52歳男性．化学療法導入後の高K血症．
>
> 急性骨髄性白血病で入院し，イダルビシン・シタラビン療法を施行している52歳男性．化学療法施行前のKは3.9 mEq/Lだったが，化学療法3日目の採血でK 6.6 mEq/Lと高値を認めた．バイタルサインは意識清明，体温36.0℃，血圧140/90 mmHg，脈拍90/分・整，呼吸数16/分，SpO_2 97%（室内気）．

→ 動脈血液ガスの再検でもK 6.2 mEq/Lと高値だった．12誘導心電図ではテント状T波がみられた．

Q 高Kを引き起こす3つの病態は？ 本症例での原因はなんだろうか？

> **鉄則 5**　高K血症の原因は"過剰負荷"，"細胞内外シフト"，"排出障害"の3つ

■高K血症の鑑別

- 高K血症の原因としては，過剰負荷（摂取），細胞内外シフト，排出障害の3つに分けられる．
- 初期対応を行いつつ，並行して原因検索も行うことが求められる．
- 各種の病態生理を理解しておこう（次頁の「もっと知りたい！」を参照）．

過剰負荷	体外からの負荷	1. 食事や経管栄養からの過剰摂取 2. 点滴や薬剤でのK投与
	体内での負荷	1. 細胞崩壊：腫瘍崩壊症候群や横紋筋融解症，溶血，高浸透圧物質の投与（造影剤やマンニトールなど） 2. 消化管出血
細胞内外シフト	アシデミア，βブロッカー，インスリン欠乏	
排出障害	腎機能障害（糸球体濾過量の低下），脱水，Na摂取不足，アンジオテンシン変換酵素（ACE）阻害薬，アンジオテンシン受容体拮抗薬（ARB），アルドステロン受容体拮抗薬（MRA）	

本症例では…

- 血清中の尿酸，Pも高値であり，腫瘍崩壊症候群と考えた．
- 化学療法の開始により腫瘍細胞が大量に破壊されて，細胞内Kが大量に血中に放出され，高K血症を呈したと考えられた．
- すぐにカルチコール®を1A投与し，GI療法を施行した．
- また炭酸水素Na静注1.26%バッグ「フソー」を使用して十分な尿量を確保した．
- 治療開始4時間後には，血清K値は5.4 mEq/Lまで改善し，心電図上のT波の尖鋭化も改善した．

A 高K血症の原因は過剰負荷，細胞内外シフト，排出障害の3つであり，本症例では腫瘍崩壊症候群による過剰負荷であった

高K血症のより詳しい原因病態について

①過剰なK負荷

- K摂取過多のみで高K血症を起こすことはまれであり、腎機能障害などほかの病態を伴っていることが多い.
- 果物や野菜中のK含量は高いがドライフルーツでは濃縮によりさらに多い. また豆類(納豆含む)や芋類にも多いことが盲点になりやすい. 塩分制限食の代替塩もK含量が多い.
- 食事だけでなく、服用薬剤、輸液製剤・経管栄養のK含有量や輸血の確認も行おう.
- 腫瘍崩壊や横紋筋融解症では急激なKの増加をきたし、CKDなどで慢性的にKが高い人と比べるとKの値以上に不整脈のリスクが高いことが懸念されるため、より注意する.

②細胞内からのKシフト

- 体内のKの98%が細胞内に存在するため、細胞内から細胞外へのKシフトにより容易にK値が上昇する.
- 細胞内外のK移動に関わる因子として(1)酸塩基平衡(H^+), (2)インスリン, (3)甲状腺ホルモン, (4)$β_2$-カテコラミンが挙げられる.

(1)酸塩基平衡(H^+)

- アニオンギャップ非開大性の代謝性アシドーシスでは下記のアルカローシスと反対の機序で細胞外Kが増加する.
- 代謝性アルカローシスでは、Na^+/H^+ exchangerが活性化され、2次的にNa^+/K^+ ATPaseを通じてKの細胞内移動が促進される.

(2)インスリン, (3)甲状腺ホルモン, (4)$β_2$-カテコラミン

- これらはすべてNa^+/K^+ ATPaseを増加、活性化させるため、細胞内からNaが汲み出され、Kが細胞内に取り込まれる.
- インスリン欠乏やβブロッカー使用で高K血症となり、反対にGI療法やβ刺激薬の吸入が高K血症の治療に用いられる.
- 糖尿病性ケトアシドーシスが、アニオンギャップ開大性であるのにもかかわらず高K血症をきたすのも、このインスリン欠乏によるところが大きい.
- βブロッカー使用時ではK^+の取り込みが不足し、高K血症となりうるが、致死的なレベルになることはまれである.
- 甲状腺機能亢進症で低K性周期性四肢麻痺が起こるのもこの作用による.

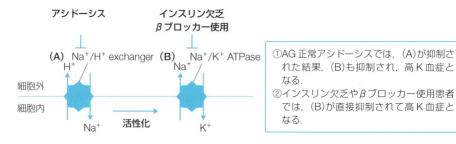

③腎臓からのK排泄障害

- 腎臓からのK排泄は5つの機序による. (1)尿量, (2)遠位尿細管へのNa到達量, (3)陰性荷電, (4)アルドステロン作用, (5)細胞内K濃度

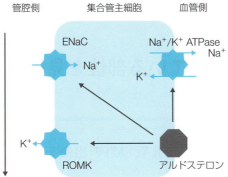

〔Skorecki K, et al：Brenner and Rector's the Kidney, 10th ed. Fig 18.3, p.563. ELSEVIER, 2016 より改変して作成〕

- 高K血症の治療で利尿薬や生理食塩水・炭酸水素ナトリウム投与を行うのは(1)〜(3)を増加させることを利用している.
- 実際にKの腎性排泄が十分行われているかを正確に評価する検査はないが，参考としてFeK(K排泄分画)を用いることがある.

$$FeK=(尿中K/血清K)/(尿中Cr/血清Cr)\times 100(\%)$$

正常値10％程度. 低値では腎性排泄の低下, 高値では腎性以外の理由が疑わしい.

- かつてはTTKG(transtubular K gradient)が有用とされたが, 現在では高K血症の評価としては不十分とされていることが知られている.
- その他, 以下の情報を総合して腎性排泄障害があるか判断する.
  1. 腎機能の評価(血清Cr, eGFR)
  2. 尿量の低下の有無(急性腎障害, 脱水, NSAIDs使用など)
  3. 薬剤性(ACE阻害薬/ARB, MRA, ST合剤, ヘパリン使用の有無)
  4. その他(塩分制限・尿細管性アシドーシス・副腎不全の有無)
- ACE阻害薬/ARBの使用増加に伴い, 腎性排泄低下に伴う高K血症が増えている. CKDがある高齢者でACE阻害薬/ARBを使用し, さらに塩分制限(distal Na deliveryを減らす)を行った結果, 高K血症となる症例もよく経験するため注意が必要である.

● 参考文献

1) Kovesdy CP. Management of Hyperkalemia：An Update for the Internist. Am J Med 128：1281-1287, 2015 ［PMID：26093176］
   - 高K血症の病態から初期対応, そして新しいK吸着までよくまとまっている. まずはこれを一読しておくとよい.

2) Gumz ML, et al. An Integrated View of Potassium Homeostasis. N Engl J Med 373：60-72, 2015 ［PMID：26132942］
   - 体内でのKの向上性を腎臓を中心に, 日内変動なども含めて詳しく解説している. 皮質集合管の図がきれい.

3) Montford JR, Linas S. How Dangerous Is Hyperkalemia? J Am Soc Nephrol 28：3155-3165, 2017 ［PMID：28778861］
   - シチュエーション別の高K血症や, 治療の考え方について詳しく述べられている. 詳しく勉強したい人向け.

4) Palmer BF, Clegg DJ. Hyperkalemia across the Continuum of Kidney Function. Clin J Am Soc Nephrol 13：155-157, 2018 ［PMID：29114006］
   - 腎機能別に, 高K血症の考え方や対応方法がまとめられている. 論文中の図1を見ておくと腎機能障害のある患者での高K血症のイメージが湧きやすい.

（福井　翔）

24 消化管出血
出血の性状から出ている部位を見極める

鉄則
1. 消化管出血が疑われたら，消化管以外の出血を否定して，性状から「上下」を想定する
2. 上部消化管出血では循環と呼吸を維持して早めの内視鏡検査へ
3. 下部消化管出血では病歴と身体所見，直腸診で診断に迫り，画像と内視鏡検査へ

症例❶ 80歳男性．黒色便で来院．

健康診断受診歴がなく，最近になり黒色便を認めるようになったため救急外来を受診した．排便時痛はなく，直腸診でタール便を確認した．来院時バイタルサインは意識清明，体温36.2℃，血圧84/58 mmHg，脈拍124/分・整，呼吸数18/分，SpO_2 97%（室内気）．WBC 8,400/μL，Hb 9.2 g/dL，AST 20 IU/L，ALT 22 IU/L，Cr 0.9 mg/dL，BUN 36 mg/dL，CRP 0.6 mg/dL．

Q どこからの出血を疑うか？

鉄則1 消化管出血が疑われたら，消化管以外の出血を否定して，性状から「上下」を想定する

- まず消化管出血はどこから，何が原因で出血しているかを想定することが重要．
- 吐血を見たらはじめは消化管出血にとらわれずに，喀血や鼻出血，口腔内出血などの可能性を除外する必要がある．また大動脈瘤破裂で血管と臓器が交通して吐血や喀血をきたすこともあるので，消化管だけに目をとらわれないようにする．
    - 吐血：嘔吐時に認められ，悪心や上腹部不快感を伴うことがある．暗赤色で凝固しやすく，食物残渣が混在することがある
    - 喀血：咳嗽時に認められ，呼吸困難やwheezeを伴うことがある．鮮紅色で凝固しにくく，喀痰や膿性痰が混在することがある
- 消化管出血は便宜上下記の通りに分類されるが，上部消化管出血でも大量出血の場合には血便をきたしうるので注意する．
- なお，鉄剤を内服していると便が黒色調に変化するので必ず問診を行う．

	上部消化管出血	下部消化管出血
定義	Treitz 靱帯より口側からの出血 食道・胃・十二指腸	Treitz 靱帯より肛門側からの出血 小腸・大腸
症状	吐血・下血・黒色便	血便

- 血便と下血などは言葉の使い方が異なり紛らわしいので注意が必要.

■下血
- 狭義：タール便（コールタールのような黒色の便）が排泄されること.
　　　　血液中のヘモグロビンが胃酸で還元されるため，黒褐色となる.
- 広義：肛門からの血液排出の総称.

■血便
- 下部消化管出血による赤い血液が混じった便が排泄されること.
  → 下血は消化管出血の総称で使用されることがあり，紛らわしいのでプレゼンテーションの際には黒色便（タール便）や血便などの言葉が使いやすい.

> 本症例では…
- 口腔粘膜や鼻粘膜からの出血は認められず，鉄剤の内服もなかった.
- 黒色のタール便を直腸診でも認めており，貧血も確認されたことから，上部消化管出血の可能性を疑い消化器内科コンサルトとした.
- 上部消化管内視鏡検査で進行性胃癌の診断となり，精査・治療を行う方針となった.

A 消化管出血では消化管以外の出血を否定したうえで，性状から出血部位を想定する

> **症例 ❷** 62歳男性．黒色嘔吐で来院．
>
> 1か月前から腰痛に対してNSAIDsの内服を継続していた．来院数日前から，心窩部の違和感があり，きりきりするような痛みを自覚していた．来院当日嘔気を自覚し，吐血を認めた．目撃した家族が心配して救急搬送となった．来院時バイタルサインは意識レベル JCS I-1，体温 36.2℃，血圧 84/58 mmHg，脈拍 124/分・整，呼吸数 18/分，SpO₂ 97％（室内気）．WBC 11,400/μL，Hb 6.5 g/dL，AST 24 IU/L，ALT 32 IU/L，Cr 1.2 mg/dL，BUN 48 mg/dL，Na 136 mEq/L，K 4.1 mEq/L，CRP 1.2 mg/dL．

Q 上部消化管出血が疑われるがまずどのように対応するか？

鉄則 2 上部消化管出血では循環と呼吸を維持して早めの内視鏡検査へ

- まずは緊急性を判断し，基本的にはバイタルサイン/ABC(A：気道，B：呼吸，C：循環)の安定を確保する．消化管出血により誤嚥や窒息に至る可能性もあるので迅速に対応する．
- 一般的には最初にHRが上がり，心拍出量が維持できなくなると血圧の低下をきたすことが多い．
- この際に，βブロッカーやCaブロッカーなどの徐脈化しうる薬剤が入っている際には頻脈になりにくいことがあるので注意する．

消化管出血の初期対応
■消化管出血の対応フロー

Step1：緊急性の判断とバイタルサインの安定化	・バイタルサインを確認しABCの確保を行いつつ，すみやかに輸液(±輸血)と昇圧剤を準備する
Step2：初期対応	・18〜20ゲージで点滴ラインを2本確保する→外液を急速投与する ・動脈血液ガス検査と血液検査(血算・生化学・凝固・NH$_3$)，血液型＋クロスマッチを採取 ・出血多量の場合には輸血をすみやかに準備する ・上部消化管出血が疑われる場合にはプロトンポンプ阻害薬(PPI)の投与を行う ・バイタルサイン不安定，昇圧剤使用，臓器障害(心不全，AKIなど)があればICU室を考慮する ・上記の対応をしながら問診と身体所見を評価する
Step3：検査と鑑別	・胸部単純X線写真，12誘導心電図 ・心エコー・腹部エコー ・造影CT などで他疾患の除外と鑑別を進め，下記検査・治療を検討する
Step4：治療	・専門科にコンサルトを行い，内視鏡検査，IVR治療，外科的治療の必要性を検討する

- 初期対応としては静脈ライン確保を迅速に行い，可能であれば20ゲージで2本確保する．細胞外液を投与するが，出血量が多い場合には輸血やアルブミン製剤など人工膠質液を使用する．
- 上部消化管出血が濃厚に疑われる場合に造影CTを先に行うか否かは施設による差異もある．大量の血便など下部消化管出血が疑われる場合には施行するべきである．
- 多量出血はエマージェンシーであるので，内視鏡検査やIVR治療，外科的治療を考慮して，すみやかに専門科へのコンサルトを行う．

①病歴
- 出血の状態(吐血，血便，黒色便，出血量)，ほかの症状(発熱，腹痛，下痢)，既往歴(ピロリ菌感染既往歴，肝硬変の有無)，出血リスクの高い薬剤(ステロイド，NSAIDs，抗血小板薬・抗凝固薬)，食事状況，内視鏡検査歴を中心に問診を行う．
  - ・最終食事歴
  - ・急性/慢性
  - ・吐血の前に嘔気はあったか(→Mallory-Weiss症候群)
  - ・腹痛の様子，体重減少，食欲不振(→悪性腫瘍)
  - ・消化管出血の既往歴・胃十二指腸潰瘍の既往歴・ピロリ菌検査，除菌の既往歴

- ・NSAIDs・抗血小板・凝固薬の使用
- ・喫煙
- ・腹痛(→ 胃・十二指腸潰瘍)
- ・嚥下時痛，胸焼け，乾性咳嗽(→ 食道潰瘍)
- ・肝疾患，アルコール(→ 食道静脈瘤)
- ・大動脈-腸管瘻(→ 胸腹部大動脈置換術)

②身体所見
- 腹膜刺激症状(tapping pain，反跳痛，筋強剛)の有無.
- 肝硬変の徴候として黄疸，くも状血管腫，腹水貯留，腹壁静脈怒張，手掌紅斑などに注意して診察する.

③血液検査
- 急性の出血患者では血液検査でHb値がまだ低下していない可能性があるため，Hbが下がっていないからといって多量出血を否定しないこと.
- BUN/Cr比≧30は上部消化管出血を示唆する.
- MCVは小球性であれば悪性腫瘍などを鑑別として考慮し，大球性であればアルコールの関与を考慮する. 出血だけでも網状赤血球が増加して大球性になりうる.
  - → 輸血はHb 7 g/dLを1つの目安として過剰輸血とならないように十分に注意する
    〔Engl J Med 368：11-21, 2013〕
- PT-INR，血小板，アルブミン，ビリルビン.
  - → 肝硬変の有無の評価に有用であり，NGチューブや食道静脈瘤の鑑別に必須
- なお，心窩部痛を主訴に来院している際にはCK，CK-MB，トロポニンTなど心筋逸脱酵素を評価する.

④12誘導心電図，胸部単純X線写真，心エコー，造影CT
- 心電図はACS(急性冠症候群)除外のために施行する. ACSに消化管出血が合併することがあるので注意.
- 胸部単純X線写真で血液の誤嚥による肺炎などを評価する.
- 心エコーで心機能評価を行い，輸液および輸血の忍容性の評価を行う.
- 造影CTは出血源精査のために施行する場合は，撮像は必ず3相で評価する.
  - ・下部消化管出血が疑われる際には，小腸出血と大腸出血の鑑別のためにも重要
  - ・上部消化管出血が疑われる際には，CTを行わずに内視鏡を行うことも少なくない
  - ・活動性の出血の場合は，Extravasation(造影剤の血管外漏出像)を確認できることがあるため

⑤上部消化管内視鏡検査の適応
- 肝硬変などの慢性肝疾患があり，食道静脈瘤や胃静脈瘤からの出血が疑われる際には，迅速に消化器内科にコンサルトする. その他の場合にもさまざまな内視鏡適応の指標が提唱されており，なかでもGlasgow-Blatchford scoreが有名である.

- Glasgow-Blatchford score(GBS)：0点では低リスクと考えられて外来での管理が可能であるといわれており，待機的内視鏡としても予後は悪くならないとされている．一方で6点ではリスクの高さから緊急処置を考慮する
- さまざまなスコアがあるが，GBS≦1は介入不要の判断を最もよく予測できるため，まずはGBSを覚えておこう．

Glasgow-Blatchford score(GBS)

項目	内容	スコア
BUN (mg/dL)	≧18.2，＜22.4	2
	≧22.4，＜28.0	3
	≧28.0，＜70.0	4
	≧70.0	6
男性Hb (g/dL)	≧12，＜13	1
	≧10，＜12	3
	＜10	6
女性Hb (g/dL)	≧10，＜12	1
	＜10	6
sBp (mmHg)	100〜109	1
	90〜99	2
	＜90	3
その他	脈拍≧100/分	1
	黒色便	1
	失神	2
	肝臓疾患	2
	心不全	2

〔Blatchford O, et al. Lancet 356：1318-1321, 2000〕

上部消化管内視鏡の禁忌
- 循環動態/呼吸状態が不安定な患者．
- 腸閉塞，消化管穿孔．
- 咽頭/上部食道に強い狭窄．
- 酸性，アルカリ性の強い薬品を使用．

⑥ NGチューブの使用
- 吐血が明らかな場合や内視鏡を施行することが決定している場合にはNGチューブは原則不要である．
- NGチューブの目的は，原則的に①性状の確認，②内視鏡検査のための胃洗浄である．
- 食道静脈瘤が疑われる場合には禁忌となる．

- 出血量が多いときには内視鏡を施行する前に視野を確保するために胃洗浄を行うこともある．その場合には NG チューブを挿入し，数百 mL を目処に胃洗浄を数回施行する．

⑦薬剤

〈処方例〉オメプラゾール（オメプラール®）　1 回 20 mg　静注　12 時間ごと

- プロトンポンプ阻害薬であり，静注製剤が存在する．
- 上部消化管出血と判明したらただちに使用する（効果発現まで時間がかかるため）．

本症例では…

- 血圧 84/58 mmHg の低血圧と脈拍 124/分の頻脈を認めており，前医の 1 か月前の血液検査では Hb 11.2 g/dL であり，消化管出血によるショックを疑った．
- 点滴ラインを確保して外液投与を開始したうえですみやかに赤血球輸血 2 単位を投与した．
- バイタルサインが安定したため，造影 CT を撮像したところ幽門部付近に造影剤の血管外漏出像（extravasation）を認めたため，オメプラール® 20 mg の点滴静注をしたうえで，消化器内科にコンサルトを行った．

A　まずバイタルサインの安定化を行い，血液検査や画像検査を進めて，すみやかに内視鏡の相談を行う

血管外漏出像（extravasation）

- 活動性の出血が起こっていることを示唆する CT 所見であり，出血部位の同定に役立つ．
- 単純 CT で高吸収域を認めない＋動脈優位相で高吸収域を認める＋実質相で高吸収域が広がる，の 3 点がそろって診断することが可能である．

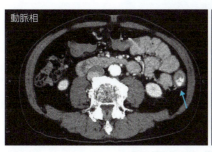
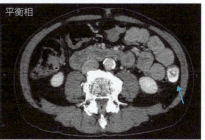

> **症例 ❸** 74歳女性．鮮血便で来院．
>
> 特記するべき既往歴はない．来院当日に突如鮮血便を認めたため，家族が救急要請した．腹部は全体的に軟らかく，圧痛はない．直腸診で鮮血の付着を認める．来院時バイタルサインは意識清明，体温 36.4℃，血圧 124/78 mmHg，脈拍 96/分・整，呼吸数 12/分，SpO_2 98%（室内気）．WBC 9,400/μL，Hb 11.2 g/dL，AST 26 IU/L，ALT 28 IU/L，Cr 0.97 mg/dL，BUN 22 mg/dL，Na 134 mEq/L，K 4.7 mEq/L，CRP 1.6 mg/dL．

Q 初期対応は？

> **鉄則 3** 下部消化管出血では病歴と身体所見，直腸診で診断に迫り，画像と内視鏡検査へ

- 血便を主訴とする患者が来院した場合には，上部消化管出血のときと同様に初期評価として病歴や出血リスクとなる常用薬などを確認する．
- 前述の通り一般的には吐血や黒色便がみられた場合には上部消化管出血，血便がみられた場合には下部消化管出血を考えるが，例外もあるので注意が必要である．
- 例えば出血量が多く，消化管内での通過時間が短い場合には上部消化管出血でも血便を生じることがあるため，多量の血便を呈する患者で上部消化管出血が否定できない場合には，下部消化管内視鏡の前に上部消化管内視鏡検査の施行を検討する．
- 下部消化管出血は上部消化管出血と比較して死亡率も低く，重症例でも72％は自然止血されるとの報告がされている．

下部消化管出血の原因

- 原因別頻度としては憩室出血や虚血性腸炎，痔核によるものが多い．

憩室出血	30〜65%
虚血性腸疾患	5〜20%
痔核	5〜20%
大腸ポリープ/大腸癌	2〜15%
炎症性腸疾患	3〜5%
感染性大腸炎	2〜5%

〔Gralnek IM, et al. N Engl J Med 376：1054-1063, 2017〕

①病歴

- 最終食事歴．
- 最近の食事摂取経過，排便の状態（色・回数・量）．
- 急性/慢性．
- 体重減少，食欲不振，便柱の狭小化（→ 悪性腫瘍）．
- 抗血小板や凝固薬の使用．
- 長期臥床（→ 直腸潰瘍）．

②身体所見

- 下部消化管出血では特に直腸診を怠らずに施行すること．痔核などの診断には特に有用である．
- 下部消化管出血では腹痛の有無や下痢の有無，発熱の有無などにより想定される鑑別が異なるため，問診や身体所見からある程度疾患群を推測することができる．
- 腹痛がある場合には虚血性腸炎や感染性腸炎，炎症性腸疾患を想定する．
- 腹痛がない場合にはむしろ憩室出血や大腸癌，痔核などを想定する．
- 下痢を認める場合には感染性腸炎や炎症性腸疾患を疑う．
- 体重減少があり，慢性経過であれば大腸癌を念頭に置く．

③血液検査

- 上部消化管出血の同項目を参照（→ 295 頁）．

④造影 CT

- 上部消化管出血が否定的かつ出血源が不明であれば，腹部造影 CT を施行する．
- CT を先行させたほうが，血管病変の検出率は高く，緊急での止血介入できる可能性が高くなる．
- 仮に CT で血管外漏出像が陰性である場合は，下部消化管内視鏡を施行したとしても出血源の同定される割合は低く，逆に再出血のリスクも低いことが知られている〔Cardiovasc Intervent Radiol 38：329-335, 2015〕．そのため緊急下部消化管内視鏡の有効性はエビデンスに乏しく，死亡率，輸血，再出血は減少しなかったと報告されている〔Gastrointest Endosc 86：107-117, 2017〕．

⑤下部消化管内視鏡検査の適応

- 禁忌：消化管穿孔，炎症性腸疾患に伴う中毒性巨大結腸症，全身状態が不良で検査による合併症が予想される場合．
- 前処置：2 L のモビプレップ®（またはニフレック®）を約 2 時間かけて内服．
  → 便がクリアになったら施行する．

本症例では…

- 急性発症の血便であり，腹痛を伴わなかった．直腸診で血液の付着を確認したが，痔核は認めなかった．
- 腹部造影 CT を施行したところ，多発憩室を認め，その一部から造影剤の漏出像を認めた．
- 消化器内科にコンサルトを行い，下部消化管内視鏡を施行して止血を得た．

A 病歴と身体所見から疾患を想定し，直腸診で出血を確認したうえで画像/内視鏡検査を行う

●**参考文献**

1) Laine L, et al. ACG Clinical Guideline：Upper Gastrointestinal and Ulcer Bleeding. Am J Gastroenterol 116：899-917, 2021［PMID：33929377］
    ・上部消化管出血のマネジメントの最新ガイドライン．
2) 日本消化器病学会（編）：消化性潰瘍診療ガイドライン 2020（改訂第 3 版）．南江堂，2020
    ・消化性潰瘍診療の日本語で読める最新ガイドライン．
3) Gralnek IM, et al. Acute Lower Gastrointestinal Bleeding. N Engl J Med 376：1054-1063, 2017［PMID：28296600］
    ・下部消化管出血に関するレビュー．

（鈴木　隆宏）

25 急性膵炎
最重要Pointは輸液，適正な輸液を心がける！

1. 原因は胆石とアルコールで70%を占める
2. 膵酵素（アミラーゼ，リパーゼ）と造影CTで診断し，重症度も評価する
3. 治療は超早期の迅速な輸液，躊躇しない

症例 ❶ 大酒家の58歳男性.

来院当日の朝から継続する腹痛により体動困難となったため救急搬送となった．搬送時，腹痛が強く，側臥位で前屈姿勢となりうめき声をあげている．腹部を診察しようとすると，不穏となり暴れてしまう．瓶ビール4本，缶酎ハイ500 mL 5～6本程度を欠かさず毎日飲酒しているという．吐血，下血，血便はない．来院時バイタルサインは意識清明，体温37.8℃，血圧90/50 mmHg，脈拍108/分・整，呼吸数24/分，SpO₂ 100%（室内気）．

Q 事前確率の高い診断は？ 追加で行うべき検査は？ 治療はどうするか？

- アルコール多飲患者の強い腹痛は，まず急性膵炎を考える．
- 急性膵炎は頻度の高い急性腹症であり，初期対応は必ず身につけておく．

鉄則 1 原因は胆石とアルコールで70%を占める

- 急性膵炎の診療において原因診断は非常に重要である．
- 胆石性膵炎は内視鏡的逆行性胆管膵管造影 (endoscopic retrograde cholangiopancreatography：ERCP) による治療介入が必要となるため，最優先で鑑別すべき原因である．
- 再発予防を効果的に行うためにも原因検索は必要である．
- 日本の2016年の全国調査の結果の一部を示す．男性はアルコール，女性は胆石が最も多い原因であり，この2つの原因で70%程度を占める．

■ 2016年のわが国での全国調査による急性膵炎の成因の割合

病因	男性 n(%)	女性 n(%)	合計 n(%)
アルコール	833(42.8)	115(12.0)	948(32.6)
胆石	386(19.8)	363(37.7)	749(25.8)
特発性	316(16.2)	239(24.8)	555(19.1)
膵腫瘍	65(3.3)	38(4.0)	103(3.5)
手術	65(3.3)	26(2.7)	91(3.1)
診断的ERCP	44(2.3)	41(4.3)	85(2.9)
治療的ERCP	48(2.5)	31(3.2)	79(2.7)
脂質異常症	46(2.4)	20(2.1)	66(2.3)
慢性膵炎	35(1.8)	15(1.6)	50(1.7)
薬剤性	14(0.7)	18(1.9)	32(1.1)

〔van Santvoort HC, et al. Endoscopy 43：8-13, 2011〕

- 原因検索
  - 病歴・家族歴：飲酒，胆石・脂質異常症の既往歴，ERCPや手術歴，薬剤歴など
  - 血液検査：肝胆道系酵素の上昇，中性脂肪
  - 画像検査：腹部エコー，CT，MRI/MRCP（原因不明の場合に待機的に行うことが多い）
- 薬剤性膵炎の被疑薬は，一度は目を通しておこう〔PLoS One 15：e0231883, 2020〕．

鉄則 2 膵酵素（アミラーゼ，リパーゼ）と造影CTで診断し，重症度も評価する

急性膵炎の診断

- 急性膵炎の診断基準は以下の通りである．

> 1. 上腹部に急性腹痛発作と圧痛がある．
> 2. 血中または尿中に膵酵素の上昇がある．
> 3. エコー，CTまたはMRIで膵に急性膵炎に伴う異常所見がある．
>
> 上記3項目中2項目以上を満たし，ほかの膵疾患および急性腹症を除外したものを急性膵炎と診断する．ただし，慢性膵炎の急性増悪は急性膵炎に含める．
> 注：膵酵素は膵特異性の高いもの（膵アミラーゼ，リパーゼなど）を測定することが望ましい．
>
> 〔厚生労働省難治性膵疾患に関する調査研究班 2008年〕

■血液検査

- 膵酵素は血中アミラーゼまたはリパーゼの測定が推奨される．いずれもカットオフ値を正常上限値の3倍とすると，診断精度は以下の通りであった〔Cochrane Database Syst Rev 4：CD012010, 2017〕．
  - アミラーゼ　感度：72%，特異度：93%
  - リパーゼ　感度：79%，特異度：89%

- 原因究明のために AST, ALT, γ-GTP, ALP, ビリルビンなどの肝胆道系酵素, トリグリセリド, 重症度判定のために血算, 腎機能, Ca, アルブミン(Ca補正のため), CRP, 動脈血液ガス検査などを評価する.

■画像検査

- CT よりも先にエコー検査を行う. 炎症の波及や原因精査として肝胆道系の評価が可能であるが, 膵炎の炎症によるイレウスで生じた腸管ガスで描出困難な場合も多い.
- 造影 CT 検査は診断と重症度評価に重要な検査である. 重症度のみならず原因(胆石, 腫瘍など)や合併症(仮性動脈瘤や門脈血栓など)も評価可能.
- ダイナミック造影 CT を行えば膵実質の壊死の程度や, 腫瘍が原因であった場合の鑑別も可能となる.

■重症度評価

- 以下の重症度判定基準に沿って行う.

急性膵炎の重症度判定基準(厚労省難治性膵疾患に関する調査研究班 2008 年)

A. 予後因子(予後因子は各1点とする)

Base Excess≦−3 mEq/L, またはショック(収縮期血圧≦80 mmHg)
PaO_2≦60 mmHg(室内気), または呼吸不全(人工呼吸管理が必要)
BUN≧40 mg/dL(or Cr≧2 mg/dL), または乏尿(輸液後も1日尿量が 400 mL 以下)
LDH≧基準値上限の2倍
血小板数≦10万/mm^3
総 Ca≦7.5 mg/dL
CRP≧15 mg/dL
SIRS 診断基準*における陽性項目数≧3
年齢≧70 歳

* SIRS 診断基準項目:(1)体温>38℃または<36℃, (2)脈拍>90 回/分, (3)呼吸数>20 回/分または $PaCO_2$<32 Torr, (4)白血球数>12,000/mm^3 か<4,000 mm^3 または 10%幼若球出現

B. 造影 CT Grade

①炎症の膵外進展度

前腎傍腔	0 点
結腸間膜根部	1 点
腎下極以遠	2 点

②膵の造影不良域

膵を便宜的に3つの区域(膵頭部, 膵体部, 膵尾部)に分け判定する.

各区域に限局している場合, または膵の周辺のみの場合	0 点
2つの区域にかかる場合	1 点
2つの区域全体を占める, またはそれ以上の場合	2 点

①+② 合計スコア

1 点以下	Grade 1
2 点	Grade 2
3 点以上	Grade 3

- 重症の判定:A. 予後因子が3点以上, または B. 造影 CT Grade 2 以上の場合は重症とする.

造影CTによるCT Grade分類（予後因子と独立した重症度判定項目）

膵造影不良域 \ 膵外進展度	前腎傍腔	結腸間膜根部	腎下極以遠
＜1/3	Grade 1	Grade 1	Grade 2
1/3～1/2	Grade 1	Grade 2	Grade 2
1/2＜	Grade 2	Grade 3	Grade 3

凡例：Grade 1／Grade 2／Grade 3

浮腫性膵炎は造影不良域＜1/3に入れる．原則として発症後48時間以内に判定する．

〔高田忠敬（編）：急性膵炎診療ガイドライン2021（第5版），p.56．金原出版，東京，2021〕

- 致命率の高い重症症例を抽出する意味で非常に重要である．造影CT Gradeのみが重症であった症例は致命率が2.1％，予後因子のみが重症の場合は9％，両方が重症であった場合は19.1％と症例ごとのリスクを適切に評価することができる〔Pancreatology 20：629-636, 2020〕．
- 予後因子で重症度判定を行った場合の死亡予測に対する診断精度は感度：0.62（95％信頼区間：0.58～0.65），特異度：0.90（95％信頼区間：0.89～0.90）と感度が低い結果となった．これはつまり，診断時は重症と判定されなくとものちに重症化する症例が存在するということ．
- よって重症度判定は入院時のみならず，24時間以内，24～48時間以内に繰り返すことが推奨される．ただし，造影CTに関しては腎機能などを鑑みて検討するべきである．

鉄則3 治療は超早期の迅速な輸液，躊躇しない

■治療
- 急性膵炎で行うべき治療は，輸液と栄養療法である．
- 急性膵炎の治療は輸液に始まり輸液に終わるといっても過言ではない．

> **輸液**
> - 少なすぎず，多すぎない輸液を心がける．
>   - 体液量減少があれば10 mL/kgを2時間でボーラス投与
>   - 体液量減少がなければボーラス投与なし
>   - その後2 mL/kg/時で輸液を継続する〔N Engl J Med 387：989-1000, 2022〕
>   - 大切なことは少なくとも血管内容量を低下させず臓器障害を起こさないこと
>   - 体液量過剰とならないように頻回の体液量評価やモニタリングが必要である
> - 輸液製剤：晶質液のなかでもバランス輸液（酢酸リンゲル液など）を用いる．
> - 高齢者，心不全，腎不全の患者では過剰輸液とならないよう厳密なモニタリングを行いながら輸液療法を実施する．

> **栄養療法**
> - 禁忌がない限り発症から24時間以内に経腸栄養を開始する．
> - 投与経路は胃や十二指腸から投与してよい．
> - 感染性合併症や在院日数，致命率も低下する．
>
> **推奨されない治療**
> - 抗菌薬，蛋白分解酵素阻害薬，制酸剤はいずれも使用は推奨されない．
> - 抗菌薬はエビデンスに乏しいが重症例に限って，慎重に使用を検討する．

- Pancreatitis Bundle とは，診断から治療までの一連の流れで順守すべき事項を網羅し，かつ利用しやすいように提唱された臨床指標である．
- これらの順守によって致命率が低下することもわかってきており，さらなる利用拡大が望ましい指標である．

Pancreatitis Bundles 2021

- 急性膵炎では，特殊な状況以外では原則的に以下のすべての項が実施されることが望ましく，実施の有無を診療録に記載する．

> 1. 急性膵炎診断時，診断から24時間以内，および，24～48時間の各々の時間帯で，厚生労働省重症度判定基準の予後因子スコアを用いて重症度を繰り返し評価する．
> 2. 重症急性膵炎では，診断後3時間以内に，適切な施設への転送を検討する．
> 3. 急性膵炎では，診断後3時間以内に，病歴，血液検査，画像検査などにより，膵炎の成因を鑑別する．
> 4. 胆石性膵炎のうち，胆管炎合併例，黄疸の出現または増悪などの胆道通過障害の遷延を疑う症例には，早期のERCP＋ESTの施行を検討する．
> 5. 重症急性膵炎の治療を行う施設では，造影可能な重症急性膵炎症例は，初療後3時間以内に，造影CTを行い，膵造影不良域や病変の拡がりなどを検討し，CT Gradeによる重症度判定を行う．
> 6. 急性膵炎では，発症後48時間以内はモニタリングを行い，初期には積極的な輸液療法を実施する．
> 7. 急性膵炎では，疼痛のコントロールを行う．
> 8. 軽症急性膵炎では，予防的抗菌薬は使用しない．
> 9. 重症急性膵炎では，禁忌がない場合には診断後48時間以内に経腸栄養(経胃でも可)を少量から開始する．
> 10. 感染性膵壊死の介入を行う場合には，ステップアップ・アプローチを行う．
> 11. 胆石性膵炎で胆嚢結石を有する場合には，膵炎沈静化後*，胆嚢摘出術を行う．
>
> *同一入院期間中か再入院かは問わない．
>
> 〔急性膵炎診療ガイドライン2021改訂出版委員会(編)：急性膵炎診療ガイドライン2021(第5版)，p.27．金原出版，東京，2021〕

> **本症例では…**
> - 血液検査にて肝胆道系酵素の上昇はなく，LDH 480 IU/L，膵アミラーゼ 660 U/L と高値であった．腹部エコー検査では膵実質の腫大とその周囲の液体貯留を認めた．造影CTにて前腎傍腔まで波及する炎症と膵頭部〜膵体部の造影不良域があり造影CT Grade 3点（重症）の急性膵炎と診断した．CTでは総胆管結石や総胆管拡張はみられず，原因はアルコールであると推定した．また予後因子は，2点（SIRS，LDH）と重症の基準は満たさなかった．
> - 治療として酢酸リンゲル液を投与開始し，6時間で1L以上，24時間で4L以上を目標とした．

A 急性膵炎が最も考えられる．確定診断と重症度判定のために血液検査（膵アミラーゼやリパーゼ，Ca値，腎機能，LDH，酸塩基平衡，酸素化）とCT検査（可能なら造影CT検査）を行う．治療は輸液が基本であり，過少とならないように！

● 参考文献
1) 急性膵炎診療ガイドライン2021改訂出版委員会（編）：急性膵炎診療ガイドライン2021．金原出版，2021
   - 2021年に改訂された最新のガイドライン．新しい試みである「やさしい解説」コーナーが設けられるなど非常に読みやすい．

（藤野　貴久）

26 肝機能障害
「肝なのか，胆なのか」

1. 肝胆道系酵素異常では，まずパターンを分類
2. 胆汁うっ滞パターンでは胆道閉塞をまずチェック
3. 高度の肝障害パターンでは薬剤，感染，虚血を考える
4. 高度の急性肝障害では肝不全に注意
5. 肝硬変患者の意識障害では肝性脳症以外も鑑別に
6. 腹水患者では特発性細菌性腹膜炎（SBP）を忘れない

症例 ① 78歳男性．急性の嘔気と腹痛，胆道系酵素上昇．

特に既往歴のない78歳男性，前日から始まった嘔気と腹痛を主訴に救急外来を受診した．来院時バイタルサインは意識清明，体温37.8℃，血圧114/78 mmHg，脈拍105/分・整，呼吸数22/分，SpO_2 96％（室内気）．眼球結膜黄染，右季肋部違和感，軽度圧痛あり．WBC 14,800/μL，AST 140 IU/L，ALT 180 IU/L，ALP 783 IU/L，γ-GTP 453 IU/L，T-Bil 6.2 mg/dL，CRP 12.8 mg/dL．

Q 肝胆道系酵素上昇では，まずどうする？

鉄則 1 肝胆道系酵素異常では，まずパターンを分類

肝胆道系酵素上昇時の対応

- 肝胆道系酵素の上昇をみたら，鑑別のためAST，ALT，LDH，ALP，T-Bil，γ-GTPを確認する．
- AST，ALTは肝臓，ALP，γ-GTPは胆道系酵素である．これらの上昇のパターンにより大まかに病態を鑑別することができる（次頁の図）．
- ASTやALTは肝逸脱酵素と呼ばれ，肝臓が障害され肝細胞が壊れると細胞内から血中に流出する．肝臓の障害が広範で重症であるほど高値となる．一方，進行した肝硬変や広範な壊死がすでに起こっており，壊れる肝細胞がないような場合は低値となる．
- 一方，ALPやγ-GTPは肝臓でも毛細胆管膜や胆管上皮などに分布し胆汁中に排出されている．そのため胆汁うっ滞があると血中に逆流したり，産生が増加したりする

ため，胆道系酵素と呼ばれる．
- ビリルビンは，大部分が赤血球中に存在している．古い赤血球の処理で生まれた間接ビリルビンが肝細胞に取り込まれ，グルクロン酸抱合により直接ビリルビンとなり，胆汁中に排出される．そのため，肝障害では主に直接ビリルビンが上昇し，溶血などでは間接ビリルビンが上昇する．肝細胞障害では肝細胞から胆管への分泌ができなくなり，胆汁うっ滞では胆汁から十二指腸への排出ができなくなるため，どちらのパターンでも上昇しうる．
- これらの検査値は，筋肉(横紋筋融解など)や血球(溶血など)，骨(骨折や転移性骨腫瘍など)などが原因で上昇することもあるので注意しておく．

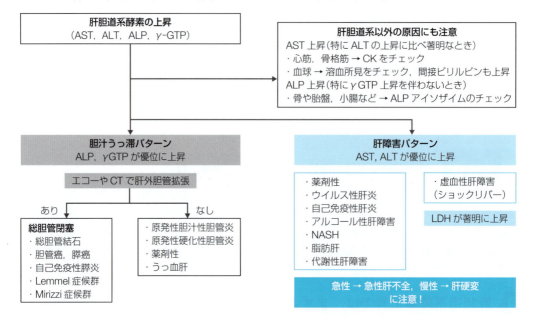

鉄則 2　胆汁うっ滞パターンでは胆道閉塞をまずチェック

- 特に胆道系酵素が上昇している場合，胆石や胆管癌，膵頭部癌，自己免疫性膵炎(IgG4関連疾患)，Lemmel症候群(十二指腸乳頭部の憩室による胆管の圧排)，Mirizzi症候群(胆嚢頸部の結石による胆管の圧排)などによる肝外胆管の閉塞をまずは考える．
- 総胆管閉塞からの急性閉塞性化膿性胆管炎は，容易に敗血症となり，早期の内視鏡的処置が必要であるため注意する．Charcot 3徴(発熱，右季肋部痛，黄疸)は半数〜2/3程度にしかみられず，明らかな腹痛が伴わないこともあるため，腹痛がなくとも想起すべきである．
- 腹部エコーで，肝内胆管拡張(拡張は伴走門脈以上)，肝外胆管拡張(正常は7 mm以下，病的な拡張は11 mm以上)胆嚢腫大や胆石を確認する．
- エコー検査で胆管の拡張と胆石が明らかであれば必須ではないものの，腹部造影CT検査も行うことが多い．またERCP(内視鏡的逆行性胆管膵管造影)，MRCP(MR胆

管膵管撮影）も有用である．

> **本症例では…**
- AST, ALT の上昇に比べて ALP や γ-GTP の上昇が目立ち，胆汁うっ滞パターンと評価した．
- まず胆道閉塞を疑い，腹部エコー・造影 CT を行った．総胆管結石像，胆管拡張を認めたため，発熱や炎症反応高値もあり急性閉塞性化膿性胆管炎の診断となった．
- ERCP と結石除去術を行い，入院での抗菌薬加療が継続された．

A 肝胆道系検査値の異常をみたら，パターン分けを行う．胆汁うっ滞パターンであれば必ず胆道閉塞を除外する．

肝胆道系酵素について

AST と ALT
- AST は筋肉や腎臓，膵臓，血球，癌細胞など幅広い組織に分布し，筋肉などは肝臓に近い量を含有しているため，特異性が低い．一方，ALT は腎臓や筋肉にも含まれるものの，その量は肝臓と比べると少ないため，ALT の上昇がより肝臓に特異的である．
- そのため，特に AST が目立って高い場合（AST/ALT>2）は心筋や骨格筋が原因でないか CK を提出する．溶血でも上昇がするが，その場合は間接ビリルビンが高値になることも多いのでビリルビンのパターンにも注目するとよい．
- また AST の半減期（18 時間）に比べ，ALT の半減期（48 時間）が長い．肝障害が改善してくると，AST が先に減少し始め，ALT が遅れて下がってくるため，このパターンをみたら，快方に向かっていると予測することができる．

ALP
- ALP にはアイソザイムが存在し，血液検査で評価することができる．
- ALP1 と 2 が肝臓由来である．ALP3 は骨であり，骨折や骨腫瘍，副甲状腺機能亢進症などの骨代謝が亢進する病態で増加する．ALP4 は胎盤由来で妊婦の生理的 ALP 上昇の原因である．ALP5 は小腸粘膜由来で，血液型（B 型や O 型の 5% で出現する）や食後の一時的な上昇と関連する．ALP6 は免疫グロブリンと複合体を形成したものであり潰瘍性大腸炎で多いとされるが，上昇も軽度であり臨床的意義は乏しい．
- 肝臓が原因の場合は，同じ胆管系酵素である γ-GTP を始め，ほかの肝胆道系酵素増加を伴うことが多い．ALP のみが単独で上昇している場合は肝臓以外の原因がないか注意し，特に骨由来の ALP3 でないかアイソザイムを検索するとよい．

LDH
- LDH はほとんどすべての組織に分布している．AST と同様に，肝臓以外にも筋肉や腎臓，血球などにも多く含まれるため，肝胆道系酵素が上昇しているときには，同時に上昇することが多い．
- LDH にもアイソザイムがあり，概ね LDH1：心筋や赤血球，LDH2：心筋や赤血球に加え白血球，LDH3：白血球，LDH4/5：肝臓や骨格筋，である．

- LDHも検査でアイソザイムが提出できるが，ほかの所見で判断がつくことが多く，あまり提出する機会はない．

> 　海外渡航帰りの40歳男性．肝細胞障害パターンの肝胆道系酵素上昇と黄疸．
>
> 特記すべき既往歴のない40歳男性．今までに頻繁に海外出張あり．1か月前にタイのリゾート地に海外渡航歴あり，カキを食べたとのことであった．2週間前から食欲不振，3日前に黄疸を指摘され救急外来を受診した．来院時バイタルサインは意識清明，体温36.8℃，血圧120/68 mmHg，脈拍88/分・整，呼吸数18/分，SpO₂ 95％（室内気）．羽ばたき振戦なし，眼球結膜，皮膚に黄染あり．WBC 9,800/μL，AST 1,150 IU/L，ALT 1,100 IU/L，ALP 380 IU/L，LDH 392 IU/L，γ-GTP 273 IU/L，T-Bil 4.2 mg/dL，CRP 5.52 mg/dL，腹部エコーで特記すべき所見なし．

Q この患者の肝胆道系酵素の上昇で考える鑑別は？

鉄則 3　高度の肝障害パターンでは薬剤，感染，虚血を考える

- AST，ALTがALPやγGTPに対して優位に増加している場合は肝障害パターンとして評価を行う．
- 入院中の新規発症の肝障害パターンはほとんどが薬剤であり，残りは経管栄養や静脈栄養の投与によるものである．
- 軽度の肝障害（AST，ALTの2桁台の上昇）は，薬剤，脂肪肝，NASH，アルコール，（肝炎ウイルス以外の）感染症などに伴う上昇がほとんどである．
- 一方，ASTやALTが1,000を超える著明な上昇の場合は，肝炎ウイルス，薬剤，虚血を想起する．虚血の場合はLDHが非常に高値となり，LDH＞＞AST＞ALTとなるパターンが参考になることが多い．次に自己免疫性肝炎や代謝性肝障害（神経性食欲不振症，急性妊婦脂肪肝，Wilson病など），癌やリンパ腫などの肝浸潤が鑑別となる．
- 3桁台の上昇は，上記のどちらも可能性があると大まかに考えておく．
- また肝障害が急性か慢性か（6か月で区別される）も重要である．もともと，慢性肝障害のある患者に急性の病態が起こると予後が悪いことが知られている．検診などの以前の血液検査の結果を参照する．肝硬変の身体所見や画像所見がないかも注意する．

■問診事項のチェックポイント

飲酒歴，薬物の使用歴（漢方薬，サプリメント，経口避妊薬，市販薬を含む），性行動歴，海外渡航歴，生もの摂取歴（特にイノシシ，シカ，ブタ，魚介類），不衛生な注射針の使用の有無，過去の手術歴，輸血歴（特に1992年以前），職業，血液への接触，針刺し事故，肝疾患の家族歴，過去の検診での肝機能異常の指摘．

■ 身体所見のチェックポイント

頭頸部：結膜の黄染，肝性口臭
胸部：女性化乳房
腹部：肝腫大，肝叩打痛，脾腫，腹水，腹壁静脈の怒張
四肢：筋萎縮，浮腫，羽ばたき振戦
皮膚：黄疸，くも状血管腫，手掌紅斑，皮下や粘膜などの出血

■ 検査のチェックポイント

① **血液検査**
- 原因検索
  - 肝炎ウイルス：IgM-HA 抗体，HBsAg，IgM-HBc 抗体，HBV-DNA，HCV 抗体，HCV-RNA，IgA-HE 抗体，HEV-RNA
  - 肝炎以外のウイルス：EBV（VCA-IgG，IgM，EBNA），CMV（IgG，IgM），HSV（IgG，IgM），VZV（IgG，IgM）
  - 自己免疫性肝炎，原発性胆汁性胆管炎：抗核抗体，抗ミトコンドリア M2 抗体，抗平滑筋抗体，IgG
  - 薬物，その他：エタノール，アセトアミノフェン，セルロプラスミン
- 肝障害の把握
  - AST，ALT，T-Bil，D-Bil，ALP，γ-GTP，LDH
- 肝機能（予備能）の低下（蛋白質や凝固因子などの産生能を評価する）
  - Alb，ChE，Chol，HPT の低下，PT 延長
- 線維化の評価
  - Fib-4 index：（年齢×AST）/（血小板（10^9/L）×$\sqrt{ALT}$）
  - → ≦1.3：低リスク，1.3〜2.67：中リスク，≧2.67：高リスク（中リスク以上で肝硬変の精査，専門医への紹介）
  - ヒアルロン酸，Ⅳ型コラーゲン
- 脾機能亢進
  - 血球減少

② **放射線画像検査**：肝臓萎縮，辺縁の不整，脾腫，食道静脈瘤や側副血行路の発達など
③ **心エコー検査**：虚血，循環障害の原因評価

> **本症例では…**
> - 薬剤使用歴はなくバイタルは安定していた．病歴からはウイルス性肝炎が疑わしいと考えられた．
> - 検診の血液検査では肝胆道系酵素は正常で肝硬変の所見もなく，急性肝炎に合致した．
> - 腹部 CT 検査では肝腫大があり，萎縮や側副血行路の発達などの所見はなかった．
> - 血液検査では IgG-HA 抗体が陽性となり，A 型肝炎と診断した．

A AST，ALT＞1,000 IU/L の肝障害をみたら，まずウイルス性，薬剤性，虚血性を考える

Q 高度の急性肝障害をみたら評価すべきことは？ 何を検査すべき？

> **鉄則 4** 高度の急性肝障害では肝不全に注意

- 急性肝障害の患者では，肝不全か？ 肝不全のリスクが高いか？ 肝予後がどうか？ を予測して対応する．
- 肝不全となり予後が不良なケースは特殊な集中治療管理や肝移植が必要となるため，なるべく早期にそれらが可能な施設に搬送する必要があるからである．
- "正常肝ないしは肝予備能が正常である患者に肝障害が生じ，初発症状出現から8週間以内に高度の肝機能障害に基づいてプロトロンビン時間が40％以下ないしはINR値が1.5以上となるもの"を急性肝不全と定義している．
- さらに急性肝不全は，非昏睡型（肝性脳症Ⅰ度以下）と昏睡型（肝性脳症Ⅱ度以上）に分類される．
- 劇症肝炎は急性肝不全の昏睡型に相当する．わが国ではウイルス性肝炎が多いため"劇症肝炎"という用語が用いられたが，常に炎症が原因となるわけではなく，虚血や中毒，代謝疾患なども原因となるため，急性肝不全という用語を用いて整理することが増えている．下記の図のような関係性である．関連する病態として，症状出現後から8週以降に上記の病態が起こるものを遅発性肝不全という．

急性肝不全，劇症肝炎

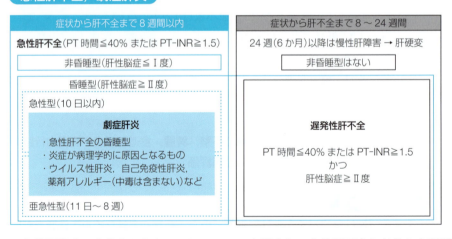

- 急性肝障害の患者をみたらPTやPT-INRを測定し，急性肝不全かどうかを判断する（感染症やDICなどのほかの原因でPTが延長している場合は経過をみて判断する）．
- さらに肝性脳症の程度をみて，昏睡型か否かを判断する．下表の通り，羽ばたき振戦や時間の認識障害などが起こってくると昏睡型である．

肝性脳症の昏睡度分類

WHC	ISHEN	症状
異常なし		心理,神経生理検査正常
Minimal	不顕性	心理,神経生理検査で異常を示すが,症状は明らかでない
Grade 1		わずかな注意欠如,多幸感や不安,足し算や引き算が不良,睡眠リズムの変化 再現性には乏しいことが多い
Grade 2	顕性	羽ばたき振戦,無気力,性格変化,失調 時間認識障害(日付,曜日,月,季節,年のなかの3つを間違える) 症状はさまざまだがある程度の再現性がある
Grade 3		傾眠〜半昏睡,錯乱,見当識障害,奇妙な行動 空間認識障害(国,地方,市町村,場所の3つ以上を間違える) ある程度の再現性がある.痛み刺激には反応あり
Grade 4		昏睡,痛み刺激にも無反応

WHC:West Haven Criteria, ISEN:International Society for Hepatic Encephalopathy and Nitrogen Metabolism
〔Vilstrup H, et al. Hepatology 60:715-735, 2014 より改変して作成〕

- また初期の段階では肝不全でなくても,今後のリスクを予見することも重要である.劇症肝炎の枠組みで下記の予測式が用いられる.

■劇症肝炎の予知式(与芝の式)

$$\lambda = -0.89 + 1.74 \times 成因 + 0.056 \times T\text{-}Bil - 0.014 \times ChE$$

成因:A型肝炎ウイルスまたは急性感染のB型肝炎ウイルス → 1で計算
　　　慢性感染のB型肝炎ウイルス,非A型肝炎ウイルス,非B型肝炎ウイルス → 2で計算

- $\lambda > 0$ で劇症化する可能性が高い.$P(劇症化確率) = 100/(1+e^{-\lambda})$
- 注意点としては,ASTやALTが高ければ高いほど肝不全となるリスクが高いわけではない点である.仮に,ASTやALTが高値となっても,それが一峰性にピークを迎え改善する場合は,問題がないことが多い.このパターンはA型肝炎や虚血に多いとされる.
- 一方,持続的に肝臓が壊れる病態では予後が不良である.実際に肝不全でも,急性型,亜急性型,遅延型となるにつれて予後は悪くなる.
- AST>ALT(肝細胞の持続的破壊),直接/総ビリルビン比<0.7(肝抱合能の低下),BUN低下(尿素サイクルの障害)などは肝不全のリスクである.

■治療

- 治療は原因に対する治療と補助療法,肝移植に分かれる.

原因に対する治療

- 肝炎ウイルスに対する抗ウイルス療法.
- 自己免疫性肝炎へのステロイドを主とした免疫抑制療法.
- 薬剤性肝障害の薬剤中止など.

補助療法

- 安静:肝血流を安定させ壊死を防ぐ.

- 輸液：エネルギー消費量が著しく増加し，肝での糖新生が阻害されるため，低血糖になりやすい．そのため輸液は糖を含んだ輸液が望ましい．また低張液の過剰投与は低Na血症を惹起するため避ける．
- 栄養療法：蛋白質は60 g/日程度，アンモニア量をみつつ調整．蛋白異化防止のため過度な蛋白制限はしない．
- その他にも不要な薬剤の中止，人工肝補助（透析や血漿交換，新鮮凍結血漿の補充など）を行う．炎症に対する治療としてステロイドなども用いられることがある．
- また感染症や消化管出血，腎不全なども起こすため，合併症の管理も重要となる．

肝移植
- 予後不良例では，肝移植が唯一の効果的な療法となる．
- 高度の急性肝不全や，内科的治療で回復が見込めない症例については，なるべく早期に移植可能な施設と連携する．

> **本症例では…**
> - PTは86%，PT-INRは1.16であった．現時点では急性肝不全ではないと評価した．
> - ChEは250であり，与芝の式は－2.41となり，劇症化の確率はおよそ8%と低いと見積もった．
> - 食欲はなかったため，安静，ブドウ糖を含む補液を行いつつ経過観察を行った．
> - 数日後に，AST，ALTはピークを迎え，その後は改善傾向となった．肝不全となることはなかった．

 高度の急性肝障害をみたら，PTを確認し，肝不全か評価しつつ，今後のリスクについても評価する．肝不全や肝不全のリスクが高い場合は，集中治療，肝移植が可能な施設に相談，搬送する

もっと知りたい！　劇症肝炎の移植適応

- 急性肝障害の場合は，急性肝障害の昏睡型や遅発性肝不全が主な適応となる．
- 下記の"厚生労働省「難治性の肝・胆道疾患に関する調査研究」班：2009年"のスコアリングに基づき，4点以上の場合が肝移植の適応である．
- 移植される肝臓は生体ドナーや脳死ドナーから提供されるが，ドナーは不足している．

スコア	0	1	2
発症・昏睡（日）	0〜5	6〜10	11≦
PT(%)	20<	5<，≦20	≦5
T-Bil(mg/dL)	<10	10≦，<15	15≦
D-Bil/T-Bil	0.7≦	0.5≦，<0.7	<0.5
血小板（万）	10<	5<，≦10	≦5
肝萎縮	なし	あり	

（死亡率0点：ほぼ0%，1点：約10%，2〜3点：20%〜30%，4点：約50%，5点：約70%，6点以上：90%以上）

> **症例 ❸** アルコール性肝硬変の 56 歳男性．意識障害．
>
> アルコール性肝硬変で他院の消化器内科の外来に通院中．2 日前から突然大声を出すなど異常行動が目立つようになった．傾眠も出現し，意識がないため家族が救急要請した．来院時バイタルサインは意識レベル JCS Ⅱ-30．体温 36.4℃，血圧 112/71 mmHg，脈拍 90/分・整，呼吸数 17/分，SpO_2 95%（室内気）．Hb 8.6 g/dL，NH3 102 μg/dL．

Q 意識障害の原因は？

鉄則 5　肝硬変患者の意識障害では肝性脳症以外も鑑別に

- 肝硬変患者で意識障害がある場合，原因は肝性脳症とは限らない．
- 肝硬変患者では低 Na 血症，Wernicke 脳症，アルコール離脱，低血糖，乳酸アシドーシス，脳出血，脳梗塞，敗血症などが合併しやすく，これらが原因または肝性脳症の誘因となっていることもある．
- 急性肝障害の場合はアンモニアの濃度と肝性脳症の程度がよく相関することが知られている．
- 肝硬変患者においてもアンモニアの上昇と肝性脳症の程度は相関するが，アンモニアが正常範囲でも肝性脳症をきたしているケースや反対にアンモニアが高値でも意識障害がほかの原因で起こっていることがあるため，アンモニアの値だけで判断しないことが重要である．

本症例では…

- 電解質，エタノール，血糖，動脈血液ガス，頭部 CT を測定した．
- Na が 112 mEq/L と低値であり，補正を開始した．その他に意識障害の原因となる所見はなかった．
- アルコール中毒の患者で Wernicke 脳症についてもリスクが高いと考えた．ビタミン B_1 検査を提出しつつ，補液に混注して投与開始とした．refeeding 症候群に注意して管理を行うこととした．
- 以前の他院の検査結果を参照すると，アンモニアの上昇もあり，肝性脳症も併発している可能性があった．肝硬変の管理も同時に行うこととした．

A 肝硬変患者だからといって，意識障害の原因は肝性脳症とは限らない．ほかの原因も必ず検討する

Q 肝硬変患者をどう評価し，どのようにマネジメントしようか？

- 肝硬変患者では，重症度と予後予測の把握をするために，Child-Pugh 分類を行う．急性期の増悪時ではなく，安定しているときのデータを用いて評価する．

■ Child-Pugh 分類

評点	1点	2点	3点
肝性脳症	なし	軽度（Ⅰ・Ⅱ）	昏睡（Ⅲ以上）
腹水	なし	軽度	中度量以上
血清ビリルビン値(mg/dL)*	2.0 未満	2.0〜3.0	3.0 超
血清アルブミン値(g/dL)	3.5 超	2.8〜3.5	2.8 未満
プロトロンビン時間活性値(%) 国際標準比(INR)**	70 超 1.7 未満	40〜70 1.7〜2.3	40 未満 2.3 超

*：血清ビリルビン値は，胆汁うっ滞(PBC)の場合は，4.0 mg/dL 未満を 1 点とし，10.0 mg/dL 以上を 3 点とする．
**：INR：international normalized ratio

各項目のポイントを加算し，その合計点で分類する

class A	5〜6 点
class B	7〜9 点
class C	10〜15 点

- 身体所見や血液検査は**症例 2** を参照．
- 肝硬変患者では，栄養状態に基づき，食事療法，分岐鎖アミノ酸の投与（次頁の「肝性脳症の治療」を参照）などを行い，必要に応じて運動なども推奨する．

エネルギー	25〜35 kcal/kg（耐糖能異常なし） 25 kcal/kg（耐糖能異常あり）
蛋白	1.0〜1.5 g/kg（BCAA 製剤を含む）（蛋白不耐なし） 0.5〜0.7 g/kg＋肝不全用 BCAA 栄養剤（蛋白不耐あり）
食事回数	4（〜7）回程度に分割して，飢餓状態を短くなるようにする 就寝中の飢餓や低血糖への対応のため就寝前にも軽食をとる late evening snack（LES）と呼ばれる アミノレバン®EN 50 g（約 200 kcal）の内服を投与することが多い
食塩	腹水のある場合は 5〜7 g/日に制限，必要に応じて水分制限も行う

- また合併症の管理（腹水，消化管出血，食道静脈瘤，肝性脳症，出血傾向，肝臓癌，瘙痒症など）も並行して行うが，病棟管理としては肝性脳症の管理を行うことが多い．肝性脳症ではまず誘因を考えることが大切である．

■肝性脳症の誘因
①窒素負荷の増加：消化管出血（まず除外すること！），蛋白質の過剰摂取，便秘
②脱水や代謝異常：特に腹水排液時は注意．腹水への利尿薬も原因となる．亜鉛やカルニチン欠乏
③薬物：特に肝代謝の薬物の多量使用や遷延
④感染：特発性細菌性腹膜炎（SBP：spontaneous bacterial peritonitis）にも注意

■肝性脳症の治療

- 肝性脳症の治療は上記の誘因の除去が大切である．便秘や消化管出血，脱水，感染症の治療や不要な薬剤の中止を行う．
- 上記と並行して下記の治療も行っていく．

分岐鎖アミノ酸製剤（BCAA：branched-chain amino acids）

- 肝硬変患者では，分岐鎖アミノ酸の低下が知られており，その補充により，栄養状態（アルブミン）の改善やサルコペニアの抑制，生命予後の改善などにつながることが知られている．脳内でもアミノ酸バランス異常が起こっていると考えられており，肝性脳症においても効果が示されている．
- 特に重度の肝不全では，過量の投与は窒素負荷となりアンモニアの上昇に繋がるので注意する．

〈処方例〉点滴　アミノレバン® 500 mL　1日1（～2）回　3～5時間かけて点滴静注
〈処方例〉内服　アミノレバン® EN　50 g（約210 kcal）　1日1～3回　180 mLの水やお湯に溶かして内服（水の量は適宜調整，フレーバーも使用可能，食事の量ともあわせて調整）
〈処方例〉リーバクト®配合顆粒（約16 kcal）　1回1包　1日3回　毎食後（アミノレバン®に対してカロリーが少なく，食事が十分摂れている患者に用いる）

ラクツロース

- 腸内細菌により代謝されて乳酸を産生 → 腸管内のpHが低下 → NH_4^+からNH_3への変換が抑制 → アンモニアの吸収が抑制．また便秘の改善によってもアンモニアの吸収を抑えられる．

〈処方例〉ラクツロース（モニラック®）65%シロップ　1回10～20 mLを経口もしくは経管で投与．1日2～3回で軟便が2～3回/日になるように調整．便秘が改善しなければほかの便秘薬や整腸剤なども併用する．

抗菌薬

- リファキシミンなどの抗菌薬によって，腸内細菌の繁殖を抑制し，細菌によるアンモニア産生を低下させる．

〈処方例〉リファキシミン　1回400 mg　1日3回　長期に投与
（アンモニア値などもみて調整する．カナマイシンシロップなども用いられることがあるが，肝性脳症に対する保険適用はない．）

栄養療法

- 意識障害もあり，初期は絶飲食となることが多い．
- 蛋白質やアミノ酸投与はBCAA以外避けることが多い．軽症であれば蛋白質0.5～0.7 g/kg/日程度で開始．
- アンモニアの値もみながら調整する．

その他

- カルニチンの補充，亜鉛の補充，プロバイオティクスの投与なども行われる．

> **本症例では…**
- 貧血が進行しており，改めて家族に病歴を聴取すると 1 週間前より黒色便があるとのことだった．消化管出血が肝性脳症のトリガーとなったと考えられた．また便秘もあるとのことだった．
- 食道静脈瘤，その他上部消化管出血の検索のため，上部消化管内視鏡検査が施行され，胃潰瘍があり止血を行った．
- 低 Na 血症の改善とともに意識が改善し内服可能となった．アミノレバン® EN を 50 g で開始し，モニラック® を 10 mL で 1 日 3 回，リファキシミンを開始した．

A. 肝硬変患者では Child-Pugh 分類をチェック．食事や合併症に気を付けて，肝性脳症があれば誘因を解除する

> **症例 ❹ アルコール性肝硬変の指摘のある 65 歳男性．発熱で来院．**
>
> 外来にて頻回に腹水穿刺を行っているアルコール性肝硬変の 65 歳男性．2 日前から発熱をきたし救急外来を受診．来院時バイタルサインは意識レベル JCS I-2，体温 37.6℃，血圧 108/66 mmHg，脈拍 103/分・整，呼吸数 23/分，SpO₂ 95％(室内気)．眼球結膜黄染あり，副鼻腔圧痛なし，耳介牽引痛なし，咽頭発赤なし，頸部リンパ節腫脹なし，甲状腺腫大なし，心音呼吸音正常，腹部は膨満し波動を触れるが圧痛はない，CVA 叩打痛陰性，脊椎叩打痛なし，前立腺熱感圧痛なし，皮膚は黄染し，くも状血管腫が散在するが圧痛を伴う発赤はない，関節の腫脹圧痛なし．WBC 12,800/μL，AST 56 IU/L，ALT 35 IU/L，ALP 323 IU/L，γ-GTP 153 IU/L，T-Bil 4.5 mg/dL，Cr 2.0 mg/dL，BUN 72 mg/dL，CRP 3.2 mg/dL．尿中 WBC 陰性，亜硝酸塩陰性．胸腹部 CT では腹水の貯留はあるが，明らかな熱源の原因を示唆する所見を認めない．

Q. 腹水貯留のある肝硬変患者の発熱．今までの精査では原因ははっきりしない．まずすべきことは？

鉄則 6 腹水患者では特発性細菌性腹膜炎(SBP)を忘れない

- 腹腔内に感染源がないのにもかかわらず起こる腹膜炎を SBP といい，主に肝硬変で腹水のある患者に起こる．
- 背景の肝障害の程度にもよるが，診断や治療の遅れは，敗血症，肝不全の増悪を引き起こすため予後不良である．
- 発熱，腹痛，腹水増加，意識障害を含めた肝不全の増悪をきたすのが典型的である．
- 特徴的な所見に乏しいケースがあることに注意する．発熱や腹痛，意識障害，腹部の圧痛はそれぞれ SBP の半数〜2/3 程度にしか出現せず，10〜20％程度の患者で明らかな症状がないと報告されている．また CRP は肝臓で産生されるため，肝硬変患者では上昇しづらい．一見，肝不全が増悪しただけにみえるケースもある．
- そのため肝硬変などで腹水が貯留している患者の発熱や状態悪化時には SBP に常に

注意して，積極的に腹腔穿刺，腹水検査（細胞数，生化学，グラム染色，培養）を行う．また菌血症を伴うことも多く，血液培養検査も必須である．
- 腹水中の好中球≧250/μLの場合や，＜250でも症状がSBPに合致すればSBPとして治療を開始する．

起炎菌
- 肝不全による免疫力の低下のために起こる腸管からのバクテリアルトランスロケーションが原因とされている．そのため腸内細菌が主な原因菌である．嫌気性菌や複合菌感染は少ない．
- *Escherichia coli*（43％），*Klebsiella pneumoniae*（11％），*Enterobacter* spp.（4％），*Streptococcus* spp.（28％），*Staphylococcus*（3％），*Pseudomonas*（1％）．最近はESBL産生菌などの耐性菌も問題になっている．

治療
- 第3世代セフェムの投与を行う．セフトリアキソン（ロセフィン®）を2gで24時間ごと，セフォタキシム（セフォタックス®）を2gで8時間ごと5日間投与（5日後に再度腹水を穿刺し，好中球数≦250となっていれば治療を終了するのが基本である）．
- 1.5g/kgのアルブミンを6時間以内に1回，3日目に1g/kgの1回投与でも腎機能，生存率を改善する（特にCr＞1，BUN＞30，またはT-Bil＞4の症例で有効）．
- 高リスク例ではニューキノロンやST合剤による予防投与を行う．

> **本症例では…**
> - 本症例は腹水穿刺を施行し好中球1,250/μLと著明な上昇を認め，特発性細菌性腹膜炎（SBP：spontaneous bacterial peritonitis）の診断となった．
> - セフォタックス® 2gを8時間ごとで治療開始し，状態は改善した．

A まずは腹水穿刺．SBPは見落としやすいため，腹水のある患者の発熱では必ずSBPを考えて腹水穿刺を検討する

● 参考文献
1) Stravitz RT, Lee WM. Acute liver failure. Lancet 394：869-881, 2019 ［PMID：31498101］
   - 急性肝障害のレビュー．鑑別からマネジメントまで幅広い．内容は比較的簡単なため読みやすい．
2) Ginès P, et al. Liver cirrhosis. Lancet 398：1359-1376, 2021 ［PMID：34543610］
   - 肝硬変のレビュー．慢性肝障害の時間経過と所見をまとめたFigure 2が秀逸．よく見てイメージをしておくとよい．
3) 日本消化器学会・日本肝臓学会（編）：肝硬変診療ガイドライン2020．南江堂，2020
   - 日本消化器病学会のHPからダウンロード可能．SBPやその他の合併症の管理も詳しく記載されている．肝硬変の患者を受け持ったら，こちらを見ながら診療にあたるとよい．

（福井　翔）

27 関節痛・関節炎
感染に注意して診断を進めよう！

1. まず本当に痛みの原因が関節か評価する
2. 関節が原因であれば，炎症の有無をチェックする
3. 関節炎（痛）の経過と罹患関節数から鑑別を想起する
4. 急性単関節炎では感染，結晶，外傷の3つをチェックする
5. 急性多関節炎でも，まず感染症を考える
6. 感染の否定的な多関節炎では，膠原病も念頭に置き診断に迫る

> **症例①** 82歳女性，右足関節痛．
> もともと心不全で両下腿浮腫がある．来院1週間前より右足首の発赤があり，その後38℃の発熱と右足関節痛が出現したため来院した．来院時バイタルサインは意識清明，体温37.6℃，血圧134/70 mmHg，脈拍96/分・整，呼吸数16/分，SpO_2 97%（室内気）であった．

Q 関節痛のある患者を診たら，まず何を考える？

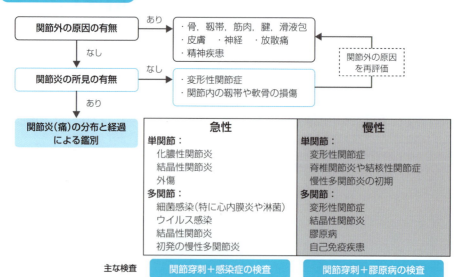

鉄則 1　まず本当に痛みの原因が関節か評価する

関節痛の関節外の原因

- 関節痛というのは，胸痛と同じく，"関節のあたり"の痛みということである．関節が疼痛の原因とは限らない．
- まずは関節外の原因も含め，幅広く鑑別を挙げる．下表のように組織や病態別に考えるとわかりやすい．

臓器		疾患の例
筋骨格	骨，軟骨	骨折，軟骨損傷
	筋肉，腱	筋(腱)損傷，筋炎，筋膜性疼痛，腱炎，付着部炎，腱鞘炎
	靱帯	靱帯損傷，断裂
	滑液包	滑液包炎
皮膚		蜂窩織炎，結節性紅斑
神経		帯状疱疹，複合性局所疼痛症候群
血管		血管炎，動脈解離
リンパ節		リンパ節炎
全身性疾患		副腎不全，線維筋痛症
精神疾患		うつ病
放散痛		肺疾患による肩関節痛，腹部疾患による股関節痛

- 皮膚疾患などは視診で判断がつくことも多いため，必ず疼痛部位を露出してもらい視診を行う．
- 筋肉や腱などの鑑別には外傷歴を含めた問診と診察が重要である．
- 疼痛の原因が関節かどうか判断するには下表のようなポイントがある．
- 検査ではX線で骨折のチェックを行い，軟部組織の損傷が疑われればMRIやエコーで評価を行う．

関節病変と関節外病変の鑑別ポイント

	関節内(特に関節炎の場合)	関節外
全身症状	伴うことも多い	伴うことは少ない
問診	外傷歴なし，オーバーユースなし，朝のこわばりあり，動き始めると改善	外傷歴あり，オーバーユースあり，朝のこわばりなし，動き始めると増悪
疼痛/圧痛/腫脹部位	関節部に限局	関節を越えて広がる，または関節の一部分に限局(腱や靱帯など)
発赤，皮膚所見	疼痛や腫脹の割に軽度	発赤が目立ち関節を越えて広がる(皮膚感染)，水疱(帯状疱疹)
動作の方向と疼痛	どの方向に動かしても疼痛あり	一定の方向で疼痛あり(靱帯，筋肉，腱が伸ばされる方向)
自動時痛，他動時痛	自他動時ともに疼痛増悪	主に自動時に疼痛が増悪する(筋肉や腱の場合)

> **本症例では…**
> - 問診すると，数日前に足首を引っ掻いて傷ができており，その部位から発赤が広がったことが判明した．
> - 診察で発赤と浮腫は足関節に限局せず，足関節から足背まで広範に広がっていた．関節部位を越えて広く圧痛があり，自動時や他動時の疼痛の増悪はわずかであった．
> - 単純X線写真で骨折や軟骨の石灰化（結晶性関節炎の所見）はなく，エコー検査では滑膜炎や関節液は認めず，皮下脂肪織の浮腫と血流増加を認めた．
> - 以上から蜂窩織炎を考え，抗菌薬の治療を行ったところ状態は改善した．

A 関節痛患者では，まずは関節外が疼痛の原因である可能性も考え，視診を含めた診察を行う

> **症例 ❷** 80歳男性，右膝関節痛．
>
> 来院3日前より右膝痛を自覚した．その後，右膝の腫脹と来院前日から38℃の発熱が出現したため来院した．来院時バイタルサインは意識清明，体温37.6℃，血圧120/58 mmHg，脈拍90/分・整，呼吸数16/分，SpO_2 98％（室内気）であった．

➡ 疼痛，圧痛は右膝関節に限局し，どの方向に動かしても疼痛があり，自他動時両方で疼痛は増悪した．明らかな皮膚の感染症など関節外の疾患を疑う所見はなかった．

Q 関節病変が原因と判断したら，次に評価するのは？

鉄則 2 関節が原因であれば，炎症の有無をチェックする

- 関節外に明らかな原因がなく，関節が疼痛の原因と考えたら，関節の腫脹，圧痛，熱感，発赤，可動域制限をチェックし，これらがあれば関節炎と判断する．
- 圧痛や可動域制限は変形性関節症でも認め，深い関節では発赤が目立たないこともあるため，熱感が大切となる．
- 関節炎（滑膜炎）による腫脹は，軟らかいのが特徴である（コンニャクようなイメージ）．一方，変形性関節症では，骨性の硬い腫脹（結節）（石のようなイメージ）となる．
- 診察での判断が難しければ左右差を評価する．関節エコーやMRIによる評価が有用である．また，血液検査での炎症反応（CRPやESR）を補助的に参考にしてもよい（ただし，特に小関節の関節炎では，炎症反応は上がりにくい）．
- 関節炎がある場合は，感染症や結晶性関節炎，膠原病といった炎症を伴う疾患であることが多い．
- 反対に，炎症がない場合は変形性関節症が大半であり，軟骨損傷や関節内の靱帯損傷などのこともある．また，**鉄則1**で挙げた関節外の原因を再考する．

鉄則 3　関節炎（痛）の経過と罹患関節数から鑑別を想起する

- 関節炎（痛）の原因は，経過と罹患関節数で鑑別を行うことができる（下図）．
- 急性か慢性か（6週間以上を慢性），単関節，少関節（2〜4関節），あるいは多関節（5関節以上）かにより鑑別が異なる．
- 少関節はどちらにも含まれており，急性関節炎が慢性関節炎の初期であることも，単関節炎がその後に多関節炎になることもあるため，あくまで大まかな鑑別である．

経過と罹患関節数による関節炎（痛）の鑑別

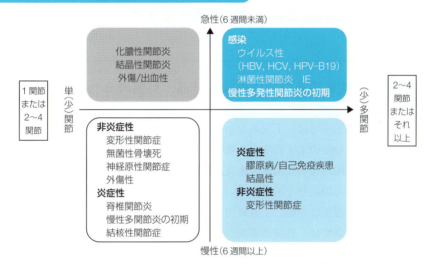

- 患者が強く疼痛を訴える部分以外にも関節炎が生じていることがあるため，全身の関節（下図）を診察する．

関節の診察部位

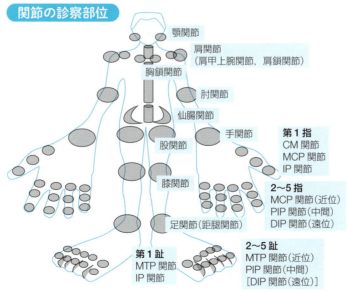

CM：手根中手骨
MCP：中手指節間
IP：指節間
PIP：近位指節間
DIP：遠位指節間
MTP：中足趾節間

> **本症例では…**
> - 右膝関節は圧痛に加え，熱感が強く，軟らかい関節腫脹，関節液貯留の所見を認め，関節炎と判断した．
> - 発症は3日前であり急性と判断した．また右膝関節以外には関節炎の所見はなかった．
> - 以上より，右膝の急性単関節炎と診断した．

A 関節が原因であれば，関節炎の有無，経過と罹患関節数から鑑別を行う

Q 急性単関節炎の鑑別は？ どの検査を行う？

> **鉄則 4　急性単関節炎では感染，結晶，外傷の3つをチェックする**

- 急性単関節炎では，上記のなかでも特に化膿性関節炎に注意して精査を行う．最大で急性単関節炎の1/4程度が化膿性関節炎とされる．単関節の化膿性関節炎は直達感染が多く，関節穿刺や関節手術後，皮膚感染，骨髄炎などに伴って起こることが多いため，それらの病歴や所見がないかを確認する．
- その他の鑑別は年齢により原因が大きく異なる．
- 若〜中年者では，外傷と痛風が重要である．膝であれば半月板損傷や十字靱帯損傷などであるが，関節炎となるほどの炎症所見はなく診察で鑑別可能である．関節内骨折などで関節内への出血がある場合，関節全体が腫脹して関節炎のような所見を呈しうる．痛風は拇指MTP関節のほかに，足関節や膝関節にも起こりうる．普段の高尿酸血症の有無を確認する．
- 反対に高齢者では偽痛風が重要である．また，もともと変形性関節症のある患者では運動や負荷の増加に伴って，急に腫脹がでてくることがある．
- 検査では，採血と血液培養，関節穿刺，単純X線写真を行う．
- 採血では，白血球やCRP（今後のフォローに用いる），凝固（感染のDIC評価），腎機能や肝機能（抗菌薬や鎮痛薬投与前のスクリーニング）を提出する．
- 関節液検査では3C〔Cell count（細胞数），Crystal（結晶），Culture（培養）〕を提出し，関節液が少量ですべての検査ができないときは培養検査を優先する．
- 関節液検査の結果の解釈は次頁の表の通りであるが，化膿性関節炎の除外は難しいことも多く（次頁の「もっと知りたい！」を参照），また結晶についても必ず検出できるわけでないことを認識しておく．
- 単純X線写真は結晶や骨折の評価目的である．関節炎のある関節を撮影するのに加え，結晶性関節炎では両手，両膝，骨盤部（恥骨結合）の単純X線写真撮影をスクリーニングとして行い，石灰化がある場合は偽痛風が起こりやすい患者だと考えられる．

関節液検査の評価

	正常	非炎症性 (変形性関節症など)	炎症性(関節リウマチ や結晶性関節炎など)	細菌感染
色調	淡黄色透明	淡黄色透明	黄色混濁	混濁膿様
粘稠度	高い	高い	低い	低い
白血球数(/μL)	200	200〜2,000	2,000〜20,000 (または〜50,000)	50,000〜
好中球数(%)	<25	<25	>50	>75
グラム染色	—	—	結晶性関節炎では 結晶の検出あり	非淋菌：50〜70% 淋菌：10〜25%
培養	—	—	—	非淋菌：70〜90% 淋菌：10〜50%

〔Brannan SR, et al. J Emerg Med 30：331-339, 2006 より改変して作成〕

本症例では…

- 血液培養を採取し，関節穿刺を行った．関節液は，白血球数 20,000/μL，好中球数 66％であり，グラム染色は陰性であった．単純X線写真では軟骨の石灰化を認めたものの，結晶は検出されなかった．
- 以上より，偽痛風と化膿性関節炎がともに可能性として残った．
- 化膿性関節炎の場合，高齢者であり，グラム陽性球菌とグラム陰性桿菌の両方のカバーが必要と考えた．メチシリン耐性黄色ブドウ球菌(MRSA)のリスクは低かったため，ピペラシリン・タゾバクタム(ゾシン®)による治療を開始した．冷却挙上とNSAIDsも投与を開始した．
- 翌日に再度関節穿刺をしたところ，ピロリン酸カルシウムの結晶が検出された．関節液培養や血液培養は陰性であった．
- 以上より偽痛風と診断し，抗菌薬は終了，増悪のないことを確認し退院とした．

A 急性単関節炎では，特に感染に注意しつつ，関節穿刺を含めた精査を行う

化膿性関節炎

- 化膿性関節炎は致死率が高く，関節予後にも関わるため，早期の診断治療が重要である．発熱がない患者も多く，積極的に疑う必要がある．
- 罹患関節は膝(45％)が圧倒的に多く，その他，股関節(15％)，足(9％)，肘(8％)，手首(6％)，肩(5％)と続く．
- 非淋菌性の場合は，高齢者，関節手術の既往歴や人工関節，関節注射，関節リウマチ，糖尿病，皮膚感染のある患者や，その他の免疫抑制状態の患者に気をつける．
- 原因菌としては，若年者では淋菌に注意する．高齢者では非淋菌性が多く，黄色ブドウ球菌が最多(〜半数)で，次に連鎖球菌(〜1/4程度)が多い．高齢者や免疫抑制のある患者ではグラム陰性桿菌(大腸菌や緑膿菌)も原因となる．

- 関節液は診断に有用で白血球数が 10 万/μL を超えれば可能性がとても上がり（下表），グラム染色や培養検査が陽性になれば診断可能となる．

化膿性関節炎に対する関節液の診断性能

白血球数	感度	特異度	陽性尤度比	陰性尤度比
>25,000	60〜90%	60〜80%	1.7〜4.0	0.2〜0.5
>50,000	50〜70%	75〜95%	2.2〜19.0	0.3〜0.6
>100,000	13〜40%	93〜100%	4.7〜42.0	0.7〜0.8
多核球>90%	60〜90%	70〜80%	1.7〜4.0	0.1〜0.6

〔Margaretten ME, et al. JAMA 297：1478-1488, 2007〕

- 治療は，抗菌薬の投与とともに穿刺や関節鏡による関節洗浄を行うことが重要である．

抗菌薬の選択

①淋菌感染症の場合：セフトリアキソン（ロセフィン®）2 g を 24 時間ごと 1 週間

②非淋菌感染症の場合：治療期間は 4（〜6）週間

→ 免疫抑制のない若年者：グラム陽性球菌のカバー

〔例：セファゾリン（セファメジン®α）2 g を 8 時間ごと〕

→ 免疫抑制あり，または高齢者：グラム陽性球菌＋緑膿菌を含むグラム陰性桿菌をカバー

〔例：ピペラシリン・タゾバクタム（ゾシン®）4.5 g を 6〜8 時間ごと〕

※グラム染色の所見も参考にし，MRSA リスクがあればバンコマイシンを追加する．

診断での注意点

- 結晶性関節炎との鑑別が困難なことも多い．関節液検査の評価の表（→ 325 頁）の通り，グラム染色は陽性率が高くはなく，細胞数が数万程度では細胞数からの判断は難しい．さらには関節液から結晶が検出されても，5%は化膿性関節炎が合併した報告〔J Rheumatol 39：157-160, 2012〕もあり，否定できるわけではない．
- そのため単関節炎で結晶の検出がなく原因がはっきりしない場合，あるいは，結晶の検出があっても初回で白血球数も非常に高いなど，化膿性関節炎の疑いがある場合は，グラム染色などが陰性であっても化膿性関節炎として対応することもある．
- 上記の場合は，培養は淋菌でなければ陽性率が比較的高いので培養結果がでるまでは抗菌薬を継続する．
- 淋菌については，普通の血液寒天培地では培養できないので，チョコレート寒天培地や modified Thayer-Martin 培地を用いて常温保存するために細菌検査室に淋菌を疑っている旨を伝える．また咽頭や尿の PCR 検査を提出することが大切である．

症例❸　28 歳女性，多発関節痛．

特筆すべき既往歴なし．来院 2 週間前より，両手首に疼痛が出現し，その後，両肘，左膝にも疼痛が出てきた．数日前からは 37℃台の発熱もあり来院した．来院時バイタルサインは意識清明，体温 37.8℃，血圧 110/62 mmHg，脈拍 92/分・整，呼吸数 14/分，SpO$_2$ 99%（室内気）であった．

➡上記の複数の部位に関節炎の所見があり，急性の多発関節炎と考えた．

Q 急性多発関節炎では鑑別をどう進める？

> **鉄則 5** 急性多関節炎でも，まず感染症を考える

- 急性多関節炎でも，まずは感染症に注意する．
- 多発関節炎（痛）を呈する細菌感染症として，感染性心内膜炎や淋菌などの血流感染が重要である．また細胞内寄生菌感染，ライム病なども鑑別となる．
- またウイルス感染も多発関節炎（多くは痛みのみ）を呈する．肝炎ウイルスやパルボウイルス，デングウイルスなどがある．
- その他に感染症に関連するものとして，反応性関節炎にも注意する．
- 以下に主な鑑別と対応をまとめる．すべてを検索するのではなく，病歴や身体所見から疑わしい疾患を絞り込み検査を行う．

関節炎（痛）をきたす感染症と関連疾患

疾患	問診・診察	検査
感染性心内膜炎	歯科や鍼などの治療歴，新規の心雑音，結膜下出血，Janeway発疹，Osler結節，Roth斑など	血液培養（3セット以上採取），関節液培養，リウマトイド因子，経胸壁・経食道心エコー
淋菌感染症	性交渉，女性，月経後，尿道炎，腟炎，咽頭炎，結膜炎，膿疱性皮膚病変，移動性関節炎，腱鞘炎	血液培養，関節液培養，グラム染色，尿/子宮頸部/咽頭拭い液PCR
ライム病	森や山，ダニとの接触，移動性関節炎，発熱，頭痛，筋肉痛，遊走性紅斑，髄膜炎や神経障害，心筋（伝導）障害	IgM，ペア血清
パルボウイルスB19	小児との接触，四肢（手指，手首，足趾，膝）などの対称性関節炎，紅斑（成人では顔面紅斑は少ない），リベド	パルボウイルスB19-IgM抗体（血球減少，抗核抗体や補体の低下などSLE様にみえるため注意）
風疹	発熱，皮疹，リンパ節腫脹，手指や手首などの関節（痛）炎	風疹ウイルス-IgM，ペア血清
肝炎ウイルス		ASTやALTの上昇
A型（急性期）	貝などの海産物摂取，海外渡航，性交渉（MSM）	IgM-HA抗体
B型（急性期）	性交渉，違法薬物使用（注射），医療者（針刺し事故など），過去の輸血や手術	HBs抗原，HBe抗原/抗体，DNA-PCR
C型（慢性期）		抗HCV抗体
	クリオグロブリンや結節性多発動脈炎の合併に注意	
アルファウイルス（デング，チクングニア，ジカなど）	海外渡航歴（熱帯，亜熱帯地域），蚊との接触，頭痛，皮疹，筋肉痛，リンパ節腫脹	抗原検査，IgM抗体，行政でのPCR検査
反応性関節炎	性感染症や腸管感染症の先行，結膜炎，尿道分泌物	尿/子宮頸部/咽頭拭い液PCR
その他	上記のほかにも，インフルエンザや伝染性単核球症，急性HIV感染症，梅毒などで多発関節痛（基本的には関節炎にはならない）をきたすことも知っておく	

> **鉄則 6** 感染の否定的な多関節炎では，膠原病も念頭に置き診断に迫る

- 急性多関節炎でも感染症を疑う所見に乏しい場合は，膠原病が鑑別になる．
- 膠原病など慢性関節炎に分類される原因も，初診時には急性期（6 週間以内）に受診することが多い．
- 慢性の多発関節炎では，感染症の可能性が低くなるため，膠原病の可能性をより強く考えて精査を行う．
- 関節炎の分布や随伴症状からまず疾患を想定する．その後，各疾患に合わせて抗体などの血液検査，画像検査，必要があれば組織検査を行い診断に迫る（下表）（より詳細な症状や検査などは成書を参照）．

膠原病の主な症状や検査

①関節炎の分布
- 手関節や MCP，PIP 関節 → 関節リウマチ ・DIP 関節 → 乾癬性関節炎 ・仙腸関節や椎間関節 → 脊椎関節炎
- 下肢の大関節炎：サルコイドーシス，反応性関節炎，Behçet 病など

②随伴症状や病態
- 蝶形紅斑や脱毛，口腔内潰瘍，糸球体腎炎など → SLE ・乾燥症状（ドライアイやドライマウス）など → Sjögren 症候群 ・皮膚硬化や Raynaud 症状，GERD（胃食道逆流症）など → 強皮症 ・筋肉痛や紅斑，間質性肺炎 → 皮膚筋炎 ・鱗屑を伴う角化性紅斑 → 乾癬性関節炎 ・胃腸症状 → 炎症性腸疾患 ・先行する STD や腸炎 → 反応性関節炎 ・口腔内潰瘍，結節性紅斑，眼症状，陰部潰瘍 → Behçet 病 ・肺門部リンパ節腫脹やぶどう膜炎 → サルコイドーシス ・神経症状や腎機能障害 → ANCA 関連血管炎 など

③血液検査，尿検査
- 血球減少や IgG 増加 → 抗核抗体関連疾患 ・補体低下 → SLE やクリオグロブリン血管炎 ・腎機能障害や血尿（特に赤血球円柱），蛋白尿 → SLE や ANCA 関連血管炎 ・フェリチン異常高値 → 成人発症 Still 病 ・IgA 高値 → IgA 血管炎 ・クリオグロブリン → クリオグロブリン血管炎

抗体検査
- リウマトイド因子や抗 CCP 抗体 → 関節リウマチ
- 抗核抗体および関連自己抗体 → 抗核抗体関連疾患
  - 全身性エリテマトーデス → 抗 DNA 抗体，抗 Sm 抗体 ・Sjögren 症候群 → 抗 SS-A/B 抗体
  - 強皮症 → 抗セントロメア抗体，抗 Scl-70 抗体，抗 RNA ポリメラーゼⅢ抗体
  - 皮膚筋炎 → 抗 ARS 抗体，抗 MDA5 抗体，抗 TIF1-γ 抗体，抗 Mi-2 抗体
  - 混合性結合組織病 → 抗 RNP 抗体
  - 抗リン脂質抗体症候群 → ループスアンチコアグラント，抗カルジオリピン抗体，抗 $β_2$-GPI 抗体
- MPO/PR3-ANCA → ANCA 関連血管炎

④その他の検査
- 関節エコー検査で滑膜炎の有無を確認する
- CT，MRI ・腹腔動脈造影 ・心エコー ・神経伝導検査 ・組織生検（皮膚，腎臓，神経など）などを疑う疾患に合わせて行う

本症例では…

- 淋菌や感染性心内膜炎を疑う病歴や所見はなく，小児との接触があったためパルボウイルスの検査を行ったが陰性であった．
- 診察では，頬部に紅斑があり硬口蓋に潰瘍を認めた．検査では白血球と補体の低下，

腎機能障害と血尿，蛋白尿があり，抗核抗体，抗DNA抗体，抗Sm抗体が陽性で，補体も低下していた．
- 全身性エリテマトーデス(SLE)と診断し，膠原病科に入院して治療が開始された．

A 急性多関節炎でも感染症(特に血流感染)に注意し，その後に膠原病を考える

● 参考文献
1) Mathews CJ, et al. Bacterial septic arthritis in adults. Lancet 375：846-855, 2010[PMID：20206778]
   - 化膿性関節炎のレビュー，一度読んでおくとよい．
2) Pujalte GG, Albano-Aluquin SA. Differential Diagnosis of Polyarticular Arthritis. Am Fam Physician 92：35-41, 2015[PMID：26132125]
   - 多関節炎の鑑別について表なども含めて丁寧に記載されている．
3) Brannan SR, Jerrard DA. Synovial fluid analysis. J Emerg Med 30：331-339, 2006[PMID：16677989]
   - 関節液検査の基本的な事項がよくまとめられている．

(福井　翔)

28 甲状腺
亢進症と低下症の基本的なワークアップを覚えよう！

1. 甲状腺機能異常を疑ったら TSH，FT4 を評価し，必要に応じて FT3 も評価
2. 甲状腺中毒症は TRAb（TSH レセプター抗体），エコー，シンチグラフィーで鑑別を進める
3. 甲状腺機能低下症は Tg 抗体と TPO 抗体で鑑別を進める

症例❶ 生来健康な 37 歳女性．

来院 1 か月前から体重減少，振戦，発汗過多あり．いらいらすることも増えていた．軽労作でも息切れと動悸を自覚するようになった．近医を受診し，甲状腺疾患の疑いがあるため当院を紹介受診した．来院時バイタルサインは意識清明，体温 36.6℃，血圧 124/74 mmHg，脈拍 130/分・整，呼吸数 18/分，SpO₂ 99％（室内気）．身体所見，眼瞼結膜の蒼白なし，眼球結膜に黄染なし，心音整，過剰心音なし，心雑音なし，呼吸音に左右差なし，ラ音なし，四肢は熱く湿っており，全身に発汗あり．甲状腺は圧痛なくびまん性に腫大している．硬結なし．

Q 甲状腺中毒症が疑わしいが，精査はどうする？

甲状腺疾患

- 甲状腺異常症は実にさまざまな症状や所見を呈し，その多くが非特異的な症状である．
- 常に甲状腺疾患を頭に入れて診療しなければ診断できないため，甲状腺中毒症と甲状腺機能低下症に分けて対比して覚えておこう．
- 甲状腺中毒症は Wayne's index，甲状腺機能低下症は Billewicz diagnostic index などのスコアリングもある．スコアにこだわらなくてもよいが，項目の内容がそのまま特徴的な症状たちなので親しんでおく．

鉄則1 甲状腺機能異常を疑ったら TSH，FT4 を評価し，必要に応じて FT3 も評価

- 甲状腺機能異常症を疑ったらスクリーニングとして甲状腺刺激ホルモン（thyroid stimulating hormone：TSH）と遊離 T4（Free T4：FT4）を測定する．

- 遊離T3（Free T3：FT3）をスクリーニング検査として利用しない理由は，FT3はFT4が標的細胞内でFT3に変換されてできたものであり，ほとんどが細胞内に存在するからである．またTSHへのフィードバック作用もFT4のほうが大きい．

■ **Wayne's index**（甲状腺機能亢進症の診断に必要な徴候や症状のスコアリングを示す）

最近発症した，または/あるいは，重症化した症状	点数	徴候	存在	非存在
呼吸困難	+1	甲状腺腫脹	+3	−3
動悸	+2	甲状腺雑音	+2	−2
疲労感	+2	眼球突出	+2	−
暑がり	+5	眼瞼後退	+2	−
寒がり	−5	閉眼遅延	+1	−
多汗症	+3	運動亢進	+4	−2
緊張	+2	手の熱	+2	−2
食欲：増	+3	手の潤い	+1	−1
食欲：減	−3	平常時脈拍 >80/分	−	−3
体重増加	−3	>90/分	+3	−
体重減少	+3	心房細動	+4	−

19点以上で甲状腺中毒症，11点以下は除外される．感度：87%，特異度：96%
〔Crooks j, et al. Q J Med 28：211-234, 1959/Naraintran S, et al. Int Surg J 5：1267-1270, 2018〕

■ **Billewicz diagnostic index**

	存在	非存在
症状		
発汗の消失	+6	−2
皮膚の乾燥	+3	−6
冷え性	+4	−5
体重増加	+1	−1
便秘	+2	−1
嗄声	+5	−4
難聴	+2	0
徴候		
動作緩慢	+11	−3
皮膚乾燥*	+7	−7
冷感	+3	−2
眼瞼周囲腫脹	+4	−6
脈拍数	+4	−4
アキレス腱反射低下	+15	−6

25点以上で甲状腺機能低下，−30点以下で甲状腺機能低下症は除外される．のちのvalidation studyでは，≦−26.5であれば感度：100%，特異度：90.2%の精度で甲状腺機能低下症と正常甲状腺機能者を区別できる結果となった．
*極度に乾燥してざらざらとした粗糙な皮膚
〔Billewicz WZ, et al. Q J Med 38：255-266, 1969/Nazarpour S, et al. Int J Endocrinol Metab16：e64249, 2018〕

鉄則2 甲状腺中毒症はTRAb（TSHレセプター抗体），エコー，シンチグラフィーで鑑別を進める

- 甲状腺中毒症は，全身組織での甲状腺ホルモン作用が上昇して起こる症候である．
- 甲状腺中毒症のなかには，甲状腺機能亢進症，破壊性甲状腺炎，体外からの甲状腺ホルモンの過剰摂取などの病態が含まれる．
- 甲状腺中毒症の診断フローチャートを次頁に示す．
- 診断の1st stepは甲状腺エコーとTRAbを評価することである．TRAb陽性であれ

ば Basedow 病が確定する．エコーでは結節の有無や血流増加の有無などを評価する．
- TSAb：TSH 刺激性レセプター抗体は TRAb が陰性であった場合に測定することが多い．
- 甲状腺シンチグラフィーは重要である．ヨードの摂取率と摂取パターンによって鑑別が可能で，Basedow 病ではびまん性に摂取率が増加，機能性結節（Plummer 病）では結節性の摂取率増加（hot nodule），破壊性甲状腺炎では摂取率低下などがみられ，確定診断に寄与する．また撮影すればその日に結果が手に入るので，抗体検査よりも迅速である．

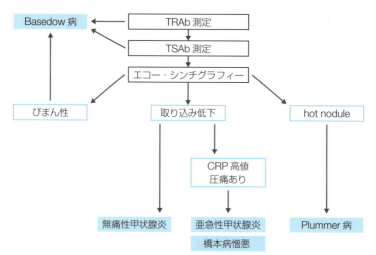

TRAb：TSH レセプター抗体，TSAb：TSH 刺激性レセプター抗体
〔日本甲状腺学会（編）：バセドウ病治療ガイドライン2019．南江堂，2019 より改変して作成〕

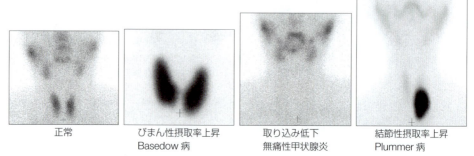

〔廣川満良：超音波・細胞・組織からみた甲状腺疾患診断アトラス，p13．医学書院，2022〕

■治療
- 対症療法と原因治療に分ける．
- 対症療法として，β ブロッカーを開始する．
 〈処方例〉プロプラノロール（インデラル®）　10 mg　1 回 1 錠　1 日 3 回
- 原因治療として Basedow 病であれば抗甲状腺薬を開始する．
- チアマゾールとプロピルチオウラシルがあるが，チアマゾールのほうが活性が強く，1 日 1～2 回内服であることなどから第一選択である．妊娠が予定されている，また

は妊娠中・授乳中である場合は催奇形性や乳汁移行しないプロピルチオウラシルが選択される．
〈処方例〉チアマゾール（メルカゾール®）　5 mg　1回3錠　1日1回から開始
〈処方例〉プロピルチオウラシル（プロパジール®）　50 mg　1回3錠　2～4回に分けて内服
- いずれの薬剤も無顆粒球症という重篤な副作用が投与初期に生じうるため，発熱には注意して血算をフォローする．皮疹や肝障害も共通の副作用である．
- プロピルチオウラシルはANCA関連血管炎という興味深い副作用も起こす．
- ほかの治療としてヨウ化カリウム内服，放射性ヨード療法，手術などがある．

鉄則3　甲状腺機能低下症はTg抗体とTPO抗体で鑑別を進める

- 甲状腺機能低下症はまず中枢性か原発性かの評価を行う．
- TSHが低下していれば中枢性，TSHが上昇していれば原発性となる．
- 原発性甲状腺機能低下症の場合は，下図のように鑑別を進める．
- 抗サイログロブリン抗体（Tg抗体）と抗甲状腺ペルオキシダーゼ抗体（TPO抗体）が重要で，これらが陽性の場合は橋本病の診断となる．
- 潜在性甲状腺機能低下症はまず一過性ではないかどうかを判定するため1～3か月程で再検査をする．TSH高値が継続する場合は，TSH>10となった症例，心血管リスクが高い症例（高血圧，脂質異常症，糖尿病，喫煙などの併存リスクがある），妊娠希望のある女性または妊娠初期の女性，などで甲状腺ホルモン補充療法の適応がある．上記の甲状腺自己抗体が陽性の症例では，橋本病へ移行する可能性が高いため特に注意して経過をみる．

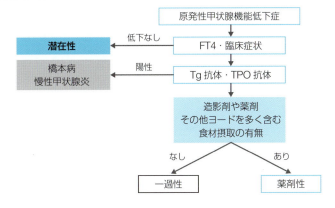

■治療
- 甲状腺ホルモンの補充療法を行う．
〈処方例〉レボチロキシン（チラーヂン®S）　25～50 μg　1日1回　空腹時に内服
- 空腹時内服のほうが吸収効率がよいため，少量の投与でも効果が出る．
- 高齢者や心血管リスクの高い患者では，12.5～25 μg程度の少量から開始する．

- 副腎不全も合併している場合は，甲状腺ホルモンの前に副腎皮質ステロイドの補充を先行する．

本症例では…

- びまん性甲状腺腫大と甲状腺中毒症から Basedow 病が最も疑われた．
- TSH＜0.010，FT4 4.65 ng/dL，FT3 17.0 pg/mL，TRAb 18 IU/L であり Basedow 病の診断とした．
- 妊娠希望はなく，チアマゾール（メルカゾール®）15 mg を 1 日 1 回の内服で開始した．対症療法として，プロプラノロール（インデラル®）1 回 10 mg を 1 日 3 回の内服で併用した．
- 2 週間後には FT4 と FT3 は低下傾向となり，3 か月後には TSH も上昇傾向となった．

A 甲状腺中毒症は TRAb，エコー，シンチグラフィーで鑑別！ 治療は対症療法と原因治療に分けて考える！

● 参考文献

1) Ross DS, et al. 2016 American Thyroid Association Guidelines for Diagnosis and Management of Hyperthyroidism and Other Causes of Thyrotoxicosis. Thyroid 26：1343-1421, 2016［PMID：27521067］
   - 米国の甲状腺学会のガイドライン．
2) 能登洋：レジデントのための内分泌代謝教室．日本医事新報社，2021
   - 当院の内分泌代謝科部長である能登医師の著書．レジデントでもわかりやすくかつ簡潔に書かれているのでおすすめである．

（藤野　貴久）

29 オンコロジック・エマージェンシー

癌診療は全身診療！ 緊急性のある病態に対応できるようになろう！

1. 担癌患者の背部痛，下肢脱力，膀胱直腸障害は脊髄圧迫を疑う
2. 担癌患者の意識障害，食欲低下は高カルシウム（Ca）血症を鑑別疾患に入れる
3. 腫瘍の初回治療では腫瘍崩壊症候群のリスク評価をし予防せよ
4. 免疫チェックポイント阻害薬（ICI）を使用している患者では免疫関連有害事象に注意する

症例 ❶ 66歳女性．背部痛，両下肢脱力で来院．

半年前にトリプルネガティブ乳癌のStage Ⅱと診断され，手術＋アジュバント療法を受けるも肺転移で再発し救援化学療法を受けている．来院1週間前より背部痛が出現した．来院4日前から徐々に進行する両下肢の脱力が生じたため救急搬送となった．来院時バイタルサインは意識清明，体温36.5℃，血圧138/72 mmHg，脈拍80/分・整，呼吸数18/分，SpO₂ 95%（室内気）．

Q 鑑別は何か？ 必要な診察や検査，治療は何か？

- 癌の症状は基本的には緩徐に進行するものである．しかし緊急で対応しなければ不可逆的となる，または生命にかかわる病態が存在する．それらの病態を**オンコロジック・エマージェンシー**（oncologic emergency）と呼び，大きく下記の3つに分けられる．
  ①構造上の問題：脊髄圧迫，頭蓋内圧亢進，上大静脈症候群など腫瘍による閉塞，破綻による病態
  ②代謝性の問題：高Ca血症，腫瘍崩壊症候群など腫瘍の産生する物質による病態
  ③治療関連合併症：発熱性好中球減少症（FN：febrile neutropenia），免疫関連有害事象（irAE：immune-related adverse events）など，治療に関連した病態

担癌患者の背部痛，下肢脱力，膀胱直腸障害は脊髄圧迫を疑う

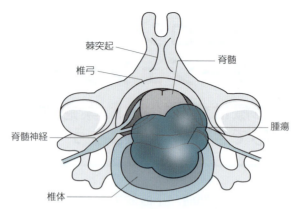

〔Cole JS, et al. Lancet Neurol 7:459-466, 2008〕

悪性腫瘍による脊髄圧迫（MSCC：metastatic spinal cord compression）
①疫学・原因
- 脊髄圧迫は腫瘍患者の約5％に起こるといわれている．
- 脊髄圧迫の20～30％は癌の初発症状として起こる．
- 癌種は肺癌，前立腺癌，乳癌で約60％を占める．多発性骨髄腫や悪性リンパ腫などの血液腫瘍でも多い〔J Clin Oncol 37：61-71, 2019〕．

②症状
- 背部痛（80～90％），運動神経麻痺（35～75％），感覚神経症状，膀胱直腸障害がある．
- 膀胱直腸障害は運動神経障害よりも遅れて生じることが多い．そのため膀胱直腸障害がある時点で運動神経麻痺は進行していることが多く，機能予後が悪い〔Lancet Neurol 7：459-466, 2008〕．

③身体所見
- 椎体の叩打痛，徒手筋力テスト，腱反射，触覚，温痛覚の評価を行い障害脊髄レベルを確認する．直腸診で膀胱直腸障害の有無を確認する．神経因性膀胱のみであれば直腸診では正常所見である可能性があるため，腹部触診にて膀胱緊満の有無を確認する．Babinski反射，Lhermitte徴候（首の前屈によって起こる頸部から体幹～四肢にかけての電撃痛）がみられることもある．
- 腫瘍の浸潤・転移の程度によって神経障害は両側のことも片側のこともある．そのため，片側であるからMSCCではないと決めつけず，担癌患者の背部痛や神経障害はMSCCを鑑別の上位に入れて精査する姿勢が重要である．

④診断
- 担癌患者における背部痛＋神経症状±膀胱直腸障害は**緊急で画像精査を行うべき**である．背部痛のみであれば症状と所見に注意して待機的検査でよい可能性がある．
- MRIでは感度が93％，特異度が97％である〔Magn Reson Imaging 6：547-556, 1988〕．20～35％の患者で非連続性の複数病変が存在するため，撮影するときは**全脊椎での撮**

影が必須である．
- 放射線治療後の予後予測も MRI によって可能であることが示されている〔Oncol Ther 10：493-501, 2022〕．
- MRI が撮影できない場合は CT ミエログラフィーを施行する．しかし手技に慣れた施設かつ術後合併症に対応できる施設でないと施行できないことが難点である．
- 悪性腫瘍の骨転移を評価する目的なら PET-CT も有用だが，脊髄圧迫の程度などは評価できないため上記 2 つの評価方法は依然として重要である．

⑤治療

- 無治療では神経症状は**不可逆**となるため，緊急度は高い．
- 治療にあたっては迅速に整形外科，放射線科にコンサルトし，手術，放射線治療の適応の判断を仰ぐ．
- 治療の緊急度は症状の重症度，進行の速さによって左右されるため，早めのコンサルトとともに，過不足なく神経所見をとっておくことが重要である．
- 画像検査において MSCC と診断したならば**原則は整形外科・放射線科に緊急コンサルトするべき**である．内科側だけの判断で，手術は不要などと判断しないこと．
- ステロイド，放射線照射，手術が 3 大治療である．
- ステロイド：迅速に開始する．脊髄浮腫を改善し，血流の低下による障害を抑制する．リンパ腫などのステロイド反応性のある腫瘍であれば腫瘍縮小も期待できる．
〈処方例〉初回はデキサメタゾン（デカドロン®） 8〜16 mg ＋生理食塩水 50 mL を点滴静注．その後は 16 mg/日を 2〜3 回に分けて投与　＊決まった方法はない
- 手術：放射線単独治療よりも手術を組み合わせたほうがよいかどうかはエビデンスが定まっていない．脊椎安定性（spine instability neoplastic score で評価），神経障害の有無（epidural spinal cord compression scale で評価），患者予後（modified Bauer score などで評価）の 3 点を考慮し，術式や適応を整形外科と密に連携をとって決める．
- NOMS（the neurologic, oncologic, mechanical, and systemic disease）decision framework という MSCC の治療方針決定方法も提唱されているので参考にする．
- 手術適応がなければ放射線治療を検討する．

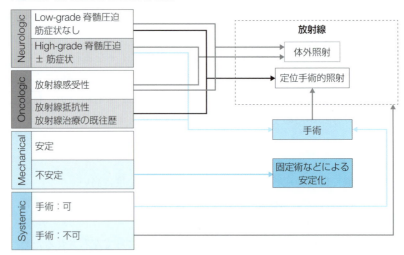

[Laufer I, et al. Oncologist 18：744-751, 2013]

> **本症例では…**
> - 腸腰筋・大腿四頭筋・前脛骨筋・母指伸筋・母指屈筋で徒手筋力テストが3/3，L2領域以下の温痛覚障害，直腸診にて肛門括約筋反射の低下を認めた．
> - 緊急MRI検査では，Th12～L1椎体に転移性腫瘍と脊柱管浸潤による脊髄圧迫を認めた．
> - デカドロン®を16 mgで投与しつつ，整形外科と放射線科にコンサルトした．
> - 緊急で椎弓切除術と後方固定術を行い，術後放射線療法を行った．下肢の筋力は徐々に改善した．

A 下肢脱力があり，腫瘍による脊髄圧迫を強く疑う．脊髄圧迫は対応が遅れると不可逆的な神経障害を残す可能性があるため，迅速な対応が必要である．また，整形外科と放射線科との密な連携が必要である

> **症例 ❷**　44歳女性．意識障害で来院．
>
> 肺小細胞癌と診断され，化学療法を企画中．来院1週間前から食欲不振が進行し，来院前日から傾眠傾向となったため緊急受診した．来院時バイタルサインは意識レベルJCS Ⅱ-10, GCS E3V4M6，体温36.5℃，血圧138/72 mmHg，脈拍67/分・整，呼吸数18/分，SpO_2 95%（室内気）．WBC 6,700/μL，Hb 12.8 g/dL，Plt 22.1万/μL，Na 136 mEq/L，K 4.3 mEq/L，Cl 107 mEq/L，Alb 3.2 g/dL，BUN 22 mg/dL，Cr 0.9 mg/dL，Ca 13.4 mg/dL，P 2.3 mg/dL，HCO_3^- 21.2 mEq/L．頭部CT異常所見なし，エタノール，NH_3検出感度以下，尿中薬物スクリーニングキット陰性．

Q 高Ca血症の原因は？

> **鉄則 2** 担癌患者の意識障害，食欲低下は高Ca血症を鑑別疾患に入れる

悪性腫瘍による高Ca血症

①疫学・原因
- 癌患者の20〜30%に随伴する．
- PTHrP（副甲状腺ホルモン関連ペプチド）によるものが有名だが，下記の4つに分類されている．
  1. 腫瘍随伴性体液性高Ca血症（HHM：humoral hypercalcemia of malignancy）：悪性腫瘍による高Ca血症の原因として最も多く，80%程度を占める．固形癌や非ホジキンリンパ腫に認められることが多い．
  2. 局所性骨融解性高Ca血症（LOH：local osteolytic hypercalcemia）：悪性腫瘍による高Ca血症の20%程度を占める．固形腫瘍の骨転移や多発性骨髄腫でみられる．固形腫瘍では乳癌が最も多い．腫瘍細胞による破骨細胞の活性化が機序として考えられている．
  3. 1,25-ジヒドロキシビタミンD（1,25 D）：ホジキンリンパ腫や非ホジキンリンパ腫では腫瘍細胞によるPTH（副甲状腺ホルモン）非依存性の1,25-ヒドロキシビタミンD産生が起こる．
  4. 異所性PTH産生腫瘍：まれではあるが，卵巣癌，肺癌などで報告がある．

②症状
- 軽症では食欲低下，倦怠感など．
- 重症では意識障害．
- 担癌患者の非特異的症状は原因に高Ca血症を考えて測定する必要がある．

③診断
- 下表を参考に鑑別する．

機序	ホルモン性高Ca	溶骨性高Ca	1,25(OH)$_2$D介在性高Ca
Ca	高値	高値	高値
P	低値	高値	高値
PTH	低値	低値	低値
25(OH)D	低〜高は問わない	低〜高は問わない	低値か正常
1,25(OH)$_2$D	低値か正常	低値か正常	高値
PTHrP	高値	低値	低値

PTHrP：parathyroid hormone-related peptide，1,25(OH)$_2$D：1,25 dihydroxyvitamin D，PTH：parathyroid hormone，25(OH)D：25 hydroxyvitamin D.
〔Asonitis N, et al. Horm Metab Res 51：770-778, 2019より改変して作成〕

- 治療の基本は，補液・カルシトニン・ビスホスホネートである．意識障害がある場合はこれらの治療を同時に開始することが重要である．

治療	機序	用法用量	効果発現までの時間	持続時間	注意事項
補液	・脱水補正による腎障害の改善で排泄を促進 ・補液で尿量が増えるか必ず確認	・生理食塩水：200〜300 mL/時 尿量：100〜200 mL/時を維持	輸液後ただちに	輸液中は効果は持続するが，数日で頭打ちとなる	・浮腫や肺水腫に注意！ ・心不全や腎不全がある場合は尿量維持のためループ利尿薬の使用を考慮 ・利尿薬のルーチンでの使用はしない
カルシトニン	・即効性あり ・ただ効果は輸液やビスホスホネート製剤よりも少ない	・エルカトニン（エルシトニン®）40 単位　1 日 2 回　点滴静注（1〜2 時間かけて）または筋注	4〜6 時間	48〜72 時間	・2〜3 日で受容体のダウンレギュレーションが起こり無効となる(escape 現象)
ビスホスホネート製剤	・破骨細胞の機能抑制 ・Ca≧12 や補液のみで効果不十分な場合など ・再投与までは少なくとも 1 週間は空ける	・ゾレドロン酸（ゾメタ®）4 mg 15 分以上かけて点滴静注	24〜72 時間	2〜4 週間	・顎骨壊死は単回投与の場合はリスクが低いので歯科診察は不要 ・腎障害が起こりうる．逆に腎障害がある患者への投与は減量の必要あり ・インフルエンザ様症状が投与後 1〜2 日で生じる可能性あり
ステロイド	・腸管からの Ca 吸収抑制 ・活性化単核球でのビタミン D 活性化を抑制	・ヒドロコルチゾン 200 mg〜400 mg/日静注を 3〜4 日間行い，プレドニゾロン 10〜20 mg を 7 日間 ・プレドニゾロン 40〜60 mg/日を 10 日間	2〜4 日	投与期間による	・作用機序からはリンパ腫やサルコイドーシスなどで著効しやすい ・副作用は 37 章「ステロイドの使用法」447 頁を参照
デノスマブ	・抗 RANKL 抗体で骨代謝を停止させる ・適応：多発性骨髄腫，固形癌の骨転移，骨巨細胞腫，骨粗鬆症にしか適応がない	・デノスマブ（ランマーク®）120 mg 皮下注 4 週に 1 回	4〜10 日	4〜16 週	・低 Ca 血症となりやすい．Ca＋天然型ビタミン D の合剤であるデノタス®（デノスマブに＋と覚える） ・腎障害がある場合は活性型ビタミン D 製剤の使用も検討する

〔Asonitis N, et al. Horm Metab Res 51：770-778, 2019 より改変して作成〕

- 補正 Ca 18 mg/dL を超える症例，腎不全や心不全で大量補液やビスホスホネートが安全に投与できない場合は，血液透析を考慮する．

本症例では…

- 意識障害が生じており緊急性は高いと判断した．心エコーで心機能を確認しつつ生理食塩水 200 mL/時で脱水補正を開始し，ゾメタ® とカルシトニンの投与を行った．
- 尿量は利尿薬を使用せず 100 mL/時以上を保つことができ，入院翌日には補正 Ca 11 mg/dL まで改善して意識清明となった．
- 入院当日に測定した PTHrP は 11 pmol/L と上昇を認めていた．

> **A** 悪性腫瘍による高 Ca 血症をみたら，どのタイプの高 Ca 血症か鑑別を行う．本症例は PTHrP による高 Ca 血症であった

症例 ❸　62 歳男性．悪性リンパ腫に対して化学療法前．

発熱，体重減少，全身性リンパ節腫脹を主訴に紹介受診となり，リンパ節生検にてびまん性大細胞型 B 細胞性リンパ腫の診断となった．病期診断目的で施行した胸腹部造影 CT，PET-CT，骨髄検査にて頸部・腹腔内・腋窩・鼠径・骨髄に浸潤を認め，Lugano 分類で Stage Ⅳ の診断となった．巨大腫瘤(Bulky 病変)はなくリンパ節検体における BCL-2，BCL-6，MYC 転座は陰性であった．R-CHOP による治療目的に入院した．身長 170 cm，体重 55 kg．来院時バイタルサインは意識清明，体温 37.5℃，血圧 125/70 mmHg，脈拍 100/分・整，呼吸数 18/分，SpO$_2$ 98%(室内気)．WBC 3500/μL，Hb 9.8 g/dL，Plt 12 万/μL，Na 138 mEq/L，K 4.8 mEq/L，Cl 105 mEq/L，BUN 22 mg/dL，Cr 1.25 mg/dL，Ca 6.5 mg/dL，Alb 2.2 g/dL，P 3.8 mg/dL，UA 7.5 mg/dL，LDH 850 IU/L．

Q 治療を開始するにあたり注意すべき有害事象は何か？

> **鉄則 3** 腫瘍の初回治療では腫瘍崩壊症候群のリスク評価をし予防せよ

腫瘍崩壊症候群(TLS：tumor lysis syndrome)

- 大量の腫瘍細胞が短時間で崩壊し，細胞内物質，代謝産物が血液内に流入し，生体の排泄能を超えて蓄積することで臓器障害をきたす病態を腫瘍崩壊症候群という．
- 尿酸値上昇，K 上昇，P 上昇，Ca 低下(P との結晶化による)，急性腎不全，致死的不整脈，けいれんなどがみられる．
- 多くは化学療法開始時に発症するが，バーキットリンパ腫のように腫瘍の細胞周期が非常に速い腫瘍では治療開始前にアポトーシスにより TLS が起こることもある．
- 次頁の表に最も簡便で頻用される TLS の診断基準を掲載する．

TLS 診断基準（2010, TLS panel consensus）

LTLS (lavoratory TLS)： 下記の臨床検査値異常のうち 2 個以上が化学療法開始 3 日前から開始 7 日後までに認められる
高尿酸血症：基準値上限を超える 高 K 血症　：基準値上限を超える 高 P 血症　：基準値上限を超える
CTLS (clinical TLS)： LTLS に加えて下記のいずれかの臨床症状を伴う
腎機能：血清 Cr≧1.5×基準値上限 不整脈，突然死，けいれん

〔Cario MS, et al. Br J Haematol 149：578-586, 2010〕

- 起こりやすさは腫瘍の種類で大きく異なる．固形腫瘍，白血病，リンパ腫，多発性骨髄腫などの疾患ごとにリスク評価が異なるので TLS 診療ガイダンスなどを参照してほしい．
- 以下の状況では疾患因子から評価した TLS リスクを 1 段階上げる必要がある．
  - ・腎障害がある，または腫瘍の腎浸潤がある
  - ・尿酸値，P，K 値が高値
- 特に起こしやすい悪性腫瘍として，
  - ・バーキットリンパ腫/白血病
  - ・白血球数の多い AML（急性骨髄性白血病）/ALL（急性リンパ性白血病）
  - ・CLL：高腫瘍量でリツキシマブ＋ベンダムスチンやベネトクラクスを含むレジメンを行う場合
- TLS は治療よりも予防が重要な病態である．特に clinical TLS を発症させないように予防しよう．
- 予防法は補液±利尿による尿量確保・高尿酸血症の治療・電解質異常の治療の 3 本柱である．

	低リスク	中間リスク	高リスク
モニタリング ・IN/OUT 量 ・血液検査（尿酸, IP, Ca, K, LDH, BUN, Cr）	一般床でもよい 24 時間ごとに評価	一般床でもよいが状態に応じて準集中治療室などを考慮 8〜12 時間ごとに評価	ICU または準じた病床 4〜6 時間ごとに評価
補液・尿量 ＊P や K などを含まない生理食塩水で輸液	不要であることが多い 食事摂取量や現在の体液量に応じた輸液	2〜3 L/m²/日の輸液 尿量：少なくとも 100 mL/m²/時以上	中間リスクと同様
尿酸	予防は不要	以下のどちらかの薬剤を投与 ・フェブキソスタット　60 mg/日　1 日 1 回 ・アロプリノール　300 mg/m²/日　1 日 3 回 上記の治療でも低下しない場合はラスブリカーゼも考慮	・ラスブリカーゼ（0.2 mg/kg/回）を 1 日 1 回　30 分以上かけて投与　最大 7 日間まで投与可能 上記を投与する場合は尿酸合成阻害薬は不要

（つづく）

(つづき）

	低リスク	中間リスク	高リスク
P	予防は不要	高P血症があればP吸着薬を投与する PのIntakeを極力減らし、吸着薬を使用しても改善しない場合は血液透析を考慮	中間リスクと同様
Ca	予防は不要	・Caの投与によりPとの結晶化を促進する可能性があるため原則は補正不要 ・不整脈や神経筋過敏性が問題となる場合のみグルコン酸カルシウムの緩徐静注を考慮	中間リスクと同様
K	予防は不要	KのIntakeを極力減らす 症候性の高K血症の治療は23章「高K血症」283頁を参照	症候性の高K血症の治療は23章「高K血症」283頁を参照

〔Cairo MS, et al. Br J Haematol 149：578-586, 2010/Coiffier B, et al. J Clin Oncol 26：2767-2778, 2008/Howard SC, et al. N Engl J Med 364：1844-1854, 2011〕

- 補液と尿量：重要なことは尿量を保ち，尿酸やK・Pの排泄を促すことである．利尿薬はあくまで尿量を保つ手段なのでルーチンの使用はしない．体液量，尿量を総合評価して投与を検討する．
- アロプリノール，フェブキソスタット：キサンチンオキシダーゼを阻害することによってキサンチンの尿酸への転換を抑制し，尿酸生成を低下する．肝障害がある場合はアロプリノール，腎障害がある場合はフェブキソスタットを選ぶとよい．
- ラスブリカーゼ：尿酸を酸化しアラントインへ変換する薬剤であり，尿酸を直接無毒化する薬である．投与すると尿酸はほぼ0になる．注意点は，グルコース-6-リン酸脱水素酵素（G6PD）欠損の患者またはその他の溶血性貧血を引き起こすことが知られている赤血球酵素異常を有する患者では溶血発作を起こしてしまうことや，1回投与後に再投与はできないことである（過敏症となっている可能性があるため）．また7日以上の使用は安全性が不明で推奨されない．
- ラスブリカーゼは試験管内でも尿酸を分解させるため，尿酸値は測定不能となる．正確な尿酸値を測定するために採血後氷冷してすぐに測定することが重要．それでもラスブリカーゼ投与中は尿酸はほぼなくなってしまう．
- 電解質：Pの上昇によってリン酸カルシウム結晶の形成による低Ca血症が起こる．Caの投与はこれを助長する可能性があるため，症候性でない限りは補正しない．
- 治療不応の高K血症，高P血症，代謝性アシドーシス，体液貯留，尿毒症などがあれば血液透析を考慮する．

> 本症例では…

- 疾患によるTLSリスクは中間リスクであったが，腎障害と高尿酸血症を認めているため，リスクを1段階上げて高リスク症例として対応した．
- 輸液：生理食塩水150 mL/時，尿量：100 mL/時以上を保てるように適宜利尿薬を使用した．

- 尿酸：ラスブリカーゼ 0.2 mg/kg/回を使用する方針とした．
- 電解質：TLS のモニタリング中は P と K の intake を減らす方針とした．
- モニタリング：ICU へ移動し，動脈圧ラインを確保して 6 時間ごとに血液検査をモニタリングした．
- Day1 に CHOP 療法を投与したが，LDH の一過性の上昇を認めたのみで laboratory TLS を認めずに経過した．

A 腫瘍崩壊症候群に注意が必要！ 予防が命なので，化学療法前にリスク評価して適切に予防する！

症例 ❹ 70 歳の男性．大量の下痢．

肺扁平上皮癌 Stage Ⅳに対してペムブロリズマブ治療中．2 cycle 目の day12 である．2 日前からの 1 日 10 行以上の下痢を主訴に緊急受診した．1〜2 週間は生ものなどの食中毒のリスクのある食物は食べていない．家族で同じ症状の人はいない．食事は下痢が始まってから少量しか食べられていない．来院時バイタルサインは意識清明，体温 37.8℃，血圧 90/45 mmHg，脈拍 110/分・整，呼吸数 20/分，SpO_2 98％（室内気）．腹部平坦・軟，腸蠕動音は亢進，腹部全体に NRS 6/10 の圧痛あり，反跳痛なし，tapping pain なし．

Q 下痢の原因として考えられる疾患は何か？

鉄則 4　免疫チェックポイント阻害薬(ICI)を使用している患者では免疫関連有害事象に注意する

免疫関連有害事象(irAE：immune-related adverse events)

- 免疫チェックポイント阻害薬(ICI：immune checkpoint inhibitor)は活性化 T 細胞上の PD-1 や CTLA-4，または抗原提示細胞上の PD-L1 を阻害することで T 細胞の抗腫瘍免疫を活性化させる．
- 近年，開発が進んだ薬剤であり，多くの癌腫に有効性が示されている．
- ICI の使用頻度が激増するなかで，従来の抗癌剤とは異なる機序の有害事象である irAE が問題となっている．
- irAE とは，患者自身の臓器への免疫反応も活性化することで起こる有害事象の総称であり，臨床像は実に多彩である．知っておかなければ診断できない病態もあるためぜひ知っておこう．
- 要するに「あらゆる臓器に炎症を起こす」ということである．
- ICI の種類や，癌腫によっても起こりやすい有害事象が異なる〔Ann Oncol 28：2377-2385, 2017〕ので興味がある読者は勉強してみるとよい．

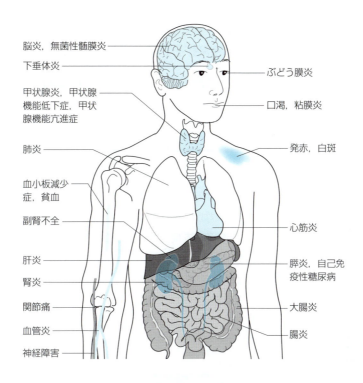

〔Postow MA, et al. N Engl J Med 378：158-168, 2018 より改変して作成〕

- 上図のように多彩な臓器にirAEが生じるが，大きく分けると非内分泌臓器と内分泌臓器の障害に分けられる．
- 非内分泌臓器では，CTCAE（Common Terminology Criteria for Adverse Events）grade 2以上であれば全身ステロイド投与の適応となる．
  - grade 2　　　：プレドニゾロン0.5〜1 mg/kg/日
  - grade 3以上：1〜2 mg/kg/日，またはステロイドパルス療法（メチルプレドニゾロン1 g/日を3日間）
- 内分泌臓器では分泌できなくなったホルモン補充療法が主体となる．
  - 膵臓　：1型糖尿病 → インスリン療法
  - 下垂体：中枢性甲状腺・副腎機能低下症
    → ヒドロコルチゾンとレボチロキシン補充
  - 甲状腺：甲状腺機能低下症 → レボチロキシン補充
  - 副腎　：副腎機能低下症 → ヒドロコルチゾン補充

本症例では…

- *Clostridioides difficile* 検査やその他の細菌の便培養，寄生虫卵検査を行うも陰性であった．造影CT検査では全大腸の著明な浮腫を認めた．
- 消化器内科へコンサルトし大腸内視鏡検査を行い生検をするも，サイトメガロウイルスは証明されなかった．
- grade 3でありプレドニゾロン1 mg/kg/日を開始した．ICIによる次回サイクルの治療は大腸炎が改善するまで延期とした．

- 治療開始後2日目の段階で下痢と腹部症状は著明に改善した．以後はステロイドを漸減していき，1.5か月後に漸減終了することができた．

A. ICIによるirAEと診断した．irAEを知らなければ診断と治療は困難であった

 上大静脈症候群

- 腫瘍が上大静脈を圧迫し狭窄することで種々の症状を起こす．一見危険にみえるが，実はすぐに致死的になることは少ない．それよりも重要なことは適切に重症度分類することで緊急性の有無を評価し，組織診断を優先すべきなのか，組織診断よりも緊急治療を優先して行うべきなのかを考えること．
- 以前は梅毒感染性動脈瘤や，結核性縦隔炎でみられていたが，今日では腫瘍による浸潤が多い．カテーテル，ペースメーカーなどの血管内デバイスの発達により血栓性のものも増加している．上大静脈の機械的な圧迫による症状が出現する．
- 癌種は以下の表を参照．

原因となる癌と頻度の高い症状

原因	頻度(%)	症状	頻度(%)
非小細胞癌	50	顔面浮腫	82
小細胞肺癌	22	頸静脈怒張	63
悪性リンパ腫	12	呼吸困難	54
転移性癌	9	咳嗽	54
胚細胞性腫瘍	3	胸壁静脈怒張	53
胸腺腫・癌	2	上肢浮腫	46
中皮腫	1	嗄声	17
		失神	10
		頭痛，めまい	6〜9

〔Wilson LD, et al. N Engl J Med 356：1862-1869, 2007〕

- 症状：呼吸困難，頸静脈怒張，顔面腫脹，胸壁表在静脈怒張，咳嗽，上肢腫脹，チアノーゼなど．以下の論文において症状の重症度とそれに応じた治療法が提示されている．

上大静脈の症候群Gradeシステム

Grade 0	放射線画像上は上大静脈閉塞が認められるが，症状はない
Grade 1	顔面または頸部の浮腫，チアノーゼ，顔面紅潮
Grade 2	機能不全を伴う顔面または頸部の浮腫（軽度の嚥下障害，咳嗽，頭部・顎・眼瞼の軽度～中等度の運動障害，眼瞼浮腫による視覚障害）
Grade 3	軽度～中等度の脳浮腫（頭痛，めまい），喉頭浮腫，心臓関連症状（労作時の失神）
Grade 4	重度脳浮腫（意識障害，錯乱），重症喉頭浮腫（stridor聴取），循環不全（誘因のない失神，低血圧，腎障害）

〔Yu JB, et al. J Thorac Oncol 3：811-814, 2008 より改変して作成〕

- 頸静脈圧は20～40 mmHgくらいまで上昇するといわれる．それに伴い頭頸部・上肢・気道粘膜の浮腫が生じ，上記のような症状が出る．
- 臥位や前屈位で増悪する．よって座位で頭部を心臓よりも高い位置に保つことが症状改善

に有効である．
- 数週間で側副血行路が完成して症状は自然軽快する．それが間に合わないほど進行の早い癌はまれ．ただし縦隔腫瘍は巨大になって心臓や気道を直接圧迫する可能性があるため注意が必要である．
- 診断：造影 CT で上大静脈の閉塞所見，側副血行路も認めることがある．腫瘍の組織学的な診断がついていなければ生検を行う．
- 治療：癌種や Stage によって治療は異なる．
- まず安静と酸素投与を行う．重症度に応じて以下のフローチャートで治療を考慮する．

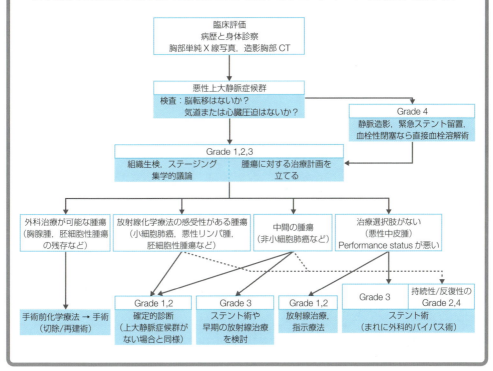

● 参考文献

1) McCurdy MT, Shanholtz CB. Oncologic emergencies. Crit Care Med 40：2212-2222, 2012［PMID：22584756］
   - 少し古いが簡潔にまとまったレビュー．
2) Gould Rothberg BE, et al. Oncologic emergencies and urgencies：A comprehensive review. CA Cancer J Clin 72：570-593, 2022［PMID：35653456］
   - かなり新しい narrative review だが非常にきれいにまとまっているため oncologic emergency の概観を学ぶにはちょうどよい．
3) Thandra K, et al. Oncologic Emergencies-The Old, the New, and the Deadly. J Intensive Care Med 35：3-13, 2020［PMID：30411648］
   - こちらもコンパクトにエッセンスがまとまっている．irAE や CAR-T 療法による有害事象など最新の知見も盛り込まれている．
3) DeVita VT, et al(eds)：DeVita, Hellman & Rosenberg's Cancer：Principles & Practice of Oncology, 12th edition. Lippincott Williams & Wilkins, 2022
   - 腫瘍内科の成書．より詳しく知りたい場合に．
4) Jones GL, et al. Guidelines for the management of tumour lysis syndrome in adults and children with haematological malignancies on behalf of the British Committee for Standards in Haematology. Br J Haematol 169：661-671, 2015［PMID：25876990］

・現時点で最新の海外 TLS ガイドライン．

5) 日本臨床腫瘍学会（編）：腫瘍崩壊症候群（TLS）診療ガイダンス第 2 版．金原出版，2021
  ・日本における TLS ガイドラインであり 2021 年と近年に改訂された．

6) Postow MA, et al. Immune-Related Adverse Events Associated with Immune Checkpoint Blockade. N Engl J Med 378：158-168, 2018
  ・少し古いが irAE がきれいにまとめられた narrative review である．

7) Thompson JA, et al. Management of Immunotherapy-Related Toxicities, Version 1. 2022, NCCN Clinical Practice Guidelines in Oncology. J Natl Compr Canc Netw 20：387-405, 2022［PMID：35390769］
  ・腫瘍の世界ではおなじみの米国癌ネットワークのガイドラインである．現時点で最も更新が新しいガイドラインであるため 1 度は目を通しておこう．

（藤野　貴久）

病棟管理編
病棟管理は医療の基本！
目指せデキ病棟長！

- 30 血算 ……………………………………… 350
- 31 輸液 ……………………………………… 365
- 32 栄養 ……………………………………… 375
- 33 便秘・下痢 …………………………… 389
- 34 癌性疼痛・オピオイド ……………… 409
- 35 慢性腎臓病（CKD） …………………… 420
- 36 動脈血液ガス検査 …………………… 432
- 37 ステロイドの使用法 ………………… 447
- 38 抗菌薬の使い方　総論 ……………… 458
- 39 抗菌薬の使い方　応用編 …………… 471

30 血算

頻度の高い血算異常に対応できるようになろう

1. 貧血は網赤血球と MCV で鑑別
2. 鉄補充は少量・毎日・1 日 1 回内服が基本
3. 大球性貧血はビタミン B_{12} と葉酸欠乏を調べる
4. 血小板減少は偽性の否定 → 輸血必要性の判断 → 減少の経過と IPF から鑑別

症例❶ 既往歴のない生来健康な 25 歳女性.

健康診断で貧血を指摘され内科を紹介受診した. 自覚症状はない. 暑さのせいか, 氷を食べたくなるときが多い. 来院時バイタルサインは意識清明, 体温 36.5℃, 血圧 108/55 mmHg, 脈拍 60/分・整, 呼吸数 12/分, SpO_2 98%(室内気). 身体所見では, 眼瞼結膜は蒼白, 舌炎はない. 爪は中央が凹み, 辺縁が反り返っている. 健康診断では, WBC 4,300/μL, Hb 6.0 g/dL, Hct 24.7%, MCV 60.8 fL, Plt 48 万/μL であった.

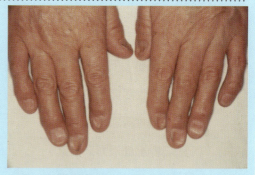

(参考:匙状爪の例)
〔岡田 定・他(編):内科レジデントアトラス, p.219. 医学書院, 2001 より引用〕

Q 貧血の診断は? 治療はどうする?

鉄則 1 貧血は網赤血球と MCV で鑑別

- 貧血は臨床で最も出会う血算異常である.
- 貧血の定義は WHO が定めた基準があるため知っておく(次頁の表).
- 貧血の原因は, 赤血球の①産生低下, ②喪失の増大(出血, 溶血, 無効造血)の 2 つしかない. これを鑑別するために網赤血球を使用する.
- 網赤血球(reticulocyte:Ret)とは赤芽球が脱核したばかりの大型で幼若な赤血球である. 骨髄での産生の程度を示す重要な指標である.

Hb(g/dL)	対象人口
11 未満	6 か月以上 5 歳未満
11.5 未満	5 歳以上 12 歳未満
12 未満	12 歳以上 15 歳未満
12 未満	15 歳以上の女性
11 未満	妊婦
13 未満	15 歳以上の男性

〔WHO：Haemoglobin concentrations for the diagnosis of anaemia and assessment of severity, 2011〕

- Ret の評価は絶対数も大切だが，現在の貧血に反応しているのかどうかを判定する必要がある．そこで RPI（reticulocyte production index）を使用する．

> RPI：（Hct/45）×Ret÷maturation time → RPI≧2：正常反応・造血亢進
> 　　　　　　　　　　　　　　　　　　　RPI＜2：赤血球産生低下
> *maturation time は Hct ごとに決まっている．
> 　40≧なら 1.0，30〜39.9 なら 1.5，20〜29.9 なら 2.0，＜20 なら 2.5

- 平均赤血球容積（mean corpuscular volume：MCV）とは簡単にいうと，赤血球の大きさの平均である．以下の式で計算される．

> MCV（fL）＝Ht（%）÷RBC（万/μL）×1000

- 貧血によって特徴的な MCV となるため鑑別に非常に重要である．
- Ret と MCV によってほとんどの貧血は鑑別可能である．以下に診断フローチャートの一例を示す．

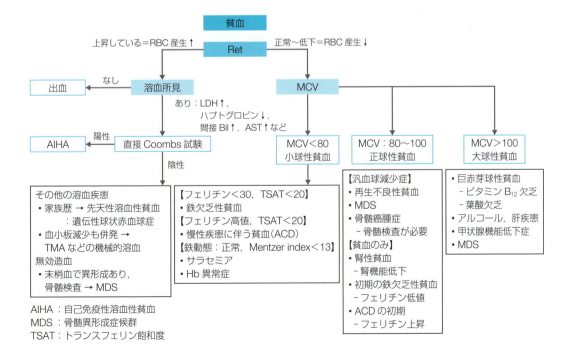

AIHA：自己免疫性溶血性貧血
MDS：骨髄異形成症候群
TSAT：トランスフェリン飽和度

- Mentzer index，別名サラセミアインデックスとは，MCV(fL)/RBC($\times 10^6$/μL)で計算する数字である．Mentzer index＜13 の場合にサラセミアなどの Hb 異常症を考える．赤血球が多いのに貧血があり MCV が小さい，というパターンが典型的である．

本症例では…

- Ret は 0.84％，Ret は 34,104，RPI は 0.2 であり，明らかな産生低下のパターンであった．MCV は 60 fL と小球性であったため鉄動態を評価した．
- 血清鉄は 8 μg/dL，不飽和鉄結合能（UIBC）は 401，総鉄結合能（TIBC）は 409，TSAT は 1.9％，フェリチンは 2.8 ng/mL であったため鉄欠乏性貧血の診断とした．

 貧血は網赤血球と MCV で鑑別する．鉄欠乏性貧血はフェリチンと TSAT で診断し，治療は少量，毎日，1日1回内服が基本．鉄欠乏の原因精査を忘れずに

赤血球分布幅（Red cell Distribution Width：RDW）

- 自動血球分析計にて自動算出される値．赤血球の大きさのばらつきを表している．
- RDW が大きい → 赤血球の大きさはさまざま
  例：栄養欠乏性貧血（鉄，ビタミン），MDS など
- RDW が正常 → 赤血球の大きさは均一
  例：サラセミア，慢性疾患に伴う貧血など
- 特に小球性貧血の鑑別で使用することがあるが，サラセミアでも RDW が上昇することがしばしばある．
- あくまで診断補助として活用してみよう．

 鉄補充は少量・毎日・1日1回内服が基本

鉄欠乏性貧血の診断

- 鉄欠乏性貧血は臨床で最も出会う貧血である．
- 特徴的な症状として異食症（pica；氷が無性に食べたくなるなど），むずむず脚症候群などがある．これらは鉄補充によって改善しうるため病歴聴取が重要である．
- 診断は鉄動態による．フェリチン＜30 ng/dL，TSAT＜20％が基準となる．
- トランスフェリン飽和度（transferrin saturation：TSAT）は血清鉄/TIBC で計算される値である．鉄欠乏では血清鉄が低下し，TIBC が増加する（トランスフェリンが増産される）ため TSAT は低下する．ピットフォールとしては溶血などで血清鉄が増加すると，TSAT は上昇してしまうので，鉄欠乏を見逃す可能性がある．
- フェリチンは鉄貯蔵の指標となる．30 ng/mL をカットオフとすると，感度・特異度

ともに90％を超える〔Am Fam Physician 87：98-104, 2013〕．
- 鉄欠乏性貧血を診断したら，必ず原因を考える．以下のような原因がないか問診・診察・検査が必要である．
    - ・過多月経，不正出血
    - ・腫瘍や潰瘍などからの消化管出血
    - ・偏食，過度な減量食
    - ・吸収阻害：胃や小腸の術後，ピロリ菌感染症（特に治療抵抗性の鉄欠乏性貧血で注意）
- ピロリ菌感染症は，菌自体が鉄を奪ってしまう，萎縮性胃炎によって無酸となり鉄吸収が阻害されるなどの機序が提唱されている．また菌株によって鉄欠乏性貧血を起こすものと，起こさないものがあるともされている．
- 臨床的には，原因不明や治療抵抗性の鉄欠乏性貧血をみたときにピロリ菌感染症を考える．

鉄欠乏性貧血の治療

- 治療は鉄補充である．原則は少量・毎日・1日1回内服，である．
- 少量かつ隔日内服するほうが吸収率が高く，嘔気の副作用も少ない〔Blood 126：1981-1989, 2015〕．
- しかし隔日内服は特に高齢者では難しいため毎日内服でも臨床的には問題ない．
- 毎日内服で処方し，飲み忘れてもいいですよ，と指導する．

一般名	商品名	鉄含有量	コメント
クエン酸第一鉄ナトリウム	フェロミア®	50 mg/錠	胃酸の影響を受けない 食後投与
硫酸鉄（徐放錠）	フェロ・グラデュメット®	105 mg/錠	徐放製剤であり消化器症状が少ない 空腹時投与
フマル酸第一鉄（徐放カプセル）	フェルム®	100 mg/錠	徐放製剤であり消化器症状が少ない 胃酸の影響を受けない 食後投与
ピロリン酸第二鉄	インクレミン®シロップ	6 mg/mL	小児用シロップ

- 補充療法の基本は内服だが，副作用で忍容性が低い・消化管からの吸収ができない場合などは点滴で補充する．
- ヒトには能動的な鉄排泄機構はない．内服での鉄補充であれば消化管によって吸収が調整されるため鉄過剰症の懸念は少ない．
- しかし点滴治療の場合は，投与した量のすべてが貯蔵されるため鉄過剰症のリスクがある．あらかじめ以下の"中尾の式"などで鉄欠乏量を計算しておき，その量までに留める．

$$総投与量(mg) = \{2.2(16-X)+10\} \times 体重(kg) \quad (Xはヘモグロビン値)$$

一般名	商品名	鉄含有量(1A)	用法用量
含糖酸化鉄	フェジン®	40 mg	40～120 mg 毎日投与
カルボキシマルトース第二鉄	フェインジェクト®	500 mg	500 mg 週1回投与※

※原則としてHb＜8 g/dLの患者に投与．Hb≧8 g/dLの場合は投与理由を記載する必要がある．

- 鉄剤の溶媒はブドウ糖液を使用する必要がある．ブドウ糖液以外で溶解すると，コロイド状態が不安定となり遊離鉄が発生し，嘔気・嘔吐などの副作用が増強されてしまう．
- 鉄剤の点滴静注ではアレルギー反応や非アレルギー性の輸注反応が起こることがある．特に初回投与はバイタルサインに注意しながら行う．
- ほかには低P血症も特徴的な副作用で，骨軟化症に至った副作用も報告されているので注意する．投与中は定期的にPの値をチェックする．
- 治療反応は以下の順番で起こる．

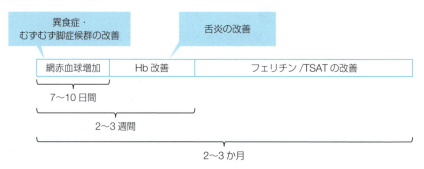

- 治療期間は内服治療ならフェリチン正常化まで．およそ2～3か月はかかる．点滴ならば"中尾の式"で求めた量を投与して終了となる．

本症例では…

- クエン酸第一鉄ナトリウム50 mgを1日1回　夕食後内服とした．Hbは1～2週間で上昇し始めた．フェリチンが正常化するまで3か月間の鉄剤投与を継続した．
- 問診から過多月経が原因と考えられたため，産婦人科へ紹介した．

 鉄欠乏性貧血と血小板増多症

- 臨床では鉄欠乏性貧血と血小板増多症が合併している症例をしばしば目にする．
- 鉄欠乏性貧血に反応して上昇しているエリスロポエチンが，トロンボポエチン受容体を刺激する機序や赤芽球系と巨核球系の前駆細胞が同じであることが理由とされる．
- 鉄欠乏性貧血の改善によって血小板増多症も改善するため，慌てる必要はない．
- 貧血がない潜在性鉄欠乏の状態では血小板増多は起こらない．

> **症例 ❷**　胃癌で胃全摘後の 79 歳男性.
>
> 15 年前に胃癌に対して胃全摘術を施行した既往歴がある．ここ 1 か月で体動時の息切れ，食欲不振が出現したため近医を受診し，貧血を指摘されたため紹介受診となった．前医のデータは次の通り．WBC 2,900/μL, Hb 4.8 g/dL, MCV 130 fL, Ret 3.5%, Plt 13 万/μL, T-Bil 2.0 mg/dL, D-Bil 0.5 mg/dL, LDH 950 IU/L.

Q 貧血の鑑別は何か．また追加すべき検査は何か．

鉄則 3　大球性貧血はビタミン B_{12} と葉酸欠乏を調べる

大球性貧血

- MCV が 100 fL 以上の貧血を大球性貧血と呼ぶ．
- 網赤血球は赤血球よりも大きいため，網赤血球が増えた場合も大球性となる．出血性貧血の急性期や溶血性疾患でよく見られる．**症例 1** で学んだフローチャートは，先に Ret の反応性で鑑別を進めるので，このような迷いは少なくなるだろう．
- 大球性貧血の代表的疾患はビタミン B_{12} 欠乏と葉酸欠乏である．ビタミン補充または赤血球液を輸血する前にこれらのビタミンを必ず検査をしておく．特に輸血はピットフォールとなることが多い．赤血球液のなかにはビタミン B_{12} や葉酸が当然含まれているので，検体を取る前に輸血してしまうと診断がわからなくなることがある．
- 巨赤芽球性貧血は MCV が 110 fL より大きいことが多い．一方で，MDS やアルコール，甲状腺機能低下症などは 100〜110 fL 程度の MCV であることが多い．

巨赤芽球性貧血

- ビタミン B_{12} と葉酸欠乏による貧血を，特に巨赤芽球性貧血と呼ぶ．これはビタミン B_{12} または葉酸欠乏によって活性型葉酸が不足することで骨髄における DNA 合成障害が起こり，核が未熟で細胞質ばかり広い巨赤芽球が生じることに由来する．これらの異常な赤芽球は骨髄内でアポトーシスを起こす．これを無効造血と呼ぶ．また白血球系，巨核球系にも同様に DNA 合成障害を引き起こすため，汎血球減少症を呈する．
- ビタミン B_{12} は 3〜5 mg の貯蔵量があり，これは摂取なしでも 10 年前後は保てる量である．一方で葉酸は 5〜10 mg の貯蔵量があるが，需要が多く，摂取なしでは数か月で欠乏する．
- ビタミン B_{12} 欠乏症では舌炎（Hunter 舌炎）や深部覚障害をきたす亜急性連合性脊髄変性症も呈する．
- 日本で原因として多いのは，吸収障害である．ビタミン B_{12} は胃から分泌される内因子と結合して回腸末端で効率的に吸収される．これらの吸収経路が破綻すると欠乏症となる．

①原因
- ビタミン B_{12} 欠乏：自己免疫性胃炎(悪性貧血)，手術による胃や回腸末端切除後，盲管症候群，炎症性腸疾患，菜食主義などの偏食，H_2 遮断薬やプロトンポンプ阻害薬，メトホルミンの長期使用
- 葉酸欠乏：アルコール多飲，炎症性腸疾患，手術による近位空腸切除後，葉酸代謝拮抗薬の長期使用

②診断
- 疑ったらビタミン B_{12} と葉酸を測定する．低値であれば確定診断となるが，基準値をわずかに下回る程度であったり，基準値に収まっている症例も珍しくない．そのためさらに検査感度を上げる方法として，血清ホモシステインを測定することもできる．ビタミン B_{12} と葉酸欠乏のいずれでも上昇する．海外ではビタミン B_{12} 欠乏症のときだけ上昇する血清・尿中メチルマロン酸を測定できるためいずれの栄養素が不足しているか鑑別可能であるが，日本では商業ベースで測定することはできない．
- ビタミン B_{12} 欠乏では自己免疫性胃炎(悪性貧血)の鑑別目的で，上部消化管内視鏡検査と抗内因子抗体・抗壁細胞抗体を検査する．自己免疫性胃炎であれば甲状腺疾患や胃癌・胃カルチノイド腫瘍の合併が多いためフォローする必要がある．

> **本症例では…**
> - 胃切除後 15 年という病歴と著明な大球性貧血・汎血球減少症，無効造血所見からビタミン B_{12} 欠乏症による巨赤芽球性貧血を最も疑った．
> - ビタミン B_{12}，葉酸，ホモシステイン，鉄動態を測定してビタミン B_{12} 補充療法を開始することとなった．

> **巨赤芽球性貧血の治療**
> - 治療はシンプルであり，補充するだけである．
> - ビタミン B_{12} はメコバラミン筋注が基本である．
> - 欧米ではコストや通院の忍容性の問題から内服治療が積極的に行われている．内因子がなくても経口量の 1％ 程度が受動拡散されて吸収されるためである〔Blood 92：1191-1198, 1998/Blood 129：2603-2611, 2017/Cochrane Database Syst Rev 3：CD004655, 2018〕．
> - 経口内服の用量は悪性貧血や胃・回腸末端術後などの吸収障害がある場合は 2,000 μg/日以上の高用量が推奨され，吸収障害がない場合には 1,000 μg/日で十分である．
> - 神経障害や貧血に伴う強い症状がある場合は，筋注が優先される．また日本のように医療アクセスがよく，国民皆保険の国であれば通院による筋注治療で行われることが多い．
> 〈処方例〉メコバラミン(メチコバール®)注　500 μg　筋注　週 1〜2 回程度を血算が回復するまで継続，または 1〜2 週間毎日筋注 → 週 1 回の筋注を 1 か月間 → 3 か月に 1 回の筋注を継続
> ＊神経障害がある場合は，2 か月に 1 回の筋注を継続

〈処方例〉メコバラミン（メチコバール®）錠　1,000〜2,000 μg　1日2〜3回に分けて内服
＊回腸末端で吸収ができない場合は2,000 μg以上の内服または筋注を推奨

- 葉酸は内服治療が基本であるが，空腸切除など吸収が期待できない場合は注射を行う．
- ビタミンB_{12}欠乏症に葉酸のみを投与すると神経症状が増悪するため葉酸の単独投与は行わない．検査結果がでるまではB_{12}のみ補充または葉酸とB_{12}の両方を補充するようにする．

〈処方例〉葉酸（フォリアミン®注）　葉酸として15 mg　筋注　週1〜2回
　　　　　葉酸（フォリアミン®錠）　500 μg　1回1錠　1日2〜3回　内服

- 特に吸収不良を伴う場合は，鉄欠乏症が併存する可能性があるので最初に評価しておく．また補充療法によって急激に造血が亢進するため，だんだんと鉄欠乏性貧血となる可能性がある．貧血の改善に乏しい場合には鉄動態を逐一チェックする．

本症例では…

- メチコバール®筋注を週2回から開始することとした．筋注したあとから全身状態や食欲不振は改善し，2週間後にはHb 7.3 g/dL，Ret 13％まで改善した．
- 追加検査では，ビタミンB_{12} 70 pg/mL，葉酸 5.0 ng/mL，血清鉄 70 μg/dL，TIBC 300 μg/dL，フェリチン 85 ng/mLであった．
- ビタミンB_{12}欠乏による巨赤芽球性貧血の診断とした．

A　大球性貧血ではビタミンB_{12}と葉酸を評価して鑑別する！

症例❸　誤嚥性肺炎で治療中の65歳男性．

重喫煙歴がありCOPDで外来通院中，過去にも肺炎で入院歴がある．入院前日からの発熱，入院当日からの呼吸困難で救急搬送となり重症市中肺炎＋急性呼吸窮迫症候群の診断で挿管・人工呼吸器管理・ICU入室となった．抗菌薬としてピペラシリン・タゾバクタム＋バンコマイシンによる治療が開始された．入院8日目に抜管し，抜管後も呼吸状態は安定していたため入院9日目に一般床へ退室した．その後，血液検査にて血小板数が低下してきた．

入院日数	入院10日目	入院13日目	入院15日目	入院16日目
血小板数(万/μL)	15.5	10	5.5	1.0

Q　血小板減少症を見たらまず評価することは？　診断はどうするか？

鉄則4　血小板減少は偽性の否定 → 輸血必要性の判断 → 減少の経過とIPFから鑑別

偽性血小板減少

- 血小板減少はまず偽性を否定する．これは採血スピッツに添加されているEDTAに

よる血小板凝集が原因となる．頻度は人種差もあるが，0.1％程度とされている．
- 目視で鏡検することですぐに判明する．
- ヘパリンやクエン酸 Na が添加されたスピッツで再検することで凝集は防がれる．

血小板輸血の必要性

- 本書における血小板減少症は主に入院患者における血小板減少に焦点を置く．
- 外来で遭遇する血小板減少は血液内科が対応することが多く，他書に譲る．
- 担当症例が血小板減少をきたした場合，重要なことは輸血必要性の判断である．輸血療法の概論は後述するが，病棟では以下のように血小板輸血の必要性を判断するとよい．

> 血小板＜1万/μL，または粘膜出血(wet purpura)がある場合
> 血小板＜5万/μL かつ活動性出血，緊急の観血的処置，分娩

- 出血傾向がなく，観血的処置や手術もない場合は，1万/μL以上を保つ，でよい．
- 仮にこれらの条件を満たして血小板輸血を行うのであれば，輸血後にも血算を評価して血小板輸血反応性(補正血小板増加数；corrected count increment：CCI)を評価する．以下が血小板輸血反応性がある場合の値の目安である．

> 輸血1時間後のCCI≧7,500/μL
> 輸血24時間後のCCI≧4,500/μL

- CCI を評価することで血小板減少の機序の大きなヒントとなる．免疫性機序で破壊が亢進している場合は，CCI は上記の基準を満たさない．
- 例えば血液腫瘍などで輸血を繰り返した場合や妊娠出産などを契機に抗 HLA 抗体が生じることで輸血不応となることがある．

血小板減少の原因精査

- 血小板減少の原因も貧血と同様で，血小板の①産生低下，②消費/破壊の亢進の2つに分けられる．
- これらの鑑別に幼若血小板比率(immature platelet fraction：IPF)が有用である．IPF は血小板における網赤血球のようなものだと考えるとわかりやすい．正確にいうと，全血小板における幼若血小板の比率を自動計算した値である．
- 健常人では，血小板数と IPF は逆相関する．つまり血小板が減少すると IPF が上昇(産生が亢進)，血小板が増加すると IPF は低下する(産生が抑制)．
- 消費/破壊の亢進であれば，この変化が顕著となる．IPF＞5％が目安となる．
- 産生低下であれば，血小板減少にもかかわらず，IPF＜5％となる．
- 血小板減少している患者が外来か入院か，急性か慢性か，という軸を加えることで鑑別はさらに絞られる．次頁に鑑別表の一例を示す．

	入院	外来
急性〜亜急性	破壊/消費亢進 ・薬剤 ・播種性血管内凝固症候群(DIC) ・ヘパリン起因性血小板減少症(HIT) ・血栓性微小血管症(TMA) 産生低下 ・薬剤 ・化学療法	破壊/消費亢進 ・**特発性免疫性血小板減少症** ・薬剤 ・血栓性微小血管症(TMA) ・感染症〔HCV, HIV, リケッチア, レプトスピラ, 重症熱性血小板減少症候群(SFTS)ウイルス, マラリア, デング熱〕 産生低下 ・薬剤 ・血液疾患 ・感染症(HCV, HIV, リケッチア, レプトスピラ, SFTSウイルス, マラリア, デング熱)
慢性	破壊/消費亢進 ・薬剤 ・機械弁や体外循環による破壊 産生低下 ・薬剤 ・血液疾患	破壊/消費亢進 ・**特発性免疫性血小板減少症** ・薬剤 ・重度の肝機能障害 ・脾機能亢進症 産生低下 ・薬剤 ・血液疾患

※青文字は診断に骨髄検査が必須の疾患/**太字**は血小板だけが減少する疾患

- 上表の通り、薬剤は常に最上位の鑑別に入ってくる。薬剤性の血小板減少も①産生低下と②破壊/消費の亢進がある。特に薬剤による破壊亢進性血小板減少を薬剤性免疫性血小板減少症(drug-induced thrombocytopenia：DITP)と呼ぶ。
- 入院セッティングでは薬剤性に加えて、DIC、HITとTMAが重要な鑑別となる。
- DICは凝固異常があることが前提であるため、凝固検査を追加して精査する。
- TMAは血栓性血小板減少性紫斑病(thrombotic thrombocytopenic purpura：TTP)や溶血性尿毒症症候群(hemolytic-uremic syndrome：HUS)などを含む疾患群であり、破砕赤血球、腎障害、中枢神経障害などがヒントとなる。診断はADAMTS-13やベロ毒素など疾患特異的検査を行う。
- HITについては次頁の「もっと知りたい！」を参照.

> **本症例では…**

- 入院患者における急性経過の血小板単独減少である。
- 鏡検によって偽性血小板減少症は否定された。
- 皮膚には点状出血が散在し、口腔粘膜にも紫斑が認められた。血小板輸血を10単位行う方針とした。輸血後1時間のCCIは3,627と低値であり血小板輸血に不応性であった。
- IPFは8.5%と上昇しており、破壊/消費の亢進が示唆された。凝固異常や新規の臓器障害はなかった。
- 以上から免疫性機序による血小板減少症が考えられた。入院10日目から抗菌薬がセフトリアキソン(ロセフィン®)へ変更されていたため、これが被疑薬と考えられた。そのため入院時に投与されていたピペラシリン・タゾバクタム(ゾシン®)へ変更した。その他にはプロトンポンプ阻害薬が被疑薬と考えられた。

- HITに関しては4T'sスコアが2点と低リスクであったためHIT抗体は提出せず，ヘパリン使用を中止しなかった．
- 翌日には血小板低下は止まり，入院20日目には血小板は上昇し始めていた．

A 血小板減少は偽性の否定をして輸血必要性を判断する．鑑別は減少の経過とIPFから鑑別し，薬剤性をしつこく疑う！

ヘパリン起因性血小板減少症（heparin-induced thrombocytopenia：HIT）

- ケモカインの1種である血小板第4因子：PF4に対する抗体（HIT抗体）が誘導されることで血小板減少とともに血栓塞栓症を生じる血栓性疾患．
- ヘパリン使用患者全体の0.5～5％に発症する．
- 女性（vs 男性），未分画ヘパリン（vs 低分子ヘパリン），外科手術歴，投与量が多い，などがリスク因子となる．
- 70％以上は通常発症型HITと呼ばれ，ヘパリン投与後5～14日で発症する．血小板は低下するが，5～6万/μLで留まり，2万/μLを下回ることはまれである．
- HITを疑ったら，まず血栓性疾患がないか評価しよう．静脈血栓症が多いが，動脈血栓症も起こらないわけではない．
- 例えば血液透析が詰まりやすいなどもHITの徴候である可能性がある．
- HITらしさがあるかどうかを，下表の4T'sスコアで評価する．
  HIT抗体の陽性率：0～3点：0.9％，4～5点：11.4％，6～8点：34％

	2点	1点	0点
血小板減少 Thrombocytopenia	>50％の低下（最低値は20×10³/μL以上）	30～50％の減少（または手術に伴い>50％の減少）．または最低値が10～19×10³/μL	<30％の減少または最低値が10×10³/μL未満
血小板減少の時期 Timing of platelet count fall （投与開始日＝0日）	投与後5～10日の明確な発症．もしくは過去30日以内のヘパリン投与歴がある場合の1日以内の血小板減少	投与後5～10日の血小板低下だが明確でない（例えば血小板数不明）．または10日以降の発症．もしくは過去31日から100日以内にヘパリンの投与歴がある場合の1日以内の血小板低下，または10日以降の血小板減少	最近のヘパリン投与歴がなく，4日以内の血小板減少
血栓症や続発症 Thrombosis or other sequelae	新たな血栓症の発症．皮膚壊死．ヘパリン急速投与時の急性全身反応	血栓症の進行や再発．ヘパリン投与部位の皮膚発赤．血栓症の疑い（未証明），無症候性上肢DVT	なし
血小板減少のほかの原因 oTher cause for thrombocytopenia	HIT以外に明らかな原因がない	ほかに疑わしい原因がある	明確な原因がほかにある

※0日＝ヘパリン投与初日．血小板低下が始まった日を血小板減少発症日と考える．
〔Lo GK, et al. J Thromb Haemost 4：759-765, 2006〕

- 4T'sスコアの評価でHITが疑われる場合には，HIT抗体を検査する．陰性ならHITは否定できる．日本ではラテックス凝集法とCLIA法のみが保険収載されている．いずれも非常に高い感度であるためいずれを用いてもよい〔Blood 127：546-557, 2016〕．
- 日本では免疫学的測定法しか行うことができない．これは感度は非常に高いが，特異度は低い．熟練者による^{14}C-セロトニン放出試験などの機能的測定法は感度も特異度も非常に高いため，陽性ならHIT，陰性ならHITでないといえる．しかし日本では施行不可である．
- 治療はすべてのヘパリンを中止し（点滴のヘパリンロックも），アルガトロバンによる抗凝固療法を開始する．臨床症状も鑑みて3か月程度は継続する．
- HIT抗体はヘパリンへの曝露がなければ，自然消失する可能性がある．免疫学的測定法では85日程度で半数が陰性化するとされている〔N Engl J Med 344：1286-1292, 2001〕．よって少なくとも100日程度はヘパリン使用を禁止し，以降にHIT抗体を再検して陰性であれば慎重にヘパリンを再開することも理論上は可能である．特にヘパリン使用が必要な血液透析患者などでは考慮してもよい．

輸血

- 輸血療法は最も頻繁に行われる移植治療であるという意識を忘れずに．
- 輸血療法はドナーもレシピエントも負担を強いて行われる医療であるため，不必要な輸血は絶対に避ける．
- 本書では特に使用頻度の高い赤血球製剤と血小板製剤を扱う．
- 最初に代表的な輸血製剤の費用や保存方法，投与時間をまとめる．特に費用に注意してほしい．輸血製剤は非常に高額であるため絶対に無駄遣いしない．

赤血球製剤 packed red blood cell：RBC	濃厚血小板製剤 platelet concentrate：PC	新鮮凍結血漿 fresh frozen plasma：FFP
2単位：280 mL（内）	10単位：200 mL	2単位：240 mL
2単位：17,726円	10単位：81,262円！	2単位：18,322円
2～6℃	室温	−20℃以下
21日間（献血採取日を1日目として）	振盪しながら4日間	6か月間（180日）
1単位：1～1.5時間 ＊心不全リスクあれば， 1単位2～3時間	10単位30分程度	2単位30分程度

赤血球輸血（red blood cell concentrate：RBC）

- 原則として輸血療法以外に貧血を改善させる方法がない場合にのみ，赤血球輸血の適応がある．
- 制限輸血vs制限しない輸血：制限輸血とは目標値を下回ったら輸血する方法で，制限しない輸血とは目標値を下回らないように輸血する方法である．いずれの戦略でも生存率などに差はない．日本では主に制限輸血が行われる〔BMJ 350：h1354, 2015〕．
- 症状の有無，心不全の有無，急性貧血か慢性貧血か，の3点を必ずチェックする．
- 血液疾患：輸血以外の治療法があり，かつ症状がない場合は輸血適応なし．
- 化学療法による骨髄抑制や造血器腫瘍：Hb 6～7 g/dLを維持するように輸血．

- 慢性出血：大腸癌や，過多月経など．多くの症例は鉄欠乏性貧血である．鉄剤補充という治療法があるので，原則として輸血適応なし．症状が強い場合や心不全があり Hb 8 g/dL を下回る場合は輸血検討．
- 急性出血：循環血液量の 20% 以上の出血で考慮する．Hb の値よりバイタルサインを優先させる．
- 上記の状況以外では，輸血以外の治療法がない場合に Hb 7 g/dL を目標に輸血する．心不全がある場合は，Hb 8 g/dL が目標値となる
- 予測 Hb 上昇量は以下の計算式で計算可能である．体液量を 70%，輸血する赤血球液の Hb 濃度を 14 g/dL と仮定すると 80÷体重で概算可能である．

> 予測 Hb 上昇量(g/dL)＝投与 Hb 量(g)/循環血液量(dL)
> 2 単位輸血する場合：56 g/体重×0.07×10＝80/体重(g/dL)．

- 赤血球液 1 単位はヒト血液 200 mL（2 dL）から血漿成分と白血球成分を除去して MAP 液（92 mL）を混ぜた製剤である．よって 1 単位当たり含まれる Hb 量は，14 g/dL×2 dL＝28 g となる．2 単位では 56 g であるため上記の式が成り立つ．
- 以下の日本赤十字社の早見表も使用できる．

赤血球液輸血時の Hb 値上昇予測値（g/dL）

(Ir-)RBC-LR-1 投与本数	体重(kg)													
	5	10	15	20	25	30	35	40	45	50	60	70	80	90	100
1	7.6	3.8	2.5	1.9	1.5	1.3	1.1	0.9	0.8	0.8	0.6	0.5	0.5	0.4	0.4
2		7.6	5.0	3.8	3.0	2.5	2.2	1.9	1.7	1.5	1.3	1.1	0.9	0.8	0.8
3			7.6	5.7	4.5	3.8	3.2	2.8	2.5	2.3	1.9	1.6	1.4	1.3	1.1
4				7.6	6.1	5.0	4.3	3.8	3.4	3.0	2.5	2.2	1.9	1.7	1.5
6					9.1	7.6	6.5	5.7	5.0	4.5	3.8	3.2	2.8	2.5	2.3
8							8.7	7.6	6.7	6.1	5.0	4.3	3.8	3.4	3.0
10								9.5	8.4	7.6	6.3	5.4	4.7	4.2	3.8

(g/dL)

〔日本赤十字社（https://www.jrc.or.jp/mr/blood_product/about/red_blood_cell/）〕（2023 年 8 月閲覧）

血小板輸血（platelet concentrate：PC）

- 血小板製剤は，赤血球製剤よりも高価でより貴重である．また血小板製剤は基本的にストックはなく，前日に日本赤十字社へ予約し，使用当日に病院へ搬送され使用する．そのため，より計画的な使用が必要である．
- 血小板は予約製剤が基本であるため，目標値を下回らないように輸血を計画する．化学療法や造血幹細胞移植などの患者においては，血小板輸血が必要となる前日に血算を測定するのがよい．
- 目標値は次頁の表の通り．

目標血小板数(/μL)	病態・疾患
5,000以上	出血グレード1以下の造血不全(再生不良性貧血, MDSなど)
1万以上	出血グレード1以下の血液腫瘍, 化学療法, 造血幹細胞移植
2万以上	・出血グレード2 ・凝固異常を伴う肝障害の合併, DIC, AML(急性骨髄性白血病), 38.5℃以上の発熱, 活動性感染症 ・抗凝固療法中 ・免疫抑制治療中 ・急激な血小板減少:3日で2万以上の低下 ・白血球増加 ・小児, 新生児 ・CVC(中心静脈カテーテル)留置前
5万以上	・出血グレード3以上 ・腰椎穿刺前 ・活動性出血後(中枢神経, 肺, 消化管出血など) ・血小板10万/μL以上に該当しない手術 ・気管支鏡検査, 大腸内視鏡検査 ・針生検
10万以上	・中枢神経など重要臓器の手術 ・人工心肺を3時間以上使用する心血管手術 ・広範な癒着剥離を要する手術 ・出血傾向を伴うCKD(慢性腎障害)や肝疾患を有する手術

出血グレード	
0	出血なし
1	軽い出血(点状出血, 紫斑, 尿潜血, 便潜血, 過多月経など)
2	相当の出血, 赤血球輸血必要量は増えない程度(鼻出血,肉眼的血尿,吐下血)
3	相当の出血, 1日1単位以上の赤血球輸血が必要(巨大血腫, 持続出血など)
4	生命を脅かす出血(ショック, 臓器出血, 頭蓋内出血, 肺出血など)

〔Takami A, et al. Japanese Journal of Transfusion and Cell Therapy 65:544-561, 2019〕

- 予測血小板増加量は以下の式で計算される. 赤血球と同様に体液量を70%とすると, 200÷体重で概算できる.

  輸血血小板総数÷循環血液量(dL)×2/3=200÷体重(kg)(万/μL)

- 以下の日本赤十字社の早見表を用いることができる.

(照射)血小板濃厚液〔(Ir-)PC-LR〕投与時の予測血小板増加数値

(Ir-)PC-LR投与単位数	体重(kg)														
	5	10	15	20	25	30	35	40	45	50	60	70	80	90	100
1	3.8	1.9	1.3	1.0	0.8	0.6	0.5	0.5	0.4	0.4	0.3	0.3	0.2	0.2	0.2
2	7.6	3.8	2.5	1.9	1.5	1.3	1.1	1.0	0.8	0.8	0.6	0.5	0.5	0.4	0.4
5	19.0	9.5	6.3	4.8	3.8	3.2	2.7	2.4	2.1	1.9	1.6	1.4	1.2	1.1	1.0
10		19.0	12.7	9.5	7.6	6.3	5.4	4.8	4.2	3.8	3.2	2.7	2.4	2.1	1.9
15			19.0	14.3	11.4	9.5	8.2	7.1	6.3	5.7	4.8	4.1	3.6	3.2	2.9
20				19.0	15.2	12.7	10.9	9.5	8.5	7.6	6.3	5.4	4.8	4.2	3.8

※(照射)血小板濃厚液1単位:含有血小板数 $0.2×10^{11}$ 個以上　　　　　　　　　　(万/μL)
〔日本赤十字社(https://www.jrc.or.jp/mr/blood_product/about/platelet/)〕(2023年8月閲覧)

新鮮凍結血漿(fresh frozen plasma:FFP)

- 適正使用が最も難しい.
- 明確な科学的根拠のある使用法は大量輸血を必要とする手術や外傷における投与であり,希釈性凝固障害を予防改善するためにRBC:FFP=1〜2.5:1となるように輸血する.
- 手術や手技に対する予防的投与は根拠に乏しく,個々の症例の凝固検査などによって決めていくしかない.
- 血液内科と併診して使用するのがよいだろう.
- 投与量や目標値は,どの凝固因子が不足しているのか,目標活性値はいくつなのか,にもよる.日本赤十字社が凝固因子ごとに必要な活性値や回収率を提供しているので参考にしてほしい(https://www.jrc.or.jp/mr/blood_product/about/plasma/)(2023年8月閲覧).

輸血の副作用

- 時間軸と重症度で分けよう!
- 輸血後10分以内
  - **急性溶血性副反応**:ABO不適合輸血による血管内溶血がほとんどで,**死亡率20%程度**と非常に重篤!そもそも起こさないことが前提!
  - **アナフィラキシーショック**:輸血を中止してアドレナリン0.01 mg/kg(最大量:成人0.5 mg,小児0.3 mg)を筋注!
- 24時間以内
  - **輸血関連急性肺障害(transfusion-related acute lung injury:TRALI)**:輸血後6時間までに発症する,輸血による非心原性肺水腫のこと.頻度も重篤な副作用のなかでは高く,輸血副反応死亡の50%を占める.治療はARDSに準じる.
  - **輸血関連循環過負荷(transfusion-associated circulatory overload:TACO)**:輸血後6時間までに発症する,輸血による心原性肺水腫のこと.急激なvolume負荷で血圧が上昇し,CS1の心不全(→218頁)のような経過をたどる.
- 24時間以降
  - 遅発性溶血性副反応:多くは不規則抗体による血管外溶血である.治療は不要.
  - 感染症:HBV,HCV,HTLV-1,HIV,ヒトパルボウイルスB19,CMV,梅毒などをスクリーニングしている.特にHBV,HCV,HIVは核酸増幅検査も施行.北海道ではHEVの検査も行っている.**輸血後3か月程度でHBV,HCV,HIVの検査を行う**.

● 参考文献

1) Means RT Jr, et al(eds):Wintrobe's Clinical Hematology, 15th ed. WOLTERS KLUWER, 2023
   - 血液内科の世界的な成書である.貧血や血小板減少など基本的なところも丁寧に書かれている.
2) 米村雄士ほか.科学的根拠に基づいた赤血球製剤の使用ガイドライン(改訂第2版).日本輸血細胞治療学会誌 64:688-699,2018
3) 髙見昭良ほか.科学的根拠に基づいた血小板製剤の使用ガイドライン:2019年改訂版.日本輸血細胞治療学会誌 65:544-561,2019
4) 松下正ほか.科学的根拠に基づいた新鮮凍結血漿(FFP)の使用ガイドライン[改訂第2版].日本輸血細胞治療学会誌 65:525-537,2019
   - 輸血に関する日本のガイドラインである.輸血療法を行うすべての医療従事者が読むべき.日本語なのでぜひ.

(藤野 貴久)

31 輸液
たかが輸液，されど輸液

1. 輸液では維持輸液と補充輸液を意識する
2. 維持輸液の処方は，水・Na・K・糖の配分を中心に
3. 輸液製剤は生理食塩水と5％ブドウ糖液に分けてイメージ
4. 心不全，腎不全，肝不全では，維持輸液量と投与速度に注意
5. ショックに対する初期の補充輸液は，細胞外液に近いもの
6. 補充輸液に体液評価と排液量を忘れずに

症例 ① 誤嚥性肺炎で入院中の82歳女性.

誤嚥性肺炎で入院し，入院直後は絶飲食で管理を行うこととした．体重50 kg．来院時バイタルサインは意識清明，体温36.4℃，血圧110/70 mmHg，脈拍74/分・整，呼吸数12/分，SpO₂ 96%（室内気）．Na 138 mEq/L，K 3.7 mEq/L，Cl 102 mEq/L．

Q どのような輸液を処方するか？

鉄則1　輸液では維持輸液と補充輸液を意識する

- 輸液は漫然と処方されがちだが，最低限必要な維持輸液と，治療に必要な補充輸液に分けて考えることが必要である．
- 輸液を始める前に，①何を目的とするのか，②輸液の適応があるのか，③ゴールをどこに設定するのかの3点を明確にする．

維持輸液	通常1日で失われる水分・電解質を補う	＝現在の体液バランスを保つ
補充輸液	不足している水分や電解質を補う	＝崩れている体液バランスを是正する

- 体液バランスを意識して，維持輸液と補充輸液の必要性を評価する．
- 輸液を処方する際には，どちらの輸液を行っているのかを常に意識する．

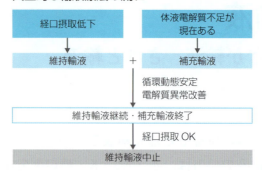

典型的な輸液療法の流れ

本症例では…
- 体液電解質不足はなく，補充輸液は不要であった．
- 絶飲食とするため，維持輸液を投与する必要があった．

A 維持輸液と補充輸液を意識し，本症例では経口摂取低下を補う維持輸液を行う

Q では，維持輸液としてどのようなメニューを組むか？

鉄則 2 維持輸液の処方は，水・Na・K・糖の配分を中心に

- 維持輸液は体液の恒常性を維持するための輸液であり，生理的な体液喪失を補うことを目的とする．
- 1日に必要な輸液の量は水分 30 mL/kg，Na 2 mEq/kg，K 1 mEq/kg，ブドウ糖 100 g を含めるように組む．
- 基礎疾患がない場合に1日に最低限必要な水分量は約 30 mL/kg である．本症例の場合は 30 mL/kg×50 kg＝1,500 mL と計算される．
- 1日に最低限必要な Na は約 2 mEq/kg である．本症例の場合は 2 mEq/kg×50 kg＝100 mEq と計算される．NaCl は 1 g＝17 mEq なので NaCl で 6 g 程度となり，いわゆる塩分制限食と同じ量は少なくとも投与すると考えればよい．
- 1日に最低限必要な K は約 1 mEq/kg である．本症例の場合は 1 mEq/kg×50 kg＝50 mEq と計算される．絶飲食が長期になる場合は血液検査結果に応じて Mg や P の補充も検討する必要がある．
- 1日に必要なブドウ糖は約 100 g である．これは脳がエネルギー源として使うブドウ糖の量が 100 g/日程度であり，これ以下だと蛋白異化が進行し，ケトーシスが起こるからである．絶飲食が長期になる場合はビタミン，アミノ酸，脂質などの投与も検討する必要がある．
- 維持輸液として上記の投与量をおよそ満たすように作られたのが3号液（維持液）と呼

ばれる輸液製剤である．

> **本症例では…**
> - 誤嚥性肺炎による一時的な食事摂取低下分を補うために，維持液（ソルデム®3A）1,000 mL/日とブドウ糖加乳酸リンゲル液（ソルラクト®D）500 mL/日投与から開始した．
> - その後，嚥下機能が問題ないことを評価して食事摂取を開始し，輸液量は食事摂取量に合わせて漸減した．

A 輸液は，水分，Na・K，ブドウ糖の1日維持量を意識して処方しよう

水分30 mL/kgの根拠

- 1日に出入りする水分量を計算するとおよそ30 mL/kgになる．
- 具体的には主に①〜④を考える．
  ① 尿：0.5〜1 mL/kg/時
  ② 便：200 mL程度
  ③ 不感蒸泄：15 mL/kg，ただし体温が1℃上がるごとに100 mL増える
  ④ 代謝水（細胞での代謝により生成される水）：5 mL/kg
- 例えば同じ体重でも，発熱している人としていない人では必要な水分量は異なる．

本当の維持輸液

- ストレスや侵襲なく単に絶飲食になる場合は，上記のような3号液（維持液）の投与を行えばよい．
- しかし入院患者は実際には発熱や疼痛，手術侵襲によりストレス下におかれ，ADH分泌が亢進していることが多い．
- 通常よりも自由水の再吸収が行われているため，3号液の投与を続けると相対的に水が過剰となって，低Na血症をきたすことがある．
- そのためストレス下にある入院患者では，実際はより細胞外液に近い輸液を行うことが多い．

症例❷ 既往歴のない41歳男性．

来院5日前に賞味期限の切れたパンを食べたあとから嘔吐と下痢が出現し，改善しないため来院した．来院時バイタルサインは意識清明，体温36.4℃，血圧124/62 mmHg，脈拍80/分・整，呼吸数14/分，SpO₂ 98%（室内気）．身体所見上，口腔内乾燥あり．腹部エコーでIVCは10/2 mmと呼吸性変動を認めた．身長170 cm，体重63 kg．

Q 救急外来で投与する輸液として3号液(例:ソルデム®3A)500 mLと細胞外液(例:ソリューゲン®F)500 mLのどちらが適切だろうか?

- 病歴,身体所見,検査所見からは脱水があると考えられるため,脱水を補正する補充輸液が必要である.
- 脱水を補正するにはまず体液の組成と輸液の関係を理解する必要がある.

体液の組成と輸液

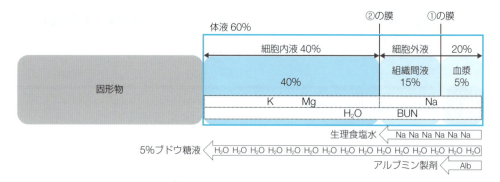

- 体内の総水分量は,全体の60%(2/3).
- 細胞内液と細胞外液の割合は,2:1(40%:20%).
- 細胞外液はさらに,血管外(組織間液)と血管内(血漿)に分けられる.その割合は3:1(15%:5%).
- 輸液の種類によって,輸液した際にどの区分に水分が分布するかが異なる.
- NaとKなどの電解質はNa/K ATPaseで濃度勾配がコントロールしている.
  ①の膜:電解質,尿素は通すが,アルブミンは通さない
  ②の膜:H_2O や尿素は通すが,電解質は自由には通さない
- したがって生理食塩水は細胞外液と同じ濃度であるため,①の膜は通過するが②の膜は通過しないため細胞外液と同じ区分内にとどまる.そのため血管内には投与量の1/4入ることになる.
- 一方5%ブドウ糖液は投与後すぐに糖が代謝されて水(自由水)となるため,②の膜もこえて体液全体に広がる.そのため血管内には投与量の1/12しか残らない.
- またアルブミンは血管壁を通過しないため,血管内にすべて残る.

volume depletion と dehydration

volume depletion=細胞外液の欠乏
血圧低下,頻脈

dehydration=水(自由水)の欠乏
口渇,高Na,高浸透圧

- 脱水と一言にいっても,喪失されている水分の考え方は大きくvolume depletionと

dehydration の 2 つに分けて考える必要がある.

- volume depletion＝細胞外液の欠乏

  血圧低下や頻脈を呈する → 補充には生理食塩水（外液）を用いる.

- dehydration＝自由水（体液全体）の欠乏

  口渇や高 Na 血症，高浸透圧を呈する → 補充には 5％ブドウ糖液（自由水）を用いる.

- ここまで理解をしたうえで，どの脱水に対してどの体液区分に補液を行うのかを意識してメニューを組む.

鉄則3 輸液製剤は生理食塩水と 5％ブドウ糖液に分けてイメージ

- 輸液成分はすべて，生理食塩水と 5％ブドウ糖液の組み合わせがベースになっているため，投与する輸液を選択する場合は以下をイメージするとよい.
- 単一の病態でない場合もあるが，その場合はまずバイタルサインの維持を優先して volume depletion に準じた輸液（細胞外液）の対応を行うことが多い.

生理食塩水	細胞外液	生理食塩水，ソリューゲン®F，ソルラクト®D
	1 号液 1/2 生理食塩水	KN1 号
5％ブドウ糖液	3 号液 1/4 生理食塩水	ソルデム®3A，ビーフリード®
	自由水	5％ブドウ糖液，10％ブドウ糖液

- 同じ投与速度ならば，Na の含有量に応じて生理食塩水≒細胞外液＞1 号液＞3 号液＞5％ブドウ糖液の順番で血管内に多くの水分が残る.

	Na (mEq/L)	K (mEq/L)	Glu (g/dL)	特徴
生理食塩水(0.9％)	154	0	0	Na 含有が最も多い
細胞外液(例)				
［グルコースなし］				
ソリューゲン®F	130	4	0	酢酸リンゲル
ヴィーン®F	131	4	0	酢酸リンゲル
ラクテック®	130	4	0	乳酸リンゲル
［グルコース添加］				
ソルラクト®D	131	4	5	乳酸リンゲル，糖＋
ラクテック®G	130	4	5	乳酸リンゲル，糖＋
開始液(例)				
KN1 号	77	0	2.5	カリウムフリー製剤
ソリタ®-T1	90	0	2.6	カリウムフリー製剤
維持液(例)				
ソリタ®-T3	35	20	4.3	
ソルデム®3A	35	20	4.3	
ヴィーン®3G	45	17	5	
KNMG3 号	50	20	10	
ソリタックス®-H	50	30	12.5	末梢投与輸液のなかで最も Glu 濃度が高い
ビーフリード®	35	20	7.5	アミノ酸＋ビタミン B₁ 添加

> **本症例では…**
- 病歴と身体所見，心エコーの IVC（下大静脈）からも volume depletion を中心に認めていると考えられる．細胞外液を補充する輸液が必要であるため，ソリューゲン®F を 80 mL/時で開始した．

A volume depletion の所見があるため，細胞外液（例：ソリューゲン®F 500 mL）が適切である

> **症例 ❸　心不全の既往歴がある 72 歳男性．**
> 陳旧性心筋梗塞により HFrEF（左室駆出率の低下した心不全）の既往歴がある．肺炎を合併し，食事摂取が困難であった．体重 65 kg（前回心不全退院時と比較して体重増加はない）．ソルラクト®D 500 mL を 80 mL/時で投与して輸液療法を開始し，加療として点滴でアンピシリン・スルバクタム（ユナシン®）を開始した．4 日目に SpO$_2$ 87%（室内気）と低下した．バイタルサインは意識清明，体温 37.4℃，血圧 120/60 mmHg，脈拍 90/分・整，呼吸数 18/分．両側肺野に wheeze を聴取し，胸部単純 X 線写真では両側肺野に新規浸潤影を認めた．経胸壁心エコーでは下大静脈径の呼吸性変動の消失を認めた．

Q 本例での輸液処方は適切だっただろうか？

心不全，腎不全，肝不全では，維持輸液量と投与速度に注意

- まず心機能が悪いことに注意する必要がある．
- 高齢者で心機能低下がある場合，**症例 1** と同じ要領で，30 mL/kg×65 kg＝約 2 L/日）の維持輸液を行うと，うっ血性心不全を引き起こす可能性がある．
- 心不全，腎不全，肝不全では，輸液速度を間違うと容易に体内水分が増加し，うっ血性心不全だけでなく浮腫の増悪，腹水・胸水の貯留が起こる．
- また入院中は抗菌薬などで意図せず輸液の総投与量が増えている場合があるので注意が必要である．特に抗菌薬やその他点滴での静注薬の溶媒である生理食塩水やブドウ糖液などの輸液量も加味することが重要である．
- これらから，バイタルサインが安定しているのであれば総水分量を少なめに抑えて輸液を開始することが多い．場合により 1 日 500～1,000 mL 程度の輸液量に抑えることもある．
- 水分量と比例して電解質投与量も少なくなることが多いため，血液検査でフォローしつつ，こまめに電解質を補正する．

> **本症例では…**
- まず肺炎に対する抗菌薬加療としてユナシン®を 1 日 4 回投与しており，合計 200 mL の生理食塩水を投与していた．

- 心機能を考慮して，例えば3号液40 mL/時など少量から投与を開始し，食事摂取が可能になったタイミングでの輸液療法の即座の中止が望ましい症例であった．

A 心・腎・肝機能に応じて輸液を考慮し，本症例のような心不全患者では維持輸液量と投与速度を減らす必要があった

症例 ④ 腰椎圧迫骨折で入院中の78歳女性．

腰椎圧迫骨折で入院中であり，尿道カテーテルを留置されていた．心疾患，肝腎疾患の既往歴はない．夜間帯に38℃台の発熱とシバリングを認め，血圧低下をきたしたためコールされた．体重70 kg．バイタルサインは意識清明，体温38.5℃，血圧74/48 mmHg（普段110/70 mmHg），脈拍120/分・整．呼吸数24/分，SpO₂ 95%（室内気）．

Q 初期対応として選択すべき輸液は？

> **鉄則 5** ショックに対する初期の補充輸液は，細胞外液に近いもの

- 病歴とバイタルサインから尿路感染症による敗血症とそれに伴う血圧低下が疑われた．
- 血圧を維持するために血管内に残る輸液が望ましいため，細胞外液を選択する．
- またショックの場合は，乏尿に伴ってK排泄が低下することがあり，Kの多く含まれる輸液は血清K濃度を予想以上に上昇させる場合がある．カリウムフリーもしくは少量しか含まれていない輸液を選択する．

本症例では…
- ソリューゲン®Fを全開で投与し，すみやかに抗菌薬の投与を開始した．
- 徐々に循環動態は安定したものの，昇圧剤が必要と判断したため，ICUで夜間は経過をみることにした．

A ショックの初期輸液は細胞外液でカリウムフリー（あるいは少量）の輸液製剤を選択する

必要な輸液は刻一刻と変化する

- **症例4**でも最初はショックに対して細胞外液を全開で投与していたとしても，血圧が安定してきた時点で維持輸液量を意識して輸液の内容や投与量を見直す必要がある．
- 例えば病態が改善した高齢者の経口摂取量が回復してくれば，せん妄予防のためにも早期に輸液を終了する時期を決めることも必要である．

- 一般的に急性期の疾患では入院当初の輸液量は多く，徐々に漸減する経過をたどることが多い．

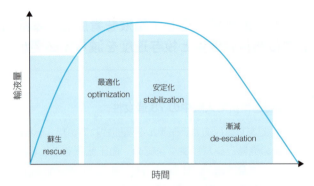

一般に敗血症性ショックにおける輸液治療は大きく4つのフェーズに分類され，順に rescue → optimization → stabilization → de-escalation と表現される．rescue はショックにより危機に瀕した状態から救命するための輸液であり，optimization は臓器障害の進行を抑えるための積極的輸液のフェーズである．stabilization はショックが管理された後の維持輸液のことを指し，de-escalation はショックから離脱し積極的に除水を行うフェーズのことを指す．この4つのフェーズを意識した輸液管理が肝要である．
〔Rewa O, et al. Crit Care Clin 31：785-801, 2015〕

- 一方，悪性腫瘍の終末期の患者では全身の浮腫を回避するために 500 mL/日程度の輸液量を許容することもある．
- 患者に必要な輸液量は時間経過とともに変化していくため，輸液も薬剤の1つであることを忘れずに毎日輸液の処方を見直すことが大切である．

膠質液

- ここまで紹介したものが晶質液，この項目で扱うものが膠質液である．
- 膠質液でわが国で最もよく使用されるものの1つがアルブミン製剤である．
- 5%製剤 250 mL と 25% 50 mL 製剤はともに 12.5 g のアルブミンを有する（成人の1日の産生量）．
- 膠質液は血管内内皮細胞間隙を通過せず，分子量が大きく浸透圧に寄与するため，血管内の水分を保ちやすい．

	細胞内液 40%	細胞外液 20%	
固形物	40%	組織間液 15%	血漿 5%

5%製剤
血漿と同様の成分であり，等張アルブミンという
血管内に100%とどまる
→ 大量出血で輸血が間に合わないときに使用する

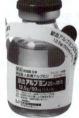

25%製剤
高張アルブミンと呼ばれる
血管内に水を引き込む
→ 浮腫や腹水などから血管内に水分を引き込みたいときに使用する

> **症例❺** 膵頭部癌の既往歴がある75歳男性.
>
> 急性胆管炎に対して,内視鏡的経鼻胆管ドレナージ(ENBD)を施行し,術後当日である.ENBDチューブから500 mL/日の排液あり,現在は絶食としている.体重50 kg(普段は体重52 kg).バイタルサインは意識清明,体温37.2℃,血圧120/60 mmHg,脈拍80/分・整,呼吸数14/分,SpO_2 98%(室内気).身体所見上,口腔内乾燥あり,腋窩乾燥あり,下腿浮腫なし.Na 138 mEq/L,K 3.8 mEq/L,Cl 103 mEq/L.心疾患,肝腎疾患の既往歴はない.

Q 適切な維持＋補充輸液のオーダーは？

鉄則 6 補充輸液に体液評価と排液量を忘れずに

- 維持輸液に加えて補充輸液を考える際には,まず体液評価をする必要がある.
- 体液量を評価して輸液を行うが,輸液は体液量が低下しているならばよい治療となるが,過剰であるならば害となることを忘れない.
- 輸液必要性は1つの項目からではなく,総合的に判断する.

体液評価の項目

問診	:食事摂取,飲水量,食事習慣の変化,嘔吐・下痢,口渇,浮腫,内服薬(利尿薬・ステロイド)の変更,体重の推移,心・腎・肝疾患の既往歴
身体所見	:バイタルサイン(発熱の有無,脈拍,血圧),尿量(In/Out),口腔粘膜の乾燥,ラ音,頸静脈怒張,Ⅲ音,腹水,CRT(capillary refilling time),皮膚のツルゴール低下,腋窩の乾燥,浮腫
	血液検査:BUN/Cr,Na,Hct,UA,TP,Alb,血漿浸透圧
検査所見	:尿検査:Na,Cl,BUN,浸透圧
心エコー	:IVC(径・呼吸性変動),TRPG,胸腹水
胸部単純X線写真	:胸水,心胸郭比

- 体液評価で欠乏していると判断されれば,維持輸液に加えて補充輸液を追加する必要がある.
- 次に排液がある場合,ドレナージによる水分・電解質の喪失分も考慮して補充輸液を処方する必要がある.
- 例えば胆道ドレナージ,イレウス管が挿入されている場合や,発熱が持続して不感蒸泄が増加している場合に考慮する必要がある.

体液の1日量と電解質組成

	1日液量 (mL/日)	Na (mEq/L)	K (mEq/L)	Cl (mEq/L)	HCO_3 (mEq/L)
唾液	1,000	9	25	10	15
胃液	1,000〜2,000	60	10	80	0
胆汁	1,000	150	5	100	45
膵液	1,000〜2,000	140	4.5	80	90
小腸液	1,000〜2,000	110	5	100	50
不感蒸泄		0	0	0	0
大腸液	1,000〜1,500	130	10	95	20

〔Miller RD, et al：Miller's Anesthesia 8 th, p.1767-1810. Elsevier, 2015〕

本症例では…

- 2 kg 程度の体重減少があり，身体所見上からも脱水（volume depletion）が疑われる．
- ENBD チューブから 500 mL/日の胆汁が体外へ喪失しているので，胆汁液の成分が細胞外液に近いことから，その分を細胞外液で補う必要がある．バイタルサインは保たれているため数日で補正する予定として，維持輸液に加えて 300〜500 mL/日程度の細胞外液を追加したい．
- 維持輸液製剤 1,500 mL + 細胞外液製剤 1,000 mL（脱水補正 + 胆汁ドレナージ分）を処方し，引き続き体液評価を行うこととした．

A 通常の維持輸液に加えて体液評価と排液量を踏まえた輸液を行う

● 参考文献

1) Malbrain MLNG, et al. Intravenous fluid therapy in the perioperative and critical care setting：Executive summary of the International Fluid Academy（IFA）. Ann Intensive Care 10：64, 2020［PMID：32449147］
   - 救急療療や周術期の輸液の概念および実際のプラクティスを学習できる．
2) NICE Clinical Guidelines：Intravenous fluid therapy in adults in hospital. 2013（https://www.nice.org.uk/guidance/cg174）（2023 年 8 月閲覧）
   - 輸液療法のガイドラインであり，入院中の成人輸液の一般原則を学ぶことができる．
3) Lewis SR, et al. Colloids versus crystalloids for fluid resuscitation in critically ill people. Cochrane Database Syst Rev 8：CD000567, 2018［PMID：30073665］
   - 膠質液に関する晶質液と比較したコクランレビュー．

（鈴木　隆宏）

32 栄養
計算せずして食わせるべからず

鉄則
1. まず栄養スクリーニングとアセスメントを行う
2. 食事は基礎疾患と形態を考えて選択
3. 栄養投与経路の第一選択は経腸栄養
4. 必要な栄養量を6つのステップで考え，算出する
5. 栄養剤の投与計画を3ステップで立てる
6. 静脈栄養は可能な限り既存製剤を利用し，投与速度と血糖値に注意する

症例 ① 88歳女性．腎盂腎炎で入院．

3日前からの発熱と腰痛，食欲低下で来院した．糖尿病，脳梗塞の既往歴があり，食事時にむせこみあり．3日前より食事がほとんど摂れていない．身長155 cm，体重40 kg（普段は約42 kg）．来院時バイタルサインは意識清明，体温37.8℃，血圧120/65 mmHg，脈拍102/分・整，呼吸数20/分，SpO_2 95％（室内気）．身体所見として，舌や腋窩の乾燥，眼周囲のくぼみや鎖骨が目立ち，全体的にるいそうあり．WBC 11,600/μL，CRP 8.6 mg/dL，Alb 2.8 g/dL，尿中WBC（3＋），Nitrite（＋），グラム染色で腸内細菌様グラム陰性桿菌多数と白血球の貪食像．

➡本症例は急性腎盂腎炎として入院となった．
➡全身状態は悪くないため，食事は経口摂取を継続する方針となった．

Q 栄養状態はどう評価するか？

鉄則 1 まず栄養スクリーニングとアセスメントを行う

栄養状態の評価
①栄養スクリーニング
- 最初のステップとして比較的簡便な項目で構成されるスクリーニングツールを用いて，低栄養の患者を見つけることが重要である．スクリーニングで高リスクなら後述する栄養アセスメントで詳細な評価を行う．
- 代表的なものでは，NRS2002（ESPEN：European Society for Clinical Nutrition and

Metabolism；欧州臨床栄養代謝学会で推奨），NUTRIC score（唯一，ICU 患者が対象），MUST（ASPEN：American Society for Parenteral and Enteral Nutrition；米国静脈経腸栄養学会で推奨，在宅診療も想定されている），MNA-SF（MNA のスクリーニングツール ver），CONUT score などが有名．以下に代表的な NRS2002 を記載する．

第1部 NRS 初期スクリーニング*		
	はい	いいえ
1. BMI は 20.5 未満か？ 2. 患者の体重は過去 3 か月以内に減少したか？ 3. 患者の過去 1 週間の食事摂取量は減少したか？ 4. 患者は重症か．例えば，集中治療を受けているか？		

*いずれかの質問に対する回答が「はい」であれば，第 2 部最終スクリーニングに進む．すべての質問に対する回答が「いいえ」であれば，週 1 回の間隔で患者をスクリーニングする．患者が大手術を受けることになっている場合は，栄養リスクを回避するために予防的栄養ケアプランを使用する．

第2部 NRS 最終スクリーニング*				
栄養障害の重症度		疾病または外傷の重症度		
栄養状態正常	スコア 0	疾病または外傷なし	スコア 0	
3 か月で 5％を超える体重減少，または過去 1 週間で通常の必要量の 50〜75％に満たない食事摂取量	軽度 スコア 1	大腿骨部頸部骨折 急性合併症のある慢性患者．例えば肝硬変，慢性閉塞性肺疾患（COPD），慢性透析，糖尿病，腫瘍	軽度 スコア 1	
2 か月で 5％を超える体重減少または BMI 18.5〜20.5 および全身状態の悪化，もしくは過去 1 週間で通常の必要量の 25〜60％の食事摂取量	中等度 スコア 2	腹部大手術，脳卒中，重度肺炎，造血器腫瘍	中等度 スコア 2	
1 か月で 5％を超える体重減少（3 か月で 15％超），または BMI 18.5 未満および全身状態の悪化，または過去 1 週間で通常の必要量の 0〜25％の食事摂取量	重度 スコア 3	頭部損傷，骨髄移植，集中治療患者（APACHE＞10）	重度 スコア 3	
栄養，疾患重症度のスコア				
合計スコア＝栄養＋疾患重症度スコア				
70 歳以上の場合は，合計スコアに 1 を加える．				

3 以上のスコア：患者には栄養上のリスクがあり，栄養プランを開始する．
3 未満のスコア：週 1 回の間隔で患者のスクリーニングを繰り返し，患者が大手術を受けることになっている場合は，栄養リスクを回避するために予防的栄養ケアプランを使用する．

〔Abbott Nutrition：臨床栄養ハンドブック，p.29．2014〕© 2014 Abbott

②栄養アセスメント

- スクリーニングで栄養障害があると判定された患者を対象に主観的評価と客観的評価で構成される栄養アセスメントを実施する．
- SGA と MNA が有名である．SGA は当初は外科患者が対象として開発された経緯がある．MNA は高齢者が対象として開発された．SGA が外科患者のみならず，対象を広げて使用され，普及している．
- ICU 領域ではスクリーニングツールとして使用した NUTRIC score をそのままアセスメントにも使用可能である．
- 上記は主観的情報＋一部客観的データで構成される．栄養状態のフォローアップには

使用できるが，やや不向きである．さらにこまやかに栄養状態を評価して，フォローアップするために後述の客観的栄養データ評価（ODA：objective data assessment）も併用する．

③ SGA（subjective global assessment；主観的包括的栄養評価）

- 種々の栄養評価ツールがあるが，最も頻用されているもの．簡単な問診と身体所見で構成されている．
- 評価者が下記の項目について主観的に評価するツールであり，多くの検査をすることなく評価可能であることが特徴である．主観的な評価となるため，評価者の統一的な教育が必要であるが，低コストであり広く用いられている．

```
A 病歴
  1. 体重変化
       過去6か月間の体重減少：_____ kg，減少率：_____ %
       過去2週間の体重変化：□増加   □無変化   □減少
  2. 食物摂取変化（平常時との比較）
       □変化なし
       □変化あり（期間）_____（月，週，日）
       食事内容：□固形食  □経腸栄養  □頸静脈栄養  □その他
  3. 消化器症状（過去2週間持続している）
       □なし  □悪心  □嘔吐  □下痢  □食欲不振
  4. 機能性
       □機能障害なし
       □機能障害あり：（期間）_____（月，週，日）
               タイプ：□期限ある労働  □歩行可能  □寝たきり
  5. 疾患と栄養必要量
       診断名：
       代謝性ストレス：□なし  □軽度  □中等度  □高度
B 身体（スコア：0＝正常，1＝軽度，2＝中等度，3＝高度）
       皮下脂肪の喪失（三頭筋，胸部）：_____
       筋肉喪失（四頭筋，三角筋）：_____  _____
       くるぶし部浮腫：_____  仙骨浮腫：_____  浮腫：_____
C 主観的包括評価
       A.□栄養状態良好  B.□中等度の栄養不良  C.□高度の栄養不良
```

④ ODA（objective data assessment；客観的栄養データ評価）

- SGAで栄養障害があると判定された患者を対象に実施する（SGAができなければ最初からODAを実施する）．
- 身体計測，血液・尿化学検査，身体機能評価，免疫能などの各種検査データを収集し，それに基づいて栄養状態を判定する．
- 客観的データに基づくため評価者間での評価が安定しやすい．
- 病棟管理では，ODAを1〜2週間に1回程度ずつ評価するのがよい．

身体計測

- 身長，体重，BMI(body mass index)，%理想体重，皮下脂肪厚，上腕筋囲長を測定する(その他，体重減少率などを計算することもある)．
- %理想体重：理想体重における実体重の割合．理想体重は日本人の新身体計測基準値〔JARD 2001〕や〔身長(m)〕^{2}×22〔日本肥満学会〕などの計算式で計算する．70%以下は高度，70～80%が中等度，80～90%が軽度の消耗と判断する．
- 皮下脂肪厚：脂肪量の指標として，上腕三頭筋部の測定が汎用される．上腕背側の肩甲骨肩峰と尺骨肘頭突起間の距離の中間点(上腕三頭筋中点)から2 cm下方の皮膚を皮下脂肪と一緒につまみあげて3回測定し，平均をとる．
- 上腕筋囲長：筋肉量の指標とする．上記の上腕三頭筋中点を通る円周の長さを測定する．皮下脂肪厚，上腕筋囲長ともにJARD 2001の標準値と比較して60%未満が高度，60～80%は中等度，80%以上90%未満が軽度栄養障害と判定される．

血液・尿化学検査

- アルブミンなどの蛋白，窒素バランス，クレアチニン，尿中クレアチニン，コレステロール，コリンエステラーゼ，血球検査，凝固系検査などを総合して判断．
- 血清アルブミンは半減期が17～23日と長く，短期間の指標としては不適切である．
- トランスフェリン(半減期7日間)，プレアルブミン(半減期1.9日間)，レチノール結合蛋白(半減期0.5日)などが短期間の栄養指標には有効であり，実臨床ではプレアルブミンを短期の栄養指標として参考にすることがしばしばあるが，後述のように高炎症状態である急性期の患者においては評価困難である．
- 窒素バランスは摂取した蛋白中の窒素と排泄される窒素化合物中の窒素の出納である．以下の値が負であれば栄養療法の介入が必要とされる．

窒素バランス＝蛋白摂取量(g)/6.25－〔尿中尿素窒素排泄量(g/日)×1.25〕
(24時間蓄尿が望ましい)

- アルブミン，プレアルブミン，トランスフェリン，レチノール結合蛋白は，ASPEN栄養ガイドライン2016〔Crit Care Med 44：390-438, 2016〕では評価が困難なため，使用しないことが推奨されている．これは急性期には炎症による蛋白質の産生低下の影響を受け，栄養状態のみを反映しているわけではなく，一定の臨床データが存在しないことが理由であるが，一般床における診療では推移をみながら参考としたり，状態が安定している患者や長期入院している患者において評価に用いたりしている．

身体機能測定

- 筋力測定の指標として握力などを測定．男性＜30 kg，女性＜20 kgが低下の指標．

免疫機能

- 末梢血リンパ球数，リンパ球サブセット，リンパ球幼若化反応などが使用されるが，もっとも汎用されているのは末梢血リンパ球数である．白血球の分画測定を依頼する．リンパ球900～1,500/μLで中等度，900/μL未満で高度の栄養障害と判定されるが，急性期，特に感染症(細菌感染による好中球偏移)やステロイド(好中球の見かけの上昇)を使用している際などには，影響を考慮する必要がある．

> **本症例では…**
> - NRS2002で合計スコア5点(栄養スコア3点＋重症度スコア1点＋年齢1点)となり栄養アセスメントを行った．SGAでは中等度の栄養不良と評価された．
> - ODAではBMIは16.6, 皮下脂肪厚が標準値と比較して62％, 上腕筋囲長は67％, アルブミンとリンパ球数は急性感染症があるため評価困難と考えられたため，感染症が改善した段階で再評価することとした．

A 栄養スクリーニングで栄養リスクのある患者を選別し，栄養アセスメントで栄養療法が必要な患者を特定する．スクリーニングとしてはNRS2002，アセスメントとしてはSGAとODAで行う

Q どのような食事形態とするべきか？

食事は基礎疾患と形態を考えて選択

- 入院中の食事は処方薬や注射薬と同等に重要である．「基礎疾患や病態に応じた食事内容」と「嚥下機能に応じた食事形態」の2軸で考えるとわかりやすい．
- 食事形態は当院では，ゼリー → ペースト → きざみ食(食事がきざんであり食べやすくなっている) → 軟食(軟らかいおかず) → 常食，と嚥下機能によって食事を選択できるようになっている．
- 病態に応じた食事に関しては各種ガイドラインと照らし合わせながら選択する．
- ここではきちんと食事を摂取できるかどうかが重要．病態に合っているからといって，摂取量が少なくなるようなオーダーは避ける．
  例：高血圧だからといって塩分制限食にすると食欲がなくなってしまうことがある．ほとんど摂取できない場合には思い切って通常食にするなどの選択も必要となる．
- 以下に病態ごとの食事制限の例を示す．

基礎疾患	制限の内容
糖尿病	糖質制限
糖尿病性腎症	糖質制限，蛋白制限
慢性腎不全	蛋白制限
心不全	塩分，水分制限
血液透析患者	塩分，水分制限，K，P制限
腹膜透析患者	塩分，水分制限，K制限なし
肝性脳症回復期	蛋白制限
非代償性肝硬変	蛋白制限
代償性肝硬変	蛋白制限
膵炎	脂質制限
出血，鉄欠乏性貧血	鉄分 13 mg/日以上
潰瘍，低残渣	低残渣：不溶性食物繊維

> **本症例では…**
> - 糖尿病の並存症があり，嚥下機能も軽度落ちていたため，塩分制限とカロリー制限を行い，形態はきざみ食とした．

A 基礎疾患と食事形態を考える

> **症例 ❷** 86歳男性．脳梗塞で寝たきりとなった患者．
>
> 高血圧，糖尿病の既往歴がある86歳男性．右中大脳動脈領域の広汎なアテローム血栓性脳梗塞で入院となった．身長178 cm，体重66 kg．来院時バイタルサインは意識レベル JCS Ⅱ-10，GCS E3V2M4，体温36.5℃，血圧155/82 mmHg，脈拍66/分・整，呼吸数12/分，SpO_2 95%（室内気）．栄養スクリーニングとアセスメントによって中等度栄養障害と判断したが，脳梗塞による意識障害があり嚥下機能も低下しているため経口摂取は困難と判断した．

Q 経口摂取ができない場合の栄養投与経路はどう選択したらよいだろうか？

> **鉄則 3** 栄養投与経路の第一選択は経腸栄養

- 腸管が使えるのであればまず腸管を使用するのが原則！
- 理由としては，
  - 生理的な投与方法
  - リンパ装置や内分泌臓器としての消化管の機能，構造を維持できること
  - バクテリアルトランスロケーションの抑制
  - カテーテル関連血流感染症などのリスクがない
  - 管理が比較的容易で経済的

などが挙げられる．

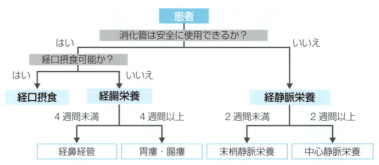

〔ASPEN：米国静脈経腸栄養学会〕

- ASPEN ガイドライン2016でも経口摂取ができない場合，腸管が使用可能なら経腸栄養を24〜48時間以内に開始することが推奨されている．

本症例では…
- 脳梗塞の急性期であり意識状態の回復や嚥下リハビリテーションが進まないことには経口摂取は困難であると考えられた．そのため経鼻胃管を留置して経腸栄養を開始する方針とした

A 原則的に腸管を使用できる場合は経腸栄養が望ましい

Q 実際に経腸栄養を組み立よう！

鉄則 4 必要な栄養量を6つのステップで考え，算出する

①エネルギーの総投与量を決定
②総エネルギーに対する3大栄養素の割合の決定
③ NPC/N比の確認
④水分投与量の決定
⑤電解質投与量の決定
⑥ビタミン・微量元素の投与量の決定

①エネルギーの総投与量を決定
- 主に以下の3つの計算方法があるが，簡易法による計算で問題ない．

必要エネルギー量の決定	
間接熱量計（indirect calorimetry：IC）	呼気・吸気ガス分析により酸素消費量（VO_2）と二酸化炭素排泄量（VCO_2）を測定して，Weir式に当てはめることで消費エネルギー（EE）を算出する．基礎代謝量（BEE）の測定は絶食や安静が必要で，実践的ではない．栄養投与下でも測定可能な安静時エネルギー消費量（REE）や総エネルギー消費量（TEE）を測定し栄養投与量の目安とする．**どのガイドラインでも第一選択であり，エビデンスも豊富．**
簡易予測式	ICを使用できない場合は，種々の予測式を使用する．簡易予測式は，25～30 kcal/kgという単純な計算式であるが有用とされる．実体重か理想体重かは患者の体型によって決める．
Harris-Benedict式	男性　BEE＝66.47＋13.75 Wt＋5.0 Ht－6.76 Age 女性　BEE＝655.1＋9.56 Wt＋1.85 Ht－4.68 Age Wt：体重（kg），Ht：身長（cm） 患者の全エネルギー消費量（total energy expenditure：TEE）はBEEをもとに算出され次式で表わされる． 　　TEE＝BEE×活動係数×ストレス係数 **ただし係数に根拠はない．計算してみるとわかるが簡易式より overfeedingになりがちなのが最も問題！**

- 間接熱量計は測定できる施設が非常に限られるため実用的ではない．
- Harris-Benedict式は欧米人を対象に作成されており，日本人においては overfeedingになりやすい．
- 簡易予測式は各種ガイドラインでも間接熱量計が使用できない場合に推奨している．

- 簡便さと overfeeding になりにくい点から簡易予測式が最も汎用される．

②総エネルギーに対する3大栄養素の割合の決定
- エネルギーの内訳は，
  - (1) 蛋白質(4 kcal/g)は，急性期 1.2〜2.0 g/kg，安定時 0.8〜1.0 g/kg．
    - ＊AKIの患者においても蛋白制限はしない方向へシフトしてきている
  - (2) 脂肪(9 kcal/g)は，総投与熱量の 20〜40％．
    - ＊急性期は無理に投与する必要はない
  - (3) 蛋白質，脂肪の残りの栄養は，糖質(4 kcal/g)で調節する．目安は総投与熱量の 50〜60％．ただし高血糖は避けなくてはならないため，7 g/kg/日ほどを上限とし高血糖にならないかモニタリング(血糖値，尿糖など)をしたほうがよい．

③ NPC/N 比の確認
- 蛋白質をうまく利用するためには，十分な糖質と脂質が必要である．NPC/N 比とは投与する蛋白質をエネルギー源として利用するための指標である．

> NPC/N 比＝蛋白質以外のエネルギー量(kcal)/窒素量(g)
> ＝糖質(g)×4(kcal)＋脂質(g)×9(kcal)/蛋白質(g)×0.16

- 成人では 150〜200 を目安とするが，侵襲時には 100 前後とすることが望ましい．
- 既存の栄養製剤を使用する限りは，間違った NPC/N 比となることは少ない．
- 自分で TPN(完全中心静脈栄養)を作成するときなどに気にする程度でよい．

④水分投与量の決定
- 体重あたり 30〜40 mL/日を基準とする．経腸栄養の場合は 1 kcal/mL 濃度の経腸栄養剤には水分は約 85％含有されている．
- 最低必要量＝尿量(500 mL/日)＋不感蒸泄(500 mL/日)−代謝水(250〜350 mL/日)
- 不感蒸泄は，37℃から 1℃上昇するごとに水分喪失が 100〜150 mL 増加する．
- 消化液などからの喪失(嘔吐，下痢)分も計算する．
- 水分は過多も過少もよくないが，栄養療法に慣れていないうちは特に過少となりがち．血液検査で高 Na 血症などをみた場合は投与している水分量が少ない．白湯などで調整しよう．
- 急性期を脱すると汗や不感蒸泄が減り，自由水過剰となるため白湯を減らす．
- 重要なことは栄養療法を開始したら，必ずモニタリング→評価→栄養療法の修正，という PDCA サイクルを回すこと．

⑤電解質投与量の決定
- 1日必要量については日本，欧米でさまざまな指標があるが，概ね Na 2 mEq/kg，K 1 mEq/kg，Cl 80〜100 mEq，Ca 4.6〜9.2 mEq，Mg 8.1〜12.1 mEq，P 12〜20 mEq くらいが目安．

⑥ビタミン・微量元素の投与量の決定

- 脂溶性は，ビタミン A・D・E・K．
- 水溶性は，ビタミン C・B_1・B_6・B_{12}，葉酸，ナイアシン，ビオチン，パントテン酸．
- 経口摂取不足があると，ビタミン B_1 が最も早く欠乏する．
- 微量元素は亜鉛(Zn)，銅(Cu)，セレン(Se)，クロム(Cr)，コバルト(Co)，ヨウ素(I)，マンガン(Mn)，モリブデン(Mo)など．
- 長期投与不足があると Zn，Cu，Se 欠乏になりやすい．

本症例では…

① 必要栄養量は実体重 66 kg × 25 kcal/kg = 1,650 kcal
② 蛋白質を実体重 × 1 g として 66 g × 4 kcal/g = 264 kcal,
　脂質は 30％として 1,650 × 0.3 = 495 kcal，495 kcal ÷ 9 kcal/g = 55 g,
　糖質は残り 891 kcal ÷ 4 kcal/g = 222 g
③ この投与量で NPC/N 比を計算すると 131 となり侵襲時として概ね適正と判断
④ 水分は 66 kg × 30 mL/kg = 1,980 mL
⑤，⑥は経腸栄養剤に含まれるもので補うこととした

- これらを目安に経腸栄養剤(1 kcal/mL) 1,600 mL + 白湯 100 mL × 3 を目標に経腸栄養を組むこととなった．

A 6 ステップで栄養を組み立てる！

Q 組み立てた栄養療法をどのような投与計画で開始するか

> **鉄則 5** 栄養剤の投与計画を 3 ステップで立てる

①目標エネルギーまでの到達計画

1. 栄養リスクが低い：7 日以内に目標エネルギーの 80％以上を目指す
2. 栄養リスクが高い：7 日以内に目標エネルギーの 70％程度までを目指す(permissive underfeeding)

　＊栄養リスクとは上記の栄養アセスメントによる結果のこと

- 急性期は体内組織の異化亢進によって患者自身がエネルギーを産生するため overfeeding に陥りがちである．そのため間接熱量計が使用できない環境(つまり必要な栄養投与量が不正確な場合)では上記のような目標となる．
- そもそも栄養リスクが高くない患者では早々に目標エネルギーの達成を目指してよい．

②経腸栄養の投与方法と調整方法

- 持続投与 vs 間欠投与

- ESPENにおけるメタ解析では下痢は持続投与のほうが少なく，誤嚥は両方で差がないとされる．よって持続投与で開始して間欠投与に変更していく方法を当院ではよく行っている

③経腸栄養のトラブルシューティング

- 以下のような有害事象がよく生じるので対処方法を知っておく．
- 一部はTPNでも起こる有害事象である．

有害事象	対策
下痢	投与速度の減速 間欠から持続投与へ 経空腸から経胃へ CDI（*Clostridioides difficile* 感染症）の否定したうえで，止痢薬（ロペミン®）の使用 浸透圧の低い栄養剤へ変更 脂肪，乳糖を含まない栄養剤へ変更 固形化する（ハイネイーゲルやREF-P1） 整腸剤使用
胃残量（GRV）増大	500 mLまでは我慢する（誤嚥は増えない） 超えるようなら，胃蠕動促進薬を使用 メトクロプラミド，六君子湯，大建中湯，エリスロマイシン
逆流，誤嚥，肺炎	head up：30～45度（30度以上でエビデンスあり） 持続投与への変更（ただしエビデンスには乏しい） GRVの減量 経十二指腸投与へ変更
高血糖	140～180 mg/dL程度を目標とする．持続投与ならインスリン持続静注またはダイナミックスケール，間欠投与なら強化インスリン療法を選択．また，投与方法に応じたスライディングスケールを使用することもある．PN（静脈栄養）なら製剤へのインスリン混注もあり．
ビタミン欠乏	特にPNで生じやすいため，製剤にビタミンが混ざっていなければ補充する．特にビタミンB_1は糖質代謝に必要で，PN中は糖質過多になりやすいため補充を意識する．中心静脈カテーテルありならビタジェクト®，末梢や内服ならビタメジン®
微量元素欠乏	ビタミン同様に微量元素の補充も意識しよう．欠乏しやすいのは亜鉛（2～3か月）とセレン（1か月）である．エレジェクト®，エレメンミック®など微量元素製剤を混注するか，内服薬（プロマック®），ゼリー（プロッカ®Zn）などで対応する．

本症例では…

- 以下のスケジュールで栄養量と投与方法を変更した．持続投与でも間欠投与でも重要なことは，有害事象を評価し対応しながら害のない栄養療法を模索することである．

  1日目 10 mL/時
  2日目 20 mL/時
  3日目 30 mL/時
  4日目 200 mL 1日3回＋食間水
  5日目 300 mL 1日3回＋食間水
  6日目 400 mL 1日3回＋食間水
  7日目 600 mL → 600 mL → 400 mL＋食間水

A 3ステップで投与計画を立てて開始する！ 開始後のトラブルシューティングを忘れずに！

> **症例❸** 高血圧の65歳男性．食道癌術後．
> 食道癌の手術で入院．術後しばらく絶食が必要になった．特にその他の既往歴なし．身長170 cm，体重60 kg．

Q 腸管が使用できない場合の栄養はどう考えたらよいだろうか？

静脈栄養の適応

- 静脈栄養（PN）は，末梢静脈栄養（peripheral PN：PPN）と補完的静脈栄養（supplemental PN：SPN），完全中心静脈栄養（total PN：TPN）とに分けられる．
- SPNは末梢ラインも中心静脈ラインも両方ありうる．
- PPNは簡便であるが，投与製剤の浸透圧が高くなると血管障害と点滴漏れが問題となるため，血漿浸透圧比3以下の輸液製剤しか使用できない．
- PPNの総エネルギーは，アミノ酸製剤や脂肪製剤を駆使しても1,000〜1,300 kcalしか確保できず，長期間の栄養状態の維持は困難である．
- 一般的にPPNは2週間程度が限界といわれているが，栄養状態の維持のためにはTPNを躊躇しないことも重要である．7日以上継続するようであれば考慮してよい．
- TPNのデメリットは，①中心静脈カテーテル挿入による合併症のリスク，②カテーテル感染のリスク，③高コスト，④消化管粘膜の萎縮によるバクテリアルトランスロケーションなど．
- 経腸栄養に忍容性がなく，目標エネルギーを達成できない場合にSPNを使用する．

本症例では…

- 絶食期間はそれほど長くないことが予想されたものの，栄養状態を加味してTPNを開始することになった．

A 腸管が長期に使用できない場合は静脈栄養を考える

Q TPNを実際に組んでみよう！

鉄則 6 静脈栄養は可能な限り既存製剤を利用し，投与速度と血糖値に注意する

- まずは必要栄養量の計算を行う（前述の経腸栄養と同様）．
  ①今回は簡易式を用いて35 kcal/kg（ストレス下と考え多め）×60 kg＝2,100 kcal

②中等度のストレスと考えて蛋白は 1.2 g/kg×60 kg＝72 g，脂質は 46～92 g（総カロリーの 20～40％），糖質は 243～348 g
③NPC/N 比の確認，約 150 になるように調整
④水分投与量 1,800～2,400 mL

- 上記の栄養計算のもと，既存製剤を利用することをまず考える．
- 既存の製剤の利点は，
    - 調整が簡便
    - 製剤内の無菌的状況が保たれる
    - 乳酸や酢酸など buffer を含むので Cl の過剰負荷になりにくい（生理食塩水 vs バランス輸液と同じ）
- エルネオパ®，ワンパル®，フルカリック®，リーナレン®，ハイカリック RF など，勤務する病院で利用できる製剤を知っておく．
- 自分で組み立てる場合は 20～50％ブドウ糖液などの高濃度ブドウ糖液，イントラリポス® 10％，20％などの脂肪製剤，アミパレン®などのアミノ酸製剤，ビタジェクト®などのビタミン製剤，エレジェクト®などの微量元素製剤，必要に応じて Na，K，Mg，Ca などの電解質製剤を組み合わせて作成する．
- 組み立て TPN の利点は，
    - 水分量や Na 負荷量を調整できる → 心不全や腎不全などで有利
    - 蛋白質として，腎不全や肝不全に適した製剤を選ぶことができる
      → 腎不全：キドミン®，肝不全：アミノレバン®

栄養を組むときは開始の投与速度に注意

- 目標エネルギーまでの到達計画は経腸栄養と同様である．
- PN は血管内へ直接投与することになるので，特に血糖値には注意する．糖尿病がなくとも，糖利用閾値を超えて高血糖となるため TPN 投与開始時や製剤変更時などは血糖値や尿糖を数日間モニタリングしておくことが重要．
- 血糖値が高いのであれば
    - 製剤へインスリンを混注：6～10 g あたりヒューマリン® 1 単位
    - 持続型インスリン製剤を皮下注
  などの工夫を行う．

本症例では…

- エルネオパ® NF 2 号 2,000 mL，イントラリポス® 20％ 150 mL を目標（総投与カロリー 2,096 kcal，蛋白 60 g，脂質 35 g，糖質 350 g，水分 2,150 mL）を目標とした．
- エルネオパ® NF 1 号 1,000 mL を 24 時間持続投与で開始し，電解質，肝酵素，血糖値・尿糖をモニタリングした．同時にイントラリポス® 10％も開始した．refeeding 症候群や糖代謝は問題なかったため，2 号液 1,000 mL → 1,500 mL → 2,000 mL と 7 日程度で漸増した．
- 実際は他薬剤用の溶解液で水分量が過量となることが多いため，水分量を抑えるとうまくいくことが多い．

- 静脈栄養による過栄養は肝障害をきたす．その場合は投与速度や量を減量するなどの工夫が必要．

A まず既存製剤を利用することを考える！ 血糖値と肝障害に注意して投与量目標まで漸増する！

refeeding 症候群

- 長期飢餓によるマラスムス（体に備蓄されたエネルギーと蛋白質がいずれもすべて枯渇する栄養障害）の状態では必要エネルギーの大部分は脂肪酸の分解によってまかなわれ，グルコースの代謝は最低限に保たれている．
- 相対的に大量のグルコースが流入することによって以下の変化が急速に生じる．
   - 高血糖 → 代謝水の産生増加 → 低 Na 血症 → 腎における Na 再吸収増加
      → 浮腫，うっ血性心不全
   - 高血糖 → インスリン分泌 → K，Mg，P が糖とともに細胞内へシフトし低下
- リスクとして，神経性食欲不振症・高齢・クワシオルコル（エネルギーに比して蛋白質が枯渇した栄養障害）・マラスムス・担癌患者・手術後・消化管異常・アルコール依存患者・慢性肝障害・ホームレス・妊娠悪阻・1～3 か月以内に 10％の体重減少・体重が理想体重の 70％以下・サルコペニア（筋肉量や筋力が減少した状態）・NPO が 7 日以上などがある．
- NICE ガイドラインでは以下の項目が refeeding 症候群の高リスクとされる〔Nutrition Support for Adults：Oral Nutrition Support, Enteral Tube Feeding and Parenteral Nutrition. Nice Clinical Guidelines, 2006〕

refeeding 症候群のハイリスク患者の評価基準

以下の項目に 1 つ以上該当する患者 ・BMI が 16 kg/m² 未満 ・過去 3～6 か月以内に 15％以上の意図的な体重減少があった ・10 日以上栄養摂取がない，または少ない ・栄養摂取前の K，リン酸，Mg の濃度が低い
または以下の項目に 2 つ以上該当する患者 ・BMI が 18.5 kg/m² 未満 ・過去 3～6 か月以内に 10％を超える意図的な体重減少があった場合 ・5 日以上栄養摂取がない場合 ・アルコール，インスリン，化学療法，制酸剤，利尿薬などの薬物の服用歴がある

- さらにこまかくリスク分類する方法も提唱されている〔Clin Exp Gastroenterol 11：255-264, 2018〕．

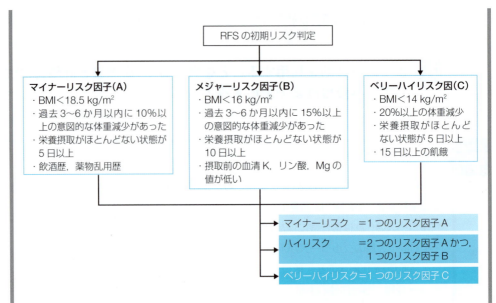

- 症状は，低 P，低 K，低 Mg 血症，うっ血性心不全，不整脈，耐糖能異常，Wernicke 脳症など．特に低 P 血症は意識障害や心停止を起こす可能性があり注意が必要である．
- 予防として，カロリーは必要量の 1/4 から始める．もしくは 10 kcal/kg から始めて 1 週間前後で目標値にもっていくようにする．
- refeeding 症候群によって生じる Wernicke 脳症や電解質異常は非常に危険であるため，低 K 血症，低 P 血症や低 Mg 血症に先手を打って補正をしつつ栄養投与することが重要！
  〔Nice Clinical Guidelines, 2006/Clin Nutr 31：429, 2012〕
  - ビタミン B_1：チアミン 200〜300 mg/日　栄養投与前から開始，最低でも 10 日間継続
  - K：2〜4 mEq/kg/日
  - Mg：0.4 mEq/kg/日静注または 9.2 mg/kg/日を内服
  - P：9〜18 mg/kg/日
- 体重，飲水量，尿量，血糖，電解質（K，P，Mg）を，3〜7 日間は連日チェックする．

●参考文献

1) Taylor BE, et al. Guidelines for the Provision and Assessment of Nutrition Support Therapy in the Adult Critically Ill Patient：Society of Critical Care Medicine（SCCM）and American Society for Parenteral and Enteral Nutrition（A. S. P. E. N）. Crit Care Med 44：390-438, 2016［PMID：26771786］
2) Singer P, et al. ESPEN guideline on clinical nutrition in the intensive care unit. Clin Nutr 38：48-79, 2019［PMID：30348463］
    - ICU 入室患者における栄養療法の米国と欧州のそれぞれのガイドライン．栄養療法の基本が網羅されているので余裕がある人はぜひ一読を！　一般床における患者には状況に応じて適用する．
3) 日本静脈経腸栄養学会（編）：静脈経腸栄養テキストブック．南江堂，2017
    - 実践的な視点での栄養評価，計算から投与方法まで詳細に記載されている．ASPEN，ESPEN のガイドラインとの比較も．
4) 日本静脈経腸栄養学会（編）：静脈経腸栄養ガイドライン第 3 版．照林社，2013
    - ガイドライン．エビデンスなどを確認したいときは引用文献も参照．
5) 清水健一郎：治療に活かす！栄養療法はじめの一歩．羊土社，2011
    - 簡潔，かつわかりやすく，初学者にまず一読いただきたい書籍．

（藤野　貴久）

33 便秘・下痢
よく出会うからこそ，診断を丁寧に！

1. 便秘をみたら原因を考える
2. 下剤は作用機序を考えて，必要最小限を処方
3. 下痢の鑑別は時間経過，便性状，問診から鑑別を絞る
4. 病棟での下痢は *Clostridioides difficile* 感染症（CDI）をまず除外

> **症例 ❶** 　1か月の便秘，70歳男性．
>
> 来院1か月前からの便秘を主訴に当院内科を受診した．それまでは便秘をしたことはなく，1日1回は普通便が出ていた．来院3週間前に近医より酸化Mgを処方してもらい内服している．排便は2～3日に1回程度で，泥状便である．腹部膨満も生じているという．来院時バイタルサインは意識清明，体温36.5℃，血圧120/82 mmHg，脈拍80/分・整，呼吸数12/分，SpO_2 98%（室内気）．

Q 下剤の追加で様子をみてよいだろうか？追加で評価すべきことは？

便性状
- 本章では便にかかわる異常を扱う．そのうえで便性状の評価スケールを知っておくことは非常に重要である．
- 世界的にも汎用されるブリストル便性状スケール（Bristol stool form scale：BSFS）を覚えておこう（次頁の図）．

非常に遅い (約100時間) ↑	1	コロコロ便	● ●●●	硬くてコロコロの 兎糞状の便
	2	硬い便		ソーセージ状であるが 硬い便
	3	やや硬い便		表面にひび割れのある ソーセージ状の便
消化管の 通過時間	4	普通便		表面がなめらかで軟らかい ソーセージ状，あるいは 蛇のようなとぐろを巻く便
	5	やや軟らかい便		はっきりとしたしわのある 軟らかい半分固形の便
	6	泥状便		境界がほぐれて，ふにゃふ にゃの不定形で小片便 泥状の便
非常に早い (約10時間) ↓	7	水様便		水様で，固形物を含まない 液体状の便

〔Lewis SJ, et al. Scand J Gastroenterol 32：920-924, 1997〕

便秘

- 便秘は病棟でも外来でも最も出会う症候の1つであろう．
- 適切な対応を学ぶことで臨床力を一気にアップすることができる．
- 以下に便秘の定義と，急性・慢性の定義を示す．

> 1. 「便秘症」の診断基準
>   以下の6項目のうち，2項目以上を満たす
>   a. 排便の4分の1超の頻度で，強くいきむ必要がある
>   b. 排便の4分の1超の頻度で，兎糞状便または硬便(BSFSでタイプ1か2)である
>   c. 排便の4分の1超の頻度で，残便感を感じる
>   d. 排便の4分の1超の頻度で，直腸肛門の閉塞感や排便困難感がある
>   e. 排便の4分の1超の頻度で，用手的な排便介助が必要である(摘便・会陰部圧迫など)
>   f. 自発的な排便回数が，週に3回未満である
> 2. 「慢性」の診断基準
>   6か月以上前から症状があり，最近3か月間は上記の基準を満たしていること．

〔日本消化器病学会関連研究会慢性便秘の診断・治療研究会(編)：慢性便秘症診療ガイドライン2017．南江堂，2017〕

便秘をみたら原因を考える

- 本書では何度も繰り返していることであるが，便秘においてもまずは原因を探る．
- 原因が見つからない，または原因はあるが介入が困難である場合には下剤を処方する必要がある．
- 非薬剤性の便秘の原因と注意すべき基礎疾患を示唆するred flag signといえる所見を次頁の表にそれぞれまとめる．

非薬剤性の便秘の原因

機序	原因
器質的原因	大腸癌,直腸癌,手術後の腸管狭窄やイレウス,裂肛,痔核,炎症性腸疾患,直腸脱
内分泌代謝系	糖尿病,甲状腺機能低下症,汎下垂体機能低下症,高 Ca 血症,ポルフィリア症,慢性腎不全
神経系	脊髄損傷,パーキンソン病,多発性硬化症,ヒルシュスプルング病,慢性偽性腸閉塞
筋疾患	筋ジストロフィー
膠原病	皮膚筋炎,強皮症
変性疾患	アミロイドーシス
食事・生活習慣	食物繊維不足,運動不足など

- 上記の表の多くは慢性便秘を起こすが,大腸腫瘍や高 Ca 血症など発症様式によって急性便秘症となりえる.

便秘の red flag sign
便の狭小化
血便
腹部膨満,強い腹痛・腹部圧痛,腹膜刺激徴候
嘔気・嘔吐
体重減少(6 か月で 10% 以上)
発熱,血圧低下などのバイタルサイン変化
急性便秘で症状が進行性(特に高齢者)

- red flag sign が陽性の場合は悪性腫瘍や腸閉塞,腸管穿孔などの重症・緊急疾患を考慮して精査を行う.
- red flag sign のない急性に生じた便秘は薬剤性が原因であることが多い.

慢性便秘症をきたす薬剤

薬剤種	薬品名	薬理作用・特性
制吐薬	・グラニセトロン,オンダンセトロン,ラモセトロン	・5-HT$_3$ 受容体拮抗作用による蠕動運動抑制作用
抗コリン薬	・アトロピン,スコポラミン ・抗コリン作用をもつ薬剤(抗うつ薬や一部の抗精神病薬,抗パーキンソン病薬,ベンゾジアゼピン,第一世代の抗ヒスタミン薬など)	・消化管運動の緊張や蠕動運動,腸液分泌の抑制作用
向精神薬	・抗精神薬 ・抗うつ薬	・抗コリン作用 ・四環系よりも三環系抗うつ薬で便秘を引き起こしやすい
抗パーキンソン病薬	・ドパミン補充薬,ドパミン受容体作動薬 ・抗コリン薬	・中枢神経系のドパミン活性の増加やアセチルコリン活性の低下作用 ・抗コリン作用

(つづく)

(つづき)

薬剤種	薬品名	薬理作用・特性
オピオイド	・モルヒネ，オキシコドン，コデイン，フェンタニル，トラマドール	・腸管のオピオイド$\mu 2$受容体の活性化に伴う消化管臓器からの消化酵素の分泌抑制作用 ・蠕動運動抑制作用 ・セロトニンの遊離促進作用
化学療法薬	・植物アルカロイド(ビンクリスチン，ビンデシン) ・タキサン系(パクリタキセル) ・アルキル化薬(シクロホスファミド)	・末梢神経障害や自律神経障害 ・薬剤の影響とは異なり癌治療に伴う精神的ストレス，摂取量の減少，運動量の低下なども関与
循環器作用薬	・カルシウム拮抗薬(ベラパミル，ニフェジピン) ・抗不整脈薬(アミオダロン) ・血管拡張薬	・カルシウムの細胞内流入の抑制で腸管平滑筋収縮抑制
利尿薬	・抗アルドステロン薬 ・ループ利尿薬	・電解質異常に伴う腸管運動能の低下作用 ・体内の水分排出促進作用
制酸薬	・アルミニウム含有薬(水酸化アルミニウムゲルやスクラルファート)	・消化管運動抑制作用
吸着薬，陰イオン交換樹脂脂質異常症薬(胆汁酸吸着薬)	・沈降炭酸カルシウム ・セベラマー塩酸塩 ・ポリスチレンスルホン酸カルシウム ・ポリスチレンスルホン酸ナトリウム ・コレスチラミン ・コレスチポール	・排出遅延で薬剤が腸管内に蓄積し，二次的な蠕動運動阻害作用
止痢薬	・ロペラミド	・末梢性オピオイド受容体刺激薬
鉄剤	・フマル酸第一鉄	・収斂作用で蠕動の抑制作用
NSAIDs	・イブプロフェン	・腸管抑制作用

〔日本消化管学会(編):便通異常症診療ガイドライン2023—慢性便秘症，p.37，表2．南江堂，2023〕

- 薬剤は非常に多岐にわたるため，常用薬の詳細な聴取が必要である．
- 非薬剤性の便秘においては，高齢者で特に大腸腫瘍に注意する．生命予後に関わるため問診で体重減少や血便などがないか確認し，便潜血検査や内視鏡検査も考慮する．

> **本症例では…**
> - 降圧薬以外の薬剤内服はなく，薬剤性便秘は考えにくかった．
> - 直近3か月で6kgの体重減少があり，大腸腫瘍を疑った．
> - 便潜血検査で陽性となり大腸内視鏡検査を施行したところ，S状結腸に進行大腸癌を認めた．

A まず原因を評価する．頻度が高いのは薬剤性，重症度が高いのは悪性腫瘍である

> **症例❷** 2型糖尿病，脂質異常症，高血圧，慢性腎臓病の併存症があり，脳梗塞で入院中の80歳男性．
>
> アテローム血栓性脳梗塞で治療中である．現在はリハビリテーションを継続しつつ，回復期リハビリテーション病院への転院調整をしている．4日ほど排便がないため，病棟より相談あり．バイタルサインは意識清明，体温36.9℃，血圧148/80 mmHg，脈拍68/分・整，呼吸数14/分，SpO₂ 98%（室内気）．身体所見では腹部は平坦・軟，腸蠕動音は亢進や低下なし，打診上は鼓音なし，圧痛なし．常用薬は，アムロジピン5 mg，沈降炭酸カルシウム1,500 mg，リナグリプチン（トラゼンタ®）5 mg，ロスバスタチン（クレストール®）5 mg，炭酸水素ナトリウム3 g，アスピリン（バイアスピリン®）200 mg，エソメプラゾール（ネキシウム®）20 mg．6日前から，眠前にクエチアピン（セロクエル®）50 mgが開始されている．

Q 便秘の原因は何か？治療はどうするか？

鉄則 2 下剤は作用機序を考えて，必要最小限を処方

- 原因を評価して，必要であれば下剤を処方する．
- 下剤を処方する前に腹部診察は忘れない．病態に合った下剤処方が可能となる．
- 下剤は作用機序によって分類するとまとめやすく，応用が利く．近年，複数の新規の下剤が承認されて処方可能となったため，それらの特徴も知っておこう．

浸透圧下剤（緩下剤）	効果・機能・副作用
従来薬	
・酸化マグネシウム（マグミット®），水酸化マグネシウム（ミルマグ®）	・最も頻用される浸透圧下剤であり，安価で使用しやすい ・腎機能低下例では定期的なMg測定が必要 ・胃酸による活性化が必要であるため，胃酸抑制薬を使用中の患者では効果が減弱する
・ラクツロース（モニラック®，ラグノス®NFゼリー）	・安価で，腎機能にかかわらず使用可能 ・吸収されないため糖尿病患者でも使用可能 ・効果はマイルド
新規薬剤	
・ポリエチレングリコール製剤（モビコール®）	・日本では内視鏡前の前処置として使用されていたが緩下剤としても使用できるようになった ・効果は用量依存性 ・粉末を溶かして使用するため微調整可能で小児でも使用可能 ・欧米のガイドラインでは第一選択だが，薬価が高いことや味がよくないことが欠点
合剤	
・カサンスラノール/ジオクチルソジウムスルホサクシネート（ビーマス®配合錠）	・刺激性下剤のカサンスラノールと浸透圧下剤のジオクチルソジウムスルホサクシネートの合剤 ・1錠5.7円と非常に安い

（つづく）

(つづき)

上皮機能変容薬	効果・機能・副作用
Cl⁻チャネル活性化薬	
・ルビプロストン(アミティーザ®)	・小腸で水分分泌を増やすことで便秘を改善 ・中等度の便秘に使用するとよい ・約30%の患者に嘔気・嘔吐の副作用がある ・動物実験で流産の報告があり生殖可能年齢の女性には使用しない
・リナクロチド(リンゼス®)	・小腸上皮のC型グアニル酸シクラーゼ受容体アゴニスト ・小腸上皮細胞内でのcGMP濃度を上昇させCl⁻分泌を促進する ・cGMPによって粘膜下の内臓知覚神経を抑制することで内臓知覚過敏も改善するとされる ・食事摂取と同時に内服すると下痢になりやすいため,食前に内服する必要がある
胆汁酸トランスポーター阻害薬	
・エロビキシバット水和物(グーフィス®)	・回腸末端の胆汁酸トランスポーターを阻害することで胆汁酸が大腸の運動とCl⁻分泌を刺激して糞便排出を促進する ・胆汁酸がクロム親和性細胞を刺激してセロトニンを放出させるという機序もある ・胆汁酸分泌が減少している患者では効果が低い ・副作用として下痢と腹痛が多い
刺激性下剤	**効果・機能・副作用**
大腸刺激薬	
・センノシド(アローゼン®) ・ピコスルファートナトリウム水和物(ラキソベロン®)	・腸蠕動を刺激することで排便を促すが,腹痛が生じうる ・耐性や依存性が問題とされるが科学的根拠はない ・短期間,または頓用での使用を推奨
直腸刺激薬	
・炭酸水素ナトリウム・無水リン酸二水素ナトリウム配合剤(新レシカルボン®坐剤)	・腸内で二酸化炭素を発生させ腸蠕動を促進
・ビサコジル(テレミンソフト®坐薬)	・腸蠕動と排便反射を促進
・グリセリン浣腸(ケンエー浣腸)	・蠕動促進や潤滑剤として作用

- 次頁に慢性便秘症の治療フローチャートを示す.
- 刺激性下剤はエビデンスは乏しいものの,依存性と耐性形成が懸念される.
- よって下剤の第一選択は浸透圧下剤である.薬価が安く,使用経験の多い酸化マグネシウム(マグミット®)やビーマス®などが選ばれることが多い.
- 第二選択薬に新規薬剤が組み込まれている.しかし慢性腎臓病などで酸化マグネシウムなどが使用できない場合は,薬価を気にしつつも積極的に選択してよいだろう.
- 浸透圧下剤は便を軟らかくするだけでなく,腸内の水分を増やすことで腸蠕動も刺激できる.そのため,浸透圧下剤を投与せずに刺激性下剤のみを投与するというよりは,浸透圧下剤を使用してもなお腸蠕動が乏しい場合に追加投与する.

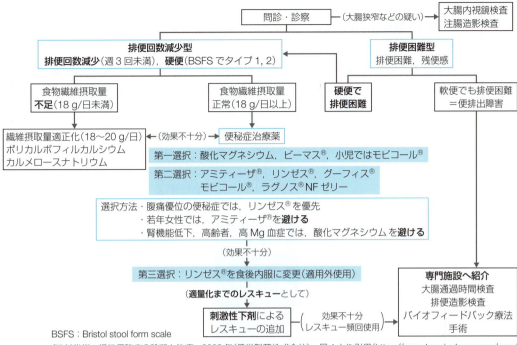

BSFS : Bristol stool form scale
〔味村俊樹：慢性便秘症の診断と治療，2020年（健栄製薬株式会社），図4より引用（https://www.kenei-pharm.com/cms/wp-content/uploads/2018/04/2109b2ff10b218f6028c61cda6f54927.pdf）（2023年8月閲覧）〕

本症例では…

- Caブロッカー，沈降炭酸カルシウム，クエチアピンなどが薬剤性便秘の原因と考えられた．また脳梗塞による運動量低下も一因である可能性がある．
- プロトンポンプ阻害薬を使用しており，酸化マグネシウムは効果が弱い可能性があったことや慢性腎臓病であったことから，酸化マグネシウムの投与は不適であると考えられた．
- 浸透圧下剤としてポリエチレングリコール製剤（モビコール®）を投与する方針とした．1回2包を1日1回内服から開始した．
- 2日後には排便があり，その後も1～2日に1回は完全排便が出るようになった．

A 便秘の原因は常に薬剤をチェックする！ 下剤は浸透圧下剤を中心に，刺激性下剤は頓用など短期間の使用に留める！ 病態に応じた下剤選択を心がける

末梢性μオピオイド受容体拮抗薬

- ナルデメジントシル酸塩：スインプロイク®
- オピオイドは癌性疼痛を中心に，幅広く使用されている．副作用の便秘は耐性ができず，オピオイドを使用している限り続く副作用である．便秘の原因は腸管においてμ受容体が刺激されて腸蠕動・腸液分泌の抑制，水分吸収の亢進が生じることである．
- ナルデメジンは末梢組織においてのみ作用するμオピオイド受容体拮抗薬である．つまり

鎮痛作用を邪魔することなく便秘を改善する.
- オピオイド誘発性便秘（opioid-induced constipation：OIC）の場合に選択できる有用な治療薬であるため知っておこう.
- 日本国内での癌患者を対象とした第Ⅲ相試験において自発排便（spontaneous bowel movement：SBM）がベースラインより1回/週以上増加し，3回/週以上のSBMが得られた患者の割合がプラセボと比較して有意に増加した.

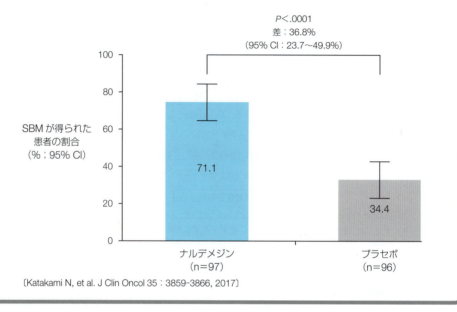

〔Katakami N, et al. J Clin Oncol 35：3859-3866, 2017〕

症例❸ 生来健康な34歳男性．3か月前から継続する下痢．

3か月前から継続する下痢を主訴に来院した．3か月前から週に3日以上は下痢が生じ，日内変動はない．便は泥状のことも水様性のこともある．血便はないが体重は4 kgほど減った．常用薬はなし，海外渡航歴や動物接触歴，生食歴もない．家族歴では父がCrohn病である．バイタルサインは意識清明，体温38℃，血圧144/66 mmHg，脈拍98/分・整，呼吸数16/分，SpO_2 98%（室内気）．腹部は平坦・軟，蠕動音はやや亢進し，打診上は鼓音やtapping painはなく，右下腹部にNRS 6/10の圧痛を認めるが，反跳痛や筋性防御はない．

Q 下痢の評価はどうするか．本症例で最も考えられる診断は何か？

鉄則 3 下痢の鑑別は時間経過，便性状，問診から鑑別を絞る

下痢の診断
- 下痢とは緩いまたは水様の便（BSFS 5〜7）が24時間で3回以上出ること．ただし厳密な定義はない．

- 下痢も便秘と同様にまずは症状持続期間が4週間を超えるか超えないかで急性か慢性かに分ける．
- 急性の場合はほとんどは1週間，長くても14日間以内には症状が改善する．
- 急性と慢性の間に持続性下痢（14〜30日間程度の期間継続）という定義もある．
- 急性下痢症はほぼ感染症であるため，着眼点は**「どの微生物による感染症か？」**となる．
- 感染性下痢症ではほとんどがウイルス性下痢症である．ある研究では軽症の下痢では便培養が陽性となった割合は1.5〜5.6％程度であった〔Clin Infect Dis 65：e45-e80, 2017〕．
- 一方で重症急性下痢症は87％が細菌性であったとする報告がある〔Clin Infect Dis 22：1019-1025, 1996〕．
- 感染性下痢症は感染する消化管部位によって便性状などの特徴が変わる．小腸型と大腸型の特徴を知っておこう．

	大腸型	小腸型	穿孔型
機序	炎症性（侵襲性，細胞毒性）	非炎症性（エンテロトキシン，上皮吸着・表面的な浸潤）	穿孔による
部位	大腸	上部小腸	下部小腸
便	便中に多核球，ラクトフェリン大量	白血球なし，ラクトフェリンはなしか少量	便中に単核球
微生物の例	細菌〔*Escherichia coli*（EIEC, EHEC）, *Salmonella enteritidis, Shigella, Vibrio parahaemolyticus, Campylobacter jejuni*〕，原虫（*Entamoeba histolytica*）	ウイルス（ロタウイルス，ノロウイルス），細菌〔*Vibrio cholerae, E. coli*（ETEC），*Clostridium perfringens, Bacillus cereus, Staphylococcus aureus*〕，原虫（*Giardia lamblia, Cryptosporidium parvum, Cyclospora cayetanensis,* Microsporidia）	細菌（*Salmonella typhi, Yersinia enterocolitica, Campylobacter fetus*）

〔青木眞：レジデントのための感染症診療マニュアル 第4版，p757，医学書院，2020 より〕

- 慢性下痢症は，感染症の可能性は下がる．着眼点は**「器質的疾患か機能的疾患か？」**である．
- 急性でも慢性でも，重大な疾患や緊急性を示唆する red flag sign を必ず評価してから精査を進める．

下痢の red flag sign

急性下痢症	慢性下痢症
脱水症 24時間で6回以上の下痢 強い腹痛 高齢者 免疫不全や心疾患などの重大な併存症 バイタルサイン異常	50歳以上での発症 血便，黒色便 夜間の下痢・腹痛 進行性の腹痛 原因不明の体重減少 炎症性腸疾患や大腸腫瘍の家族歴 電解質異常，鉄欠乏性貧血，炎症反応高値，便潜血陽性，便中カルプロテクチン陽性などの検査異常

- 下痢患者には以下の問診事項を必ず確認する．
  - ・薬剤歴：特に抗菌薬，薬剤性下痢の原因は後述
  - ・アレルギー歴：アナフィラキシー
  - ・食事歴と生食歴：食中毒，下記の表を参照
  - ・手術歴：瘻孔形成，盲端症候群など
  - ・動物接触歴：ミドリガメ，爬虫類（イグアナ）などによるサルモネラ感染症など
  - ・海外渡航歴：旅行者下痢症
  - ・糖尿病の有無：糖尿病性ケトアシドーシス
  - ・炎症性腸疾患（inflammatory bowel disease：IBD）の家族歴：IBD
  - ・放射線治療歴：放射線性腸炎

食中毒を起こす代表的な病原体と原因食物および流行時期と潜伏期

病原体	原因食物	流行時期	潜伏期
黄色ブドウ球菌	汚染された食品や料理	夏	1〜4 時間
腸炎ビブリオ	魚介類	春〜秋	6〜24 時間
セレウス菌	肉類，スープ，米飯など	夏	下痢型：8〜24 時間 嘔吐型：1〜4 時間
ウェルシュ菌	煮込み料理（シチュー，カレー）	秋〜春	8〜24 時間
ボツリヌス菌	レトルト食品，缶詰，いずし	夏〜秋	12〜48 時間
Salmonella 属菌	生肉，生卵（特に殻）	夏〜秋	24〜72 時間
Campylobacter 属菌	鶏肉	春〜夏	1〜7 日間（多くは 48〜72 時間）
赤痢菌	汚染された食品や料理	夏	24〜72 時間
Yersinia 属菌	豚	冬	3〜7 日間
腸管出血性大腸菌	加熱不十分の牛肉，牛レバーなど	春〜夏	1〜8 日間
ノロウイルス	二枚貝（特にカキ）	冬	24〜48 時間
アニサキス	サバ，イカ，カツオなど	冬	小腸：数時間〜数日 大腸：1〜7 日間

〔Bennett JE, et al：Mandell, Douglas, & Bennett's Principles & Practice of Infectious Disease, 9th ed. ELSEVIER, 2019 より改変して作成〕

下痢＋αの症状所見による原因微生物

下痢に伴う症状/所見	病原体
慢性下痢症	赤痢アメーバ，*Cryptosporidium*，ランブル鞭毛虫，サイクロスポーラ症
血便	腸管出血性大腸菌，赤痢菌，*Salmonella* 属菌，*Campylobacter* 属菌，赤痢アメーバ，*Vibrio* 属菌，*Yersinia* 属菌
発熱	特定的な所見ではないが高度の発熱は細菌性（*Campylobacter* 属菌，*Salmonella* 属菌，*Yersinia* 属菌，赤痢菌など）や赤痢アメーバを示唆する
腹痛	腸管出血性大腸菌，赤痢菌，*Salmonella* 属菌，*Campylobacter* 属菌，赤痢アメーバ，*Vibrio* 属菌（非コレラ），*Clostridioides difficile*

（つづく）

(つづき)

下痢に伴う症状/所見	病原体
強い腹痛＋血便	腸管出血性大腸菌，赤痢菌，*Salmonella* 属菌，*Campylobacter* 属菌，*Yersinia* 属菌[*1]
持続する腹痛と発熱（虫垂炎や憩室炎様）	*Yersinia* 属菌
24 時間以内に発症する嘔気・嘔吐	黄色ブドウ球菌，セレウス菌
24～48 時間継続する下痢と腹痛	ウェルシュ，セレウス菌
48～72 時間継続する嘔吐と下痢（血便なし）	ノロウイルス（約 40%の症例で発症から 24 時間以内に軽度の発熱を伴う）

[*1] 発熱がないとしてもこれらの細菌を鑑別に入れておく必要がある
〔Shane AL, et al. Clin Infect Dis 65：e45-e80, 2017〕

感染後症状/所見別の原因微生物

感染後の症状所見	病原体
結節性紅斑	*Yersinia* 属菌，*Campylobacter* 属菌，*Salmonella* 属菌，赤痢菌
糸球体腎炎	赤痢菌，*Campylobacter* 属菌，*Yersinia* 属菌
IgA 腎症	*Yersinia* 属菌
Guillain-Barré 症候群	*Campylobacter* 属菌
溶血性貧血	*Campylobacter* 属菌，*Yersinia* 属菌
溶血性尿毒症症候群	腸管出血性大腸菌，赤痢菌
反応性関節炎	*Yersinia* 属菌，*Campylobacter* 属菌，*Salmonella* 属菌，赤痢菌，まれにランブル鞭毛虫やサイクロスポーラ
感染後過敏性腸症候群	*Campylobacter* 属菌，*Salmonella* 属菌，赤痢菌，腸管出血性大腸菌，ランブル鞭毛中
髄膜炎	*Listeria* 属菌，*Salmonella* 属菌（3 か月以内の乳児が高リスク）
消化管穿孔	*Salmonella* 属菌，赤痢菌，*Campylobacter* 属菌，*Yersinia* 属菌，赤痢アメーバ
大動脈炎，骨髄炎，血管外の遠隔組織感染症	*Salmonella* 属菌，*Yersinia* 属菌
疫痢症候群（けいれん，致死的脳症）	赤痢菌

〔Shane AL, et al. Clin Infect Dis 65：e45-e80, 2017〕

- 厚生労働省の食中毒統計資料による食中毒の発生状況は以下の通りであった．

  1. ノロウイルス
  2. 病原性大腸菌（腸管出血性大腸菌を除く）
  3. ウェルシュ菌
  4. *Campylobacter* 属菌
  5. アニサキス
  6. *Salmonella* 属菌
  7. 黄色ブドウ球菌

急性下痢症と慢性下痢症の鑑別フローチャートと鑑別表

急性下痢症の鑑別フローチャート

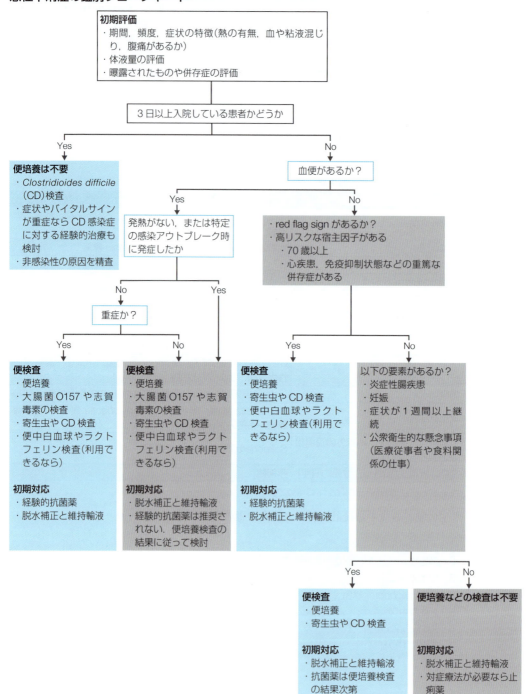

〔LaRocque R, et al. Approach to the adult with acute diarrhea in resource-rich settings. UpToDate, 2023 より改変して作成〕

慢性下痢症の鑑別フローチャート

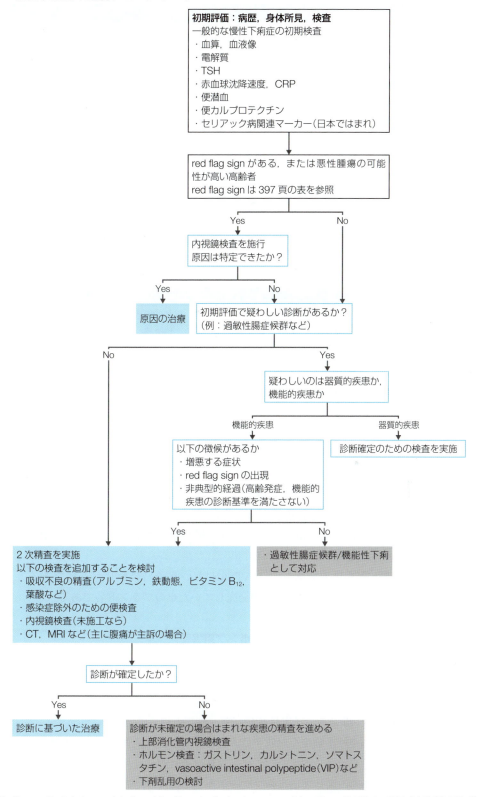

〔LaRocque R, et al. Approach to the adult with acute diarrhea in resource-rich settings. UpToDate, 2023 より改変して作成〕

慢性下痢症の鑑別

common
過敏性腸症候群
胆汁酸による下痢
食事
・FODMAP 吸収不良(乳糖不耐症),人工甘味料(ソルビトール,キシロールなど),カフェイン,過剰なアルコール摂取,過剰なリコリス摂取
結腸腫瘍
炎症性腸疾患
・潰瘍性大腸炎,Crohn 病,顕微鏡的腸炎
セリアック病(日本人ではまれ)
薬剤性
・抗菌薬(特にマクロライド),NSAIDs
Mg 含有薬剤
・経口血糖降下薬(メトホルミン,DPP-4 阻害薬),抗癌剤,その他(フロセミド)
再発性 CD 感染症
奇異性下痢
infrequent
小腸での細菌過剰増殖,腸管虚血,悪性リンパ腫,外科的原因(小腸切除後,便失禁,内痔瘻),慢性膵炎,放射線性腸炎,膵臓癌,甲状腺機能亢進症,糖尿病,ジアルジア症,嚢胞性線維症

〔Arasaradnam RP, et al. Gut 67:1380-1399, 2018 より〕

- 消化管疾患以外が原因で起こる下痢も頻度は低いが重要である.筆者は「DAPT」という語呂合わせを作成して覚えている.一般的に DAPT とは,「Dual Anti-Platelet Therapy」の略であり,それぞれのアルファベットに 2 つずつ疾患を当てていることを暗示する.
  - Drug & Diabetes:薬剤と糖尿病(糖尿病性ケトアシドーシス)
  - Anaphylaxis & Addison's disease:アナフィラキシー,Addison 病
  - Pancreas & hypoparathyroidism:膵炎/膵癌,副甲状腺機能低下症
  - Thyroid & Toxic shock syndrome:甲状腺機能亢進症,トキシックショック症候群
- 薬剤性下痢も重要であり,「DATSuN」という語呂合わせが有名である.ちなみに Datsun(ダットサン)とは日産が発売していた車のブランド名である.
  - Diuretics:利尿薬
  - Anti acids:制酸剤(プロトンポンプ阻害薬)
  - Anti arrythmia:抗不整脈薬
  - Theophylline & TKI:テオフィリン,チロシンキナーゼ阻害薬
  - Softener:緩下剤
  - NSAIDs:非ステロイド性抗炎症薬
- 便培養は感染性下痢症を診断するうえで重要だが,検査室にとっては負担が大きい検査である.なぜなら下痢を起こす病原体はそれぞれに特有の培地を利用することがあるためである.よって前出のフローチャートに従って適切な症例で提出するよう心がけたい.

- *Yersinia* 属，*Campylobacter* 属や腸管出血性大腸菌などは事前に細菌検査室へ連絡するか，電子カルテ上で菌名を記載する必要がある．

治療

- 急性下痢症の治療はほとんどの場合は脱水補正などの対症療法となる．
- 多くの場合は抗菌薬は不要である．また投与しても症状改善までの日数が1〜2日程度短くなる程度の効果しかない．
- 重症患者や免疫不全患者では症状改善の効果が相対的に大きくなるため，使用を検討してよい．*Clostridioides difficile* 感染症（CDI）の治療は後述（→ 405 頁）．
- 腸管出血性大腸菌を疑う場合は抗菌薬は原則として投与しない．
- 使用する抗菌薬はマクロライド系とキノロン系抗菌薬である．以下に処方例を書く．
  〈処方例〉アジスロマイシン（ジスロマック®）　1回500 mg　1日1回　3日間
  〈処方例〉レボフロキサシン（クラビット®）　1回500 mg　1日1回　3〜5日間
- 止痢薬，いわゆる下痢止めは感染症を疑う場合には，原則として使用しない．症状が強い場合は赤痢菌，腸管出血性大腸菌，CDIなどの大腸型下痢を除外したうえで，慎重に使用することはできる．急性下痢症に対して使用する場合は2日以内の使用に留める．
  〈処方例〉ロペラミド（ロペミン®）　1〜2 mg/日　1日1〜2回に分けて内服　最も作用が強い
  〈処方例〉タンニン酸アルブミン（タンナルビン）　3〜4 g/日　1日3〜4回に分けて内服
  〈処方例〉天然ケイ酸アルミニウム（アドソルビン®）　3〜10 g/日　1日3〜4回に分けて内服
  ＊上記は症状に応じて調整し，漫然と継続しない．
- 慢性下痢症の治療は，原因疾患による．止痢薬は急性下痢症よりも利用しやすい．

本症例では…

- 発熱，体重減少などのred flag signがあり，年齢や夜間も下痢と腹痛があることもあわせて炎症性腸疾患を疑った．
- 血液検査では，WBC 10,000/μL，Hb 12.8 g/dL，PLT 20万/μL，CRP 8.8 mg/dLと炎症反応の高値を認めた．甲状腺機能は正常であった．
- 大腸内視鏡検査を施行し，縦走潰瘍と敷石像を認め，生検組織では非乾酪性肉芽腫が認められたためCrohn病の診断とした．

A 急性か慢性かによって鑑別を絞り込み，red flag signを確認する

> **症例 ❹** 尿路感染症で入院中の 74 歳女性.
>
> 右腎盂腎炎で敗血症となりセフトリアキソン(ロセフィン®)で治療中である．入院 7 日目から下痢を生じるようになった．BSFS は 6〜7 であり，1 日 6〜7 行の下痢が生じている．バイタルサインは意識清明，体温 37.4℃，血圧 102/50 mmHg，脈拍 104/分・整，呼吸数 18/分，SpO_2 98%（室内気）．腹部は平坦・軟，蠕動音は亢進し，打診上は鼓音や tapping pain はなし．下腹部全体に NRS 5〜6/10 の圧痛あり，反跳痛なし．

Q 下痢の評価はどうするか．本症例で最も考えられる診断は何か？

鉄則 4　病棟での下痢は *Clostridioides difficile* 感染症（CDI）をまず除外

- 病棟では急性下痢症に出会うことが多い．急性下痢症は圧倒的に感染症が多いが，病棟においては抗菌薬関連下痢症，特に CDI が多い．
- CDI は病態としても感染管理的な側面としても非常に重要であるため，診断や治療に習熟しておく必要がある．

CDI のリスク

- 高齢，入院中，抗菌薬使用歴，免疫抑制状態などが発症のリスク因子である．
- 特に抗菌薬使用は強い関連があり，第 3, 4 世代セファロスポリン，フルオロキノロン，カルバペネム，クリンダマイシンは特に強いリスク因子となる．

CDI の診断

- CDI を疑うべき患者は以下のような患者である．
  「抗菌薬を使用中または使用歴があり，原因不明で BSFS 5 以上の下痢が 24 時間以内に 3 行以上継続する患者」
- 抗菌薬使用は非常に重要であり，使用中でなくても使用歴があるだけでリスクとなる．
- BSFS 4 以下の便では検査する意義は低い．
- 上記に当てはまる患者は次頁のフローチャートに従って診断する．

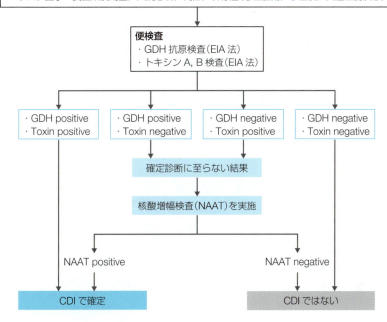

- GDH 抗原とは C. difficile によって産生される酵素である．GDH 抗原が陽性であることは，「C. difficile が存在する」ことを意味する．しかし，その株がトキシンを産生するかどうかは GDH 抗原検査からは判別できない．つまり感度が高く，特異度の低い検査である．
- トキシン検査は CDI の原因となるトキシン A/B を検出する検査である．ほとんどの株は両方のトキシンを産生するが，まれにトキシン B だけを産生する株が報告されている〔J Clin Microbiol 38：1696-1697, 2000〕．特異度は 95％以上で，感度は 70％強と中等度である〔J Clin Microbiol 48：606-608, 2010〕．
- 上記2つの検査を組み合わせることで高い感度と特異度を達成することができる．一方のみが陽性となる場合は，PCR などの核酸増幅法(nucleic acid amplification test：NAAT)を用いてトキシン B の異原子を検出する．
- CD 検査の再検査はどのようなときに行うべきだろうか．原則としては，「最初の便検査から7日以内や，無症候性の患者には便検査を施行しない」である．ただし CDI は再発する可能性もあるため，「CDI の治療が終了していったん下痢が止まったにもかかわらず，下痢が再発した場合」は再検査をしてもよい．
- 治療効果判定のために便検査は行わない．60％以上の患者で治療が成功しても C. difficile が検出されるからである．

CDI の治療

- 原則として不必要な抗菌薬は中止する．しかし治療期間をまだ完遂していないなど，すぐに抗菌薬を中止できない場面も多い．
- 次頁に IDSA ガイドラインによる CDI 治療の推奨を掲載する．

臨床定義	裏づけとなる臨床データ	推奨治療法
初発,非重症	WBC≤15,000 cells/mL, Cr<1.5 mg/dL	・バンコマイシン散　1回125 mg　1日4回内服　10日間 ・フィダキソマイシン(ダフクリア®)　1回200 mg　1日2回内服　10日間 ・上記薬剤が使用できない場合 　メトロニダゾール(アネメトロ®)　1回500 mg　1日3回内服　10日間
初発,重症	WBC≧15,000 cells/mL, Cr>1.5 mg/dL	・バンコマイシン散　1回125 mg　1日4回内服　10日間 ・フィダキソマイシン　1回200 mg　1日2回内服　10日間
初発,劇症	ショック,イレウス,巨大結腸	・バンコマイシン散　1回500 mg　1日4回内服または胃管から投与　10日間 ・イレウスとなっている場合は,注腸を検討する ・上記に加え,メトロニダゾール　1回500 mg　点滴静注　8時間ごと併用　特にイレウスの場合
最初の再発	—	・初期治療でメトロニダゾールが使用されている場合 　バンコマイシン散　1回125 mg　1日4回内服　10日間 ・初期治療でバンコマイシン散が使用されている場合 　フィダキソマイシン　1回200 mg　1日2回内服　10日間 ・初期治療でバンコマイシン散やフィダキソマイシンが使用されている場合 　バンコマイシン漸減パルス療法(バンコマイシン散　1回125 mg　1日4回内服　10〜14日間→1日2回内服　7日間→1日1回内服　7日間→1日1回内服　2〜3日に1回　2〜8週間)
2回目以降の再発	—	・バンコマイシン漸減パルス療法 ・バンコマイシン散　1回125 mg　1日4回内服　10日間 　→リファキシミン*　1回400 mg　1日3回内服　20日間 ・フィダキソマイシン　1回200 mg　1日2回内服　10日間 ・便移植 *リファキシミン(リフキシマ®)はCDIの治療で保険承認されていない

- かつてはCDIの第一選択薬はメトロニダゾール(アネメトロ®)であった.しかし2018年のIDSAガイドライン改訂に伴いメトロニダゾールは第一選択薬から退き,バンコマイシンとフィダキソマイシン(ダフクリア®)が第一選択薬となった(ただし日本の *Clostridioides difficile* 感染症診療ガイドラインにおいては,非重症に対してメトロニダゾールが第一選択薬として残されている.当院では第一選択薬はバンコマイシンまたはフィダキソマイシンとしている).
- さらに2021年の改訂では,治療に関して注目すべき変更があった.それは症状改善の持続的効果がバンコマイシンよりもフィダキソマイシンでより優れた結果であったため,治療薬の第一選択薬がフィダキソマイシンとなったことである.
- しかしフィダキソマイシンは薬価が高いこともあり,経済的な理由や採用の関係でバンコマイシンが第一選択となることが多い.
- CDI治療中は接触予防策を講じる.下痢が改善して48時間経過するまでは継続する.

> **A** 入院中の患者の下痢はまずCDIを検討！GDH抗原とCDトキシン検査で診断する.治療はバンコマイシン経口か,フィダキソマイシンで行う！

フィダキソマイシン（ダフクリア®）

- フィダキソマイシンは CDI に対してのみ保険承認されている薬剤である．
- RNA ポリメラーゼを阻害することで抗菌活性を示す．
- 特徴として抗菌スペクトラムが狭く腸内細菌に影響しにくいこと，C. difficile に対する強い抗菌活性，消化管で吸収されず便中濃度が高くなることがある．バンコマイシンと比較した非劣性試験では，バンコマイシンに対する非劣性を示した．同試験ではフィダキソマイシンにおいて再発が少なかった〔N Engl J Med 364：422-431, 2011〕．
- のちに行われたメタ解析では，下痢の持続，再発，死亡に関してフィダキソマイシンに有利な結果が出ている〔Clin Infect Dis 55：S93-103, 2012〕．
- 2021 年の IDSA ガイドラインの改訂では単独の第一選択薬へ躍り出た．
- ただし 1 日当たり約 8,000 円（1 錠：約 4,000 円）であり，バンコマイシン散（1 日当たり約 700〜1,000 円）と比較すると高価である．

PPI（プロトンポンプ阻害薬）と下痢

- PPI は最も汎用（乱用）されている薬剤の 1 つである．
- PPI の副作用として下痢が生じることがある．機序としては① CDI の発症，②顕微鏡的腸炎（microscopic colitis）の発症の 2 つが考えられる．
- PPI が CDI のリスクを上げることが知られている．PPI 使用が CDI のリスクを上げるのみならず，H_2 ブロッカーなどのほかの制酸剤と比較して，より CDI のリスクを上げる結果であった〔Am J Gastroenterol 107：1011-1019, 2012〕．
- また CDI 再発のリスクを上げることもメタ解析で判明した〔JAMA Intern Med 177：784-791, 2017〕．
- 顕微鏡的腸炎とは慢性腸炎の 1 つであり，慢性的な水様性下痢を特徴とする．リンパ球性腸炎や膠原線維性腸炎などの表現型があるが，PPI はこれらのリスクを上げる〔Aliment Pharmacol Ther 48：618-625, 2018〕．特にランソプラゾールが最もリスクが高い．
- このように PPI 使用患者の下痢は上記疾患を想定する必要がある．

● 参考文献

1) 日本消化器病学会関連研究会，慢性便秘の診断・治療研究会（編）：慢性便秘症診療ガイドライン 2017．南江堂，2017
   - 日本における慢性便秘のガイドライン．
2) Paquette IM, et al. Dis Colon Rectum 59：479-492, 2016〔PMID：27145304〕
   - 米国の便秘ガイドライン．第一選択薬はポリエチレングリコール製剤となっているなどの違いを学ぼう．
3) Corsetti M, et al. A Guide to Refractory Constipation：Diagnosis and Evidence-Based Management. BRITISH SOCIETY OF GASTROENTEROLOGY, 2022（https://www.bsg.org.uk/web-education-articles-list/a-guide-to-refractory-constipation-diagnosis-and-evidence-based-management/）（2023 年 8 月閲覧）
   - 英国の便秘に関するガイドラインで最も近年に改訂されている．
4) DuPont HL. Acute infectious diarrhea in immunocompetent adults. N Engl J Med 370：1532-1540, 2014〔PMID：24738670〕
   - 急性下痢症のレビューである．読みやすく簡潔にまとまっている．
5) Shane AL, et al. 2017 Infectious Diseases Society of America Clinical Practice Guidelines for the Diagnosis and Management of Infectious Diarrhea. Clin Infect Dis 65：1963-1973, 2017〔PMID：29194529〕

- IDSAによる感染性下痢症のガイドライン．

6) McDonald LC, et al. Clinical Practice Guidelines for Clostridium difficile Infection in Adults and Children：2017 Update by the Infectious Diseases Society of America(IDSA) and Society for Healthcare Epidemiology of America(SHEA). Clin Infect Dis 66：e1-e48, 2018[PMID：29462280]
   - IDSAのCDIに関するガイドライン．必読！

7) Johnson S, et al. Clinical Practice Guideline by the Infectious Diseases Society of America(IDSA) and Society for Healthcare Epidemiology of America(SHEA)：2021 Focused Update Guidelines on Management of Clostridioides difficile Infection in Adults. Clin Infect Dis 73：e1029-e1044, 2021[PMID：34164674]
   - 6)のガイドラインが2021年にさらにアップデートされた．本文にある通り治療薬の序列が変わっているので，こちらもあわせて必読！

（藤野　貴久）

34 癌性疼痛・オピオイド
痛みは我慢させない！

1. 痛みの原因を評価してからペインコントロールを開始
2. 疼痛のコントロールは，目標を決めて開始
3. アセトアミノフェン・NSAIDs 使用時は，副作用に注意
4. オピオイド導入時は嘔気と便秘の対策を忘れない
5. レスキューは，経口なら 1 日量の 1/6，注射なら 1 時間量
6. 経口投与できなければ，貼付・舌下・持続皮下注・静注にスイッチング

> **症例 ❶** 卵巣癌 Stage Ⅳ の 69 歳女性．嘔吐，腹痛．
>
> 腹膜播種，肺転移などを伴う卵巣癌 Stage Ⅳ で，腫瘍内科外来に通院中．受診前日の朝食時から嘔気と腹痛が生じた．もともと腹膜播種による腹痛があり，オキシコンチン®の定期内服とオキノーム®散のレスキューを使用していた．レスキュー薬を使用しても腹痛は改善せず嘔気は増悪し，排ガスも停止し腹痛が増悪したため救急外来を受診した．来院時バイタルサインは意識清明，体温 37.0℃，血圧 144/80 mmHg，脈拍 90/分・整，呼吸数 22/分，SpO₂ 98%（室内気）．腹部は膨満・軟，腸蠕動音は亢進，打診では鼓音，全体に NRS 6/10 程度の圧痛あり，反跳痛なし，tapping pain なし，波動を触知する．

Q 疼痛の原因は何であろうか？

痛みの原因を評価してからペインコントロールを開始

- すべての痛みには必ず原因がある．その原因を突き止めることは適切な鎮痛を行ううえで必要不可欠である．特に癌患者の痛みは，癌性疼痛としてオピオイドを導入したくなるだろう．しかし，原因によっては鎮痛薬ではなく，痛みに対する根本的な治療ができる可能性がある．

本症例では…
- 腸閉塞，またはイレウスが疑われたため精査したところ，CT 検査にて著明な小腸の拡張があり小腸閉塞の診断となった．

- 腸管虚血や壊死の所見はなかったため，経鼻胃管を留置して減圧を開始したところ，嘔気や腹痛は改善傾向となった．

A. 担癌患者の疼痛でも癌にとらわれず，器質的な原因がないか必ず評価する

症例❷　前立腺癌 Stage Ⅳの 74 歳男性．背部痛．

3 年前に前立腺癌と診断され，化学療法・ホルモン療法を施行したが，progressive disease であった．現在は腫瘍内科外来で best supportive care の方針となっている．現在，鎮痛薬の内服はしていない．1 週間前から背部痛が出現し，処方されていたアセトアミノフェンを頓服するも疼痛は改善せず夜も眠れなくなった．背部痛で動くことができなくなったため，救急搬送となり疼痛コントロール目的で入院となった．来院時バイタルサインは意識清明，体温 36.5℃，血圧 132/67 mmHg，脈拍 91/分・整，呼吸数 18/分，SpO₂ 98%（室内気）．痛みは安静時 NRS 6/10，体動時 NRS 9/10 程度であり，波はない．随伴症状はなく，下肢麻痺や膀胱直腸障害はない．胸腰椎単純 X 線写真と胸腹部 CT，MRI を施行したところ，腰椎 L2 に圧迫骨折と腫瘤影を認め，前立腺癌の腰椎転移と診断した．脊髄圧迫はきたしておらず，まずは癌性疼痛としてペインコントロールを開始する方針となった．

Q. どんな痛み止めをどのように始めればよいか？

鉄則 2　疼痛のコントロールは，目標を決めて開始

- まず WHO のがん疼痛治療ガイドラインの 4 大原則を確認しておく．

  > 原則 1：経口投与（by oral）
  > 原則 2：定時投与（by the clock）
  > 原則 3：患者ごとの至適量設定（for the individual）
  > 原則 4：患者ごとのこまやかな配慮（attention to detail）

- 以前は「原則：痛みに応じた最適な鎮痛薬を選択（by the ladder）」を含んで 5 原則であった．しかし，必ずしも非オピオイド→弱オピオイド→強オピオイドという順序に従う必要はなく，むしろ強オピオイドから開始して鎮痛を行うほうが適切である場面もしばしばある．そのため原則から外れ，for the individual に吸収される形となった．
  ①経口摂取が可能なら，原則として貼付薬，注射薬，坐剤は使用しない．
  ②痛みを感じてから飲むという"頓用"で疼痛をコントロールしてはいけない．薬効を考えて定時投与することを原則とする．
  ③突出痛に対するレスキューを必ず用意する．
  ④鎮痛薬にも副作用がある．WHO の除痛ラダーに沿って，効力の弱いもので手軽に処方できるものから順に使用する．

> **WHO 除痛ラダー**
>
> 1stラダー ：アセトアミノフェン，非ステロイド性抗炎症薬(non-steroidal anti-inflammatory drugs：NSAIDs)に代表される非オピオイド*1
> 2ndラダー ：弱オピオイド(コデインリン酸塩，トラマドール*2)*3
> 3rdラダー ：強オピオイド(モルヒネ，オキシコドン，フェンタニルなど)

*1 ラダーを上げてもベースラインとしてアセトアミノフェン，NSAIDs は併用することが多い．

*2 トラマドールは 2nd ラダーとして頻用されるが，WHO のラダーには代替薬として記載されている．

*3 欧州の推奨では 2nd ラダーの段階で，少量の強オピオイドの記載がある．実臨床上では内服の少量強オピオイドは頻用するので覚えておこう．

- ペインコントロールの目標

> 1stステップ ：痛みを感じずに眠ることができる
> 2ndステップ ：安静時の疼痛が消失する
> 3rdステップ ：体動時の疼痛が消失する
> 4thステップ ：痛みを感じずに，日常のQOLが保たれる

- 上記のようにペインコントロールを 4 段階の目標に分けると，必要以上に鎮痛薬を使用したり，不十分な鎮痛薬を漫然と処方したりすることがなくなる．
- いきなり 3rd ステップの体動時痛消失は達成困難なことが多く，まずは 2nd ステップの安静時痛消失を目標とする．

鉄則 3　アセトアミノフェン・NSAIDs 使用時は，副作用に注意

- アセトアミノフェン，NSAIDs ともに頻用される鎮痛薬であるが，使用する際には十分に副作用を知っておくことが重要である．

アセトアミノフェン

- 鎮痛に用いる場合は，1 回量を十分な量にする必要がある．
- 消化管，腎機能，血小板機能に対する影響が少ないため，次頁に挙げる副作用で NSAIDs が使用しにくい場合にも用いることができる．
- 肝機能障害に注意しながら 4,000 mg/日まで増量が可能だが，癌患者では肝転移による肝機能低下を合併している場合もあり，極量まで使用する際には十分な注意が必要である．3,000 mg/日までに抑えておくべきであろう．
  〈処方例〉アセトアミノフェン　500〜1,000 mg または 15 mg/kg/回　内服か 15 分以上かけての点滴静注を 4〜6 時間以上間隔をあけて使用．定期投与であれば 1 日 3〜4 回
- 副作用としては，皮疹，アナフィラキシーなどの薬剤過敏症に加え，肝機能障害，黄疸などが起こる可能性があり，肝機能の推移に注意する．アセトアミノフェン過剰摂取時の解毒には，アセチルシステイン(ムコフィリン®)が使用される．
- 体重が 50 kg 未満の成人は 1 回投与量 15 mg/kg とすることがアセリオ®の添付文書に記載がある．内服でもこの制限は守ったほうが安全である．

- 米国ではアセトアミノフェンによる肝障害を重くみており，FDA は下記サイトのような勧告を出し，合剤においてアセトアミノフェンの量を 325 mg に制限している．〔https://www.fda.gov/drugs/drug-safety-and-availability/fda-drug-safety-communication-prescription-acetaminophen-products-be-limited-325-mg-dosage-unit〕（2023 年 8 月閲覧）

非ステロイド性抗炎症薬（NSAIDs）

- 抗炎症，鎮痛，解熱作用をもち，ステロイド骨格をもたない薬剤の総称である．
- 抗炎症作用もあわせもつため，癌性疼痛においては特に骨由来の疼痛に奏効する．
- 下記の副作用に注意して使用するならば非常に有用な薬剤である．
- 胃粘膜障害：NSAIDs による胃粘膜障害の原因は，粘膜保護因子を分泌させる PG（プロスタグランジン）の阻害や NSAIDs 自体の細胞障害が考えられている．
- 胃粘膜障害の予防法として十分なエビデンスがあるのは，ミソプロストール（サイテック®），プロトンポンプ阻害薬（PPI）の併用のみで，通常量の H_2 ブロッカーは PPI ほどの効果はない．
- COX-2 選択的阻害薬では胃粘膜障害のリスクは下がるが，以下の副作用は COX の選択性にかかわらないので注意する．
- 腎障害：PGE2, PGI2 にはそれぞれ腎動脈，細動脈の拡張作用があるが，NSAIDs はこれらを阻害して腎血流を低下させる．
- 急性間質性腎炎，急性尿細管壊死なども起こしうる．特に高齢者，慢性腎臓病の患者で要注意．
- 喘息の既往歴があれば要注意．特にアスピリン喘息の既往歴があれば NSAIDs は絶対禁忌．
- NSAIDs は骨髄抑制の被疑薬としても有名である．
  〈処方例〉ロキソプロフェンナトリウム（ロキソニン®）　60 mg　1 錠　内服　毎食後
  〈処方例〉セレコキシブ（セレコックス®）　100〜200 mg　1 日 2 回　朝・夕食後　6 時間以上の間隔をあけて
- アセトアミノフェン，NSAIDs が効かない場合，弱オピオイドを考慮する．なかでもトラマドールはよく使用される．

トラマドール

- トラマドールはコデイン類似の合成化合物で μ オピオイド受容体に対する弱い親和性とセロトニン・ノルアドレナリン再取り込み阻害作用をもつ．
- トラマドールは，2nd ラダーに分類されている（WHO では代替薬）．
- トラマドールはその作用機序から神経障害性疼痛にも効果的であることが報告されている．
- 副作用としては嘔気，便秘，眠気などがあり，プロクロルペラジン（ノバミン®）などの制吐薬とともに使用されることが多い．ほかのオピオイドと同様けいれん発作を引き起こすことがあるため，脳転移のある患者に使用する際は注意が必要．
- トラムセット®配合錠はトラマドール 37.5 mg＋アセトアミノフェン 325 mg の配合剤

であるため，アセトアミノフェンを別に内服している場合は合計投与量に注意する．
- トラムセット®は添付文書では，非癌性慢性疼痛と抜歯後の疼痛の適応しか記載がなく，癌性疼痛には使用しにくい．アセトアミノフェンが 325 mg である理由は前述のFDA の勧告である．

本症例では…

- 骨由来の疼痛であるため NSAIDs のロキソニン® 60 mg を 1 回 1 錠　1 日 3 回で開始した．レスキューとしてアセトアミノフェン 500 mg を使用できるように指示した．
- 長期投与が予想され，胃粘膜障害を予防するためにエソメプラゾール（ネキシウム®）を併用開始した．
- 体動時痛は残ったが，安静時痛は消失して睡眠もとれるようになった．自宅での生活希望があり，体動時痛を改善させる必要があった．
- 圧迫骨折として硬性コルセットを作成した．
- アセトアミノフェン 500 mg を 1 回 1 錠　1 日 3 回で定期内服とし，さらにトラマドール（トラマール®）25 mg を 1 回 1 錠　1 日 4 回で開始した．レスキューはトラマドール 25 mg 1 錠を使用できるように指示した．
- 体動時の疼痛は NRS 2～3/10 まで改善し，コルセット着用下で歩けるようになった．

A まず目標を定めて WHO の癌性疼痛の 4 大原則と除痛ラダーに沿って，鎮痛を行う．安静時痛の消失を初期目標としてアセトアミノフェンや NSAIDs の定時投与から開始し，効果不十分なら 2nd ラダーの弱オピオイドか少量強オピオイドの使用を検討する

症例 ❸　肺癌終末期の 79 歳男性．NSAIDs だけでは痛みがとれない．

2 年前に肺扁平上皮癌と診断，化学療法を行うも病勢進行し best supportive care となっている．左腸骨転移に伴う左腰背部痛あり，トラマール®（25 mg 1 回 2 錠 1 日 3 回），ボルタレン®（25 mg 1 回 1 錠 1 日 3 回）を使用しているが，安静時痛が持続している．強オピオイドの導入によるペインコントロールを目的に入院した．

Q 強オピオイドの導入はどうすればよいか？

強オピオイドの導入

- 前述の通り，鎮痛の目標を設定する．
- 強オピオイドはモルヒネ，オキシコドン，フェンタニルの 3 薬剤に習熟する．
- 投与方法：内服可能で腸からの吸収に問題がないなら，内服が第一選択である．
- 内服が困難ならば，持続皮下注（CSI）か持続静注（CVI）を使用する．
- CSI は静注よりも安全に使用でき，点滴確保の必要がない．
- CSI でも CVI でもシリンジポンプを使用する方法か PCA（patient controlled anesthesia）ポンプを使用する方法がある．

オピオイド導入時は嘔気と便秘の対策を忘れない

- 嘔気，便秘，傾眠，縮瞳，呼吸抑制，せん妄などが起こりうる．
- 整理する point は，予防可能かどうか，耐性ができるかどうか，の2点である．
- 予防可能な副作用として嘔気，便秘，せん妄が挙げられる．
- 耐性ができる副作用として嘔気，傾眠が挙げられる．

①便秘
- 耐性ができないので，使用している限り対策が必要．
- オピオイドによる便秘に対する薬剤である，末梢性μ受容体拮抗薬のナルデメジントシル酸塩（スインプロイク® 0.2 mg 1回1錠 1日1回）は非常に有用である．
- その他，一般的な下剤であるマグネシウム製剤と腸管蠕動刺激薬（ラキソベロン®，プルゼニド®など）を使用する．

②嘔気
- 1週間程度で耐性ができるのでそれまでの間，嘔気を感じさせないようにする．
- 最初の1週間前後は制吐薬を頓用または定期で併用する．
- 耐性化したら制吐薬を中止する．継続するほうが有害！
- 嘔気を感じてしまうとオピオイド使用に負のイメージをもち，今後の使用ができなくなることもある．
- 制吐薬としては，プロクロルペラジン（ノバミン®）などの中枢性 D_2 レセプターアンタゴニストを使用することが多い（9章「嘔気・嘔吐」106頁を参照）．

③傾眠
- 耐性化することを待つしかない．
- オピオイドスイッチングによって再度起こることもあるので注意する．

④縮瞳
- 縮瞳している患者は，呼吸抑制の危険性があるので注意する．
- 疼痛コントロールができているなら，縮瞳の段階で減量を検討する．

⑤呼吸抑制
- 癌性疼痛が呼吸抑制と拮抗するため，適正使用していれば生じにくい．
- 腎障害，肝障害などの臓器障害患者に対して投与する場合は注意する．
- オピオイド以外の治療法で疼痛が緩和された場合に，オピオイドが相対的に過剰となり生じることもあるので注意する．
- 対応はオピオイドの減量やスイッチングなど．
- 急に中止すると離脱症候群や激しい癌性疼痛がぶり返すので必ず減量すること．

	便秘	嘔気・嘔吐	傾眠	縮瞳	呼吸抑制	せん妄
耐性	−	＋	＋	−	−	−
対応	一般的な下剤に加え，ナルデメジントシル酸塩（スインプロイク®）オピオイドスイッチング	メトクロプラミド プロクロルペラジン ハロペリドール オピオイドスイッチング	耐性化待ち 減量 オピオイドスイッチング	呼吸抑制が迫っているので，鎮痛良好ならば減量検討する	減量 ナロキソン オピオイドスイッチング	せん妄治療 オピオイドスイッチング
メモ	ナルデメジントシル酸塩は唯一オピオイド誘発性便秘に承認された薬で末梢性μ受容体拮抗薬である	1〜2週間で耐性 定期使用または頓用で使用できるように準備しておく	比較的すみやかに耐性ができる．オピオイドスイッチングで再燃することもあるので注意		癌性疼痛が呼吸抑制と拮抗するので適正使用では生じにくい	環境調整も大事．特に増量したときなどによく起こる

ペインコントロールとレスキュー

■持続痛と突出痛

- 持続痛：常に感じる痛みであり，定期内服薬で対応する
- 突出痛：突然感じる痛みであり，持続痛を抑えていても生じうるため，必ずレスキュー薬を用意することが重要である
- 持続痛は薬の定時投与で，突出痛はレスキュー薬でコントロールする．

■オピオイドの剤型別換算

- 当院で使用されている薬剤とその力価は下記の通りである．
- オピオイドの剤型ごとの投与方法を覚えておこう．

鎮痛薬（オピオイドを含む）変換の目安

経口	オキシコンチン®錠	20 mg	40 mg	80 mg	120 mg	160 mg
	MSコンチン®錠	30 mg	60 mg	120 mg	180 mg	240 mg
	コデインリン酸塩錠	180 mg				
	トラマール®錠	150 mg	300 mg			
坐剤	アンペック®坐剤	20 mg	40 mg	80 mg		
注射	塩酸モルヒネ注（持続静注）	10 mg	20 mg	40 mg	60 mg	80 mg
	塩酸モルヒネ注（持続皮下注）	15 mg	30 mg	60 mg	90 mg	120 mg
	オキファスト®注（持続静注）	10〜15 mg	20〜30 mg	40〜60 mg	60〜90 mg	80〜120 mg
	オキファスト®注（持続皮下注）	15 mg	30 mg	60 mg	90 mg	120 mg
	フェンタニル注（持続静注）	0.2 mg	0.4 mg	0.8 mg	1.2 mg	1.6 mg
	フェンタニル注（持続皮下注）	0.3 mg	0.6 mg	1.2 mg	1.8 mg	2.4 mg
貼付剤	デュロテップ®MTパッチ	2.1 mg	4.2 mg	8.4 mg	12.6 mg	16.8 mg
	フェントス®テープ	1 mg	2 mg	4 mg	6 mg	8 mg

（つづく）

(つづき)

レス	オキノーム®散	2.5〜5 mg	5〜10 mg	15 mg	20 mg	25 mg
キュー	オプソ®内服液	5 mg	10 mg	20 mg	30 mg	40 mg
		(2.5 mg)	(5 mg)	(10 mg)	(15 mg)	(20 mg)
	フェンタニル注	25 μg/回	25〜	50〜	75〜	100〜
	(点滴静注)		50 μg/回	100 μg/回	150 μg/回	200 μg/回

(　)内は腎障害，高齢者などのハイリスク患者の場合．〔聖路加国際病院緩和ケア　作成〕

鉄則 5　レスキューは，経口なら1日量の1/6，注射なら1時間量

- 突出痛には，頓用でオピオイドを使用する(レスキュー)．レスキューの量は，定時投与しているオピオイドの量を参考にして1回量を決定する．
- レスキューの量は，経口なら1日量の1/6，注射なら1時間量を目安に投与する．
- 頓用で使用するレスキューは，効果が早く現れあまり持続しないタイプがよい．
- したがって，レスキュー用としてはオキシコドンではオキノーム®を，モルヒネでは塩酸モルヒネ錠ないし塩酸モルヒネ末が用いられる．
- フェンタニルを定期使用している場合には，オキノーム®などをレスキューとして使用することが多い．
- フェンタニルの口腔粘膜吸収剤であるイーフェン®とアブストラル®が発売されレスキュー薬として期待がかかるが，調整が難しく高価であるため使用するなら緩和ケアの医師指導のもとがよい．
- モルヒネの粉末は苦みが強いのでシロップと合わせて服用する．甘味やフレーバーを添加した製剤(オプソ®内服液)もある．
- レスキューの回数が4回以上になるようならば，定時投与のオピオイドを増量する．

本症例では…

- 最初の目標は安静時疼痛の除去とした(目標の設定)．
- WHOの除痛ラダーに従って，NSAIDsに加えて少量のオキシコンチン®を10 mg 1日2回に分けて追加した．
- 予防可能な副作用である便秘と嘔気に対しては，それぞれマグネシウム製剤と制吐薬を処方した．
- オキシコンチン®1日10 mgの追加によって痛みはいったん消失したが，数日後に再燃した．1日20 mgまで増量したところ，安静時痛は完全に消失した．
- 1日に1, 2回程度突出痛が出現するため，オキノーム®2.5 mgを頓用とした．

A オピオイドを導入する．嘔気や便秘の副作用対策とレスキューの設定を必ずする！

> **症例 ④** 胃癌終末期の 65 歳女性．腸閉塞で経口摂取不能．
>
> 終末期胃癌による癌性腹膜炎に対して自宅療養しており，腹部違和感と背部痛に対して，ロキソニン® 60 mg 3 錠とオキシコンチン® 80 mg を内服していた．悪液質の進行により食事や内服が難しくなり疼痛が増悪したため入院となった．

Q どのようにしてペインコントロールをすればよいのだろうか？

鉄則 6　経口投与できなければ，貼付・舌下・持続皮下注・静注にスイッチング

- 内服困難な患者の癌性疼痛では，CSI や CVI でコントロールを始めて必要量を見極めることも多い．
- フェンタニルであれば貼付薬も使用できる．ただ貼付薬はレスキューが内服薬となるため上記の症例では使用しにくい．貼付薬はこまやかな調整が難しい．
- フェンタニルは消化器症状の副作用が少ないので，本例に最適である．
- フェンタニルはモルヒネやオキシコドンよりも安全域が狭いため，スイッチングする場合は注意する．特にモルヒネ・オキシコドン→フェンタニルのスイッチングで等価換算をすると傾眠や呼吸抑制が生じることもあるので，懸念がある場合は 20％前後減量してスイッチすると安全なことが多い．
- 415 頁の換算表を参照して投与量を決める．オキシコンチン® 80 mg/日はフェンタニル持続皮下注 1.2 mg/日相当である．レスキューは 1 時間量とする．
- オピオイドを開始したあとは「量の調節（titration；タイトレーション）」が重要である．
  - 前日に使用したレスキュー量の 50～100％を定期量に上乗せ，または定期量を 30～50％増量
  - 高齢者，腎機能障害患者，モルヒネ経口量で 120 mg 以上の使用患者などは 20％程度ずつ慎重に増量
  - せん妄や呼吸抑制などで減量する必要がある場合は 20～30％ずつ減量，中止しないこと！
- タイトレーションができたら，退院を見据えて内服や貼付薬へ変更する．
- フェントス®テープは有効血中濃度に達するまで 12 時間かかるものとして投与設計する．
  〈処方例〉フェントス®テープ貼付後，6 時間後に持続投与の速度を半減，12 時間後に持続投与を中止する
- 最近はフェンタニルのレスキューに用いられる舌下錠であるアブストラル®や頰と歯茎の間に挟んで頰粘膜から吸収させるイーフェン®なども使用できるようになっており，さまざまなシチュエーションでストレスなくペインコントロールができるようになっている．

〈処方例〉アブストラル®：突出痛に対して，フェンタニルとして100 μgを開始用量として舌下投与

〈処方例〉イーフェン®：突出痛に対して，フェンタニルとして50 μgまたは100 μgを開始用量とし，上奥歯の歯茎と頬粘膜の間に挟んで使用

本症例では…

- 鎮痛薬変換の目安の表（→ 415頁）より，オキシコンチン®80 mg/日をフェンタニル持続皮下注1.0 mg/日に変更した（等価換算よりも減量）．
- レスキューの使用は1日1〜2回であり，縮瞳や呼吸抑制の副作用は生じなかった．
- 腸閉塞の治療が進んだため，持続皮下注から貼付薬フェントス®テープ3 mg/日へ投与方法を変更した．レスキューはアブストラル®1回100 μg舌下投与とした．

 経口投与が不可能な場合は貼付薬，CSI，CVIを検討する．状況に応じてオピオイドの種類，剤型，投与経路を使い分ける

もっと知りたい！ 各オピオイドとオピオイド受容体の種類

- オピオイド受容体にはμ1，μ2，κ，δといった種類が存在する．それぞれの受容体に結合したときの主な作用を下記にまとめる．

μ1	鎮痛，嘔気，多幸感，瘙痒，縮瞳，尿閉
μ2	鎮痛，鎮静，呼吸抑制，身体依存，精神依存，消化管運動抑制，鎮咳
κ	鎮痛，鎮静，気分不快，興奮，幻覚，呼吸抑制，鎮咳，縮瞳，利尿
δ	鎮痛，身体依存，呼吸抑制

薬剤	結合部位	特徴
モルヒネ	μ1，μ2，κ，δ	呼吸困難や咳嗽に効果が高い．腎障害では効果が遷延
オキシコドン	μ1，μ2	せん妄が少ない
フェンタニル	μ1	消化管蠕動への影響が少ない

- 上記の効果と，剤型からオピオイドの選択を行う

● 参考文献

1) World Health Organization：WHO Guidelines for the pharmacological and radiotherapeutic management of cancer pain in adults and adolescents. 2018［ISBN：978-92-4-155039-0］
    - WHOの最新の癌性疼痛ガイドラインである．ぜひ一読を．
2) Swarm RA, et al. Adult Cancer Pain, Version 3. 2019, NCCN Clinical Practice Guidelines in Oncology. J Natl Compr Canc Netw 17：977-1007, 2019［PMID：31390582］
    - 米国のガイドライン．会員登録すれば無料で読めるので，癌診療を志す人はぜひ！
3) Caraceni A, et al. Use of opioid analgesics in the treatment of cancer pain：evidence-based recommendations from the EAPC. Lancet Oncol 13：e58-68, 2012［PMID：22300860］
    - 欧州緩和ケア学会のオピオイド使用に関する推奨論文である．少し古いがWHOとニュアンスが違う内容もあり比較のために読んでおくとよい．
4) 日本緩和医療学会ガイドライン統括委員会（編）：がん疼痛の薬物療法に関するガイドライン（2020年版）．金原出版，2020

- 日本のガイドライン．オンラインでも参照できる．
5) 森田達也ほか：3ステップ実践緩和ケア 第2版．青海社，2018
    - 最初の入門書としておすすめ．ローテーション時に参照するとよい．
6) 森田達也：緩和治療薬の考え方，使い方 ver. 3．中外医学社，2021
    - 非常にわかりやすい切り口で，evidence と non-evidence を解説してくれる良書．著者の哲学まで垣間見られる文書は読むのが苦にならない．

（藤野　貴久）

35 慢性腎臓病（CKD）
クレアチニンだけが腎機能じゃない

1. 慢性腎臓病（CKD）は eGFR と蛋白尿で評価する
2. CKD 患者はダブル ABCD で管理
3. 薬剤投与時の腎機能は患者自身の体表面積で換算
4. 透析患者では透析の緊急性とアクセスの状態を確認

症例 ❶ 糖尿病の既往歴がある 74 歳男性．

30 代で 2 型糖尿病と診断されていた 74 歳男性．来院時バイタルサインは意識清明，体温 36.2℃，血圧 140/64 mmHg，脈拍 84/分・整，呼吸数 12/分，SpO_2 97%（室内気）．身長 170 cm，体重 80 kg．入院時の血液検査で Cr 1.8 mg/dL（eGFR 29.7 mL/分/1.73 m^2）だった．前医に問い合わせたところ 3 か月前の血液検査でも Cr 1.9 mg/dL だった．尿アルブミン/Cr 比は 350 mg/gCr であった．

Q 本症例の CKD はどの段階と判断する？

鉄則 1 慢性腎臓病（CKD）は eGFR と蛋白尿で評価する

CKD とは

腎障害の指標	尿異常，画像診断，血液，病理で腎障害の存在が明らか 特に 0.15 g/gCr 以上の蛋白尿（30 mg/gCr 以上のアルブミン尿）の存在が重要
GFR 低下	GFR＜60 mL/分/1.73 m^2

- CKD とは，上記のいずれかが 3 か月以上持続することである．
- アルブミン尿を測定できない場合には蛋白尿を g/gCr で評価するが，こちらは 422 頁の「もっと知りたい！：尿蛋白/クレアチニン比」を参照．
- CKD の診断と重症度分類には GFR とアルブミン尿検査が必要であり，原因疾患（C：Cause）の同定のほかに，腎機能（G：GFR）と蛋白尿（A：アルブミン尿）の CGA 分類で重症度を分類する．糖尿病性腎症が疑われる場合にアルブミン尿を使う．
- 蛋白尿区分は原則尿アルブミン定量を行うが，アルブミン尿の測定ができない場合には，尿蛋白定量と尿中 Cr 測定により，尿蛋白/Cr 比（g/gCr）を算出して代用する．

CKDの重症度分類（CKD診療ガイド 2012）

原疾患	蛋白尿区分		A1	A2	A3
糖尿病性腎臓病	尿アルブミン定量 (mg/日) 尿アルブミン/Cr比 (mg/gCr)		正常 30 未満	微量アルブミン尿 30〜299	顕性アルブミン尿 300 以上
高血圧性腎硬化症 腎炎 多発性嚢胞腎 移植腎 不明 その他	尿蛋白定量 (g/日) 尿蛋白/Cr比 (g/gCr)		正常 0.15 未満	軽度蛋白尿 0.15〜0.49	高度蛋白尿 0.50 以上
GFR区分 (mL/分/ 1.73 m²)	G1	正常または高値	≧90		
	G2	正常または軽度低下	60〜89		
	G3a	軽度〜中等度低下	45〜59		
	G3b	中等度〜高度低下	30〜44		
	G4	高度低下	15〜29		
	G5	高度低下〜末期腎不全	<15		

重症度は原疾患・GFR区分・蛋白尿区分を合わせたステージにより評価する．CKDの重症度は死亡，末期腎不全，心血管死亡発症のリスクを■のステージを基準に，■，■，■の順にステージが上昇するほどリスクは上昇する．（KDIGO CKD guideline 2012 を日本人用に改変）
〔日本腎臓学会（編）：CKD診療ガイド 2023, p.4 表 2．東京医学社, 2023〕

- ここで使用する GFR は全員の体格 1.73 m² にそろえた場合の数値，すなわち eGFR (mL/分/1.73 m²) であることに注意したい．
- 蛋白尿を測定するのは同じ GFR でもそれに応じて心血管リスクが大幅に上昇するからである．例えば同じ CKD G3b でも A1 に比べて A3 では心血管死亡のリスクが 3 倍となる．
- また CKD G3 以上の CKD 患者では今後末期腎不全に至った場合に血液透析になる可能性を考慮して，点滴ラインはなるべくシャントを作る可能性がある非利き手の前腕は避ける．理想的には利き手の手背でラインをとることが望ましい．また動脈ラインの留置もなるべく避けたい．

本症例では…

- 近医受診時の 3 か月前の時点で既に腎機能低下が存在しており，今回受診時の腎機能はベースの腎機能から増悪してないことがわかった．GFR 区分は eGFR 29.7 mL/分/1.73 m² から G4 に相当し，蛋白尿区分は顕性アルブミン尿の A3 相当であった．
- 原疾患としては精査の結果，糖尿病性腎症が疑わしく，CKD G4A3 と診断した．

A GFR値区分と尿アルブミン/Cr比からCKD重症度分類を行う

尿蛋白/クレアチニン比

- CKDの重症度判定で評価する尿蛋白の量は，理想的には24時間蓄尿が必要である．
- しかし毎回蓄尿をするのは煩雑であるため，随時尿中のクレアチニン濃度との比によって1日の蛋白尿の量を推測することができる．
- 具体的には1日のクレアチニン排泄量がおよそ1gであることを利用して，
尿蛋白/クレアチニン比＝尿蛋白(mg/dL)/尿クレアチニン(mg/dL)
で計算し，尿蛋白/クレアチニン比(g/gCr)がそのまま1日の尿蛋白推定量(g/日)となる．
- ただし炎症反応があって一時的に尿蛋白が増える状況やAKI(急性腎障害)で一時的にクレアチニン排泄量が減少している状態では過大評価することがある．できれば外来などの全身状態が落ち着いた状態で評価したい．

CKDと心血管疾患リスク

- CKDは慢性的に経過する腎疾患の概念であるが，心血管疾患に対する危険なリスクファクターとしての認識が重要である．
- CKDではさまざまな研究でeGFRが低下するにつれて心血管イベントのハザード比が指数関数的に増加することが報告されており〔N Engl J Med 351：1296-1305, 2004〕，アルブミン尿が存在するだけでも全死亡および心血管疾患リスクを高めることから〔Atherosclerosis 204：503-508, 2009〕，CKD患者においては心血管疾患が発症しやすいことをよく理解しておき，CKD患者の心血管イベント抑制のためには，早期から危険因子に対するマネジメントを心がける必要がある．

ではCKDとしてどのような点に注意して管理をするか？

 鉄則2　CKD患者はダブルABCDで管理

- CKDと診断した場合，①GFR低下の速度を緩め，②心血管イベントを予防する介入を行う必要がある．
- 具体的にはダブルABCDで覚えて確認するとよい．

CKD患者の管理

Anemia：貧血

- 腎臓からのESA(erythropoietin-stimulating agent；赤血球造血刺激因子)産生低下に伴い腎性貧血を認める．
- 目標値：活動度に合わせてHb 11〜12 g/dL程度．
- 治療：ESA製剤皮下注，HIF-PH阻害薬(425頁の「もっと知りたい！」を参照)，鉄欠乏性貧血の併存に注意．

※CKD における鉄補充は血清フェリチン値<100 ng/mL かつ TSAT<20％の患者においては，鉄補充を考慮することが推奨されている．TSAT（トランスフェリン飽和度）は，血清 Fe を総鉄結合能（TIBC）で除して算出する．

Acidosis：アシドーシス
- 腎臓からの NH_3 排泄低下に伴い HCO_3^- 低下を認める．
- 目標値：HCO_3^- 22〜24 mEq/L が最も腎機能低下の進行が遅いとされる．
- 治療：炭酸水素ナトリウム 1〜3 g/日投与，腹部症状が出る場合がある．

Blood pressure：血圧
- 高血圧のコントロールが腎機能低下を遅らせる．
- 目標値：130/80 mmHg（DM 非合併の蛋白尿 A1 区分は 140/90 mmHg 未満）．75 歳以上では原疾患や尿蛋白の有無にかかわらず 150/90 mmHg．
  ※特に過度な降圧は回避が必要であり，収縮期血圧 110 mmHg 以下にはならないように心がける．
- 治療：糖尿病性腎症で蛋白尿があれば ACE 阻害薬/ARB が第一選択，その他 Ca ブロッカーや β ブロッカーなど．

Body weight：体重
- 減量とともに，腎機能低下が進行すれば利尿薬の併用が必要である．
- 入院患者では入院食で自然と塩分制限がかかり，普段より必要な利尿薬の量が減る場合があるので注意する．
- 末期腎不全で尿量が低下している患者でも，絶飲食の場合，不感蒸泄や排便などで 1 日 1,000 mL 程度の輸液は要する．
- 治療：まずはループ利尿薬から使用し，浮腫のコントロールに難渋すればサイアザイドを併用する．

CKD-MBD：慢性腎臓病に伴う骨・ミネラル代謝異常
- 腎臓からの P 排泄低下に伴う高 P，ビタミン D 活性化低下に伴う低 Ca，その結果の二次性副甲状腺機能亢進（iPTH 上昇）がみられる．
- 目標値：いずれも基準値内．
- 治療：高 P・低 Ca の併存があれば炭酸カルシウム，高 P のみであればリン吸着薬を用いる，高 iPTH に対してはビタミン D 製剤を併用することもある．

Cholesterol：脂質異常症
- CKD そのものでも脂質代謝異常が起こる．
- 目標値：併存する心血管リスクにより異なるが，CKD があるだけでも LDL-Cho は 120 mg/dL 未満が望ましい．
- 治療：食事運動療法，薬剤はスタチンが第一選択である．フィブラート系は腎機能低下があると使用しづらい．

Diabetes：糖尿病
- 糖尿病性腎症の場合は，まず血糖コントロールができないと腎機能低下の進行は止められない．
- 目標値：少なくとも HbA1c 6％台．
- 治療：食事運動療法，薬剤はメトホルミンが第一選択だが，腎機能低下が進むと使用できないため，DPP-4 阻害薬・GLP-1 作動薬・SGLT-2 阻害薬（10 章「血糖異常」の「もっと知りたい！」118 頁を参照）・インスリンが併用される．

Diet：食事
- カリウムや蛋白摂取量の制限が必要である．
- 目標値：GFR ごとに異なるが，G3 以上では食塩 6 g/日未満，蛋白摂取量 0.8～1.0 g/kg/日未満を目指す．
- 治療：栄養指導，高 K がある場合はカリウム吸着薬を併用する．

> **本症例では…**
- 近医と連携し下記の治療を行った．

Anemia	Hb 11.2 g/dL であり治療不要，鉄欠乏なし
Acidosis	HCO_3^- 19 mEq/L であり，炭酸水素ナトリウム 1 g 2 回 朝・夕食後で開始
Blood pressure	血圧高値，常用薬のアムロジピン 5 mg に加えてテルミサルタン（ミカルディス®）20 mg 開始
Body weight	理想体重 65 kg までの減量推奨，下腿浮腫ないため利尿薬はなし
CKD-MBD	Ca，P，iPTH 値はいずれも正常範囲内で治療不要
Cholesterol	LDL-Cho 140 mg/dL のため，ロスバスタチン（クレストール®）2.5 mg 1 錠開始
Diabetes	HbA1c 8.3％だったため，もともと内服していたビルダグリプチン（エクア®錠）に加えて一時的にインスリンを併用
Diet	減塩 6 g/日，蛋白摂取量 60 g/日で栄養指導，K 5.1 mEq/L に対してはまず食事指導で対応

A CKD 患者は心血管ハイリスク群であり，蛋白尿測定とダブル ABCD 管理を忘れない

目標血圧
- KDIGO2021 では透析患者を除いた CKD 患者において，原疾患や蛋白尿によらず収縮期血圧 120 mmHg 以下の厳格管理で心予後，生命予後が改善したとの報告もでている．これは腎保護効果という観点ではなく，心保護効果ならびに生命予後の観点から提案されており，今後のエビデンスの蓄積に期待されている〔Kidney International 99：559-569, 2021〕．

CKD 領域の新薬

新薬の開発が目覚ましい分野であり,一部概論を紹介する.

HIF-PH 阻害薬

- 低酸素誘導因子(hypoxia-inducible factor:HIF)は低酸素に対する防御機構を担う重要な転写因子であり,その発現量は酸素依存性に活性をもつ HIF-prolyl hydroxylase(HIF-PH)により調節されている.
- HIF の代表的なターゲット分子として ESA があり,HIF-PH 阻害薬は,この低酸素応答機構が ESA 産生を調節することを利用した新しい機序の腎性貧血治療薬である(2019 年のノーベル生理学・医学賞はこの低酸素応答機構の解明の功績に贈られている).
- HIF-PH 阻害薬は,鉄欠乏がなく(TSAT>20%,血清フェリチン>100 ng/mL),ESA 抵抗性の腎性貧血によい適応とされる.
- 悪性腫瘍,血栓塞栓症などの警告があるため,個々の患者の状態や嗜好,コンプライアンスなどに応じて判断する.

〔日腎会誌 62:711-716, 2020〕

症例 ❷ CKD の既往歴がある 82 歳女性.

施設入所中,起床時から発熱および意識障害,低血圧を認め救急搬送された.来院時バイタルサインは意識レベル JCS I-3,体温 38.4℃,血圧 110/70 mmHg,脈拍 90/分・整,呼吸数 22/分,SpO_2 98%(室内気).身長 150 cm,体重 42 kg.血液検査で Alb 3.0 mg/dL,Cr 0.9 mg/dL.血液検査ならびに腹部 CT で胆管炎の診断となり,ピペラシリン・タゾバクタム(ゾシン®)投与の方針となった.

Q. 投与量および投与間隔は何を目安に決めればよいか?

> **鉄則 3** 薬剤投与時の腎機能は患者自身の体表面積で換算

- 薬剤は一般的に肝代謝もしくは腎排泄であり,腎排泄の薬剤を投与する際には腎機能に応じて投与量を調整する必要がある.
- 腎機能低下はあくまで排泄の遅延であるので,初回投与量は腎機能障害がある場合でも腎機能正常と同様の投与量で行う.
- 腎機能低下患者に薬物を処方する際には,用量を減らすことと投与間隔を延長することを意識する.
- 薬剤の排泄量は糸球体ろ過量(GFR:glomerular filtration rate),つまり 1 分間あたりにどの程度の原尿が糸球体から排泄されるかに依存する.
- なお GFR は血液検査の Cr から計算され,腎機能の目安としてよく使用される推算 GFR(eGFR)は次頁の式で計算される.

> 日本人の GFRcreat 推算式（GFRcreat の推算）
> eGFRcreat(mL/分/1.73 m^2)＝194×年齢（歳）$^{-0.287}$×SCr(mg/dL)$^{-1.094}$
> 女性は×0.738

- 注目したいのはこの式は全員の体表面積を 1.73 m^2 とした場合のものであり，その個人特有の糸球体ろ過量をみているわけではないことである．
- あくまで日本人全員を同じ体格（体表面積 1.73 m^2）にそろえた場合にどの程度の腎排泄力をもつかをみた相対的な指標であるため，単位も mL/分/1.73 m^2 となっている．
- 一方，薬剤投与を行う場合は集団内の相対的な腎機能ではなく，個人特有の薬剤処理能力を知りたいので，一部の特殊な薬剤を除けば，患者本人の体表面積に補正した個別 eGFR を使用する必要がある．
- つまり，

> 個別 eGFR(mL/分)＝eGFR×（患者本人の体表面積 m^2）/1.73

となる．単位は mL/分である．なお，体表面積は下記で計算される．

> 体表面積(m^2)＝(体重 kg)$^{0.425}$×(身長 cm)$^{0.725}$×0.007184（DuBois 式）

- 腎障害があった場合の薬剤投与量に関しては『サンフォード感染症治療ガイド』，『薬剤性腎障害診療ガイドライン 2016』，『がん薬物療法時の腎障害診療ガイドライン 2016』，薬剤添付文書などを参照したい．

本症例では…

- 身長 150 cm，体重 42 kg より，体表面積は 1.33 m^2 である．eGFR は 36.5 mL/分/1.73 m^2 のため，個別 eGFR は 36.5×1.33/1.73＝28.1 mL/分である．
- 『サンフォード感染症治療ガイド』によるとピペラシリン・タゾバクタム（ゾシン®）に関しては GFR 20〜40 mL/分では 2.25 g 1 日 4 回での投与が推奨されており，今回個別 eGFR 28.1 mL/分であった．初回投与量は最初の血中濃度を上げるために減量せず 4.5 g を投与したうえで，腎機能に合わせて 2.25 g を 1 日 4 回で治療を継続した．

A 薬剤投与量調整のときは全員に合わせた eGFR(mL/分/1.73 m^2) ではなく，患者本人の体表面積で換算した個別 eGFR(mL/分) を用いる

薬剤投与量とクレアチニン・クリアランス（C_{Cr}）

- GFR のもう 1 つの推算式として有名なものに Cockcroft-Gault 式（CG 式）がある．

> 推算 C_{Cr}(mL/分)＝〔(140－年齢（歳））×体重(kg)〕/〔SCr(mg/dL)×72〕
> 女性は×0.85

- CG 式は体重で体格補正をしているため，単位が mL/分であり，計算後に患者本人の体表

面積でさらに補正しなくてよい点が簡便である.
- 注意すべきは CG 式で用いられるクレアチニン値は現在日本で使用されていない Jaffe 法といわれるクレアチニンの測定法に基づいていることである.
- Jaffe 法を用いる理由は,
  - Cockcroft と Gault がこの式を導いた時代は Jaffe 法しかなかったこと
  - 酵素法のほうが正しい Cr 値であり,そもそも Cr を使用している段階で過大評価となり,Jaffe 法は過小評価となる測定系なので,それぞれが相殺して GFR に近い値となること
- CG 式で腎機能を推測する場合は,現在の酵素法による Cr の測定値に 0.2 mg/dL を加えて代入する必要があり,注意を要する.なお,薬剤の添付文書などをみると,C_{Cr} で投与量を調整するよう記載されていることが多いが,これはかつて C_{Cr} を目安に薬剤投与量を調整した名残である.
- 実務上は患者本人の体表面積で補正した個別 eGFR も添付文書などの数字と照らし合わせて薬剤調整を行ってよい.

腎機能の評価
- 腎機能の正確な評価とは真の糸球体ろ過量(true GFR)を知ることである.
- GFR には推算 GFR(estimated GFR)と実測 GFR(measured GFR)がある.用途に合わせて使い分けたい.

	推算 GFR	実測 GFR
例	日本人の GFR 推算式(クレアチニン) Cockcroft-Gault 式 日本人の GFR 推算式(シスタチン C)	イヌリンクリアランス 蓄尿によるクレアチニン・クリアランス(C_{Cr}) 蓄尿によるクレアチニンと尿素クリアランスの平均
利点	血液検査から計算できるため簡便	腎機能の変動や体格の影響を受けづらく,より正確
欠点	腎機能の変動がある患者や標準的体格から大きく外れた患者では不正確 CKD 患者をもとに作られた式がほとんどで正常腎機能の評価には不向き	蓄尿を行う必要があり頻回の施行が困難
用途	通常の薬剤投与や CKD 評価時の腎機能評価	抗癌剤投与前などのより厳密な腎機能評価 ICU 患者などの腎機能が変動しやすい状況での腎機能評価 標準的体格から大きく外れた患者の腎機能評価

推算 GFR(eGFR)
- クレアチニンは筋肉の代謝産物であるため,るいそう・四肢切断がある患者では C_{Cr} で腎機能を過大評価する可能性がある.またクレアチニンは厳密には尿細管から少量分泌され,特に腎機能低下がある患者で C_{Cr} による過大評価が起きやすい.
- クレアチニンに代わる指標としてシスタチン C でも GFR を推測することができる.シスタチン C は全身の細胞で産生されるため年齢・体格によらず産生量が一定とされる.

> 日本人の eGFRcys 推算式(eGFRcys の推算)
> 男性:eGFRcys(mL/分/1.73 m^2)=〔104×Cys-C$^{-1.019}$×0.996$^{年齢(歳)}$〕-8
> 女性:eGFRcys(mL/分/1.73 m^2)=〔104×Cys-C$^{-1.019}$×0.996$^{年齢(歳)}$×0.929〕-8

- 炎症や甲状腺機能異常がある場合，ステロイド使用下では不正確であるとされる．

実測 GFR
- 糸球体から全量がろ過されて，その後分泌・再吸収が起こらない物質を用いるのが理想的である．
- ゴールデンスタンダードはイヌリンクリアランスだが，測定方法が煩雑であり頻回にできる検査ではない．
- イヌリンクリアランスの代わりに蓄尿による C_{Cr} が用いられる．特に入院中の患者であれば 24 時間蓄尿も行いやすい．

$$C_{Cr}(mL/分) = \frac{尿中\ Cr(mg/dL) \times 尿量(mL/日)}{血清\ Cr(mg/dL) \times 1440}$$

- 推算式ではなく実際に排泄されたクレアチニン量から計算するため筋肉量や体格に依存せず腎機能を評価できる．
- クレアチニンが尿細管で分泌されるのに対し，尿素は尿細管で再吸収される．特に腎機能低下がある患者ではその両者の程度がほぼ同じであることから $C_{Cr}+C_{urea}$（尿素クリアランス）の平均を腎機能の指標として利用することもある．また $C_{Cr} \times 0.715$ 倍して近似することもある．
- **症例 2** の患者は高齢女性で通常の健常人より筋肉量が少ないことが予想されるのに加え，腎機能低下があることも予想される．実際の糸球体ろ過量は計算した値よりもさらに低い可能性が高いことを想定しておく必要がある．
- シスタチン C による GFR の推算や蓄尿による GFR の測定を検討してもよい．

シスタチン C
- eGFR に不可欠な血清 Cr は総筋肉量に依存するため，筋肉代謝に異常がある場合にはシスタチン C を代用する．そのため eGFR を計算する際にシスタチン C 測定も追加することで，死亡や末期腎不全のリスク分類に有用だといわれている〔N Engl J Med 369：932-943, 2013〕．
- 原則濃度の上昇がある場合には腎機能低下が主な原因であり，基準値の一例は男性が 0.66〜1.05 mg/L で女性が 0.61〜0.93 mg/L である．
- なお，GFR≦30 mL/分/1.73 m^2 の高度腎機能低下症例では，クレアチニンが腎機能低下に伴い増加するのに対して，血清シスタチン C は 5 mg/L などを上限に上がりにくくなるので，末期腎不全では解釈に注意が必要である．

> **症例❸** 糖尿病による末期腎不全に対し血液透析中の 68 歳女性．
>
> 10 年来の維持透析を継続しており現在週 3 回で維持透析中である．数日前から感冒症状が出現しており，来院当日になって 38℃台の発熱をきたしたため，救急受診した．来院時バイタルサインは意識レベル JCS Ⅰ-1，体温 38.4℃，血圧 98/72 mmHg（普段の血圧は 140/80 mmHg 程度），脈拍 112/分・整，呼吸数 16/分，SpO₂ 92%（室内気）．胸部単純 X 線写真および肺 CT 検査で右上肺野に肺炎像を認めた．身長 155 cm，体重（ドライウェイト）52 kg．

 透析患者の管理で注意すべきところは？

鉄則 4　透析患者では透析の緊急性とアクセスの状態を確認

- 血液透析患者は基本的に週 3 回の維持血液透析を行うことが生命の維持に必要である．月水金や火木土のいずれかのサイクルで透析を行っている場合が多い．
- しかしバイタルサインが不安定な場合やほかの疾患の合併によりやむを得ず透析の中断をしなければならないことがある．その場合，できれば中 2 日の中断にとどめたいが，多くの場合は高 K 血症や溢水がなければ 1 日の透析の延期は許容される．
- 透析患者の発熱ではさまざまな要因に配慮する必要がある．透析および腎不全の原疾患による易感染性，バスキュラーアクセス関連感染症（MRSA などの耐性菌も考慮），腹膜透析患者の腹膜炎，結核性感染症などが挙げられる．
- また感染の有無にかかわらず，透析患者が入院した場合は使用するアクセスの診察が必須である．9 割が自己血管の内シャント（動静脈瘻）であり，その他には人工血管，透析用カテーテル，動脈の表在化などのパターンがある．
- シャント肢側のライン留置は基本的には行わない．
- 無尿の患者でも不感蒸泄や排便で水分は喪失されるため，体液過剰がなければ絶飲食の場合 1 日 1,000 mL 程度の輸液は要する．

シャントの診察

- 視診：周囲の発赤・腫脹などの感染徴候がないか．
- 触診：血流が保たれているシャントではスリル（振動）が触れる．
- 聴診：動静脈吻合部〜肘窩〜上腕付近を聴診する．聴診器で「ザーザーザー」という連続音が聴取できる．「ヒューヒューヒュー」のような高調音や断裂音では狭窄が疑われ，またシャント閉塞があるとシャント音が消失する．
- 診察でシャント閉塞・狭窄が疑われる場合や，感染が疑わしく血栓性静脈炎の除外が必要な場合は血管エコーで評価する．
- その他の血液透析患者では次の情報を収集する．

血液透析患者で集めるべき情報

透析スケジュール	最終透析日，週の透析回数と曜日（週3回で月水金か火木土が多い）
自尿	自尿の有無，尿量，利尿薬の量・種類
アクセスの種類	内シャント，グラフト，動脈表在化，パーマネントカテーテル
ドライウェイト（透析後に目標としている体重）	最近の変更の有無，現在の体重との差，透析間体重増加の程度
透析条件	抗凝固薬（ヘパリン，ナファモスタット） 血流量（Qb） ダイアライザーの種類 透析時の投与薬剤〔ESA製剤，鉄剤，ビタミンD製剤，Ca受容体作動薬，ドロキシドパ（ドプス®）・アメジニウム（リズミック®）の内服〕 透析経過表（透析中の血圧の推移など） 除水上限

- これに加えて現在，緊急の透析の必要性は，緊急透析の適応でもある「AIUEO*」に準じて判断するが，これはAKIのときと同様である（→264頁）．実際には水分のvolume過多とKなどの電解質が特に問題になる場面が多く，ドライウェイトから何kg増加しているかなどの情報も集めておく．1つの基準としては2日空けた後のドライウェイトの6%未満を体重増加の目安としている．

  *Acidosis（アシドーシス），Intoxication（薬物中毒），Uremia（尿毒症），Electrolyte（電解質異常），Overload（溢水）

本症例では…

- 普段と比較して血圧低下をきたしており，肺炎に伴う敗血症性ショックの状態が考えられた．ノルアドレナリン持続投与でバイタルサインを維持したうえで，肺炎に対して原因菌が同定されるまで，ピペラシリン・タゾバクタム（ゾシン®）およびレボフロキサシン（クラビット®）での抗菌薬加療を開始した．
- なお，最終透析は来院2日前で来院時の血液検査ではK 4.1 mEq/Lであり，体重はドライウェイトから+1.5 kgであった．抗菌薬加療を開始後は酸素需要は改善傾向であり，その他の身体所見や肺CT，心エコーでもうっ血性心不全を疑う所見に乏しかった．
- 昇圧薬需要があり，上記の通り電解質およびボリューム管理の観点から緊急の透析の必要性はないと判断した．同日の透析は中止とし，翌日以降の透析を予定した．
- シャント部の診察では感染・狭窄・閉塞はいずれも認めず，引き続き普段の左前腕内シャントで透析を継続する方針として静脈ラインは右手背に留置した．
- 透析クリニックよりその他の情報を収集して，腎臓内科医に引き継いだ．

A 透析患者で緊急性と透析に必要なアクセス部位の評価を行う

さまざまな腎代替療法

- 日本では透析というと血液透析が圧倒的多数を占めるが，全世界的には血液透析のほか，腹膜透析，腎移植，CKM（conservative kidney management）が普及している．
- 腎移植後の患者は複数の免疫抑制薬を服用しており，専門機関での診察が望ましい．
- CKMは患者の治療オプションの1つであり，意思決定の共有と全体的な患者中心のケアを行い，透析を追求することなくQOLを重視する治療選択肢である．

腹膜透析のエマージェンシー

- ここまで述べたのは血液透析患者の注意点だが，腎代替療法として腹膜透析を行う患者もいる．
- 腹膜透析は生体膜である腹膜を介して行う透析方法であり，体液変動が血圧透析と比較すると緩やかであるため，体液の恒常性が保たれやすく，循環動態に与える影響も少ない．
- 腹膜透析患者でも基本的には透析の緊急性とアクセス（腹膜透析カテーテル）の診察を行う．
- 腹膜透析患者は一般的に血液透析患者に比べて自尿が保たれている患者が多いため，緊急で透析が必要な状況は少ない．
- アクセスに関しては腹膜透析カテーテル，カテーテル出口部周囲の発赤・排膿，カテーテルに沿った発赤・圧痛，腹部症状，排液混濁の有無を確認する．
- 排液混濁があった場合は内科的エマージェンシーである腹膜透析関連の腹膜炎が疑われるため，ただちに排液の細胞数・培養検査，血液培養を提出し，抗菌薬治療を開始する必要がある．
- 腹膜炎の定義（以下のうち少なくとも2つが存在する場合）
  - 腹膜炎に合致する臨床的特徴：腹痛/排液混濁
  - 透析排液中の白血球数が $100/\mu L$ 以上または $0.1\times10^9/L$ 以上（最低2時間の貯留後）で多核白血球が50％以上
  - 透析排液培養陽性
- 抗菌薬治療は経験的治療としてグラム陽性球菌とグラム陰性桿菌の両者のカバーを推奨しており，大腸内視鏡などの処置の前には抗菌薬の予防的な投与を推奨している〔Perit Dial Int 42：110-153, 2022〕．
- 特に自施設で腹膜透析管理を行っている場合は救急外来で診察する機会もあると思われるため，院内の対応を確認しておきたい．

●参考文献

1) 日本腎臓学会（編）：エビデンスに基づくCKD診療ガイドライン2018．東京医学社，2018
   - 腎臓内科領域はガイドラインがわかりやすいためぜひ一読をおすすめする．
2) Vassalotti JA, et al. Practical Approach to Detection and Management of Chronic Kidney Disease for the Primary Care Clinician. Am J Med 129：153-162, 2016〔PMID：26391748〕
   - CKDのマネジメントについて簡潔にまとまったレビュー．
3) Romagnani P, et al. Chronic kidney disease. Nat Rev Dis Primers 3：17088, 2017〔PMID：29168475〕
   - CKDになる過程でそもそも糸球体に何が起こっているのかなど，腎臓内科に興味をもっていただいた先生にぜひ読んでいただきたい1本．

（鈴木　隆宏）

36 動脈血液ガス検査
隠れた異常を見逃さない！

1. 動脈血液ガス検査の異常は隅々までチェック
2. 動脈血液ガス検査の解釈ステップは常に①病態の予測，②アシデミア？ アルカレミア？ ③一次性変化は代謝性？ 呼吸性？ ④アニオンギャップは？ ⑤代償性変化は？ で行う
3. AG が開大していれば補正 HCO_3^- を計算して隠れた病態を探す
4. 代償性変化は，代謝性では 15，呼吸性では 0.1，0.2，(0.3 はナシで)0.4 と 0.5 で計算
5. AG 開大性の代謝性アシドーシスは KUSSMAL-P で鑑別

症例 ① 慢性腎臓病の 76 歳男性．息切れを主訴に来院．

来院 1 週間前から食欲不振があり，来院前日から息切れと倦怠感が出現して改善しないため来院した．来院時バイタルサインは意識清明，体温 36.2℃，血圧 90/50 mmHg，脈拍 110/分・整，呼吸数 20/分，SpO_2 100%（室内気）．心音や呼吸音に明らかな異常はない．動脈血液ガス検査を行った．

Q 下記の動脈血液ガス検査で注意すべき値は？

動脈血液ガス検査の異常は隅々までチェック

項目名	結果	項目名	結果
TEMP	37.0	K	6.4
pH	7.393	Cl	114
$PaCO_2$	34.3	Ca^{2+}	2.24
PaO_2	84.5	Cr	2.1
HCO_3^-	20.4	Hb	7.8
ABE	− 3.5	COHb	2.8
SBE	− 3.7	FMetHb	1.6
O_2CT	10.6	Glu	93
O_2Sat	99.7	Lac	1.7
NA	134	mOsm	271.9
		FiO_2	21.0

- 動脈血液ガス検査を行うタイミングは大きく分けて2つある.
- 1つ目は,緊急時や重症患者の評価である.動脈血液ガス検査は迅速に結果が得られ,呼吸(PaO_2, PCO_2),循環(Lac),腎機能障害や体液電解質異常(Cr, Na, K, Cl, pH, HCO_3^-)といった生体バランスに重要な項目を評価することができる.これらは意識障害の原因となるものも多い.そのため,病棟での意識障害やバイタルサイン異常,急変時,救急外来での重症患者などでは積極的に提出する.
- 2つ目は酸素化(PaO_2),換気($PaCO_2$),酸塩基平衡を正確に評価するときである.まずは正常値としてはpH 7.4,$PaCO_2$ 40 mmHg,HCO_3^- 24 mEq/L は暗記しておく.

酸塩基平衡の正常値

pH	7.4 ± 0.05
$PaCO_2$	40 ± 5 mmHg
HCO_3^-	24 ± 2 mEq/L

- 呼吸状態を評価するときにはP/F比や$A-aDO_2$を計算,評価できるとよい(3章「酸素飽和度低下」27頁を参照).
- また前述したタイミング以外にも,すぐに検査結果が得られることから,電解質異常やHbなどをこまかくフォローする際にも用いられる.これらは静脈ガスでも評価可能である.
- 動脈血液ガス検査では多くの項目が含まれており,そのすべてに目を通す習慣を身につけるとよい.特に緊急対応時には異常値を見落とすことがあるため意識して全体をチェックする.
- 特に貧血,Na・K・Ca異常,低血糖・高血糖は迅速な対応が必要なことも多く,見落とすと危ないので気をつける.
- 施設,機械によって測定可能な項目は異なるが,一般に測定可能な項目を下記にまとめる.

動脈血液ガス検査で測定可能なその他の項目

TEMP(体温)	複数の項目の計算で補正に使用されるため,動脈血液ガス提出時に体温を入力する
FiO_2:吸入気酸素濃度(%)	動脈血液ガス提出時に投与酸素濃度に合わせた値を入力する
ABE/SBE actual/standard base excess	正常値 0 ± 3 mEq/L.37℃,$PaCO_2$ 40 Torr の場合に,pHを7.4にするのに必要なH^+の量であり,正は塩基過剰,負は塩基欠乏を示す.代謝性の原因があるかをみるのに簡便だが,一次性変化か代償性変化かはわからないことに注意
O_2Sat(酸素飽和度SaO_2)	血中ヘモグロビンにO_2が何%結合しているかを表し,PaO_2と相関する.パルスオキシメーターで測定するSpO_2と解離する場合に注意
COHb(一酸化炭素ヘモグロビン割合)	正常値 0.5〜1.5%.火災や練炭自殺では増加していないかチェックする.喫煙者では 1.5〜5.0% まで増加していることがある
FMetHb(メトヘモグロビン割合)	正常値 0〜1.5%.上昇する原因は薬剤性が多く,チアノーゼを起こす.SpO_2とSaO_2が乖離する疾患の代表である
Glu:血糖値	極端な高血糖では正確に測定されない場合がある

(つづく)

(つづき)

Lac：乳酸値	2〜4 mmol/L 以上で末梢循環不全や腸管などの虚血，けいれんなどが疑われる
Na	脂質異常症や M 蛋白血症による偽性低 Na 血症でも正確な Na の値がわかる（22 章「低ナトリウム血症」269 頁を参照）
K	白血球・血小板増多による偽性高 K 血症でも正確な K の値を得られやすい（23 章「高カリウム血症」283 頁を参照）
Ca^{2+}	イオン化カルシウム．単位が異なることに注意．見慣れた mg/dL に変換するには，mEq/L の場合は 4 倍，mmol/L の場合は 8 倍する
Cr	動脈血液ガス検査で測定できない施設もある
Hb	すぐに結果がでるので，頻回なフォローが必要な場合によく用いられる
mOsm：浸透圧	2 Na＋Glu/18 より算出．それ以外の浸透圧物質や BUN は考慮されない

本症例では…

- 動脈血液ガス検査では，貧血と Cr 高値，高 K 血症を認めた．
- 再度問診を行うと，1 週間前から心窩部痛と食欲不振があったため NSAIDs を内服し，食事は果物などを食べていた．さらに 2 日前からは黒色便が出ていたとのことであった．
- 上部消化管出血，腎機能障害の増悪と K 摂取増加による高 K 血症が疑われた．
- 高 K 血症に対しては，心電図でテント上 T 波を認めたためグルコン酸カルシウム（カルチコール®）10 mL を静注し，グルコースインスリン療法の準備を行いつつ，生理食塩水 500 mL の急速投与を開始した．
- 貧血については輸血検査をオーダーしつつ，消化器内科医にコンサルトを行った．
- 内視鏡で出血性胃潰瘍を認め，止血が行われた後に入院となった．

A 動脈血液ガス検査では pH，$PaCO_2$，PaO_2，HCO_3^- のほかにも，すべての項目をチェックすることを忘れない

動脈血液ガス検査と静脈血液ガス検査の違い

- 動脈血液ガス検査に比べ静脈血液ガス検査は侵襲性も低く，普段の採血と一緒に検査に提出することが可能である．
- Hb，電解質，血糖などの項目は静脈血液ガスでも評価でき，すぐに結果が出るメリットがある．
- 酸素化以外では評価に使用できる場合も多く，差の平均の特徴を知っておくとよい．
- 一方，個別の症例では動脈血と静脈血の結果が大きく乖離することもあるため，正確な評価を行う場合は動脈血液ガス検査を必ず行う．
- 特に CO_2 や Lac は動静脈間の乖離が大きいこともあるが，静脈血で正常の場合は動脈血でも正常のことが多い．
- これらの乖離には測定部位，駆血時間，検体採取から測定までの時間，個別の病態などが関与すると考えられている．

　　　pH：静脈血 pH＝動脈血 pH－0.03（95%信頼区間 0.027〜0.039）

　　　PO_2：不正確であてにならない！

　　　PCO_2：静脈血 CO_2＝動脈血 CO_2＋4.41（95%信頼区間 2.55〜6.27）mmHg

HCO_3：静脈血 HCO_3＝動脈血 HCO_3＋1.03（95％信頼区間 0.56〜1.5）mmol/L
Lac：静脈血 Lac＝動脈血 Lac＋0.25（95％信頼区間 0.15〜0.35）mmol/L
〔Eur J Emerg Med 21：81-88, 2014〕．

症例❷ 28歳女性．持続する下痢を主訴に来院．

3日前に海外旅行から帰国した後，1日10回程度の下痢が続き，徐々に脱力とふらつきが強くなったため来院．来院時バイタルサインは意識清明，体温37.3℃，血圧100/60 mmHg，脈拍100/分・整，呼吸数26/分，SpO_2 99％（室内気）．呼吸数が増加しているため動脈血液ガスを採取したところ，値は以下の通りだった．pH 7.29，$PaCO_2$ 21 mmHg，HCO_3^- 8 mEq/L，Na 140 mEq/L，K 2.4 mEq/L，Cl 120 mEq/L．

Q この動脈血液ガス検査をどう解釈するか？

鉄則2
動脈血液ガス検査の解釈ステップは常に①病態の予測，②アシデミア？アルカレミア？ ③一次性変化は代謝性？呼吸性？ ④アニオンギャップは？ ⑤代償性変化は？ で行う

動脈血液ガス検査の解釈ステップの全体像
- 動脈血液ガス検査の解釈は毎回同じ手順に沿って行う．

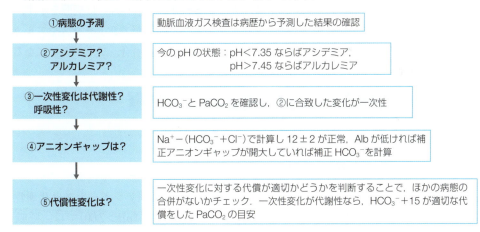

①病態の予測	動脈血液ガス検査は病歴から予測した結果の確認
②アシデミア？アルカレミア？	今のpHの状態：pH＜7.35ならばアシデミア，pH＞7.45ならばアルカレミア
③一次性変化は代謝性？呼吸性？	HCO_3^- と $PaCO_2$ を確認し，②に合致した変化が一次性
④アニオンギャップは？	$Na^+ －（HCO_3^- ＋Cl^-）$で計算し 12±2 が正常．Alb が低ければ補正アニオンギャップが開大していれば補正 HCO_3^- を計算
⑤代償性変化は？	一次性変化に対する代償が適切かどうかを判断することで，ほかの病態の合併がないかチェック．一次性変化が代謝性なら，HCO_3^- ＋15 が適切な代償をした $PaCO_2$ の目安

①病態の予測
- 全く状況がわからないことはまれであり，動脈血液ガス検査は病歴から予測した病態や程度の確認に用いる．
- 病態を予測することで，結果の解釈もスムーズになり，予測から外れた場合には隠れた病態を見つけやすくなる．
- 典型的な酸塩基平衡異常をきたす病態のパターンをおさえておく．複数の酸塩基平衡異常を同時にきたす病態もある．

典型的な酸塩基平衡異常をきたす病態

代謝性		呼吸性	
アシドーシス	アルカローシス	アシドーシス	アルカローシス
循環障害/ショック(乳酸 AG 開大) 下痢(AG 正常) 腎不全 (早期:AG 正常　晩期:AG 開大)	有効循環血漿量の低下 　細胞外液量低下 　心不全 　肝硬変　←併発 利尿薬 嘔吐 アルドステロン症(甘草)	2 型呼吸不全 (COPD, 神経筋疾患など) 　　　　　→併発	1 型呼吸不全(肺塞栓など), 妊娠 肝硬変
敗血症(乳酸 AG 開大)　←		→併発	敗血症

②アシデミア？ アルカレミア？

- pH でアシデミアかアルカレミアか判断する．レミア(-emia)とは**今の血液の状態**である．
- pH が 7.35 以下であればアシデミア，pH が 7.45 以上であればアルカレミアと考える．実際は 7.4 を区切りとして，上下で覚えておくとよい．

③一次性変化は代謝性？ 呼吸性？

- $PaCO_2$ と HCO_3^- をみてアシデミアやアルカレミアの原因が代謝性か呼吸性かを判断する．
- アシデミアやアルカレミアが今の状態を指すのに対し，アシドーシスやアルカローシスは酸性，アルカリ性へのベクトルである．オーシス(-osis)は**病態**を示す．
- つまりアシデミアやアルカレミアの原因となる病態がアシドーシスやアルカローシスであるが，アシドーシスかつアルカローシスがある場合，アシデミアになることもアルカレミアになることもある．

pH	$PaCO_2$	HCO_3^-
↓<7.4 アシデミア	↑>40 mmHg 呼吸性アシドーシス	↓<24 mmol/L 代謝性アシドーシス
↑>7.4 アルカレミア	↓<40 mmHg 呼吸性アルカローシス	↑>24 mmol/L 代謝性アルカローシス

- 一般的に高度のアシデミア(pH<7.20)では，呼吸性アシドーシスと代謝性アシドーシスとの合併が多く，反対に高度のアルカレミア(pH>7.60)では，呼吸性アルカローシスと代謝性アルカローシスとの合併が多い．
- また後述する代償性変化が一次性変化を超えることはないので，例えばアシデミアがあれば必ず呼吸性もしくは代謝性のアシドーシスがある．

④アニオンギャップは？

- 体内の陽イオンと陰イオンの差を計算することで，酸塩基平衡異常の原因を鑑別できる．
- 前提として体内の陽イオンの総量[cation]＝陰イオンの総量[anion]であり，日常診

療で測定できるかどうかを加味すると下記のように表すことができる．

> 測定される陽イオン[Na⁺]＋測定されない陽イオン[UC]
> 　＝測定される陰イオン[Cl⁻＋HCO₃⁻]＋測定されない陰イオン[UA]
> ※UC：unmeasured cation，UA：unmeasured anion

- この測定できない陽イオンと陰イオンの差をアニオンギャップ（AG）と呼び，Na^+，Cl^-，HCO_3^- から計算できる．正常値は $12±2\ mEq/L$ である．

$$AG = UA - UC = [Na^+] - ([Cl^-] + [HCO_3^-]) = 12\ mEq/L$$

（K は値の変動がわずかであるため，この式では無視する）

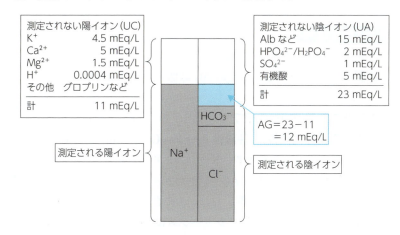

- AG が正常よりも高いことを一般に"AG が開大"すると呼ぶ．
  （例）Na^+ 140，Cl^- 110，HCO_3^- 18 の場合，AG＝140－（110＋18）＝12 → 正常
  　　　Na^+ 140，Cl^- 100，HCO_3^- 16 の場合，AG＝140－（100＋16）＝24 → 開大

- AG が異常となるときは下記の病態が知られる．AG＝UA－UC であるため，AG が開大するのは，UA が高い，あるいは UC が低いときであり，AG が低値となるのはその反対である．

AG	UC（測定されない陽イオン）	UA（測定されない陰イオン）
↑＞12 開大性	↓低γグロブリン血症 低 K, Ca, Mg 血症	↑KUSSMAL-P（後述）
↓＜12 低下	↑高γグロブリン血症 高 K, Ca, Mg 血症, Li 中毒	↓低 Alb 血症

- 低アルブミン血症がある場合，AG を補正して解釈する必要がある．Alb が 4 g/dL から 1 g/dL 低下するにつれて AG は 2.5 mEq/L 低下する．
- 例えば，AG が 12 で正常にみえても，Alb＝2 の場合，本当の AG は 17 であるため，AG 開大のアシドーシスがあると考えられる．

⑤代償性変化は？

- 体内ではなるべく pH を正常値に近づけようと，③の一次性変化に対応して代償性変化が起こる．

- 一次性病態が代謝性の場合は呼吸性に代償し，呼吸性の場合は代謝性に代償する．
〔例：一次性変化が代謝性アシドーシス（HCO_3^-↓）の場合は，呼吸数を増やす（$PaCO_2$↓）ことで代償する〕
- 肺での呼吸性の代償はすみやかに起こるが，腎臓での代謝性の代償には数日かかる．
- 代償には適切な範囲があることが知られているため，代償がその範囲から外れている場合は，代償している側にも異常があると判断できる．
- 一次性変化が代謝性で適切な呼吸性代償がされている場合，$PaCO_2 = HCO_3^- + 15$ の関係が概ね成立する．正確には次の症例で説明する計算を行うが，非常に簡便で使いやすいので覚えておくとよい．

本症例では…

- 上記のステップに則って評価すると，
① 病態の予測 → 下痢があるため AG 非開大性の代謝性アシドーシスがあることが予測される．
② アシデミア？ アルカレミア？ → pH 7.29 なのでアシデミアである．
③ 一次性変化は代謝性？ 呼吸性？ → $PaCO_2$ 20 mmHg，HCO_3^- 8 mEq/L であり，アシデミアの原因は代謝性アシドーシスと考えられる．
④ アニオンギャップは？ → AG = 140 - (120 + 8) = 12 mEq/L と正常である．下痢によるアシドーシスでは AG は開大しないので合致する．
⑤ 代償性変化は？ → 代謝性アシドーシスに対する代償としては呼吸性アルカローシスが起こる．HCO_3^- + 15 = 23 であり，$PaCO_2$ 21 と大体同じである．おそらくは適切な呼吸性代償がされていると考えられる．
- 以上より，下痢による AG 正常のアシドーシスと考えた．

A 動脈血液ガス検査は同じステップで解釈をする．病歴と動脈血液ガス検査から，下痢による代謝性アシドーシスと適切な呼吸性代償があると診断した

AG 正常のアシドーシス

- AG 正常代謝性アシドーシスの鑑別は "**HARD-UP**" と覚える．

　　H：Hyperalimentation；過栄養
　　A：Acetazolamide/Addison's disease；アセタゾラミドや Addison 病
　　R：Renal tubular acidosis；尿細管性アシドーシス
　　D：Diarrhea；下痢
　　U：Uretero-enterostomy；尿管小腸瘻
　　P：Pancreaticoduodenal fistula/Parental saline；膵液瘻や生食補液
　　（腎不全の初期も AG 正常のアシドーシスを呈しうる）

- 頻度が高い下痢の有無をまず確認する．
- 同時に生理食塩水や高カロリー輸液が大量に投与されていないか，アセタゾラミドの投与

- 原因がはっきりしなければ，膀胱手術後（回腸導管）や胆膵手術歴がないかを確認する．
- それらがなければ尿細管性アシドーシスを考える．
- HCO_3^- が失われた分，Cl^- が上昇して陰イオンの量を保つため，高クロール性アシドーシスとも呼ばれる．

AG 正常アシドーシスの次のステップ

- AG 正常アシドーシスの場合，次のステップがある．尿アニオンギャップ（尿 AG）である．
- これは AG 非開大性の代謝性アシドーシスがある際に，尿細管性アシドーシスを評価するために用いられる．
- 代謝性アシドーシスのとき，正常では尿中の酸（H^+）は増加する（NH_4^+ の形で排泄される）が，尿細管アシドーシスではそれが上手くできないことを利用している．
- 尿 AG は下図からわかる通り，$Na^+ + K^+ - Cl^-$ で表すことができる．

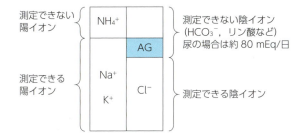

- ここで腎臓が NH_4^+ を問題なく排出しているときと，そうでないときを比べてみる．

(1) 腎臓から酸（NH_4^+）を排泄できるとき $Na^+ + K^+ - Cl^-$ はマイナスになる．

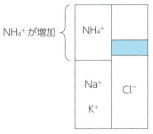

尿 AG がマイナス
→ 腎臓は酸を排泄している（腎臓は酸を排泄しようとしているが，下痢やアシドーシスなどで結果としてアシデミアとなっている）．

(2) 腎臓から酸を排泄できないとき $Na^+ + K^+ - Cl^-$ はプラスのままとなる．

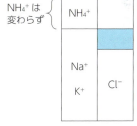

尿 AG がプラス
→ 腎臓は酸を十分に排泄できていない（遠位尿細管性アシドーシス，高 K 血症性尿細管アシドーシスなど）．

- 一般に下痢などでは尿 AG は −30 程度となる．一方，尿細管性アシドーシスでは +20 程度に増加する．
- また尿の pH も簡便な方法として用いることができる．通常 6〜6.5 である尿 pH がアシデミアでも低下していなければ，酸の尿中排出が障害されていると考えることができる．

> **症例❸** 慢性腎臓病（CKD）G5A1 の 60 歳男性．嘔気・嘔吐を主訴に来院．
>
> もともと腎硬化症があり透析導入を検討されていた．来院数日前からの全身倦怠感，嘔気・嘔吐があり救急外来を受診．来院時バイタルサインは意識レベル JCS I-1，体温 36.1℃，血圧 120/70 mmHg，脈拍 90/分・整，呼吸数 16/分，SpO_2 96%（室内気）．血液検査で Alb 4.0 g/dL，Na 137 mEq/L，K 5.7 mEq/L，Cl 82 mEq/L．動脈血液ガスを提出したところ，pH 7.40，$PaCO_2$ 38 mmHg，HCO_3^- 24 mEq/L であった．

Q pH は正常である．この患者に酸塩基平衡異常の病態はないのだろうか？

- CKD G5 という酸塩基平衡異常がありそうな病歴にもかかわらず，pH が正常で HCO_3 も $PaCO_2$ も正常というのはおかしい．
- このような患者でもステップに準じて評価が望ましい．実際のステップを踏みつつ解説を行う．

①病態の予測
→ CKD があるため代謝性アシドーシスがあることが予測される．

②アシデミア？ アルカレミア？
→ pH 7.40 であり，アルカレミア・アシデミアのいずれでもない．

③一次性変化は代謝性？ 呼吸性？
→ pH が変化しておらず，また $PaCO_2$，HCO_3^- のいずれもほぼ正常なためわからない．

④アニオンギャップは？
→ AG = 137 − (82 + 24) = 31 mEq/L，ΔAG = 31 − 12 = 19 と高値であり，AG 開大性の代謝性アシドーシスがあると考えられる．

鉄則 3　AG が開大していれば補正 HCO_3^- を計算して隠れた病態を探す

- AG が開大している場合は補正 HCO_3^- を考えないと病態を見落とすことがある．
- 通常体内では AG 増加分は HCO_3^- を減少させることで折り合いをつけている．
    $H^+ + HCO_3^- \rightarrow H_2O + CO_2$
- AG が開大している場合はΔAG で HCO_3^- を補正する．（ΔAG = AG − 12）
    補正 HCO_3^- = ΔAG + 実測 HCO_3^-
- この計算で出された補正 HCO_3^- は AG 開大性アシドーシスがもし存在しなかったら，どれくらいの HCO_3^- になっているかを表している．
- そのため，通常の HCO_3 の解釈と同じく，これが＜22 mEq/L なら AG 非開大性代謝性アシドーシス，＞26 mEq/L なら代謝性アルカローシスの合併を考える．

本症例では…

- 補正 HCO_3^- ＝ΔAG ＋ 実測 HCO_3^- ＝19 ＋ 24 ＝ 43 ＞ 26 のため，代謝性アルカローシスの合併がある．

⑤代償性変化は？

> **鉄則 4** 代償性変化は，代謝性では 15，呼吸性では 0.1，0.2，（0.3 はナシで）0.4 と 0.5 で計算

- 前述のように一次性変化が代謝性の場合は，適切な呼吸性代償が行われると，$PaCO_2$ ＝ HCO_3^- ＋ 15 が概ね成立する．
- 呼吸性の場合やより正確な評価には以下のように計算を行う．

一次性変化		予想される代償性変化	代償限界
代謝性	アシドーシス	$1.0〜1.3×ΔHCO_3^-$	$PaCO_2$＝15 mmHg
	アルカローシス	$0.6〜0.9×ΔHCO_3^-$	$PaCO_2$＝60 mmHg
呼吸性 急性	アシドーシス	$ΔHCO_3^-$＝ 0.1 ×$ΔPaCO_2$	HCO_3^-＝38 mmHg
	アルカローシス	$ΔHCO_3^-$＝ 0.2 ×$ΔPaCO_2$	HCO_3^-＝18 mmHg
呼吸性 慢性	アシドーシス	$ΔHCO_3^-$＝ 0.4 ×$ΔPaCO_2$	HCO_3^-＝45 mmHg
	アルカローシス	$ΔHCO_3^-$＝ 0.5 ×$ΔPaCO_2$	HCO_3^-＝15 mmHg

- 一次性変化が呼吸性の場合，急性アシドーシス・アルカローシス，慢性アシドーシス・アルカローシスの順で係数 0.1，0.2，0.4，0.5 で予測 HCO_3^- を計算する．
- 複雑に感じられるが，0.1，0.2，（0.3 はナシで）0.4 と 0.5 と覚えておけば忘れない．

 例 1：pH 7.30，$PaCO_2$ 38 mmHg，HCO_3^- 18 mEq/L
  代謝性アシドーシスがあり，呼吸性代償が予想される．
  予想される代償性変化は $PaCO_2$ ＝ 18 ＋ 15 ＝ 33 である．
  あるいは上の表に基づき計算すると，$ΔHCO_3^-$ × 1.0 − 1.3 ＝ 6〜7.8 であるため，予想される $PaCO_2$ ＝ 40 −（6〜7.8）＝ 32.2〜34 である．
  しかし実際の $PaCO_2$ は 33 より高値の 38 であり，呼吸性アシドーシスが存在していることがわかる．

 例 2：重度の COPD 患者 pH 7.20，$PaCO_2$ 70 mmHg，HCO_3^- 28 mEq/L
  アシデミアがあり，一次性変化は呼吸性アシドーシス，代謝性のアルカローシスによる代償が予想される．
  COPD が原因の場合，慢性のアシドーシスと考えられるため，$ΔHCO_3^-$ ＝ 0.4 × $ΔCO_2$ ＝ 0.4 ×（70 − 40）＝ 12 となる．つまり代償が適切な場合，HCO_3^- ＝ 24 ＋ 12 ＝ 36 になるはずであるが，実際の HCO_3^- は 28 とこれよりも低い．
  つまり，代謝性アシドーシスの病態も合併していると判断できる．

本症例では…

- 呼吸性代償は $PaCO_2$ ＝ 24 ＋ 15 ＝ 39，実際の $PaCO_2$ 38 mmHg とほぼ同じ値で，適切であると考えられた．

- 以上より，本例の病態はAG開大性代謝性アシドーシスと代謝性アルカローシスの合併と考えられる．
- 原因はCKDによるAG開大性代謝性アシドーシスと嘔吐による代謝性アルカローシスと推測される．両者が同時に起こっており一見pHもHCO_3^-も正常であるため，AGを計算しないと酸塩基平衡異常に気づけない一例であった．

 pHが正常でも，病歴からは酸塩基平衡異常がありそうである．動脈血液ガス検査の見かけの数字にだまされずに，ステップを踏んで隠れた病態を見つけることが大切である

もっと知りたい！ Na^+-Cl^-を用いた酸塩基平衡の鑑別

- 実は動脈血液ガス検査を行っていなくても，Na^+-Cl^-を用いて酸塩基平衡の評価を行うことができる．
- 前述の通りAG＝Na^+-Cl^--HCO_3^-であるため，特にAGやHCO_3^-に異常がなければ，Na^+-Cl^-＝AG＋HCO_3^-＝12＋24＝36となる．
- 敗血症やケトアシドーシスなどAGの開大がある病態がなければ，AGは12と考えられるため，Na^+-Cl^-が36よりも大きいときは，HCO_3^-の上昇が考えられ，反対に小さいときはHCO_3^-が低下していると考えられる．
- HCO_3^-の変化を推定できるだけであり，一次性の反応か，代償性の変化か判断ができないこと，AGの開大がないことを前提としていることに注意が必要である．重症例や厳密な評価をする場合は動脈血液ガス検査を行う．

Na^+-Cl^-＜36 →HCO_3^-の低下	Na^+-Cl^-＝36	Na^+-Cl^-＞36 →HCO_3^-の上昇
代謝性アシドーシス 呼吸性アルカローシスの代償性変化	正常 （複数の酸塩基平衡が合併している場合は判断がつかず，異常を否定できるわけではないことに注意する）	代謝性アルカローシス 呼吸性アシドーシスの代償性変化

- これが特に役に立つのは，CO_2ナルコーシスのリスク評価である．COPD患者が肺炎などで酸素化が悪くなった際に酸素投与が必要となるものの，過去に動脈血液ガス検査をしておらず，もともとのCO_2貯留の有無がわからない場合がある．そのようなときに過去の検査でNa^+-Cl^-が36よりも大きく上昇していれば，呼吸性アシドーシス（つまりCO_2貯留）がある可能性が考えられる．
- ナルコーシスのリスクがあっても酸素投与を躊躇してはいけないが，より注意して対応することができる．
- AG＝12，HCO_3^-＝24（12×2），Na^+-Cl^-＝36（12×3）と覚えておくと忘れなくてよいだろう．

> **症例 ❹**　自動車工場で働く 50 歳男性．昏睡状態で来院．
>
> 自動車工場で勤務中，吐物にまみれて昏睡状態で救急外来に搬送されてきた．仕事中に何らかの薬品を誤飲したらしい．来院時バイタルサインは意識レベル JCS Ⅲ-100，体温 36.4℃，血圧 100/60 mmHg，脈拍 80/分・整，呼吸数 20/分，SpO_2 95%（室内気）．動脈血液ガス検査と血液検査の値は以下の通りである．pH 7.16, $PaCO_2$ 31 mmHg, HCO_3^- 8 mEq/L, Na 135 mEq/L, K 4.7 mEq/L, Cl 87 mEq/L, Alb 4 g/dL, Lac 1.0 mmol/L.

Q 動脈血液ガスの解釈は？　異常の原因は？

- 本症例も実際のステップを踏みながら解説する．

①病態の予測
→ 病歴からは何らかの中毒が起こっている可能性がある．また嘔吐による代謝性アルカローシスの可能性もある．

②アシデミア？　アルカレミア？
→ pH 7.16 と重度のアシデミアがある．同時に pH＜7.2 のため代謝性アシドーシス加えて呼吸性アシドーシスが合併していそうと予測ができる．

③一次性変化は代謝性？　呼吸性？
→ HCO_3^- 8 mEq/L であり，アシデミアの原因は代謝性アシドーシスと考えられる．

④アニオンギャップは？
→ AG＝135－（87＋8）＝40 mEq/L，ΔAG＝40－12＝28 と高値であり，AG 開大性の代謝性アシドーシスがあると考えられる．
補正 HCO_3^-＝ΔAG＋実測 HCO_3^-＝28＋8＝36＞26 のため，代謝性アルカローシスの合併がある．

⑤代償性変化は？
→ $PaCO_2$＝HCO_3^-＋15＝23（代償性変化の式の限界を超えており，不正確な可能性に留意する）実際の $PaCO_2$ は 31 mmHg と予測よりも高く，$PaCO_2$ を上昇させる病態，つまり呼吸性アシドーシスの合併も考えられる．

- 以上より，AG 開大性代謝性アシドーシス，代謝性アルカローシス，呼吸性アシドーシスが合併していると考えられる．代謝性アルカローシスは嘔吐，呼吸性アシドーシスは昏睡に伴う呼吸不全と考えられるが，AG 開大性代謝性アシドーシスの原因は何だろうか？

鉄則 5　AG開大性の代謝性アシドーシスはKUSSMAL-Pで鑑別

- AG開大性代謝性アシドーシスは，最もよく出会う酸塩基平衡異常である．
- 原因としては以下が知られる．

Ketoacidosis	ケトアシドーシス（βヒドロキシ酪酸が蓄積）
Uremia	尿毒症（尿素自体が陰イオンとして蓄積するほか，硫酸などの不揮発酸も蓄積）
Salicylate	サリチル酸
Sepsis	敗血症
Methanol	メタノール
Alcohol	アルコール
Lactic acidosis	乳酸
Paraldehyde	パラアルデヒド

- 腎不全では，CKD G3〜4ではAG正常のアシドーシスをきたすが，CKD G5になるとリン酸や硫酸が蓄積してAG開大型のアシドーシスをきたすようになる．
- 検査としては尿中ケトン，乳酸値，腎機能，アルコール濃度を確認する．
- 問診では糖尿病・腎機能障害の既往歴，インスリン自己中断・薬物大量摂取・感染を示唆する症状の有無を確認する．ただし，意識障害が併発している場合も多い．

本症例では…

- 尿中ケトン陰性，乳酸・アルコール濃度上昇なく，腎機能も正常だった．
- その後の問診でメタノールを飲んでいたことが判明し，メタノール中毒によるAG開大性代謝性アシドーシスを認めたことがわかった．

A ステップを踏めば，いくつもの病態が隠れていても徐々に原因が明らかになる

原因不明AG開大型アシドーシスの次のステップ

- AG開大型アシドーシスは，中毒が原因の可能性があるものの意識障害などで病歴が聴取できないことも多い．
- 原因不明のAG開大型アシドーシスでは，血漿浸透圧ギャップ（osmolal gap）の計算が次のステップである．
- これは血液の実測の浸透圧と計算での浸透圧の差を計算するもので，本来は0になるはずである．しかし差がある場合は，未知の浸透圧物質が血中に存在することを意味する．つまり，メタノール・エチレングリコール・パラアルデヒド中毒の可能性が高くなる．

血漿浸透圧（計算）＝2×[Na^+]＋[Glu]/18＋[BUN]/2.8
osmolal gap＝血漿浸透圧（実測値，検査で提出）－血漿浸透圧（計算）

- 動脈血液ガス検査の浸透圧は実測値ではなく計算値であることに注意する.
- 10 mOsm/L を大幅に超えていた場合に未知の浸透圧物質の存在を疑う.

代謝性アルカローシス

- 代謝性アルカローシスの病態はアシドーシスに比べるとやや複雑である.
- 理解のうえで大切なのは,下記の発症因子と維持因子が両方そろってはじめて代謝性アルカローシスとなる点である.

①酸の喪失	
・腎性喪失	利尿薬,ミネラルコルチコイド作用の亢進(遠位ネフロンでの H^+ の分泌増加による)
・腎外性(=消化管)喪失	嘔吐,胃液ドレナージ
・細胞内シフト	低 K 血症(H^+ が細胞内に移行するため)

②アルカリの増加	
・外因性	重炭酸ナトリウムやリンゲル液の投与,輸血(クエン酸),ミルクアルカリ症候群
・内因性	乳酸アシドーシスや呼吸性アシドーシスの急な改善細胞外液量の低下(contraction alkalosis)

①有効循環血漿量の低下および Cl^- の欠乏
→ HCO_3^- 濾過の減少,尿中 HCO_3^- 分泌の低下,遠位尿細管での H^+ や K^+ の排出増加

② K 欠乏
→ 尿細管での尿中 H^+ 分泌増加

③ミネラルコルチコイド作用過剰,低 Mg 血症
→ 遠位尿細管での H^+ や K^+ の排出増加

- 腎臓は HCO_3^- を大量に排出することができるので,例えば,嘔吐で H^+ を喪失しても,その分 HCO_3^- が腎臓から排出されるため,アルカローシスはすぐに改善してしまう.そのため維持因子とよばれる腎臓からの HCO_3^- 排出を阻害する要素がないと代謝性アルカローシスは成立しない.
- 維持因子で最も重要かつ頻度が高いのは有効循環血漿量の低下であり,HCO_3^- 濾過の減少だけでなく,尿中 HCO_3^- 分泌(Cl^- と交換)の増加,ENaC の活性化に伴う H^+ 分泌の増加(22 章「低ナトリウム血症」269 頁を参照)が起こる結果,アルカローシスが維持される.
- つまり,嘔吐が起こって H^+ を喪失するだけでなく,その後も嘔吐が続いたり,食事や水分摂取ができなくなったりして有効循環血漿量が減ってしまうと代謝性アルカローシスとなるわけである.
- そのため脱水(細胞外液量低下)は,徐々に H^+ を喪失し,同時に維持因子ともなるため,アルカローシスの重要な原因である.
- 鑑別や対応のうえでは細胞外液量の評価と,尿中 Cl^- が大切である.尿中 Na^+ の低下が有効循環血漿量低下の指標(22 章「低ナトリウム血症」269 頁を参照)として用いられるが,アルカローシスでは,尿中に排出される HCO_3^- と Na^+ が結合するために尿中 Na^+ が参考にならない.そのため代わりに Cl^- を参考にする.
- 細胞外液量が明らかに減っている,尿中 Cl^- が低い(<10〜20 mEq/L)の場合は,細胞外液量と Cl^- の補充のために生理食塩水がよい適応となる.一方で,原発性アルドステロン症など体液量減少がない場合は生理食塩水への反応がなく,原因への対応が重要となる.
- 実際には循環血漿量の低下が一因となっている場合がほとんどである.低 K 血症の改善や利尿薬の中止など,病態として改善できる部分は改善しつつ,明らかな心不全や溢水がないことを確認して生理食塩水を投与するケースが多い.

● **参考文献**

1) 黒川清：水・電解質と酸塩基平衡　改訂第2版．南江堂，2004
   ・長年にわたって読まれている基本の1冊．症例ベースで実践的．コンパクトで隙間時間に読むのによい．
2) 深川雅史(監)，柴垣有吾(著)：より理解を深める！体液電解質異常と輸液　改訂3版．中外医学社，2007
   ・電解質や酸塩基評価のバイブル．研修医の間に通読することをおすすめ．

（福井　翔）

37 ステロイドの使用法
副作用を予測して先手で対応！

1. ステロイド内服患者の状態悪化時は，まずステロイド内服の状況をチェック
2. 副腎不全を疑ったら，ヒドロコルチゾンコハク酸 50〜100 mg を点滴で投与
3. ステロイドは，力価，ミネラルコルチコイド効果，作用時間を理解して使用
4. ステロイド開始時にはスクリーニング検査を忘れずに
5. ステロイドは開始後の時期に合わせた合併症管理が重要

症例 ❶ 35 歳女性．全身性エリテマトーデス（SLE）患者の感冒症状．

SLE で 3 か月前からステロイドによる治療を開始し，ステロイドを減量して現在はプレドニゾロン（プレドニン®）10 mg/日と免疫抑制剤を内服している．来院 4 日前から，38℃の発熱，鼻汁，咽頭痛，咳嗽が出現した．その後，倦怠感と嘔気が強くなり，食事摂取も不良となったため来院した．小学生の子どもも同様の上気道症状あり．SLE の症状の増悪はなかった．来院時全身状態は不良，バイタルサインは意識清明，体温 37.8℃，血圧 98/56 mmHg，脈拍 102/分・整，呼吸数 16/分，SpO₂ 100%（室内気）．身体所見では，咽頭の発赤を認めるが，その他に局所所見はなし．血液検査では WBC 9,200/μL, Hb 13.6 g/dL, Plt 28 万/μL, BUN 22 mg/dL, Cr 0.62 mg/dL, AST 36 IU/L, ALT 32 IU/L, C3 98 mg/dL（正常値 86〜160），C4 22 mg/dL（正常値 11〜34），CRP 1.22 mg/dL．CT では明らかな異常所見を認めなかった．

Q まず確認しておくべきことは何か？

鉄則 1　ステロイド内服患者の状態悪化時は，まずステロイド内服の状況をチェック

- ステロイド内服中の患者では感染症や原疾患の増悪の際に必ずステロイドの内服状況をチェックする．
- ステロイドを長期に使用すると副腎への抑制がかかるため，ストレス時や急な中止の際に副腎不全となり，多彩な症状を呈する．
- 副腎不全が起こった場合，その原因となる病態は軽症であっても，副腎不全の合併で

状態が著しく悪くなってしまう．
- 特に意識障害や低血糖は見逃されやすいので注意する．

> **副腎不全の症状**
> - 低血圧，循環血漿量低下，ショック
> - 嘔気・嘔吐，腹痛，下痢
> - 発熱　・倦怠感
> - 意識障害　・失神　・めまい
> - 頭痛　・関節痛や筋肉痛
> - 血液検査異常（低血糖，低Na血症，好酸球増加など）

- アドヒアランスがよい患者でも，嘔気で内服できなかった，忙しくて忘れていた，薬が足りなかった，感染症があり免疫のために飲むのをやめたほうがよいと思ったなど，さまざまな理由で内服できていないことがあるので必ず内服状況を確認する．
- 一般に内服ステロイドのバイオアベイラビリティは良好（60〜100％）〔Clin Pharmacokinet 44：61-98, 2005〕だが，腸管浮腫，腸炎や下痢などによる吸収不良が原因となることもある．
- ステロイドは急に中止しないよう，処方する医師は外来で忘れずに説明を行う．

> **本症例では…**
> - もともと内服アドヒアランスは良好であったが，上気道症状がでたために免疫抑制を避けようとステロイドの内服を3日間中止していたことが判明した．
> - 病歴からはウイルス性上気道炎が疑われ，嘔気や強い倦怠感の原因は副腎不全の可能性が高いと考えた．

A ステロイド内服患者の診察時は，ステロイドの内服を早めに確認する

Q この副腎不全にどのように対応するか？

鉄則 2 副腎不全を疑ったら，ヒドロコルチゾンコハク酸50〜100 mgを点滴で投与

- 副腎不全の患者にはなるべく早期にステロイドを投与する．
- ヒドロコルチゾンコハク酸（ソル・コーテフ®）50〜100 mgを早期に効果が得られるように点滴で投与するのが基本である．
- 健常人は，通常ヒドロコルチゾンを10〜20 mg/日ほど産生しており，軽度のストレス（例：ウイルス性上気道炎，腸炎など）では50 mg/日，高度のストレス（例：敗血症性ショック）では200 mg/日以上に産生が増加することが知られている．
- そのため，副腎不全の原因となる病態が軽症であれば，ヒドロコルチゾンコハク酸

50 mg，中等症以上や患者の倦怠感や嘔気などが強い場合は 100 mg を投与する（重症例でより多くのステロイドを使う場合も，分割投与や持続投与を行うので，初期投与量は 100 mg で問題ない）．
- また飲み忘れがある場合は普段のステロイド量よりも必ず多い量を投与する．
- 十分なステロイドの投与を行うと 30 分～3 時間以内には状態が改善する．
- 上記の 1 回のステロイド投与が感染症などの予後を悪くすることは一般に考えにくいため，ステロイド内服中の患者で副腎不全を疑った際には閾値を低く積極的に投与してよい．

本症例では…

- ソル・コーテフ® 100 mg を静注で投与したところ，数時間後には，嘔気や倦怠感は著しく改善し，ウイルス性上気道炎の症状のみが残存した．
- 免疫抑制患者であることも加味し，各種培養検査を行った．患者と相談し，経過観察入院の方針とした．
- 翌日も症状は安定しており，もともとのプレドニン® 10 mg 内服を継続して退院となった．
- 病歴や所見からはウイルス性上気道炎の可能性が高く，ステロイドの内服を中止したため，状態が悪化したと考えられた．

A 副腎不全を疑ったら，閾値を低くヒドロコルチゾンコハク酸（ソル・コーテフ®）50～100 mg をすみやかに投与する．

副腎不全のリスクとステロイドカバーについて

- 一般にプレドニゾロン換算 7.5 mg/日以上を 3 週間以上内服している場合に副腎不全のリスクが上がるといわれる．
- しかしながら，患者の年齢や体格，以前のステロイド投与歴などにより，それよりも少ない用量でも副腎不全を引き起こしうる．
- 副腎不全のリスクは，患者の症状や全身ステロイド投与の観点からは下記の通りである（詳細は参考文献の 1 を参照）．

very high risk	副腎クリーゼ症状を呈している，外見が Cushing 症候群様である
high risk	副腎不全を示唆するような症状あり プレドニゾロン 5 mg 以上を 4 週間より多く投与
moderate risk	1 年以内にステロイドの投与を終了している プレドニゾロン 5 mg 以上を 2～4 週間投与 プレドニゾロン 5 mg 未満の投与
low risk	1 年以上前にステロイドの投与を終了している 2 週間未満のステロイド投与（量は関係なし） ステロイドパルスの最中

- 周術期などにおいては，上記のハイリスク症例，つまりプレドニゾロン換算 5 mg 以上を

4週間を超えて投与している場合がステロイドカバーの適応となる.

- ステロイドカバーでの投与量については下記のようにされることが多い〔JAMA 287：236-240, 2002〕.

侵襲度	手術例・疾患例	補充ステロイド量
軽度	大腸内視鏡検査, 鼠径ヘルニア, 軽症のウイルス性疾患, 胃腸炎など	ヒドロコルチゾンコハク酸 25 mg またはメチルプレドニゾロンコハク酸 5 mg → 処置などの当日のみ
中等度	胆嚢摘出, 結腸切除肺炎や重度の胃腸炎など	ヒドロコルチゾンコハク酸 50〜75 mg またはメチルプレドニゾロンコハク酸 10〜15 mg → 1〜2日で減量して通常量に戻す
高度	心肺手術, 膵頭十二指腸切除術, 肝切除, 急性膵炎	ヒドロコルチゾンコハク酸 100〜150 mg またはメチルプレドニゾロンコハク酸 20〜30 mg → 1〜2日したら通常量に戻す
致死的	敗血症性ショック	ヒドロコルチゾンコハク酸 50〜100 mg を 6〜8時間ごと投与 またはヒドロコルチゾンコハク酸 0.18 mg/kg/時持続静注＋フルドロコルチゾン 0.05 mg/日(ショックから回復するまで) → 数日〜1週間ほどでバイタルサインや Na を確認しつつ減量する

※投与量はさまざまであり, 上記はあくまで一例である. よりハイリスクな患者のみに対して少量の投与を推奨〔Curr Rheumatol Rep 18：47, 2016〕するものや, より多めの量を推奨するもの〔Anaesthesia 75, 654-663, 2020〕もある. また, 術後の嘔気予防で麻酔科からステロイド投与が予定されている場合もある. ステロイドの処方医や術者, 麻酔科医などであらかじめコンセンサスを得ておくことが重要である.

症例❷ 66歳男性. 慢性閉塞性肺疾患(COPD)増悪で入院.

COPDと心不全の既往歴があり, 外来通院中. 3日前より咳嗽が出現し, 労作時呼吸困難の増悪がみられたため入院となった. 来院時バイタルサインは意識清明, 体温 38.2℃, 血圧 152/82 mmHg, 脈拍 112/分・整, 呼吸数 22/分, SpO_2 89%(室内気). 身体所見では両側肺に wheeze Ⅱ度を認めた. 血液検査では WBC 8,600/μL, CRP 3.22 mg/dL. CT では左下肺にわずかな浸潤影あり.

➡ 左肺炎に伴うCOPD増悪の診断で, 抗菌薬, 気管支拡張薬, ステロイドによる治療を開始することとした.

Q ステロイドの種類はどうやって決める？

鉄則3 ステロイドは, 力価, ミネラルコルチコイド効果, 作用時間を理解して使用

- ステロイドにはさまざまな種類があり, その選択には①力価, ②ミネラルコルチコイド効果, ③作用時間が大切である.

①力価は，ステロイドの抗炎症・抗免疫作用であるグルココルチコイド作用によって決まる．下表の通り，ヒドロコルチゾン100 mgは，プレドニゾロンでは25 mg，デカドロン®ではおおよそ4 mgと効果は同等だが，mg数には大きな違いがあり注意が必要である．力価はプレドニゾロン換算で考える．

②ミネラルコルチコイドにはNaや循環血漿量の維持作用などがある．ミネラルコルチコイド作用の強いヒドロコルチゾンは，原発性副腎不全でミネラルコルチコイド分泌がない症例や脱水を伴うようなショックの症例ではよい適応となる．一方，心不全患者や浮腫のある患者などでは病態を増悪させるため，そのような患者ではミネラルコルチコイド作用の少ない薬剤を用いる．

③作用時間において，ステロイドは一般に短・中・長時間作用型に分けられる．**症例1**のように急な副腎不全の患者で，ステロイド効果をみつつ，その後は追加や中止などこまかく投与調整を行う場合はヒドロコルチゾンを用いやすい．一方で，緩和ケアでの食欲不振への対応などは長期に効果があるデキサメタゾン（浮腫を起こさないメリットもある）などが用いられる．

ステロイドの種類と特徴

分類	商品名	成分名	投与経路	グルココルチコイド作用	ミネラルコルチコイド作用	半減期（時間）
短時間作用型	コートリル®	ヒドロコルチゾン	内服	1	1	8〜12
	ソル・コーテフ®	ヒドロコルチゾンコハク酸	点滴			
中時間作用型	プレドニン®	プレドニゾロン	内服	4	0.6	18〜36
	メドロール®	メチルプレドニゾロン	内服	5	0.5	
	ソル・メドロール®	メチルプレドニゾロンコハク酸	点滴			
長時間作用型	デカドロン®	デキサメタゾン（リン酸エステル）	内服（点滴）	20〜30	0	36〜54
	リンデロン®	ベタメタゾン（リン酸エステル）				

- 抗炎症，抗免疫作用目的にステロイドを用いる場合，ミネラルコルチコイド作用が少ないことや，用量の調整もしやすい点からプレドニゾロンやメチルプレドニゾロンがよく用いられる．
- 髄液や胎盤移行性は長時間作用型がよいことが知られている．髄膜炎へのステロイド投与などがデキサメタゾンであるのはこれが理由である．
- 一方，長時間作用型は副腎抑制が強いので，慢性的に用いるには適さないことが多い．
- またアスピリン喘息患者でステロイドを経静脈的投与する際には，コハク酸エステル型ステロイド（ソル・コーテフ®，水溶性プレドニン®，ソル・メドロール®など）を避け，リン酸エステルステロイド（デカドロン®，リンデロン®，ハイドロコートン®）を用いる（※コハク酸やリン酸は水溶性にするためのものであり，内服のステロイドには含まれないため，内服のステロイドは安全である）．

本症例では…

- 心不全があり，Na貯留を避けるためヒドロコルチゾンは避けたほうがよいと考えた．

- 量の調整などのしやすさも踏まえ，プレドニゾロン(プレドニン®)40 mg/日で1日1回投与を5日間行った(治療の詳細は17章「喘息発作・COPD 増悪」202頁を参照).

 ステロイドの種類は力価，ミネラルコルチコイド効果，作用時間に注意して投与する．プレドニゾロンやメチルプレドニゾロンが使われる場面が多い

ステロイドの投与方法

- ステロイドは1日1回投与または2〜3回の分割投与，隔日投与などさまざまな方法で投与される．
- 1日換算の投与量が同等であれば回数が増えれば増えるほど作用が強く，副作用も出やすいといわれている．
  例：プレドニゾロン(プレドニン®)1日60 mg を1回で投与するよりも，20 mg ずつ1日3回に分割したほうが作用が強く出やすいが，副作用も強い．
- ステロイドの隔日投与は副腎抑制などのリスクを減らすことが知られている．
- そのため，治療の急性期にはステロイドは分割で投与し，その後は慢性期になるにしたがって1日1回，さらには隔日投与というように変更していく．慢性的な分割投与は副腎抑制が強いため行わない．
- バイオアベイラビリティは高いため，静脈投与と経口投与に関しては同用量で投与してよいが，腸管浮腫，腸炎などで吸収不良が予測される場合には経静脈投与が安全である．
- シトクロム P450 3A4(CYP3A4)を誘導するような薬剤(リファンピシンやフェニトイン)はステロイドの代謝を亢進させて血中濃度が下がる可能性があるため増量も検討される．特にリファンピシンによる誘導は強いので，経験的にステロイドの量を2倍にすることが多い．
- 一方，CYP3A4 を阻害するクラリスロマイシンや抗真菌薬(ケトコナゾール，イトラコナゾール，ボリコナゾール)はプレドニゾロンには影響は少ないもののメチルプレドニゾロンやデキサメタゾンなどの作用を増強させるため，これらのステロイドを使用している場合は減量やプレドニゾロンへの変更を行うことがある．

ステロイドパルス療法

- プレドニゾロン換算で 250 mg を超えるステロイドを用いる治療をステロイドパルス治療と呼ぶ．500 mg や 1,000 mg を 3 日間程度投与することが多い．
- ステロイドには Genomic effect と Non-genomic effect がある.
- Genomic effect とは，転写制御を介した効果のことである．ステロイドが細胞質内にあるグルココルチコイド受容体と結合すると，その複合体が核に移動して転写を制御する．その結果，炎症性蛋白質の産生を抑制し，抗炎症性蛋白質の産生を促進することで，抗炎症作用を得る．この効果は強力であるが，ステロイドが受容体に結合して 30 分以上経過してから徐々に効果が発現する．
- 一方，Non-genomic effect とは，ステロイドが細胞膜上のグルココルチコイド受容体に

結合したり，細胞膜やミトコンドリア膜に直接作用したりすることで抗炎症，抗免疫作用を発揮するものである．こちらはステロイドが体内に入ると，秒から分の単位で効果を発揮する．

- Genomic effect は，グルココルチコイド受容体が飽和してしまうため 100 mg/日程度の用量で効果が頭打ちになるのに対し，Non-genomic effect はさらに増量しても効果が大きくなり，ステロイドパルス療法はこの Non-genomic effect の効果増大を期待している．
- そのため，1 日 1,000 mg のプレドニゾロンを投与したとしても，効果が 100 mg の 10 倍になるわけではなく，およそ 2 倍程度と考えられている．
- 先述のステロイドの力価は Genomic effect についてだが，Non-genomic effect の強さにもステロイドにより違いがあり，メチルプレドニゾロンやデキサメタゾンで強いことが知られている．そのためステロイドパルス療法を行う際には，これらの薬剤を選択する．

症例 ❸　特に既往歴のない 60 歳男性．

3 週間前から微熱が出現，その後，咳嗽と結膜炎，手関節痛が生じ，改善がないため受診した．来院時バイタルサインは意識清明，体温 38.0℃，血圧 132/76 mmHg，脈拍 99/分・整，呼吸数 22/分，SpO_2 89%（室内気）．身体所見上は両手に関節炎所見あり．血液検査では WBC 12,500/μL，ESR＞100 mm/時，Cr 1.8 mg/dL，PR3-ANCA 陽性，抗核抗体，リウマチ因子，抗 CCP 抗体は陰性．尿中赤血球円柱陽性，尿蛋白/Cr 1.0 g/gCr，CT では副鼻腔炎と多発の肺腫瘤影を認めた．

➡精査の結果，多発血管炎性肉芽腫症と診断，入院してメチルプレドニゾロン 60 mg/日で治療を開始することにした．

Q ステロイドを開始する前にどのようなチェックが必要？

鉄則 4　ステロイド開始時にはスクリーニング検査を忘れずに

- ステロイドにはさまざまな副作用があり，長期的なステロイド治療を始める前にはあらかじめスクリーニング検査をしておく必要がある．
- 主に易感染性（ニューモシスチス肺炎，結核，肝炎，サイトメガロウイルス感染症），内分泌代謝異常（高血圧，脂質，糖尿病，骨代謝），その他（緑内障や白内障など）に分けて考える．
- 特に感染症に気をつけることが大切であり，具体的には次頁の項目をチェックする．

ステロイド投与開始時のチェック項目

検体検査 (一般的な検査に加えて)	生理検査や画像検査など	その他
・結核(T-SPOT) ・B型肝炎(HBs抗原/抗体，HBc抗体，既感染であればHBV-DNA PCRを追加) ・C型肝炎(HCV抗体) ・CMV(CMV-IgG) ・PCP(β-D-グルカン，KL-6) ・IgG ・糖尿病(血糖，HbA1c) ・脂質異常(コレステロール，中性脂肪)	・体重測定 ・血圧測定 ・胸部単純X線写真 ・腰椎X線側面像(特に高齢者) ・骨密度検査 　+FRAX score®によるリスク評価	・齲歯の確認，歯科診察 　(骨粗鬆症の薬物療法が必要になりそうな場合) ・白内障や緑内障の確認 　(疑いがあれば眼科診察) ・消化性潰瘍の既往歴 ・ワクチン接種歴 　(肺炎球菌，帯状疱疹など) ・併用薬の確認(相互作用など) ・服薬管理が可能か 　(認知機能や家族のサポート)

CMV：サイトメガロウイルス　PCP：ニューモシスチス肺炎

感染症のスクリーニングと対応について

- T-SPOTが陽性，または画像検査で結核の既往歴が疑わしい場合は，潜在性結核として治療を行う．リファンピシンがプレドニゾロンやメチルプレドニゾロンの濃度を下げるため，イソニアジドが用いられることが多い．
- HBVについては，既感染パターン(HBs抗体やHBc抗体陽性)の場合は，免疫抑制に伴い *de novo* 肝炎と呼ばれるHBVの再活性化のリスクがある．1〜3か月ごとにHBV-DNAを測定し，陽性の場合は核酸アナログ製剤での治療が必要となる．消化器内科医にコンサルトを行う．
- PCPは一般にプレドニゾロン 0.3 mg/kg/日以上を3週間以上を目安に予防薬の投与を行う．実際には，年齢や体格，原疾患，ほかの免疫抑制剤の使用なども加味する．ST合剤が第一選択であり，その他にアトバコンやペンタミジンなどを使用する．
- IgG，β-D-グルカンやKL-6などはベースラインとして測定しておくとその後の変化があった場合にわかりやすい．

本症例では…

- T-SPOTは陰性だった．肝炎検査ではHBs抗体，HBc抗体が陽性だった．HBV-DNA PCRを提出したところ陰性であった．
- コレステロールやHbA1cは正常であった．高用量ステロイドを使うため，念のため血糖測定を開始し，問題なければすぐに中止する方針とした．
- 骨密度検査では現時点で骨粗鬆症はなかったが，長期のステロイド使用が考えられたため，ビタミンD，ビタミンK製剤の投与を開始し，ビスホスホネート製剤の投与を今後開始する方針とした．齲歯の既往歴があり，歯科コンサルトを行った．
- 白内障や緑内障の既往歴はなく，過去の内視鏡検査で消化性潰瘍の指摘はなかった．

A ステロイドを使用する際には，副作用を把握したうえでスクリーニングを忘れずに行う

> **症例 ❹** 特筆する既往歴のない 46 歳女性.
>
> 来院 1 か月前の健診で蛋白尿を指摘され，2 週間前より倦怠感，関節痛，発熱，頬部紅斑が出現したため来院．来院時バイタルサインは意識清明，体温 38.0℃，血圧 152/72 mmHg，脈拍 86/分・整，呼吸数 18/分，SpO_2 97%（室内気）．身体所見では，硬口蓋に無痛性の口内炎，蝶形紅斑，両側 MCP 関節の腫脹．血液検査では WBC 4,000/μL（Ly 800/μL），Hb 9.6 g/dL，Plt 16 万/μL，BUN 22 mg/dL，Cr 1.2 mg/dL，尿蛋白/Cr 2.8 g/gCr，尿沈渣で赤血球円柱あり．IgG 1,868 mg/dL（正常値 870〜1,700），C3 21 mg/dL（正常値 86〜160），C4 6 mg/dL（正常値 11〜34）．

Q 全身性エリテマトーデス（SLE）の診断となり，入院してステロイドを開始することとなった．入院中は，特にどの合併症に注意が必要か？

鉄則 5 　ステロイドは開始後の時期に合わせた合併症管理が重要

ステロイド開始後の時期と副作用

- ステロイド開始後，急にすべての副作用が出現するわけではなく，下図のような時間軸で出現する．特に病棟管理では，早期に起こる副作用への対応が大切である．

```
当日〜数日後        2〜3週間後       1か月後〜       より長期
```

- 精神作用：不眠，せん妄，うつ，精神高揚，食欲亢進
- アルドステロン作用：血圧上昇，Na↑・K↓，浮腫
- 血糖上昇（もともと耐糖能異常がある場合や高用量ステロイドの場合）
- 副腎抑制
- 内分泌代謝異常：血糖上昇（上記に該当しない場合），コレステロール上昇
- 組織修復障害：創傷治癒遷延，ステロイド性潰瘍
- 易感染性（PCP などの発症リスクが上がる）
- 骨代謝：骨粗鬆症，無菌性骨壊死
- ホルモン：中心性肥満，多毛，無月経
- 皮膚異常：紫斑，皮膚線条，皮膚萎縮
- ステロイド筋症
- 白内障，緑内障

■ステロイド開始後数日以内に起こる副作用

- 治療開始当日から不眠，高齢者であればせん妄のリスクが高くなる．あらかじめ睡眠薬を頓服で内服できるように処方しておき，高齢者などではせん妄対応の指示をしておく．また高揚感や易怒性なども起こりうるため，あらかじめ患者に伝えておく．
- また，高用量ステロイドであれば数日後には血圧が上昇するため，必要があれば降圧薬などの使用を検討する．浮腫や Na，K の異常が出るようであれば，アルドステロン作用の少ないステロイド剤に変更する（ヒドロコルチゾンであればプレドニゾロンに変更，プレドニゾロンはメチルプレドニゾロンに変更するなど）．
- 耐糖能異常のある患者や，高用量ステロイド・ステロイドパルス治療を行う患者は，

治療開始後早期に血糖が上昇する．血糖測定を開始し，糖尿病内科にコンサルトする．

■ステロイド開始後，2～3週間以降に起こる副作用

- 発症するのが数週間以降であっても，予防するためには発生前のなるべく早期に介入を行うことが大切である．
- ステロイドは長期に高用量を用いると副作用が多くなるため，使用は必要最低限とし，なるべく早期に減量中止する．
- 高用量のステロイドが始まるタイミングは患者の状態が悪いことも多く，予防も含めた多くの薬剤を一度に服用し始めると，副作用が出た場合に原因の判断がつかなくなってしまう．そのため，優先順位をつけて徐々に始めるのが原則である．

骨粗鬆症・大腿骨頭壊死

- 骨粗鬆症について，ビタミンD（＋ビタミンK）製剤は副作用も少ないため，ステロイドと同時に開始する．ビスホスホネートの内服製剤は，消化器系の副作用はあるものの比較的副作用は少ないため，大半の症例で歯科診察に問題なければ早期に始めることが可能である．一方，点滴製剤は発熱や腎障害などの頻度が高いため，病状が落ち着いてから投与することが多い．
- 大腿骨頭壊死は症状がでるのは数か月以降のことが多いが，数週経過の時点で壊死は始まることが多い．高用量ステロイド投与中は，運動や重たいものを持っての移動，体重のかかる動作（勢いよく階段を降りる）などを避けるように指導する．

消化性潰瘍

- ステロイドのみでは胃潰瘍は増加しないが，ほかの原因があるとリスクを大きく上昇させる．病態として身体へのストレスが強い，消化管出血の既往歴がある，抗血小板や抗凝固薬を使用している，NSAIDsと併用する場合にはプロトンポンプ阻害薬（PPI）を開始する．

感染症

- ニューモシスチス肺炎（PCP）はステロイド開始のおよそ1か月後以降に発生するため，予防薬は2～3週以内に始めれば問題ない．ST合剤はCrの上昇やアレルギー，発熱などの副作用があるため，病状が落ち着いてから投与することが望ましい．
- 数週～1か月以降は口腔カンジダ症や帯状疱疹などの感染症も増える．特に口腔カンジダ症は患者の訴えがないことも多いので，診察時に忘れず口腔内をチェックする．

本症例では…

- メチルプレドニゾロン（メドロール®）20 mg 1日3回で治療を開始した．上記の副作用について説明を行った．
- 骨粗鬆症対策としてビタミンD製剤（アルファカルシドール0.5 μg），ビタミンK製剤（メナテトレノン15 mg）を開始し，歯科診察を依頼した．歯科診察が問題なければビスホスホネート製剤を開始する方針とした．
- 十二指腸潰瘍の既往歴があり，PPI（ランソプラゾール15 mg）の内服を開始した．
- 不眠に対して，あらかじめ睡眠薬（ゾルピデム5 mg）を頓用処方しておいた．夜間に不眠があったが，内服で睡眠が得られた．

- 2型糖尿病の家族歴があり，HbA1cは6.2％であった．血糖測定とスライディングスケールを開始した．血糖が高値となったため，糖尿病内科にコンサルトを行った．
- 血圧は高値とならず問題なく経過した．NaやKもフォローで問題なかった．
- ループス腎炎や発熱があり，ST合剤の副作用が出た場合，原因が原病かST合剤かの判断が難しいと考えられたため，投与は病態が落ち着いた後にすることとした．治療開始して2週間後にはSLEや腎炎の病態も落ち着いたためST合剤を開始した．

> **A** 開始直後は不眠，血糖，血圧，電解質に特に注意する．副作用の予防薬は副作用や病状も踏まえて順番に投与を開始する

骨粗鬆症とステロイド性骨粗鬆症

- 骨粗鬆症による骨折は予防可能な病態であるものの，適切な介入がされていないことも多く問題となっている．
- ステロイドは骨芽細胞や骨細胞のアポトーシスを促進し，骨形成の低下に関与している．
- ステロイドは骨質も悪くするため，仮に同じ骨密度であっても，骨折リスクは高い．
- 骨折のリスクはステロイド開始3か月後にはすでに高くなり，12か月でピークとなる．早期に介入することが大切である．

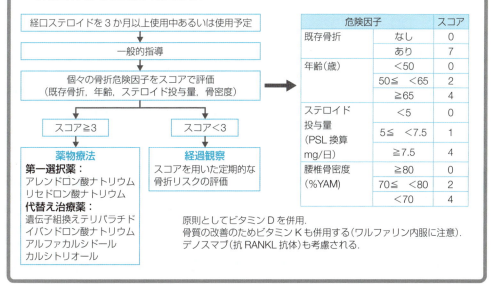

● 参考文献

1) Prete A, Bancos I. Glucocorticoid induced adrenal insufficiency. BMJ 374：n1380, 2021［PMID：34340966］
   - ステロイド内服患者の副腎不全のレビューとして秀逸．ぜひ読んでほしい．
2) Firestein GS, et al：Firestein & Kelley's Textbook of Rheumatology, 11th ed. Elsevier, 2020
   - 膠原病の成書．ステロイドの章の内容は難しくなくまとまっており，非専門科医でも読みやすい．
3) Buckley L, Humphrey MB. Glucocorticoid-Induced Osteoporosis. N Engl J Med 379：2547-2556, 2018［PMID：30586507］
   - ステロイド性骨粗鬆症についてのレビュー

（福井　翔）

38 抗菌薬の使い方　総論
抗菌薬の乱用をしない！

1. 感染症診療の原則は，患者背景の評価 → 感染臓器の特定 → 適切な培養採取 → 抗微生物薬の選択 → 適切な治療効果判定
2. 抗菌薬を選択・投与する際には患者背景，感染臓器，病原体のトライアングルを考える
3. 検体を採取したらグラム染色
4. 抗菌薬投与時は必ず腎機能を確認
5. 初期治療は臓器・患者背景から想定される起炎菌をカバーする抗菌薬を使用し，起炎菌が同定できたら de-escalation
6. 閉塞は解除！　膿瘍はドレナージ！

症例 ①　28歳女性．左背部痛，嘔気で来院．

膀胱炎の既往歴がある30歳女性．来院1週間前からの排尿時痛，来院2日前からの左背部痛と嘔気を主訴に来院．身長158 cm，体重46 kg．来院時バイタルサインは意識清明，体温38.6℃，血圧113/71 mmHg，脈拍91/分・整，呼吸数21/分，SpO_2 98%（室内気）．

Q 感染症が鑑別になるとき，どのように診療し治療をすればよいだろうか？

鉄則1　感染症診療の原則は，患者背景の評価 → 感染臓器の特定 → 適切な培養採取 → 抗微生物薬の選択 → 適切な治療効果判定

- 発熱の原因として感染症は最も多い原因であり，見逃すことができない．
- 次頁のフローチャートが感染症診療の基本的な考え方であり，参考にしてほしい．

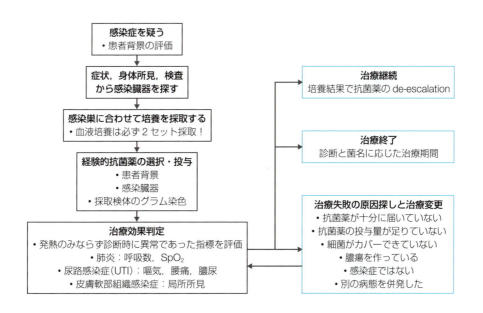

- 患者背景，感染臓器，病原体に関しては**鉄則2**で後述する．
- 適切な治療効果判定は疎かになっていることが多いが非常に重要である．発熱ばかりに注目してしまいがちだが，治療開始時に存在した発熱以外のバイタルサイン異常，症状，検査所見はすべて治療効果判定に用いることができる．
- 抗菌薬を投与する際は必ず治療期間も一緒に考えておく．さもなくば漫然と長期間，抗菌薬を投与してしまうことになる．

> 治療効果判定の具体例

- 肺炎 → 呼吸数，SpO_2，酸素投与量，呼吸困難・咳嗽などの症状．呼吸数が最も早く改善することが多い．同じ量の酸素療法でも，呼吸数が少なくなっているのであれば治療効果があると判断できる．
- 尿路感染症(UTI) → 嘔気，腰痛，頻尿・排尿時痛などの症状，解熱は平均48〜72時間はかかるため，症状の改善よりも遅い．
- 皮膚軟部組織感染症 → 局所所見が重要．治療期間も局所所見の改善まで，となる．

抗菌薬を選択・投与する際には患者背景，感染臓器，病原体のトライアングルを考える

- 抗菌薬選択は患者背景，感染臓器，病原体の3要素を考慮して選ぶ．
- 決して，肺炎 → セフトリアキソンのような1対1対応で決めてはならない．
- 抗菌薬治療は原因菌が不明なときに行う**経験的治療(empirical therapy)**と，原因菌が特定されたあとに行う**適正治療(definitive therapy)**に分けられる．
- 耐性菌を増やさないために，empirical therapyでは理由なく広域の抗菌薬を使用するべきではない．培養結果と抗菌薬感受性が判明したら，すみやかに狭域スペクトラムの抗菌薬へ変更するべきである．

- このように狭域スペクトラムの抗菌薬へ変更し，治療を適正化することを「de-escalation」と呼ぶ．詳細は**鉄則5**（→ 465頁）で学ぶ．

患者背景

- 年齢，性別，既往歴・併存症，薬剤アレルギー．
- 市中感染か院内感染か．院内感染ではMRSA（メチシリン耐性黄色ブドウ球菌）や緑膿菌，ESBL産生菌などの耐性菌が問題となる．
- 過去の抗菌薬使用歴，耐性菌を含めた培養歴．
- 糖尿病，ステロイド投与，化学療法中，臓器移植後などの免疫不全*の有無．
  *免疫不全に関しては39章の「もっと知りたい！」（→ 484頁）を参照
- シックコンタクト，ペット飼育，生食歴，海外渡航歴，居住環境，性交渉歴など．

感染臓器

- どこの臓器に感染するかによって想定される起炎菌が異なり，また処置の必要性も変わるため，障害されている臓器を特定する．
- 例えば起炎菌としては，
  - 肺炎 → 肺炎球菌，マイコプラズマ，インフルエンザ桿菌など
  - 腎盂腎炎 → 大腸菌，*Klebsiella*属，*Proteus*属など
- 閉塞・狭窄している臓器に感染している場合は，必ず閉塞解除の処置が必要である．抗菌薬治療のみでは奏効しない．
  - 胆嚢炎 → 経皮的胆管ドレナージや胆嚢摘出術
  - 閉塞性腎盂腎炎 → 尿管ステント留置術
  - 膿瘍 → ドレナージ
  - 感染性心内膜炎（弁破壊による心不全，弁輪膿瘍，伝導障害，10 mm以上の疣贅） → 弁置換術
  - 塞栓症 → 手術適応，などである．

病原体

- 感染を疑う場合は必ず痰，尿（状況に応じて膿，髄液，胆汁，関節液，胸水，腹水など）の検体を採取しグラム染色（後述）と培養を提出することがきわめて重要である．
- 特に血液培養は菌血症を検出するために非常に重要なため，必ず2セット計4本（ボトル1本あたり10 mL，1セットで約20 mL）採取する．
- 治療開始後に，培養結果に基づいて抗菌薬を最も効果的かつ狭域の抗菌薬に変更する（de-escalation）．

本症例では…

- 所見は以下の通りであった．
  - 身体所見上は左CVA叩打痛あり，それ以外に有意な所見はなし．
  - WBC 12,300/μL，Cr 0.56 mg/dL，CRP 12.56 mg/dL，尿WBC（2+），亜硝酸塩（+）．

- ・腹部エコーで両側腎盂の拡張はみられなかった．
- ・グラム染色：尿でグラム陰性桿菌を多数認め，白血球による貪食像もみられた．
- 抗菌薬治療は以下のように思考して決定した．
- 患者背景
  - ・特に免疫抑制のない若年女性
  - ・市中感染
  - ・膀胱炎に対してST合剤の使用歴があるが最後の発症は1年前
  - ・そのほか抗菌薬使用歴はない
- 感染臓器：症状と所見から腎臓（腎盂腎炎）を最も疑う．
- 病原体
  - ・尿路感染症の起炎菌は圧倒的にグラム陰性桿菌が多く，なかでも大腸菌，*Klebsiella*属，*Proteus*属が多い．
- 単純性尿路感染症（腎盂腎炎）に対して，腸内細菌がカバーできる第2世代セフェム系抗菌薬：セフォチアムで治療を開始した（抗菌薬の種類については後述）．

A▶ 感染症診療のフローチャートを念頭に置き，患者背景，感染臓器，病原体を加味した抗菌薬選択を行う

症例❷　76歳女性．発熱，湿性咳嗽で来院．

高血圧，慢性腎臓病の既往歴のある76歳女性．来院4日前から湿性咳嗽が出現し，来院前日夜間に38.7℃の発熱を認めたため受診．身長150 cm，体重51 kg．来院時バイタルサインは意識清明，体温38.9℃，血圧152/81 mmHg，脈拍99/分・整，呼吸数24/分，SpO_2 89％（室内気）．身体所見では右側胸部にて coarse crackles が聴取された．WBC 15,200/μL，Plt 23万/μL，BUN 32 mg/dL，Cr 1.22 mg/dL，CRP 16.2 mg/dL，胸部単純X線写真で右第2弓でシルエットサイン陽性の浸潤陰影あり．

Q▶ 診断は？　抗菌薬はどのように決定するか？

鉄則3　検体を採取したらグラム染色

グラム染色
- グラム染色とは1884年にHans C. J. Gramによって考案された細菌の染色法であり，細菌の染色（グラム陽性，陰性）と形態（球菌，桿菌）によって分類する．それぞれ，グラム陽性球菌GPC（gram positive cocci），グラム陽性桿菌GPR（gram positive rod），グラム陰性球菌GNC（gram negative cocci），グラム陰性桿菌GNR（gram negative rod）と呼ぶ．
- 簡便かつ迅速であり，臨床現場で細菌の予測をつけるための参考になるので，感染症

診療では重要視される.
- 習熟することによって菌種をかなり絞り込むことができる.わからない場合は細菌検査技師の方々に教えてもらうとよい.
- GPCとGNRが問題になることが圧倒的に多いためこの2つのグループに習熟しよう. GPCとGNRはさらに①GPC diplo,②GPC chain,③GPC cluster,④腸内細菌GNR,⑤ブドウ糖非発酵菌GNRの5種類まで分類できるとよい.
- 臨床に即してGPCとGNRを分類した概念図が以下のようになる.この概念図は自分で手書きができるように練習しておこう.

		グラム陽性	
球菌	G P C	diplo(cocci) 楕円形の球菌が2つ並んだようにみえる. 周囲に莢膜がみえることもある. 例:肺炎球菌	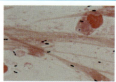
		chain 比較的大きさのそろった球菌が連なっている. 肺炎球菌,腸球菌以外の多くの連鎖球菌. 例:溶連菌,緑色連鎖球菌など	
		cluster ブドウの房のような集塊を形成する. 好気培養でより立体的であれば黄色ブドウ球菌,扁平でサイズが小さければ表皮ブドウ球菌であるが判定困難なことも. 例:黄色ブドウ球菌,表皮ブドウ球菌	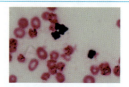
		グラム陰性	
桿菌	G N R	safety-pin sign 比較的大きく太く染色される. 角ばった形で両サイドに濃く染色され,"安全ピン"のようにみえる. 腸内細菌群(大腸菌,*Klebsiella*属,*Proteus*属,*Enterobacter*属など).	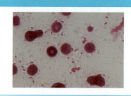
		小サイズのGNR 細長く,比較的小さいサイズ. ブドウ糖非発酵菌(緑膿菌,*Stenotrophomonas*属,*Burkholderia*属,*Acinetobacter*属など). *Acinetobacter*属は端が丸くcoccobacillusといわれる.	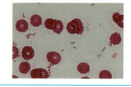

〔聖路加国際病院感染症科 松尾貴公先生,古川恵一先生のご厚意により掲載〕

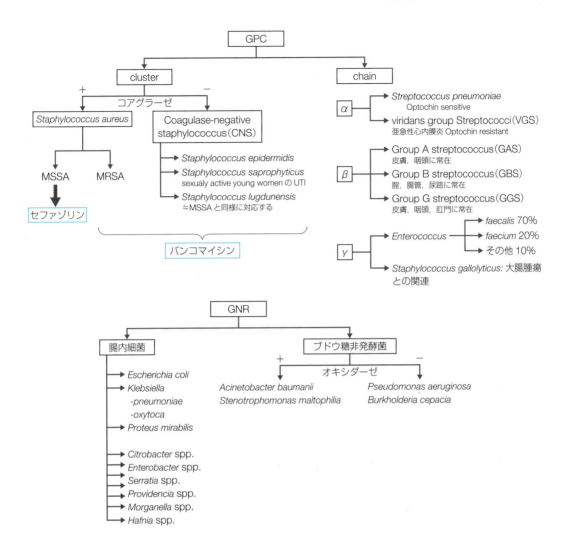

グラム染色の補足事項

- GPR：*Listeria, Corynebacterium, Bacillus, Clostridium*（アクチノミセス，ノカルジアなどの放線菌も GPR に分類されるが，グラム染色では放射状の形状をしている）．
- GNC：淋菌，髄膜炎菌，モラクセラ．
- リケッチア，マイコプラズマ，クラミドフィラ，レジオネラ，などの細胞内寄生菌はグラム染色ではみえない．
- 抗菌薬の選択はグラム染色の結果，嫌気性菌のカバー，緑膿菌や MRSA などの耐性菌などの可能性を考慮して決定する（耐性菌を含めた院内感染ケースは次の 39 章「抗菌薬の使い方 応用編」471 頁を参照）．

本症例では…

- 以下のように考え，肺炎球菌による市中肺炎と判断した．
- 患者背景：慢性腎臓病，市中感染
- 感染臓器：肺

- 病原体：
  - 定型肺炎：*Streptococcus pneumoniae*, *Haemophlus influenzae*, *Moraxella catarrhalis*
  - 非定型肺炎：*Mycoplasma pneumoniae*, *Chlamydophila pneumoniae*, *Legionella pneumophila* など

    喀痰グラム染色で GPC diplococci が大量に認められ，白血球による貪食像も認められた．*Streptococcus pneumoniae* が最も考えられた．
- 重症度：A-DROP スコア 3 点（年齢，BUN，SpO_2）→ 入院治療が必要（詳細は 14 章「肺炎」172 頁を参照）
- 経験的治療としてペニシリン耐性肺炎球菌（penicillin-resistant *Streptococcus pneumoniae*：PRSP）を考慮してセフトリアキソン（ロセフィン®）による治療を開始した．
- 後日，菌名が *Streptococcus pneumoniae* に確定した．ペニシリン G の最小発育濃度（minimum inhibitory concentration：MIC）が≦1.0 であり治療反応性も良好であったため，アモキシシリン内服へ de-escalation した．

> **A** 市中肺炎の診断とした．起炎菌として肺炎球菌，インフルエンザ桿菌，モラクセラなどを考えながら，グラム染色を行い抗菌薬を決定する

Q 抗菌薬の投与量はどうやって決定するか？

鉄則 4　抗菌薬投与時は必ず腎機能を確認

- 腎機能低下時の抗菌薬投与量は腎機能に合わせて調整する．
- 抗菌薬投与量を決定する際に使用する腎機能は，Cockcroft-Gault 式（CG 式）によるクレアチニン・クリアランス（C_{Cr}）か体表面積未補正の eGFR を使用する．
- CG 式による C_{Cr} は以下の式で計算できる．この場合，使用する血清 Cr 値は，Jaffe 法を用いるべきである．日本ではより正確な Cr 値である酵素法による測定が主流であるため，Jaffe 法へ変換する必要がある．Jaffe 法の Cr 値＝酵素法の Cr 値＋0.2 という関係を使用するか，酵素法で計算した C_{Cr} に 0.789 という係数を乗ずる．

> 男性：C_{Cr}＝{(140－年齢)×体重(kg)}/{72×血清 Cr 値(mg/dL)}
> 女性：C_{Cr}＝0.85×{(140－年齢)×体重(kg)}/{72×血清 Cr 値(mg/dL)}

- eGFR は以下の式で計算される．体表面積を 1.73 m^2 に補正されてしまうので，補正を外す．

> 日本人の GFR 推算式
> GFR＝194×$Cr^{-1.094}$×年齢$^{-0.287}$×0.739（女性の場合）

- 腎機能が低下していても，最初の投与は減量する必要はない．むしろ血中濃度をいち早く上げるために減量するべきではない．
- 2回目以降の投与分は腎機能に応じて減量する．
- 抗菌薬ごとの投与量は他書に譲る．
- アンピシリンは腎代謝の薬剤のため，腎機能に応じて用量の調整を行う〔35章「慢性腎臓病（CKD）」420頁を参照〕．

本症例では…
- 体表面積未補正の eGFR = 27.79 mL/分，CG式による C_{Cr} = 27.1 mL/分と腎機能低下がみられたため，アンピシリン2gを12時間ごとで投与開始した．翌日からすみやかに解熱が得られ，翌々日に喀痰培養から肺炎球菌が検出された．

A 腎機能低下患者に対して腎代謝の抗菌薬を使用する場合は，C_{Cr} や体表面積未補正 eGFR によって GFR を推定し，用量調整する

症例❸ 78歳女性．発熱，右下腿の発赤・腫脹・疼痛で来院．

78歳女性．来院3日前からの右下腿の発赤と軽度の疼痛が生じた．来院前日より同部位の腫脹と疼痛の増悪，38℃を超える発熱を認めたため来院した．身長175 cm，体重80 kg．来院時バイタルサインは意識清明，体温38.8℃，血圧140/85 mmHg，脈拍110/分・整，呼吸数20/分，SpO_2 99％（室内気）．身体所見では右膝下腿内側の著明な発赤，腫脹，熱感，圧痛を認め，波動を触知した．握雪感，水疱形成，発赤のない部位の圧痛はない．WBC 16,600/μL，Hb 11.8 g/dL，Plt 39万/μL，Cr 1.25 mg/dL，Na 136 mEq/L，CRP 18.9 mg/dL，Glu 118 mg/dL，エコー検査にて同部位にエコーフリースペースを認める．

Q 診断は何か．また治療はどうするか．

鉄則5 初期治療は臓器・患者背景から想定される起炎菌をカバーする抗菌薬を使用し，起炎菌が同定できたら de-escalation

抗菌薬の選択
- ① GPC，GNR，②嫌気性菌，③腸球菌，④ MRSA，⑤緑膿菌，⑥耐性菌（AmpC や ESBL 産生菌）に着目して選択することから覚える．これらの軸を身につければ，抗菌薬選択に迷いが少なくなる．
  - ① **GPC**：ペニシリン系，セフェム系（主に第1世代），クリンダマイシン，テトラサイクリン，ST合剤など
  - **GNR**：第3世代以上のセフェム系，βラクタマーゼ阻害薬配合のペニシリン系薬剤，ニューキノロン系，ST合剤など
  - ②**嫌気性菌**：横隔膜より上の嫌気性菌 or 横隔膜より下の嫌気性菌に分ける．

- 横隔膜より上の嫌気性菌の*Peptostreptococcus*属など：ペニシリン系，クリンダマイシン，カルバペネム系
- 横隔膜より下の嫌気性菌の*Bacteroides*属など：βラクタマーゼ阻害薬配合のペニシリン系薬剤，メトロニダゾール，カルバペネム系など

　③**腸球菌**：セファロスポリン系は全く効かないことは重要．カバーの必要性に注意する．
- エンテロコッカス・フェカーリス（*E. faecalis*）はアンピシリンが第一選択
- エンテロコッカス・フェシウム（*E. faecium*）はバンコマイシン，ダプトマイシン，リネゾリドなどを選択．アンピシリンは無効なことが多い．

　④ **MRSA**：バンコマイシン，テイコプラニン，ダプトマイシン，リネゾリドなど．
　⑤**緑膿菌**：セフタジジム，セフェピム，ピペラシリン，ピペラシリン・タゾバクタム，キノロン系（シプロフロキサシン，レボフロキサシン），カルバペネム系，アミノグリコシド系，アズトレオナム．

- これらはまとめて覚えてしまったほうがよい．
  ※上記は原則であり，実際は各病院のアンチバイオグラムを確認して使用の可否を評価する必要がある．
- MRSA，緑膿菌に関しては入院歴や院内感染，免疫不全，重症患者ではカバーを考慮する．
- GPR，GNC，細胞内寄生菌（マイコプラズマ，クラミドフィラ，レジオネラ，リケッチア，レプトスピラなど），結核，非結核性抗酸菌などは菌によって感受性がさまざまなため，『サンフォード感染症治療ガイド』やUpToDate®などを参照する．
- 代表的な抗菌薬とスペクトラムのまとめを468，469頁に示す．

抗菌薬の de-escalation

- 初期治療で使用されるような比較的広域な抗菌薬を使用し続けていると，耐性菌の出現の温床となる．
- 治療開始前に培養をとる目的として，想定される病原体に対して効果的な抗菌薬を選択することに加え，むやみに広域な抗菌薬を継続しないという目的もある．
- 培養結果が同定され，抗菌薬の感受性が判明したら，必ず適正治療（definitive therapy）へ変更する．
- 現在使用している抗菌薬よりも①狭域，かつ②効果の保たれる抗菌薬への変更が可能かどうかを検討する．
- 狭域になるが，同定された菌に対してはより有効な抗菌薬である場合もある．例えば，MSSAに対するセファゾリン，肺炎球菌に対するペニシリンやアンピシリンなど．
- これを de-escalation と呼ぶ．

鉄則 6　閉塞は解除！　膿瘍はドレナージ！

- 物理的に閉塞した環境における感染症や膿瘍は，閉塞解除とドレナージを行わなければ改善することはない．
- 抗菌薬治療と同時に，すみやかな閉塞解除・ドレナージを企画して実行する必要がある．それには外科，泌尿器科，皮膚科，形成外科，放射線科など他診療との連携が必須である．
- 治療目的だけでなく，起炎菌を同定するという重要な意味もある．
- 膿瘍は治療期間が，「膿瘍消失まで」であるためドレナージすることによって，抗菌薬投与期間を大幅に短縮することも可能である．

本症例では…
- 患者背景：高齢者
- 感染臓器：皮膚軟部組織
- 病原体：GPC（MSSA & MRSA，連鎖球菌）＊次章（→ 471 頁）も参照
- MRSA も考慮してセファゾリン＋バンコマイシンで治療を開始した．
- 形成外科へ相談し，同日に膿瘍ドレナージ術を施行した．
- 入院 2 日目にはすみやかに解熱し，局所所見も改善傾向となった．
- 膿瘍の培養結果は黄色ブドウ球菌でセファゾリンに感受性良好（MSSA）であったため，バンコマイシンは中止し，セファゾリン単剤療法へと de-escalation した．

A 右下腿皮下膿瘍による皮膚軟部組織感染症であり，抗菌薬治療とともに膿瘍のドレナージ術を施行した

アンチバイオグラム

地域，病院，または病棟ごとに細菌の薬剤感受性試験のデータを集計し，それぞれの菌種で各抗菌薬について耐性，中間，感性の菌がどれくらいの割合であるのかを示したデータである．多くは病院ごとにアンチバイオグラムが存在する．経験的治療を選択する際に大いに参考になる．例えば，大腸菌のアンピシリン・スルバクタム感受性が 90％ 以上の施設と，60％ 程度の施設では，大腸菌が起炎菌となる腹腔内感染症における抗菌薬選択が大きく変わってくる．また ESBL や AmpC 産生菌などの耐性菌の検出率も参考になるだろう．自分の施設の最新のアンチバイオグラムは必ずチェックしておこう．

■代表的な抗菌薬とスペクトラムのまとめ (1st：第一選択薬，■：抗菌活性あり)

系	一般名	MSSA	MRSA	連鎖球菌	腸球菌 (E. faecalis)	腸球菌 (E. faecium)
ペニシリン系	ペニシリンG			1st	■	
	アンピシリン / アモキシシリン			1st	1st	感受性があれば使用可能
	アンピシリン・スルバクタム / アモキシシリン・クラブラン酸	■		■	■	
	ピペラシリン	■		■	■	
	ピペラシリン・タゾバクタム	■		■	■	
セファロスポリン系	点滴：セファゾリン 内服：セファレキシン，セファクロル	1st		■		
	セフォチアム	■		■		
	セフメタゾール	■		■		
	セフトリアキソン：肝代謝 セフォタキシム：腎代謝	■		■		
	セフタジジム					
	セフェピム	■		■		
	カルバペネム系	■		■	通常使用しない	
キノロン系	シプロフロキサシン					
	レボフロキサシン			肺炎球菌のみ	感受性があれば使用可能	感受性があれば使用可能
	モキシフロキサシン			■	感受性があれば使用可能	感受性があれば使用可能
モノバクタム系	アズトレオナム					
アミノグリコシド系	ゲンタマイシン アミカシン トブラマイシン					
グリコペプチド系	バンコマイシン	■	1st	■	■	1st
	テイコプラニン	■	■	■	■	■
オキサゾリジノン系	リネゾリド／テジゾリド	■	■	■	■	■
リポペプチド系	ダプトマイシン	■	■	■	■	■
ST合剤	ST合剤	■	■			
リンコマイシン系	クリンダマイシン	■		■		
メトロニダゾール	メトロニダゾール					
ポリペプチド系	コリスチン					

*1 口腔内嫌気性菌である Peptostreptococcus 属や Parvimonas 属には効果あり．一方で Prevotella 属には無効である．よって一概に横隔膜より上と覚えないようにする．
*2 キノロン系抗菌薬は GNR に有効であるが，Escherichia coli などは耐性化が進んでいるので注意する．
*3 ESBL 産生菌には in vitro でピペラシリン・タゾバクタムに感受性があることもあるが，臨床的な使用は控える．MERINO trial では ESBL 産生菌による菌血症治療においてメロペネムとピペラシリン・タゾバクタムを比較した．その試験においてピペラシリン・タゾバクタムは非劣性を証明できなかったため感受性があったとしても推奨はされない．
〔Harris PNA, et al. JAMA 320：984-994, 2018〕

GNR	緑膿菌	AmpC産生菌	ESBL産生菌	嫌気性菌:横隔膜より上	嫌気性菌:横隔膜より下	コメント
				*1		GPCへの切れ味抜群!
感受性があれば使用可能				*1		E. Faecalisへの第一選択
耐性が増加傾向						GNRと嫌気性菌へ強くなった
感受性があれば使用可能				*1		緑膿菌に特化した薬と覚える
			*3			広いスペクトラム! 無駄使い×!
感受性のあるGNR				*1		MSSAの第一選択!
感受性のあるGNR				*1		UTIのde-escalation先!
						腹腔内感染症に使いやすい!
				*1		市中感染症の経験的治療として!
				*1		GNR専門家!
		1st		*1		緑膿菌にもAmpC産生菌にも効く!
		2nd	1st			Super broad spectrumなので適正使用を心がける!
*2						緑膿菌への活性はキノロン最強
*2						肺炎球菌や黄色ブドウ球菌もOK
*2		感受性があれば使用可能				嫌気性菌に効くが、緑膿菌は効かない
						βラクタムアレルギーで活躍!
						耐性菌も含めたGNRの専門家!
						MRSAの第一選択
						バンコマイシンの妹分! 効果も副作用もマイルド
						血球減少、皮疹、視神経炎に注意
						肺には効かない!サーファクタントで分解される
		感受性があれば使用可能				嘔気、皮疹、見かけ上のCr上昇に注意
						GPC専門家
						嫌気性菌専門家
						多剤耐性緑膿菌やカルバペネム耐性腸内細菌への最終手段

● **参考文献**

1) Benett JE, et al(eds)：Mandell, Douglas, and Bennett's Principles and Practice of Infectious Diseases 9th ed. ELSEVIER, 2019
    ・世界的な臨床感染症の成書である．お金に余裕があれば持っておきたい．成書ではあるが痒い所に手が届く名著！
2) Vincent JL, et al. Advances in antibiotic therapy in the critically ill. Crit Care 20：133, 2016[PMID：27184564]
    ・特に重症患者で気にすべき抗菌薬投与の注意点．
3) Cockcroft DW, Gault MH. Prediction of creatinine clearance from serum creatinine. Nephron 16：31-41, 1976[PMID：1244564]
    ・感染症ではないが，本文中で触れたCG式の原著である．人生で一度は読んでおいたらよいと思われる．
4) 青木眞：レジデントのための感染症診療マニュアル 第4版．医学書院，2020
    ・辞書代わりにして読むとよい．日本語の感染症診療バイブル．
5) 岩田健太郎：抗菌薬の考え方，使い方 Ver. 5．中外医学社，2022
    ・著者の哲学までも伝わってくる良著．
6) 古川恵一(監)，西原崇創(著)：そこが知りたい！感染症一刀両断！三輪書店，2006
    ・感染症診療について読みやすく書かれている．

(藤野　貴久)

39 抗菌薬の使い方　応用編
さまざまな感染症を知る！

1. 蜂窩織炎は重症度評価（LRINEC score）と起炎菌＆治療をマスター
2. カテーテル関連血流感染症（CRBSI）を正しく診断しマネジメントする
3. 化膿性椎体炎は細菌学的検査と治療期間が重要
4. 発熱性好中球減少症（FN）では一刻も早く血液培養を採取して広域抗菌薬の投与を開始

78歳女性．左下肢腫脹で来院．

高血圧，2型糖尿病の併存症がある．来院1週間前からの発熱，左下肢の腫脹を主訴に来院．来院時バイタルサインは意識清明，体温38.6℃，血圧140/82 mmHg，脈拍108/分・整，呼吸数20/分，SpO_2 98%（室内気）．身体所見上は左足背から下腿にかけて発赤，腫脹，圧痛とpitting edemaを認めた．右下腿に炎症徴候や浮腫はない．WBC 20,300/μL，Hb 10.2 g/dL，BUN 28 mg/dL，Cr 1.1 mg/dL，Na 136 mEq/L，Glu 128 mg/dL，CRP 24.6 mg/dL．

Q 左下腿蜂窩織炎が疑わしいが，初期対応はどうするか？

蜂窩織炎は重症度評価（LRINEC score）と起炎菌＆治療をマスター

分類と重症度評価

- 蜂窩織炎は真皮深層〜皮下組織にかけての細菌感染症である．このように皮膚のどの深さに炎症が起こっているかで表現型が変わる．次頁の図を頭に入れておく．

　　表皮の炎症 → 膿痂疹：impetigo
　　真皮浅層の炎症 → 丹毒：erysipelas
　　真皮深層〜皮下組織 → 蜂窩織炎：cellulitis
　　皮下組織（脂肪組織〜筋膜）→ 壊死性筋膜炎：necrotizing fasciitis

解剖		病名
皮膚	表皮	膿痂疹（のうかしん） 丹毒（たんどく）
	真皮	毛囊炎（もうのうえん） 膿瘍（のうそう） 癤（せつ），癰（よう）
皮下組織	脂肪組織 神経，動脈・静脈 筋膜	蜂窩織炎 （ほうかしきえん） 壊死性筋膜炎 （NSTI）
	筋肉	壊死性筋炎 （NSTI）

- 特に，膿痂疹・丹毒・蜂窩織炎をあわせて皮膚軟部組織感染症（skin and soft tissue infection：STI）と呼び，壊死性蜂窩織炎/筋膜炎/筋炎のことを壊死性皮膚軟部組織感染症（necrotizing skin and soft tissue infection：NSTI）と呼称する．
- STI診療で重要なことはNSTIへ進展しているかどうかを判断することである．
- 症状や身体所見でNSTIを示唆するのは，
  - 血圧低下などの重症なバイタルサイン異常
  - 水疱形成，握雪感，発赤の範囲を超えた圧痛，感覚異常，紫色～黒色変化
- 検査所見によってNSTI診断を補助するスコアとしてLRINEC score（Laboratory Risk Indicator for Necrotizing Fasciitis score）が有名である．13点満点であり，6点以上で陽性的中率：92％，陰性的中率：96％と高い精度を誇る．しかし発症早期にはこれらの検査所見が変化しないことも多々あるため，頼りすぎないように注意する．あくまで診断補助として用いる．

Parameters	Points
CRP≧15 mg/dL	4
WBC 15,000～25,000/μL	1
＞25,000/μL	2
Hb 11.0～13.5 g/dL	1
＜11.0 g/dL	2
Na＜135 mEq/L	2
Cr＞1.59 mg/dL	2
Glucose＞180 mg/dL	1

〔Crit Care Med 32：1535, 2004 より改変して作成〕

- 造影CT：膿瘍やガスの評価が可能である．炎症範囲を正確に把握することは難しい．
- 以上の情報からNSTIまたは膿瘍を疑った場合には，外科へコンサルテーションを行い可及的すみやかに切開・排膿ドレナージ術を企画する．

起炎菌と治療

- STIの起炎菌は黄色ブドウ球菌（*Staphylococcus aureus*）と連鎖球菌（*Streptococcus*

spp. 特に β-*Streptococcus*)である.
- 頭文字をあわせて **S & S** と覚える.
- 黄色ブドウ球菌は膿瘍形成をしやすい. イメージは「ねちゃ～」
- 連鎖球菌はリンパ行性に波及しやすく, リンパ管炎を起こす. 鼠径リンパ節も腫れやすいため触診するとよい. イメージは「ずさー！」
- 初期治療はこれらのＳ＆Ｓをカバーする抗菌薬が必要である.
  点滴なら,
  　セファゾリン
  　アンピシリン・スルバクタム
  内服なら,
  　セファクロルやセファレキシンなどの第１世代セフェム
  　アモキシシリン・クラブラン酸
- 膿瘍形成や, NSTI である場合には上記のように外科的介入が必須である.

本症例では…

- 左下腿中央部内側に波動を触知した. 造影 CT を施行したところ, 径 30 mm の膿瘍を認めた.
- 形成外科にコンサルトし, 切開排膿術を行ったところ, 膿性の排液を認めた.
- 排液をグラム染色してみると, GPC cluster とその貪食像を多数認めた.
- 抗菌薬は黄色ブドウ球菌を最も疑いセファゾリンを選択した.
- 培養結果は黄色ブドウ球菌(MSSA)であり, セファゾリンに感受性良好であったため同治療を継続した.

A バイタルサイン, 症状, LRINEC score を参考に NSTI や膿瘍形成に至っているかどうかまず評価する. 起炎菌はＳ＆Ｓ(*Staphylococcus & Streptococcus*)を狙った抗菌薬選択をする

症例❷　88 歳女性．入院中の発熱．

陳旧性脳梗塞で左片麻痺あり, Alzheimer 型認知症で寝たきりの 88 歳女性. 療養目的で入院しており, 末梢挿入型中心静脈カテーテル(PICC)から中心静脈栄養(TPN)を行っている. 夜間の看護師ラウンドにて発熱があり内科当直コールとなった. バイタルサインは意識レベル JCS Ⅲ-100(普段と変化なし), 体温 39.0℃, 血圧 150/65 mmHg, 脈拍 120/分・整, 呼吸数 22/分, SpO$_2$ 98%(室内気). 身体所見として PICC 刺入部に発赤・硬結・圧痛あり. それ以外は明らかな新規の異常所見はなし. WBC 12,800/μL, CRP 8.6 mg/dL. 尿潜血反応(－), 尿中白血球エラスターゼ反応(－), Nitrite(－). 胸部単純Ｘ線写真では新規の浸潤影や胸水はなく, PICC 先端は上大静脈内にある. 血液培養(末梢血と PICC それぞれから１セットずつ), 尿培養を採取し, 抗菌薬としてセフェピムとバンコマイシンが開始となった. のちに血液培養の陽性となった. ２セットともに表皮ブドウ球菌(coagulase-negative staphylococcus：CNS)が検出された.

Q 診断は何か？治療はどうするか？

鉄則 2　カテーテル関連血流感染症（CRBSI）を正しく診断しマネジメントする

- 血管内カテーテル感染症，いわゆるカテ感染は用語として正確ではない．カテーテル関連血流感染症（catheter related bloodstream infection：CRBSI）と，中心静脈関連血流感染症（central line associated bloodstream infection：CLABSI）を覚える．

CRBSI	CLABSI
・米国感染症学会（Infectious Diseases Society of America：IDSA）によって定義 ・臨床や研究で使用される ・以下の条件を満たす必要がある 　―末梢血とカテーテルから同一菌が検出 　―Differential time to positivity（DTP）≧2時間 　―カテーテルからの培養で2時間以上早く陽性となる 　―もしくは定量培養が可能な施設ではカテーテルからの血液培養のコロニー数が末梢血からの血液培養の3倍以上	・米国疾病予防管理センター（Centers for Disease Control and Prevention：CDC）によって定義 ・主に感染管理のサーベイランス目的で使用 　―2日以上，中心静脈カテーテルが留置されている，かつ Laboratory-confirmed bloodstream infection（LCBI）の criteria を満たすもの 　―LCBI criterion 1 　　1回もしくは複数回，血液培養から（皮膚常在菌以外の）病原菌が検出される，かつ，血液培養で陽性となった微生物はほかの部位の感染症と関連しない（カテーテル以外に感染源がない） 　―LCBI criterion 2 　　発熱，悪寒，低血圧のうち少なくとも1つがあり，かつ，カテーテルのほかに感染源がなく，かつ，別の機会に採取された2回以上の血液培養（ただし2日以内）から以下の常在菌が検出された場合 ・*Corynebacterium* spp, *Bacillus* spp., *Propionibacterium* spp., *coagulase-negative staphylococci, viridans group streptococci, Aerococcus* spp., and *Micrococcus* spp.

- 臨床上は CRBSI の診断で十分である．
- 診断において重要なことは，カテーテル留置されている患者は末梢血とカテーテルからそれぞれ血液培養を採取すること，それらが区別できるようにラベリングすること，である．

- 米国のデータであるが，CLABSI の起炎菌は以下のようになっており上位をグラム陽性球菌が独占している．

Rank	菌名	%
1	*Enterococcus* spp.	17.2
2	*Coagulase-negative staphylococci*	16.4
3	*Candida* spp.	14.3
4	*Staphylococcus aureus*	13.2
5	*Klebsiella* spp.	8.4
6	*Escherichia coli*	5.4
7	*Enterobacter* spp.	4.4
8	*Pseudomonas* spp.	4.0

〔Weiner LM, et al. Infect Control Hosp Epidemiol 37：1288-1301, 2016 より改変して作成〕

- 治療は抗菌薬の投与とカテーテル抜去が原則である．以下に IDSA による治療フローチャートを示す．短期留置型 CVC か，長期留置型 CVC（いわゆる CV ポートや PICC ポート）でカテーテル抜去や抗菌薬ロック療法（antibiotic lock therapy：ALT）の適応が異なる．

■ 短期留置 CVC の場合

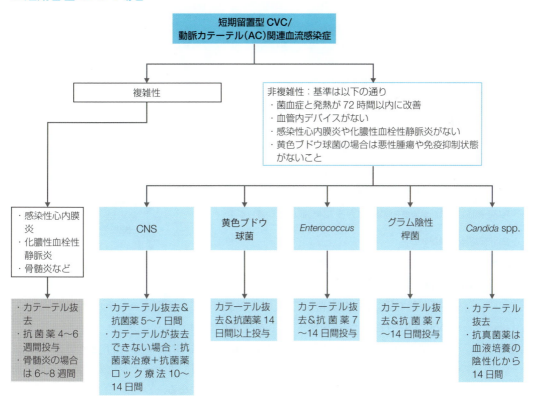

〔Mermel LA, et al. Clin Infect Dis 49：1-45, 2009 より〕

■長期留置 CVC の場合

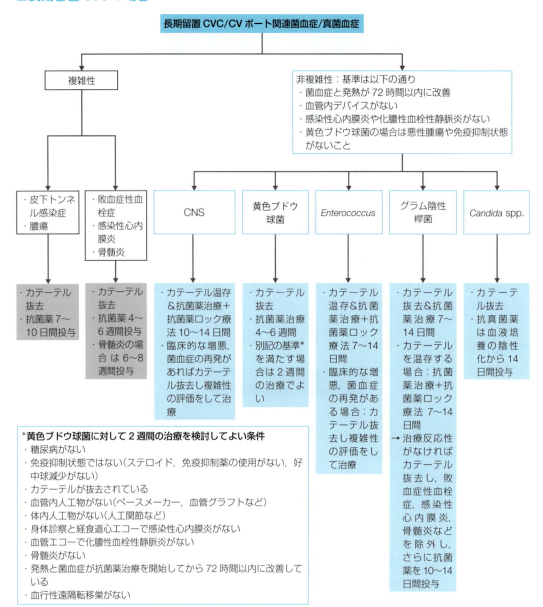

〔Mermel LA, et al. Clin Infect Dis 49：1-45, 2009 より改変して作成〕

- Point は，
  - 短期留置 CVC では起炎菌が CNS の場合を除いて，原則カテーテルは抜去．
  - CNS のみ，抜去せず抗菌薬 + ALT を検討してよい．
  - 長期留置の場合，CNS のみならず Enterococcus や GNR でも ALT を考慮してよい．
  - 非複雑性と複雑性を判断する．複雑性は問答無用でカテーテル抜去であり，治療期間も 4～6 週間（骨髄炎であれば 6～8 週間）と長くなる．
  - 以下の条件をすべて満たす場合を非複雑性とする．
    → 72 時間以内に解熱して培養が陰性化．
    → 血管内デバイスがない．

- → 感染性心内膜炎，血栓性静脈炎がない．
- → 黄色ブドウ球菌の場合は活動性の悪性腫瘍や免疫抑制状態がない．
- カテーテルを抜去せず ALT を検討してよいのは，非複雑性の CNS（短期・長期留置とも），非複雑性の Enterococcus（長期留置のみ），非複雑性の GNR（長期留置のみ）だけである．

本症例では…

- PICC からの血液培養の陽性までの時間は 6 時間，末梢血からの血液培養の陽性までの時間は 10 時間であった．
- DTP が 2 時間以上，PICC 側で早いため CNS による CRBSI の診断とした．
- 抗菌薬はバンコマイシンのみ継続して，PICC を抜去した．解熱が得られ，1 週間の抗菌薬治療を完遂した．

A CRBSI を疑った場合は必ず末梢血とカテーテル療法から血液培養を採取し，培養陽性までの時間を確認する．CRBSI では起炎菌が CNS 以外であれば全例カテーテルを抜去！

抗菌薬選択に注意すべき耐性菌

AmpC 産生菌

- AmpC 遺伝子の誘導によって AmpC 型セファロスポリナーゼを過剰に産生するようになる菌．主な菌種として下記がある（「AMPC-HES」と覚える）．

> A　*Acinetobacter/Aeromonas* spp.
> M　*Morganella morganii*
> P　*Pseudomonas aeruginosa/Providencia* spp.
> C　*Citrobacter freundii*
> H　*Hafnia* spp.
> E　*Enterobacter cloacae, Enterobacter aerogenes*（*Klebsiella aerogenes*）
> S　*Serratia marcescens*

- AmpC 産生菌の治療では，以下のように菌種によって選択しうる抗菌薬が変わる〔Clin Infect Dis 74：2089-2114, 2022〕．
- 中間〜高リスクの細菌
  - *Enterobacter cloacae, Enterobacter aerogenes*（*Klebsiella aerogenes*）
  - *Citrobacter freundii*　＊*Citrobacter koseri* は問題なし
- 上記の細菌の場合は，単純性膀胱炎でなければ感受性にかかわらず
  - セフェピム
  - メロペネム

で治療することが推奨される．

- 低リスク/リスク不明の細菌
  - *Serratia marcescens*
  - *Morganella morganii*
  - *Providencia* spp.
  - *Hafnia* spp.
- 上記の細菌の場合は感受性試験の結果通りの治療も可能であり，セフトリアキソンも使用可能である．しかしこれらの細菌でも菌量が多く（例えば膿瘍など），ソースコントロールが困難な場合はセフェピムの使用が推奨される．

ESBL 産生菌

- extended-spectrum β-lactamase の略で，主に大腸菌やクレブシエラなどのグラム陰性桿菌が産生する．
- 広範囲の抗菌薬を無効化するため，抗菌薬はカルバペネム（菌によってはセフメタゾールが有効な場合もある）を選択する．
- βラクタム系以外に感受性があれば使用できる．
- ESBL 産生菌かどうかは，はじめからはわからないことも多いが，以下に示す3つの予測因子を参考に抗菌薬選択を行う．
  ①過去 90 日以内に ESBL 産生菌の検出歴あり．陽性尤度比：11.7
  ②過去 30 日以内に第 3 世代セフェム系抗菌薬の使用歴あり．陽性尤度比：2.2
  ③過去 30 日以内にキノロン系抗菌薬の使用歴あり．陽性尤度比：1.7
  〔Clin Infect Dis 60：1622-1630, 2015〕

症例 ❸　68 歳男性．発熱と腰痛で来院．

2 型糖尿病の併存症のある 68 歳男性である．来院 1 週間前に肩こりに対して鍼治療を受けた．来院 3 日前から発熱をきたし，市販の総合感冒薬を内服していた．しかし解熱せず，腰痛も出現し，体動困難となったため救急要請し当院へ搬送となった．来院時バイタルサインは意識清明，体温 39.4℃，血圧 145/60 mmHg，脈拍 128/分・整，呼吸数 22/分，SpO_2 100％（室内気）．心音整，過剰心音なし，心雑音なし．L2～3 レベルの脊椎叩打痛あり．末梢塞栓所見なし．神経学的異常もなかった．

Q　化膿性椎体炎/骨髄炎が疑われるが，診断と治療はどうするか？

鉄則 3　化膿性椎体炎は細菌学的検査と治療期間が重要

- 頸部痛や腰背部痛に発熱・炎症反応上昇を伴う場合は椎体炎/膿瘍を疑う．
- 部位別頻度は腰椎：60％，胸椎：30％，頸椎：10％と覚えておく．

- 感染症以外の腰痛をきたす疾患は以下の「TUNA FISH」の語呂合わせが有名なので覚えておく．

T	Trauma	外傷
U	Unexplained weight loss	説明困難な体重減少
N	Neurologic symptoms	神経症状
A	Age>50	年齢>50 歳
F	Fever	発熱
I	IVDA(intravenous drug abuse)	静脈薬物乱用
S	Steroid	ステロイド使用
H	History of cancer	癌既往歴(乳癌，前立腺癌，腎癌，肺癌など)

- 発熱は30％程度の症例でしか生じていなかったという報告もあるので注意〔Clin Infect Dis 20：320-328, 1995〕．
- 後述するが硬膜外スペースへの進展は脊髄圧迫の危険があるため，感覚障害，運動麻痺，神経根症，膀胱直腸障害は必ず所見をとる．
- CRP と赤血球沈降速度(erythrocyte sedimentation rate：ESR)は 80〜90％以上の症例で上昇するため除外に有用である〔Pediatrics 93：59-62, 1994/Scand J Infect Dis 33：527-532, 2001〕．
- 診断で最も重要なのは，MRI 画像である．
- MRI は 90％と高い正確性を誇る．炎症部位が T2 強調画像で高信号域となることが特徴である．脂肪抑制 T2 強調画像，または STIR(short T inversion recovery)画像で高信号は顕著となる〔Best Pract Res Clin Rheumatol 20：1197-1218, 2006〕．
- 診断過程で最も注意すべきは硬膜外スペースへの進展である．膿瘍形成や骨圧壊による圧迫で下肢麻痺・膀胱直腸障害などの脊髄圧迫症状が出現しうる．対応が遅れると永久的な神経障害を残す．
- 起炎菌は**黄色ブドウ球菌**が 50％と最多！ *Streptococcus* 属や *Pneumococcus* 属などの GPC が多い．しかし腸内細菌科 GNR も起こしうるので知っておこう〔Open Forum Infect Dis 5：ofy037, 2018〕．
- 感染経路は血行性と直接浸潤がほとんどである．血行性の場合は椎間板への血流が到達する椎体前方の終板から炎症が波及する．そのため，MRI などで前方成分の圧壊や破壊が強い場合は血行性機序を考える．
- 治療期間が長くなるため，細菌学的証明を必ず掴んでおきたい．血液培養は当然だが，可能な限り**骨生検を行い培養検査に提出**する．
- MRSA を含む黄色ブドウ球菌を必ずカバーし，腸内細菌もカバーしたいため初期治療は第 3 世代セフェム＋抗 MRSA 薬で開始することが多い．例えばセフトリアキソン＋バンコマイシンなど　＊キノロン系は結核有病率が高い日本においては第一選択とはしない．
- 治療期間は原則 6 週間と覚える．従来は 12 週間であったが，6 週間 vs 12 週間で 1 年後の治癒率に差はなかったとする報告があるため〔Lancet 385：875-882, 2015〕．
- 以下の条件を 1 つでも満たす場合は 8 週間以上の治療を要する．
  - 慢性腎臓病末期

・MRSA 感染症
・ドレナージされていない傍椎体・腸腰筋膿瘍

> **本症例では…**
> - 椎体炎を疑い MRI 撮影を行ったところ L3 椎体に T2 強調画像と STIR 画像にて高信号があり椎体炎の診断とした．膿瘍形成や圧迫骨折はない．
> - バイタルサインは安定しており，血液培養を採取して翌日に骨生検を依頼することとした．
> - 骨生検にて培養検査を提出して，セフトリアキソン＋バンコマイシンを開始した．
> - 血液ならびに骨検体の培養から MSSA（メチシリン感受性黄色ブドウ球菌）が検出されたため抗菌薬をセファゾリンへ変更した．治療期間は計 8 週間とし，少なくとも 2 週間は点滴による治療を行う方針とした．
> - ほかの部位に膿瘍形成はなく，経胸壁心エコー検査では疣贅はなし．治療開始から 48 時間後の血液培養は陰性であった．

A MRI で診断し血液培養に加え，可能な限り骨検体を採取して培養に提出する．椎体炎の経験的治療はセフトリアキソン＋バンコマイシン．治療期間は 6 週間か 8 週間かを判断する

症例❹ 61 歳男性．化学療法中の発熱．

急性骨髄性白血病に対し地固め療法 1 サイクル目，大量シタラビン療法を施行中である．化学療法開始後 16 日目，夜間に 37.9℃ の発熱，悪寒戦慄で当直コールとなった．バイタルサインは意識清明，体温 37.9℃，血圧 122/72 mmHg，脈拍 100/分・整，呼吸数 16/分，SpO₂ 98％（室内気）．数日前から口腔や咽頭の痛みあり食事摂取量が低下し，経静脈栄養が行われている．便は泥状便が 1 日 2〜3 回ほど出ている．身体所見上は口腔内に複数のアフタあり．右上腕より PICC が挿入されているが刺入部に炎症徴候はない．そのほか特記すべき所見はない．同日日中の採血では WBC 100 未満/μL，好中球カウント不能，Hb 7.6 g/dL，Plt 1.8 万/μL，CRP 0.86 mg/dL．

Q 発熱性好中球減少症（FN）であるが，どのように対応して治療するか？

> **鉄則 4** 発熱性好中球減少症（FN）では一刻も早く血液培養を採取して広域抗菌薬の投与を開始

抗菌薬投与が 1 分 1 秒を争う疾患

- 感染症における内科エマージェンシーは次の 3 つであり，治療の遅れは致死的になりうるため抗菌薬投与は診断後ただちに行う必要がある．抗菌薬投与が早ければ早いほど予後がよくなる．ある意味では研修医の段階でも予後を改善することができる疾患であるため，初期対応は頭に叩き込んでおこう．

1. 敗血症性ショック　（2章「ショック」16頁を参照）
2. 細菌性髄膜炎　（16章「細菌性髄膜炎」199頁を参照）
3. 発熱性好中球減少症

発熱性好中球減少症（FN：febrile neutropenia）の初期対応

- 化学療法などで好中球が減少している場合の発熱を発熱性好中球減少症（FN）という．
- FNにおいて最も重要なことは，**一刻も早く血液培養を採取し，一刻も早く広域抗菌薬を投与する**ことである．逆にいえば，このことが守られるのであればFN初期診療は合格である．
- ただし，「FN＝迅速な培養採取＋広域抗菌薬投与」は間違いなく正しいが，だからといって思考停止してはならない．FNはあくまで**「病態名」であり「診断名」ではない**．通常の発熱と同様にfever work upを行う．つまり感染臓器を特定する努力を怠らない．

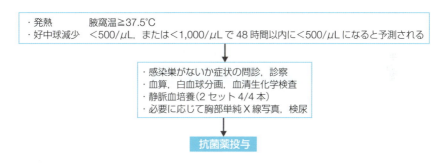

- FNでは下表のように感染源が特定される割合は高くない．また感染源の特徴もわかっているので頭に入れておく．

感染臓器	頻度(%)
気道感染症	35〜40
血流感染症	15〜35
尿路感染症	5〜15
皮膚軟部組織感染症	5〜10
消化管感染症	5〜10
その他	5〜10

GPC	頻度(%)
表皮ブドウ球菌	20〜50
黄色ブドウ球菌	10〜30
腸球菌	5〜15
緑色連鎖球菌	3〜27

GNR	頻度(%)
大腸菌	18〜45
Klebsiella	11〜18
ほかの腸内細菌科細菌	15〜18
緑膿菌	18〜24

フォーカスが見つかる可能性：25%
起炎菌が特定される可能性：25%

〔Nesher L, et al. Infection 42：5-13, 2014 より改変して作成〕

- FNにおいて血液検査は重要である．腎機能を始めとした臓器機能はもちろんだが，注目したいのは血小板である．FNであるということは必ず骨髄抑制による血小板低下もある．血小板は発熱によって消費され半減期が短くなるので，必ず値を確認して輸血計画の修正が必要でないかを確認したほうがよい．

リスク評価

- リスク評価も重要である．有名なのは Multinational Association of Supportive Care in Cancer score（MASCC score）である．このスコアの役割は外来治療が可能な FN かどうかを判定する，ことである．21 点以上で低リスクとなる．

項目		点数
症状	なし or 軽症	5
	中等症	3
	重症	0
収縮期血圧＞90 mmHg		5
COPD なし		4
固形腫瘍である，もしくは真菌感染の既往歴のない血液悪性腫瘍		4
補液の必要な脱水がない		3
外来患者		3
年齢＜60 歳		3

- ほかにも CISNE，IDSA，ASCO，NCCN などのリスクスコアがある．以下に NCCN の提唱するリスクスコアを示す．低リスク群は外来にて内服治療が可能，高リスク群は入院し点滴抗菌薬による治療が必要かつ，真菌感染症も考慮する．

低リスク群：以下のすべてを満たす
・外来セッティング
・ほかの急性病態がない
・好中球減少が 7 日未満
・ECOG PS：0〜1
・肝腎機能不全がない
・MASCC score ≧21 or CISNE score ＜3

高リスク群：1 つでも該当
・MASCC score ＜21, CISNE score ≧3
・同種造血幹細胞移植
・≦100 の好中球減少が 7 日以上
・肝不全（トランスアミナーゼが上限 5 倍以上），腎不全（C_{Cr}＜30）
・悪性腫瘍のコントロール不良
・肺炎
・CTCAE grade3-4 の粘膜炎
・アレムツズマブ使用

治療

- 使用する抗菌薬は，必ず緑膿菌をカバーできる広域抗菌薬を選択する．以下の 3 薬剤から選択するがカルバペネム系抗菌薬は耐性菌の検出歴がある，敗血症性ショックや呼吸不全などの重症なバイタルサイン異常がない限りは使用しない．
    - ペニシリン系　　　：ピペラシリン・タゾバクタム
    - セファロスポリン系：セフェピム
    - カルバペネム系　　：メロペネム

  ＊これらの薬剤は日本で発熱性好中球減少症に対する保険収載あり

- 経験的治療にルーチンで抗 MRSA 薬を併用するべきではない．しかし次の状況がある場合は使用を検討する．

経験的使用が容認される条件

- 全身状態不良，バイタル不安定
- 肺炎がある場合
- 皮膚軟部組織感染症がある場合
- カテーテル関連血流感染症を強く疑う場合
- 血液培養でグラム陽性菌が判明している場合
- MRSA の保菌が知られている場合
- 重症粘膜障害がある場合（特にフルオロキノロン系抗菌薬の予防投与中）
- 30 日以内にβラクタム系抗菌薬の使用歴がある場合

〔Shelburne SA 3rd, et al. Clin Infect Dis 59：223-230, 2014/Freifeld AG, et al. Clin Infect Dis 52：e56-93, 2011 より改変して作成〕

治療期間

- FN の治療期間は，少なくとも以下の 2 つの条件を満たす必要がある．

  好中球が 500/μL 以上に回復
  解熱しバイタルサインが安定

- そのうえで，治療期間は感染症や細菌によって異なる．例えば，肺炎なら 1 週間，菌血症なら 14 日間という具合である．このことからも感染臓器を追求することが重要であることがわかる．
- 感染臓器や微生物が不明のままの場合は，上記の 2 つの条件を満たしたら抗菌薬を終了する．

本症例では…

- レボフロキサシンとフルコナゾール，アシクロビルによる予防内服が行われていた．
- 胸部単純 X 線写真では明らかな肺炎はない．皮膚軟部組織感染症や重度の粘膜障害は認められなかった．
- レボフロキサシン投与下での重度粘膜炎を伴う FN であるため，バンコマイシンの併用を行うこととした．
- 看護師に抗菌薬の準備を依頼しつつ，迅速に血液培養を採取しセフェピムとバンコマイシンの投与を開始した．
- 数日後，血液培養 4 本中 4 本から *Streptococcus mitis* が検出された．感受性結果からセフェピムの感受性が良好であったためバンコマイシンは中止した．
- 抗菌薬開始後はすみやかに解熱した．
- 好中球 500/μL 以上に回復し，計 2 週間の治療を完遂したところで抗菌薬は終了とした．

A 発熱性好中球減少症は内科エマージェンシーである．一刻も早く血液培養を採取して広域抗菌薬を投与開始する

免疫不全

- 免疫不全は下記の4つのカテゴリーに分けて，それぞれどの菌の感染が増えるかを知っておきたい．

	好中球減少症（FN）	細胞性免疫障害	液性免疫障害	皮膚粘膜障害
細菌	グラム陽性球菌 ・黄色ブドウ球菌 ・CNS ・腸球菌 グラム陰性桿菌 ・腸内細菌 ・緑膿菌 ・アシネトバクター	リステリア レジオネラ 結核 非結核性抗酸菌 ノカルジア サルモネラ	肺炎球菌 インフルエンザ桿菌 髄膜炎菌 クレブシエラ サルモネラ 緑膿菌	CNS 黄色ブドウ球菌 ステノトロホモナス・マルトフィリア 緑膿菌 アシネトバクター 緑色連鎖球菌 腸球菌 カプノサイトファーガ
ウイルス		単純ヘルペス 水痘・帯状疱疹 サイトメガロウイルス EBウイルス アデノウイルス		単純ヘルペス
真菌	カンジダ アスペルギルス	ニューモシスチス アスペルギルス クリプトコッカス カンジダ	クリプトコッカス	カンジダ
原虫		トキソプラズマ ストロンジロイデス クリプトスポリジウム	ジアルジア	

- 例えば，**症例4**の患者は，
    化学療法による骨髄抑制と急性骨髄性白血病による好中球機能低下
    化学療法による粘膜障害とPICC留置によるバリア機能低下
  という2つの免疫不全をあわせもっている．
- 好中球減少症はほとんどの細菌感染症のリスクを上げる．一方で液性免疫低下によって易感染性となる細菌は莢膜を有する細菌であり限られるため，以下の語呂合わせで覚えてしまうとよい．
  「Some Nasty Killers Have Some Capsule Protection（ひどい殺し屋のなかには，莢膜による防御をもつものがいる）」

  > S *Streptococcus pneumoniae*（肺炎球菌）
  > N *Neisseria meningitidis*（髄膜炎菌）
  > K *Klebsiella pneumoniae*（クレブシエラ・ニューモニエ）
  > H *Haemophilus influenzae*（インフルエンザ桿菌）
  > S *Salmonella typhi*（腸チフス菌）
  > C *Capnocytophaga canimorsus*（カプノサイトファーガ・カニモルサス）
  > P *Pseudomonas aeruginosa*（緑膿菌）

- なかでも肺炎球菌とインフルエンザ桿菌は予防接種が可能であるため，液性免疫低下患者（脾摘後，慢性リンパ球性白血病など）では接種を検討する．

● 参考文献

1) Bennett JE, et al (eds)：Mandell, Douglas, and Bennett's Principles and Practice of Infectious Diseases. 9th ed, ELSEVIER, 2019
   ・いわずと知れたマンデル．感染症のことはなんでも載っている．

2) Mermel LA, et al. Clinical practice guidelines for the diagnosis and management of intravascular catheter-related infection：2009 Update by the Infectious Diseases Society of America. Clin Infect Dis 49：1-45, 2009 [PMID：19489710]
   ・IDSAによるCRBSIのガイドライン．一度は目を通しておきたい．

3) Zimmerli W, et al. Clinical practice. Vertebral osteomyelitis. N Engl J Med 362：1022-1029, 2010 [PMID：20237348]
   ・椎体炎のレビュー．やや古いが非常によくまとまっている．

4) Klastersky J, et al. Management of febrile neutropenia：ESMO Clinical Practice Guidelines. Ann Oncol 27：v111-v118, 2016 [PMID：27664247]
   ・FNのガイドライン．

5) National Comprehensive Cancer Network®：Prevention and Treatment of Cancer-Related Infections Version 1. 2023, NCCN Clinical Practice Guidelines in Oncology (NCCN guidelines®). 2023
   ・NCCNのガイドラインは頻繁に更新されるのでためになる．

6) Harris PNA, et al. β-lactam and β-lactamase inhibitor combinations in the treatment of extended-spectrum β-lactamase producing Enterobacteriaceae：time for a reappraisal in the era of few antibiotic options? Lancet Infect Dis 15：475-485, 2015 [PMID：25716293]
   ・βラクタム阻害薬とESBLについてのレビュー．耐性菌の知識を深めたい人向け．

7) Doi Y, Paterson DL. Carbapenemase-producing Enterobacteriaceae. Semin Respir Crit Care Med 36：74-84, 2015 [PMID：25643272]
   ・カルバペネム耐性菌のレビュー．多剤耐性で困ってしまった人に．

（藤野　貴久）

あとがき

　私が本書に出会ったのは，医学部5年生時のベッドサイドラーニングでした．本書『内科レジデントの鉄則』の第2版が病棟の本棚に置いてあり，実習しながら読み込んでいました．学生ながらに疑問に感じたことのほとんどの答えがそこに書かれており感動したことを今でも覚えています．そしてそれが私が聖路加国際病院を初期研修先として選んだ，1つのきっかけでもありました．

　2016年4月に意気揚々と入職してみると，毎日わからないことの連続であり，右往左往しながらあっという間に過ぎていく日々でした．しかし病院全体に流れる教育の気風，学びを求め，求められる環境で経験を積むことの幸福を感じていました．そんななかで臨床医学を学ぶ指針，研修生活のペースメーカーとなっていたのが，本書のベースとなっている内科コアカンファレンスです．毎年，内科チーフレジデントが内容をブラッシュアップしながら週1回，40回前後という年間スケジュールを10年以上も継続しているという驚くべき勉強会です．当院の研修医はコアカンファレンスでできているといっても過言ではなく，コアカンファレンスで学び，毎日の臨床ですぐに実践活用し，体得していくのが伝統です．私も例に漏れず，2年間を通して配布されたコアカンファレンス資料が破れるくらい使い倒し，マスターしていきました．何を隠そう，本書の第3版を作成した3名の著者は私が初期研修医1年目のときの内科チーフレジデント（つまり直属の師匠！）だったのです．第3版の元となった彼らのコアカンファレンスは永遠の宝物です．

　2019年に私がチーフレジデントに就任し，とうとうコアカンファレンスを作成する立場になりました．そして2023年，私の師匠が改訂し大好評を得ている第3版を，教え子の私たちが第4版へと改訂することとなったのです．奇妙な運命を感じざるを得ませんでした．医学書の中でも大ベストセラーである本書の改訂を任されることはとても高いハードルであり，重圧も大きかったです．しかし任されたからには全力で改訂すること，第3版を超えることを心に誓いました．第4版改訂にあたって，著者で構成，内容，症例や鉄則の1つひとつまで，徹底的に議論を重ねました．執筆にあたっては，最新のエビデンスにアップデートすること，症例をより実践的で現実に遭遇しうるものにすること，症例を追体験できるような流れを意識すること，鉄則はシンプルで実践的にすること，科学的根拠（evidence）のみならず，経験（experience）も伝えること，を意識しました．過去最高の改訂となったと我々は自負しています．

　本書はまさに聖路加国際病院の教育そのものです．歴代チーフレジデント，研修医だけでなく，当院の教育にかかわるすべてのスタッフ，何より日頃から我々に貴重な臨床経験を提供していただいている患者様すべての著作です．我々はそれを代表して，1冊の本にまとめることを許されたことを幸せに思います．著者を代表して深く御礼申し上げます．

　最後となりましたが，著者の選定において我々を選んでいただき，すべての章を校正するという途方もない仕事量を驚くべきスピードで終わらせ，数多くの貴重な助言

をいただいた名伯楽,森信好先生,遅々として進まない我々の原稿を辛抱強く待ち,丁寧に校正し導いてくださった医学書院の安藤恵様,岩間拓海様に深い感謝をしつつ,あとがきの筆を置かせていただきます.

2023年8月

聖路加国際病院2019年度内科チーフレジデント

藤野貴久

謝辞

執筆にあたり,ご指導いただきました先生方に感謝いたします.

聖路加国際病院内分泌代謝科	林　聖子先生	(10章 血糖異常)
聖路加国際病院心療内科	種本　陽子先生	(11章 不眠とせん妄)
聖路加国際病院心療内科	山田　宇以先生	(11章 不眠とせん妄)
東京女子医科大学脳神経外科	山畑　勇人先生	(19章 脳梗塞)
聖路加国際病院腎臓内科	門多のぞみ先生	(21章 急性腎障害・35章 慢性腎臓病)
聖路加国際病院消化器内科	高須　綾香先生	(26章 肝機能障害)
聖隷三方原病院緩和支持治療科部長	森　雅紀先生	(34章 癌性疼痛・オピオイド)

索引

ギリシャ・数字

α-グルコシダーゼ阻害薬（α-GI） 120
βブロッカー 60, 61
βラクタム系抗菌薬 154
—— の交差反応 156
γ計算 23
ω_1, ω_2受容体 139
Ⅰ型アレルギー 151, 153
Ⅲ音 215
Ⅳ音 215
Ⅳ型アレルギー 153
1,25-ジヒドロキシビタミンD（1,25 D） 339
1型呼吸不全 34
2型呼吸不全 34
2型糖尿病 19, 39, 199, 265, 269, 393
5-HT$_3$受容体 110
5 killer chest pain 66
5P，不眠の原因 133
5％ブドウ糖液 369
7D 11
12誘導心電図 70
％理想体重 378

欧文

A

A-aDO$_2$ 34
A-DROP 174
ABC（airway, breathing, circulation） 20, 39, 160
ABCアプローチ 204
ABC確保 243
ABCD2 229
ABCD3 229
ABCD3-I 229
ABCDEF，低血糖の鑑別 115, 117

abdominal wall tenderness test 84
ACS（acute coronary syndrome） 66, 72, 85, 114
AED（anti-epileptic drug） 252
—— の血中濃度の考え方 254
AF-CHF試験 64
AFBN（acute focal bacterial nephritis） 196
AFFIRM試験 64
AG開大型アシドーシス 444
AGEP（acute generalized exanthematous pustulosis） 157
air bronchogram 214
AIUEO 264
——，緊急透析の適応 430
AIUEOTIPS 39, 41
AKI（acute kidney injury） 255
—— での利尿薬 265
—— とCrの時間的関係 257
—— の鑑別 258
—— の定義 255
—— のワークアップ 257
ALP 309
ALT 309
Alvarado score 87
Alzheimer型認知症 45
AmpC産生菌 477
AST 309
ATP製剤 55, 56

B

BAD（branch atheromatous disease） 235, 238
BCAA（branched-chain amino acids） 317
beer potomania症候群 274
Billewicz diagnostic index 331
BSFS（Bristol stool form scale） 389

BUN（blood urea nitrogen） 271
butterfly shadow 214

C

C型肝硬変 41
Caブロッカー 57, 60, 61
CAP（community-acquired pneumonia） 172, 173
cardioversion 52, 53
Carnett徴候 84
CAST試験 64
CAUTI（catheter-associated urinary tract infection） 193
CCI（corrected count increment） 358
CDI（*Clostridioides difficile*感染症） 404
CHA$_2$DS$_2$-VAScスコア 63
CHADS$_2$スコア 62
Charcot 3徴 308
Child-Pugh分類 316
CIN（contrast induced nephropathy） 267
CKD（chronic kidney disease） 218, 255, 285, 393, 420, 432
—— と心血管疾患リスク 422
—— に伴う骨・ミネラル代謝異常 423
—— の重症度分類 421
CKD-MBD 423
CKD患者の管理 422
CLABSI（central line associated bloodstream infection） 474
Cockcroft-Gault式（CG式） 426, 464
consolidation 185
contamination 6
COPD（chronic obstructive pulmonary disease） 31, 41, 134, 202, 450
COPDの安定期治療 206

COPDの増悪　202
CRBSI(catheter related bloodstream infection)　474
CRT(capillary refilling time)　18
CSWS(cerebral salt wasting syndrome)　277
CTZ(chemoreceptor trigger zone)　107
Cushing現象　95
CVA叩打痛　188

D
D-dimer　75
DAPT(Dual Anti-Platelet Therapy)　239, 402
DATSuN　402
deep sulcus sign　80
defibrillation　53
definitive therapy　459
dehydration　368, 369
DIHS(drug-induced hypersensitivity syndrome)　157
DITP(drug-induced thrombocytopenia)　359
DKA(diabetic ketoacidosis)　126
DLST(drug-induced lymphocyte stimulation test)　153
DOAC　78
DPP-4阻害薬　119

E
eGFR　420, 427, 464
empirical therapy　459
ERCP(endoscopic retrograde cholangiopancreatography)　301, 308
ESBL産生菌　478
extravasation　297

F
FAILURE　212, 222
FAST(focused assessment with sonography for trauma)　88

FENa　261
FEUN　261
FFP(fresh frozen plasma)　364
FN(febrile neutropenia)　480
Framingham criteria　212, 213
FT3(Free T3)　331
FT4(Free T4)　330

G
GDH抗原　405
Genomic effect　452
GFR(glomerular filtration rate)　425
Glasgow-Blatchford score　296
GLP-1作動薬　120
ground glass opacity　185

H
HACEKグループ　7
HAP(hospital-acquired pneumonia)　172, 173, 179
HARD-UP　438
HAS-BLEDスコア　63
heel drop jarring test　87
HFpEF(heart failure with preserved EF)　224
HFrEF(heart failure with reduced EF)　224
HHM(humoral hypercalcemia of malignancy)　339
HHS(hyperosmolar hyperglycemic syndrome)　126
HI EDGE　52
HIF-PH阻害薬　425
HIT(heparin-induced thrombocytopenia)　360

I
ICI(immune ckeckpoint inhibitor)　335, 344
IPF(immature platelet fraction)　358
irAE(immune-related adverse events)　335, 344
irritant drug　167
IVCの測定　217

J・K
Jaffe法　427
Kerley's A line　214
Kerley's B line　214
KUSSMAL-P　444

L
LDH　309
Lhermitte徴候　336
LOH(local osteolytic hypercalcemia)　339
LRINEC score　471
lung sliding　80

M
MANTRELS score　87
MASCC score　482
MCV(mean corpuscular volume)　351
MIT　251
MNA-SF　376
modified Well's criteria　75, 76
MONA　73
MRSAの初期治療　180
MSCC(metastatic spinal cord compression)　336

N
Na^+-Cl^-を用いた酸塩基平衡の鑑別　442
NAVSEA　106, 107
NCSE(non-convulsive status epilepticus)　44
NGチューブ　168, 296
NIHSS(National Institutes of Health Stroke Scale)　230
Nohria-Stevenson分類　222
NOMS decision framework　338
Non-genomic effect　452
non-vesicant drug　167
NPC/N比の確認　382
NPPV(non-invasive positive pressure ventilation)　219
NRS2002　375
NSAIDs　16, 100, 103, 412
NSTI(necrotizing skin and soft tissue infection)　472

NUTRIC score　376

O
obturator 徴候　88
ODA（objective data assessment）　377
ODS（osmotic demyelination syndrome）　280, 281
OIC（opioid-induced constipation）　396
OPQRST　69, 91

P
Pancreatitis Bundles 2021　305
PC（platelet concentrate）　362
peribronchial cuffing sign　214
PESI スコア　77
pH　33
Pipes　22
PNES（psychologic nonepileptic seizure）　249, 250
POUND score　101
PPN（peripheral parenteral nutrition）　385
PRSP（penicillin-resistant *Streptococcus pneumoniae*）　200
psoas 徴候　88
PSVT（paroxysmal supraventricular tachycardia）　55
Pump　22

Q
QRS 幅　51
qSOFA（quick Sepsis-related Organ Failure Assessment）　2, 3
qSOFA スコア　174

R
RAST（radioallergosorbent test）　151, 153
RBC（red blood cell concentrate）　361
RDW（red cell distribution width）　352
refeeding 症候群　387

RSWS（renal salt wasting syndrome）　277
RUSH（Rapid Ultrasound in SHock）　22

S
SABA の吸収　207, 208
S & S（*Staphylococcus aureus* & *Streptococcus* spp.）　473
SBP（spontaneous bacterial peritonitis）　318
seashore sign　81
SGA（subjective global assessment）　377
SGLT-2 阻害薬　120
── による血糖正常ケトアシドーシス　130
SIADH　276
SIRS（systemic inflammatory response syndrome）　4
SJS（Stevens-Johnson syndrome）　157
SLE（systemic lupus erythematosus）　447, 455
SOFA（Sepsis-related Organ Failure Assessment）スコア　4
SPN（supplemental PN）　385
SpO_2 の測定方法　30
SPOONS　97
ST 変化　75
status epilepticus　245
STEMI　72
Stevens-Johnson 症候群　157
STI（skin and soft tissue infection）　472
stroke chameleons　226
SU 薬　119

T
t-PA（血栓溶解療法）　233
TACO（transfusion-associated circulatory overload）　364
tea and toast 症候群　274
TEN（toxic epidermal necrolysis）　157
Tg 抗体　333
The Fantastic Four　224

TIA（transient ischemic attack）　228
TLS（tumor lysis syndrome）　335, 341
TLS 診断基準　342
top-to-bottom approach　7
TPN（total parenteral nutrition）　385
TPO 抗体　333
TRAb　331
TRALI（transfusion-related acute lung injury）　364
TRPG（三尖弁逆流圧較差）の測定　217
TSAT（transferrin saturation）　352
TSH（thyroid stimulating hormone）　330
TSH レセプター抗体　331
TUNA FISH　478

U・V
UTI（urinary tract infection）　11, 187, 404
Valsalva 手技　56
VAP（ventilator-associated pneumonia）　172, 173, 181
vesicant drug　167
VF（ventricular fibrillation）　53
VF AED ON　22
volume depletion　368, 369
vomiting center　107
VT（ventricular tachycardia）　53

W
Wayne's index　331
Wernicke 脳症　40
WHO 除痛ラダー　411
WHO のがん疼痛治療ガイドライン　410

和文

あ
悪性腫瘍　14
悪性リンパ腫　341
アシデミア　435

あ

アシドーシス　129, 436, 438, 441
アスピリン喘息　211
アセチルコリン(ムスカリン：M₁)受容体　110
アセトアミノフェン　411
圧迫骨折　193
アテローム血栓性脳梗塞　235
アドレナリン　24, 25
アドレナリン筋注　208
アナフィラキシー　147
―― の2相性反応　149
―― の初期対応　148
アナフィラキシーショック　364
アナフィラクトイド反応　150
アニオンギャップ　435, 436
アミオダロン　60, 61
アミノフィリン点滴静注　208
アミラーゼ　302
アルカレミア　435
アルカローシス　436, 441
アルコール　277, 301
アルコール性肝硬変　315, 318
アルツハイマー型認知症　45
アルファウイルス　327
アレルギー　147
アンチバイオグラム　467
アンビューバッグ®　30

い

胃癌終末期　417
息切れ　432
胃残量(GRV)増大　384
意識障害　39, 116, 126, 315, 338
維持輸液　365
異食症　352
異所性PTH産生腫瘍　339
胃全摘後　355
一次性頭痛　102
一過性脳虚血発作(TIA)　228
胃瘻自己抜去　160, 162
胃瘻造設後　162
陰イオン交換樹脂　392
インスタントビュー®　251
インスリン処方時の注意点　124
インスリン製剤の種類　122
インスリン抵抗性改善薬　119
インスリンの適応　121
インスリン分泌促進薬　119
院内肺炎(HAP)　172, 173, 179

う

ウイルス性下痢症　397
ウェルニッケ脳症　40
うっ血　212, 221
うっ血(左心系)の指標　217

え

栄養アセスメント　376
栄養剤の投与計画　383
栄養スクリーニング　375
壊死性皮膚軟部組織感染症(NSTI)　472
壊死性薬剤　167
炎症性薬剤　167
エンピリック療法　177
塩類喪失性腎症(RSWS)　277

お

嘔気　106, 113, 414, 440, 458
―― , 急性の　307
嘔気・嘔吐　106, 399, 440
―― のメカニズム　107
―― への薬剤アプローチ　109
嘔吐　106, 409, 440
嘔吐中枢　107
悪寒戦慄　3
オキシコドン　418
オピオイド　109, 392, 395, 409
―― の剤型別換算　415
オピオイド受容体　418
オピオイド誘発性便秘(OIC)　396
オレキシン受容体拮抗薬　137
オンコロジック・エマージェンシー　335

か

カートリッジ製剤　122
海外渡航帰り　310
外傷　324
潰瘍予防薬　240
化学受容器引金帯(CTZ)　107
化学療法中の発熱　480
化学療法導入後の高カリウム血症　289
化学療法薬　392
踵落とし試験　87
拡張期血圧　18
下肢脱力　335
下腿浮腫　70, 216
喀血　292
活性酸素除去薬　240
カテーテル関連血流感染症(CRBSI)　474
カテコラミン　24
カナダ失神リスクスコア　48
化膿性関節炎　324, 325
化膿性椎体炎　478
下腹部痛　89
下部消化管内視鏡検査の適応　299
過補正への対応　280
カリウム吸着薬　288
カルシトニン　340
カルディオバージョン　52, 53
カルボキシマルトース第二鉄　354
肝移植　314
肝炎ウイルス　327
眼窩蜂窩織炎　97
肝機能障害　307
間質性肺炎　36
患者のバックグラウンドと関連する起炎菌　176
癌性疼痛　109, 409
肝性脳症　312, 316, 317
―― の昏睡度分類　313
関節液検査　324
関節炎(痛)　320
関節痛評価のフロー　320
関節の診察部位　323
関節リウマチ　98
感染症　456
―― , 迅速な対応を要する　5
感染症以外の発熱の原因　13
感染性下痢症　397
感染性心内膜炎　327
完全中心静脈栄養(TPN)　385
感染と血糖コントロール　131
肝胆道系酵素　309
肝胆道系酵素上昇　307, 310

含糖酸化鉄　354
肝不全　312, 370
感冒後の腎障害　255
顔面帯状疱疹　97
関連痛　91

き

気管カニューレ　161
気管支拡張症　265
気胸　79
起坐呼吸　219
気腫性腎盂腎炎　197
気腫性尿路感染症　197
気腫性膀胱炎　197
偽性血小板減少　357
偽性高カリウム血症　284
偽痛風　324
気道確保　27, 28
逆流　384
客観的栄養データ評価(ODA)　377
急性肝障害　312
急性冠症候群(ACS)　66, 72, 85, 114
急性肝不全　312
急性下痢症の鑑別フローチャート　400
急性骨髄性白血病　289, 480
急性腎盂腎炎　190
急性心筋梗塞　75
急性腎障害(AKI)　255
　── での利尿薬　265
　── と Cr の時間的関係　257
　── の鑑別　258
　── の定義　255
　── のワークアップ　257
急性心不全　212
　── の初期治療　218
　── の診断　212
　── の対応フローチャート　213
急性膵炎　301
急性巣状細菌性腎炎(AFBN)　196
急性大動脈解離　66
急性大動脈解離術後　168
急性多発関節炎　327
急性胆管炎　92

急性単関節炎　324
急性胆嚢炎　93
急性汎発性発疹性膿疱症(AGEP)　157
急性腹症に対するスクリーニング検査　86
急性腹症の除外　82
急性閉塞性化膿性胆管炎　166
急性溶血性副反応　364
吸着薬　392
強オピオイドの導入　413
胸痛　66
胸腹部造影CT　71
胸部単純X線写真　71, 183
局所性骨融解性高カルシウム血症(LOH)　339
巨細胞性動脈炎　97
巨赤芽球性貧血　355
　── の治療　356
緊急透析の適応　264
　── でもある「AIUEO」　430
菌血症　6
緊張性気胸　66, 79
緊張性頭痛　101, 102

く

クエチアピン　142
クエン酸第一鉄ナトリウム　353
クッシング現象　95
くも膜下出血　94
　── の診断の注意点　96
グラム染色　461
　── でグラム陽性球菌　193
繰り返す膀胱炎　190
クリニカルシナリオ　218
グリニド(速効型インスリン分泌促進薬)　119
グリメピリド内服中　115
クレアチニン・クリアランス(C_{Cr})，薬剤投与量と　426
クロルプロマジン　143
クワシオルコル　387
群発頭痛　101, 102

け

経験的治療　459
経口エアウェイ　29

経口血糖降下薬　118
　── の優先順位　118
経口摂取不能　417
頸静脈怒張　70, 215
継続する下痢　396
　── と腹痛　399
経腸栄養　380
　── のトラブルシューティング　384
経鼻胃管自己抜去　160, 168
経鼻エアウェイ　29
傾眠　414
けいれん　243
　── の原因　251
　── の治療 Step　247
けいれん再発予防薬　245
けいれん重積　245
　── の定義と対応　247
劇症肝炎　312
　── の移植適応　314
　── の予知式　313
下血　293
下剤　393
血圧管理　220
血液透析　429
血液培養　6
血管外漏出像　297
血管内治療の適応　231
血算　350
血漿浸透圧　269
血小板減少症　357
血小板増多症，鉄欠乏性貧血と　354
血小板輸血(PC)　362
　── の必要性　358
血小板輸血反応性　358
血清カリウム値と心電図変化　286
血糖異常　115
血糖正常ケトアシドーシス，SGLT-2 阻害薬による　130
血糖補正　129
血便　293, 398
下痢　384, 389
　──，持続する　435
　── の red flag sign　397
見当識障害　140
原発性肺癌　111, 243

顕微鏡的腸炎（microscopic colitis） 407

こ

抗アルドステロン薬 220
構音障害 237
高カリウム血症 283
高カルシウム血症 335, 339
　——の原因 339
抗癌剤の皮膚障害 167
抗凝固薬 240
抗菌薬
　——とスペクトラム 468
　——の de-escalation 466
　——の選択 465
　——の使い方 458, 471
　——の投与量 464
　——の乱用 458
抗菌薬アレルギー 147, 154
高血圧 218, 226, 228, 259, 393
高血圧緊急症 97
抗血小板薬 239
高血糖 384
高血糖緊急症 115, 126
高血糖高浸透圧症候群（HHS） 126
膠原病 328
膠原病・免疫疾患 14
抗コリン薬 391
膠質液 372
甲状腺 330
甲状腺機能異常 330
甲状腺機能低下症 330, 333
甲状腺刺激ホルモン（TSH） 330
甲状腺中毒症 330
向精神薬 391
高張性低ナトリウム血症 271
抗てんかん薬（AED） 252
　——の血中濃度の考え方 254
抗ドパミン（D_2）受容体拮抗薬 110
抗パーキンソン病薬 391
抗ヒスタミン薬の処方例 152
抗浮腫薬 240
高流量酸素療法 32, 36
誤嚥 384
誤嚥性肺炎 357, 365

呼吸管理 219
呼吸困難 75, 182, 202, 204, 212, 222
呼吸抑制 414
黒色嘔吐 293
黒色便 292
骨生検 479
骨粗鬆症 456
昏睡状態 443
コンタミ 6

さ

細菌性髄膜炎 94, 97, 199
細菌性肺炎 176
細胞内外シフト 289
細胞内からのカリウムシフト 290
サブスタンス P 110
酸塩基平衡の鑑別，Na-Cl を用いた 442
酸塩基平衡の正常値 433
三叉神経・自律神経性頭痛 102
酸素投与 32, 35
酸素飽和度低下 27

し

ジカ 327
糸球体ろ過量（GFR） 425
ジゴキシン 60, 61
脂質異常症 19, 52, 228, 393
シスタチン C 428
持続する下痢 435
持続する腹痛と発熱 399
持続痛 415
市中肺炎（CAP） 172, 173
シックデイの対応 130
失神 46, 250
　——の原因と頻度 48
湿性咳嗽 461
実測 GFR 428
脂肪 382
ジャクソンリース 30
若年性脳梗塞 242
シャントの診察 429
重喫煙歴 204
収縮期血圧 18
重症喘息発作 209
重症薬疹 157

腫瘍随伴性体液性高カルシウム血症（HHM） 339
主観的包括的栄養評価（SGA） 377
縮瞳 414
熟眠障害 135
腫瘍熱 14, 15
腫瘍崩壊症候群（TLS） 335, 341
循環器作用薬 392
昇圧剤 24
消化管出血 292
　——の初期対応 294
消化性潰瘍 456
上大静脈症候群 346
小腸閉塞 86
上部消化管内視鏡検査の適応 295
静脈栄養の適応 385
上腕筋囲長 378
初期インスリン投与量の設定法 122
食中毒 398
食道癌術後 385
除細動 53
除細動器の使い方 54
ショック 16, 371
　——の鑑別 20
　——の原因検索 20
　——を認知できる3つの窓 17
徐脈＋ショック 22
徐脈頻脈 50
シルエットサイン 186
心因性非てんかん性発作（PNES） 249, 250
腎盂腎炎 187, 375
　——がよくならないとき 194
　——の治療 191
心エコー 71
　——でのうっ血の評価 216
心窩部痛 85
心窩部不快感 113
腎機能低下患者 75
腎機能低下時の抗菌薬投与量 464
腎機能の評価 427
心原性失神 47
心原性ショック 21

心原性脳塞栓　235
人工呼吸器関連肺炎(VAP)
　　　　　　　172, 173, 181
腎後性 AKI　259
心雑音　70
心室細動(VF)　53
心室性不整脈　54
心室頻拍(VT)　53
浸潤陰影　185
腎性腎不全　261
　──のワークアップと治療
　　　　　　　　　　　263
腎前性 AKI　261
　──の治療　262
新鮮凍結血漿(FFP)　364
腎臓からのカリウム排泄障害
　　　　　　　　　　　290
迅速キット　72
身体計測　378
腎代替療法　431
浸透圧性脱髄症候群(ODS)
　　　　　　　　　280, 281
心不全　164, 202, 259, 370
　──の基礎疾患　223
　──の身体所見　215
　──の病態把握　221
腎不全　370
心房細動　164
　──の抗凝固療法　61
蕁麻疹　151

す
推算 GFR(eGFR)　420, 427, 464
水頭症　97
膵頭部癌　373
水分 30 mL/kg の根拠　367
水分投与量の決定　382
髄膜炎　97
髄膜播種　97
睡眠に対する非薬物療法　133
睡眠薬　134, 135
　──の種類と特徴　136
スクリーニング検査，ステロイ
　ド開始時の　453
頭痛　94
ステロイド　113, 133, 340
　──の使用法　447
　──の投与方法　452

ステロイドカバー　449
ステロイド性骨粗鬆症　457
ステロイド全身投与　208
ステロイドパルス療法　452
スライディングスケール　125
すりガラス状陰影　185
スルホニル尿素(SU)薬　119

せ
制酸薬　392
制吐薬　391
生理食塩水　369
脊髄圧迫　335
　──,悪性腫瘍による(MSCC)
　　　　　　　　　　　336
責任インスリン　124
赤血球分布幅(RDW)　352
赤血球輸血(RBC)　361
セロトニン(5-HT$_3$)受容体　110
閃輝暗点　104
鮮血便　298
全身管理　240
全身性エリテマトーデス(SLE)
　　　　　　　　　447, 455
全身性炎症反応症候群(SIRS)　4
全身の紅斑　157
喘息　147
喘息発作　202, 206
　──の重症度　207
せん妄　132, 140
　──に用いる薬物　142
　──の説明，家族に対する
　　　　　　　　　　　146
　──のリスク　143
せん妄予防の環境整備　143
前立腺炎　195
前立腺癌　109, 410

そ
造影剤腎症(CIN)　267
総エネルギー　382
相対的徐脈　12
総胆管結石　86
早朝覚醒　135
側頭動脈炎　97

た
第 3 世代セファロスポリン＋バ
　ンコマイシン　200
体うっ血(右心系)の指標　216
体液管理　220
体液の 1 日量と電解質組成
　　　　　　　　　　　374
体液の組成と輸液　368
体液量減少　260
体液量増加　260
体液量評価の項目　260
大球性貧血　355
代謝性アルカローシス　445
大酒家　301
代償性変化　437, 441
体性痛　91
大腿骨頭壊死　456
大量の下痢　344
多次元受容体(MARTA)　110
脱水補正　368
多発肝細胞癌　13
多発関節痛　326
ダブル ABCD　422
胆管炎　153
担癌患者　335
　──の意識障害　339
　──の嘔気　112
　──の抗凝固療法　79
短期留置 CVC　475
短時間作用型 β_2 刺激薬(SABA)
　の吸入　207, 208
胆汁うっ滞パターン　308
胆石　23, 301
胆道系酵素上昇　307
胆道閉塞　308
胆嚢炎　86
蛋白質　382
蛋白尿　420

ち
チアゾリジン薬　119
チクングニア　327
注意力障害　140
中心静脈関連血流感染症
　(CLABSI)　474
虫垂炎　87
虫垂炎術後　82

中枢性塩喪失症候群（CSWS）
　　　　　277
中枢性嘔吐　108
中途覚醒　135
中毒性表皮壊死剥離症（TEN）
　　　　　157
腸管出血性大腸菌　403
長期留置 CVC　476
腸閉塞　417
鎮静系抗うつ薬　138

つ・て

痛風　324
低活動型せん妄　145
低灌流　212, 221
低血糖　39, 115, 227
── とビタミン B_1 の投与
　　　　　40
── の症状　116
低酸素血症　37
低張性低ナトリウム血症　273
低ナトリウム血症　269
── の鑑別フローチャート
　　　　　270
── の治療フローチャート
　　　　　278
── の補正　278
低ナトリウムと浸透圧　270
低流量酸素療法　32, 35
適正治療　459
鉄欠乏性貧血
── と血小板増多症　354
── の診断　352
── の治療　353
鉄剤　392
テトラヒドロトリアジン系薬
　　　　　120
デノスマブ　340
電解質　343
電解質/K の補正　129
電解質投与量の決定　382
てんかん　250
電気ショック　53
電気的除細動　52, 53
デング　327
点滴自己抜去　160
点滴漏れ　160, 166
転倒　160, 165

転倒に伴う合併症　165

と

糖吸収・糖排泄調節薬　120
糖質　382
洞性頻脈　51, 52
透析患者の管理　429
等張性低ナトリウム血症　272
疼痛のコントロール　410
糖毒性　130
糖尿病
　　　　2, 126, 218, 226, 228, 420
── による末期腎不全　429
糖尿病教育入院　124
糖尿病性ケトアシドーシス
　（DKA）　126
動脈血液ガス　33
動脈血液ガス検査　70, 432
── と静脈血液ガス検査の違
　い　434
── の異常　432
投与中断が問題となる薬剤
　　　　　166
トキシン検査　405
特発性細菌性腹膜炎（SBP）
　　　　　318
特発性食道破裂　66
吐血　292
突出痛　415
突然の胸痛　72, 75
突然発症のせん妄　145
ドパミン　25
ドパミン（D_2）受容体　110
ドブタミン　25
トランスフェリン飽和度（TSAT）
　　　　　352
トラゾドン　138
トラマドール　412
トリプタン製剤　102
止痢薬　392
トロポニン上昇　75

な

内視鏡的逆行性胆管膵管造影
　（ERCP）　301, 308
内臓痛　91
ナルデメジン　395

に

二次性頭痛　94
入院中の発熱　473
入眠困難　135
入眠障害　135
ニューロキニン（NK_1）受容体
　　　　　110
尿アニオンギャップ（尿 AG）
　　　　　439
尿検査　251
尿素窒素（BUN）　271
尿蛋白/クレアチニン比　422
尿中亜硝酸（U-Nit）検査　192
尿中ナトリウム濃度　275
尿道カテーテル　193
尿路感染症（UTI）　11, 187, 404
尿路結石　86, 190
妊娠　89
認知機能障害　140
認知症　7, 272
── に対する 1 分間スクリー
　ニング　144

ね・の

ネーザルハイフロー　36
捻転　83
脳炎　97
脳血管疾患の可能性　95
脳血管障害　97
脳梗塞　45, 179, 226, 380, 393
── で行う検査　236
── でよく認める所見　227
── の初期対応　232
── の病型　234
── らしくない所見　227
脳腫瘍　97
脳膿瘍　97
脳ヘルニア　97
ノルアドレナリン　24, 25

は

バイアル製剤　123
肺炎　172, 182, 283, 384
肺癌終末期　413
敗血症　2, 4, 191
敗血症診療の変化　4
肺血栓塞栓症　66, 75
── の治療　78

排出障害　289
バイタルサインの安定化　219
排尿時痛　188
背部痛　335, 410
播種性丘疹紅斑型薬疹　154
バソプレシン　24, 25
バソプレシン V_2 受容体拮抗薬
　　　　　　　　　　　220
バッグバルブマスク　30
パッチテスト　153
発熱　2, 262, 398, 461, 465, 478
──, 男性の原因不明の　195
── と呼吸困難　172
── の鑑別疾患　8
── の原因, 感染症以外の
　　　　　　　　　　　13
発熱性好中球減少症（FN）　480
鼻カニューレ　35
バルサルバ手技　56
パルボウイルス B19　327
ハロペリドール　143
バンコマイシン　200
反応性結節炎　327

ひ

非Ⅰ型アレルギー　147, 157
── による皮疹　154
非壊死性薬剤　167
皮下脂肪厚　378
ビグアナイド薬　118
非けいれん性てんかん重積
　（NCSE）　44
非侵襲的陽圧換気（NPPV）　219
ヒスタミン（H_1）受容体　110
非ステロイド性抗炎症薬
　（NSAIDs）　16, 100, 103, 412
ビスホスホネート製剤　340
ビタミン・微量元素の投与量
　　　　　　　　　　　383
ビタミン B_1 の投与, 低血糖と
　　　　　　　　　　　40
ビタミン B_{12}　355
ビタミン欠乏　384
左下肢腫脹　471
左上下肢麻痺　230
左背部痛　458
左片麻痺　237
非定型肺炎　176

ヒドロコルチゾンコハク酸　448
皮膚障害を認める薬剤　167
皮膚軟部組織感染症（STI）　472
非ベンゾジアゼピン系睡眠薬
　　　　　　　　　　136, 139
非弁膜症性心房細動に対する
　DOAC の使用設定　63
非薬剤性の便秘の原因　391
微量元素欠乏　384
非淋菌感染症　326
ピロリ菌感染症　353
ピロリン酸第二鉄　353

ふ

不安定な不整脈　50
フィダキソマイシン　407
風疹　327
フェイスマスク　35
フェニトイン　246
フェノバルビタール　246
フェブキソスタット　343
フェリチン　352
フェンタニル　417, 418
不穏　5
腹腔内出血　86
副腎皮質ステロイド　200
副腎不全　448
── の症状　448
── のリスク　449
腹水　318
腹痛　82, 398, 409
──, 急性の　307
──, 徐々に増悪する　84
── と発熱, 持続する　399
── の緊急性判断　83
── の問診・病歴聴取　91
腹部エコー　86
腹部診察　90
腹部大動脈瘤　86
腹膜透析のエマージェンシー
　　　　　　　　　　　431
フマル酸第一鉄　353
不眠　132
フリーラジカルスカベンジャー
　　　　　　　　　　　240
ブリストル便性状スケール
　（BSFS）　389
プリックテスト　151, 153

プレフィルド製剤　122
フロセミド注
　── の持続点滴　265
　── の静注　265
プロトンポンプ阻害薬（PPI）と
　下痢　407
分岐鎖アミノ酸製剤（BCAA）
　　　　　　　　　　　317
分枝粥腫型脳梗塞　235, 238

へ

平均血圧　18
平均赤血球容積（MCV）　351
閉鎖孔ヘルニア　86
閉塞　83
閉塞性腎盂腎炎　191
ペインコントロール　409
　── とレスキュー　415
　── の目標　411
ペーシング　65
ペースメーカー　65
ペナンブラ　226, 238
ペニシリンアレルギー　155
ペニシリン耐性肺炎球菌
　（PRSP）　200
ヘパリン起因性血小板減少症
　（HIT）　360
ヘフペフ　224
ヘフレフ　224
片頭痛　94, 100, 101, 102
　── の前兆　104
ベンゾジアゼピン系睡眠薬
　　　　　　　　　135, 136, 139
ベンチュリーマスク　36
便秘（症）　389, 390, 414
　── の red flag sign　391
　── の診断基準　390

ほ

蜂窩織炎　471
膀胱炎　187
膀胱直腸障害　335
補完的静脈栄養（SPN）　385
補充輸液　365
ホスフェニトイン　246
補正 HCO_3^-　440
補正血小板増加数（CCI）　358

発作性上室性頻拍(PSVT)　55
　──の予防治療　57
発作性心房細動　58, 59

ま
マグネシウム点滴静注　208
末梢血リンパ球数　378
末梢静脈栄養(PPN)　385
末梢静脈ラインの自己抜去　166
末梢性μオピオイド受容体拮抗薬　395
末梢性嘔吐　108
慢性下痢症　398
　──の鑑別　402
　──の鑑別フローチャート　401
慢性腎臓病(CKD)　218, 255, 285, 393, 420, 432
　──と心血管疾患リスク　422
　──に伴う骨・ミネラル代謝異常　423
　──の重症度分類　421
慢性心不全　265
慢性閉塞性肺疾患(COPD)　31, 41, 134, 450
　──の安定期治療　206
　──の増悪　202
慢性便秘症
　──の治療フローチャート　394, 395
　──をきたす薬剤　391

み
ミアンセリン　138, 142
右下腿の発赤・腫脹・疼痛　465
右上腹部痛　90
水中毒　273, 274
ミダゾラム　246
未分画ヘパリン　78
ミルリノン　25

む・め
無症候性細菌尿　190
むずむず脚症候群　352
メラトニン受容体アゴニスト　138
免疫関連有害事象(irAE)　335, 344
免疫チェックポイント阻害薬(ICI)　335, 344
免疫不全　484

も
毛細血管再充満時間(CRT)　18
網状影・網状線状影　185
網赤血球　350
目標エネルギーまでの到達計画　383
目標血圧　424
モルヒネ　418

や
夜間の不穏行動　140, 145
薬剤関連の不眠　133
薬剤性過敏症症候群(DIHS)　157
薬剤性腎障害　266
薬剤性免疫性血小板減少症(DITP)　359
薬剤投与量とクレアチニン・クリアランス(C_{Cr})　426
薬剤熱　12
薬剤の使用過多による頭痛　100
薬疹　154
薬物乱用頭痛　100

ゆ
夕食後の皮疹　150
遊離T3　331
遊離T4　330
輸液　17, 129, 365
　──，理想的な　26
輸血　361
　──の副作用　364
輸血関連急性肺障害(TRALI)　364
輸血関連循環過負荷(TACO)　364

よ
葉酸欠乏　355
溶質摂取不足　273
幼若血小板比率(IPF)　358
腰椎圧迫骨折　27, 371
腰痛　16, 478
腰背部痛　188

ら
ライム病　327
雷鳴様頭痛　95
ラクツロース　317
ラクナ梗塞　235
ラスブリカーゼ　343
卵巣癌　409

り
罹患関節数　323
リザーバーマスク　35
リスペリドン　142
利尿薬　133, 392
リパーゼ　302
硫酸アトロピン　65
硫酸鉄　353
緑内障発作　97
緑膿菌の初期治療　181
淋菌感染症　326, 327

る・れ
ループ利尿薬　220
レートコントロール　57
レジオネラ　178
レスキュー　416
レベチラセタム　246

わ
ワルファリン　78